在日朝鮮人資料叢書17

宇野田尚哉編・宋恵媛解説

在日朝鮮文学会関係資料

一九四五〜六〇

3

緑蔭書房

凡例

一、二『鶏林』は大村益夫氏所蔵資料を使用した。
一、原本がハングルのものは目次で日本語訳を（　）内に付した。
一、原本は基本的に原寸で使用したが、一部、本復刻版の判型（A５判）にあわせて拡大した。
一、解説（宋恵媛）は第１巻の巻頭に収録した。

目次

二　『鶏林』鶏林社

第二号　一九五九年一月一日————241

第3部　在日朝鮮文学会の周辺

一　詩・詩論『불씨』(火種・BUL SSI)

詩 · 詩論

불씨

BUL SSI

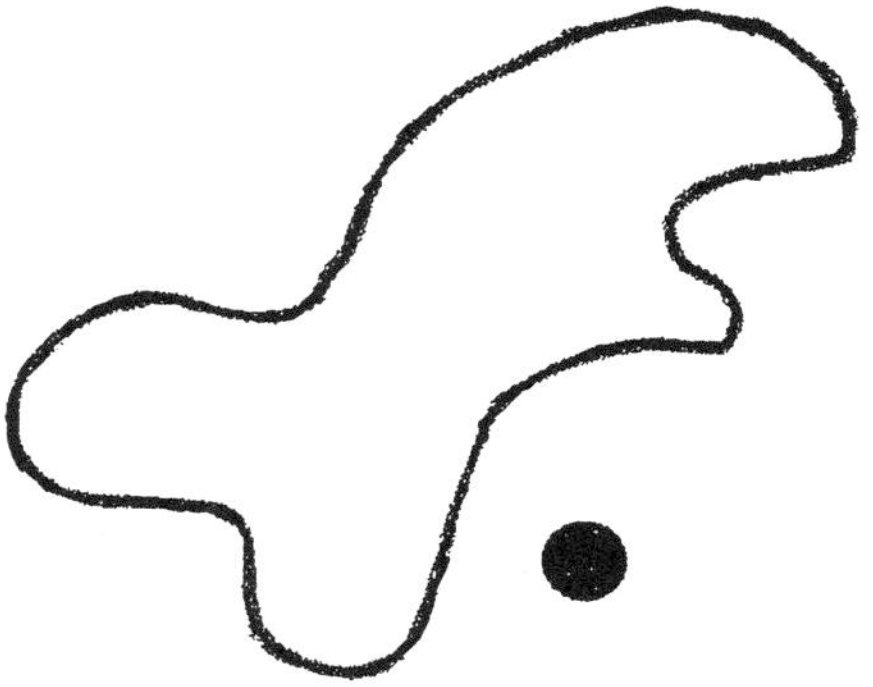

1

1957

詩　詩論

불씨

1

吳林俊
李盛夏
金太中
金炳三
金棟日
具本彩
姜舜

詩 · 詩論

불 씨

1

1 9 5 7 ·

詩同人誌

気流

1

詩集

許南麒

姜　舜

南時雨

조국에 드리는
노래

그이

姜舜

맹물밖에
내여놓것이 없었다。
그러나 그는 가난한 잔을
두손으로 바쳐들어 마셨다。

사과 꾸래미 하나
둘고 올처지는 못되였다。
부드러운 마음씨로
이마를 짚어줄 뿐이였다。
념려스러운 눈치
불끈 쥐여지는 힘찬 손결

I

제실 많이 와서
제실 늦게까지 앉았다가
말적게 돌아가는 그이가
내 병을 갔다 버리려 왔다 갔다

투병의 방안에
이기여야 할 결의를 돋순다음
태양의 향기를 담뿍 뿌리며
어둠을 박차고 그이는 성성 갔는가

그이와 그이와같이 걸는 수없는
그이들은
언제나 나 혼자 두지 않았다。

2

신발도둑

신발,
신발,
신발......

허구 많은 신발중에
멀정한 구두를 벗어놓고
헌 구두를 신고 간
신발도둑은 누구뇨?

온밤을 잠이 설피인 이틀날
집집마다 다녀서 찾아낸

밀청이 털럭거리는 내구두
삼년 넘은 반려여!

「빗싼 흥정을 해서 분하겠노라」
웃고 나서는 그 신발도둑
「길이 들면 편하리라」
굳이 신으라는 그이와 그 구두

졸라 메는 구두끝에
새날의 밝은 해발이 서린다
적은 일에 피선되던
주먹쥐 담날 아침이여!

4

15 一 『불씨』(火種)

낮 도깨비

있다가 없어지고
없다가 있어지는
그도깨비가 아니다。

으슥한 밤이면
능큼한 할머니의 주머니 속에서
좌글 좌글 튀여나오던
그러한 도깨비는 아니라

설웃음 쓰슥쓱
자유를 위하여
나라를 위하여

호려내는 도깨비가 있는것이다。

이마를 드디고 서서
충뿌리로 몰아가는
낮도깨비가 실재하는 것이다。

앞뒤를 살피라。
앞뒤를 살피다。

영어족

꾸우욱

뽐은 거 하야

Modern American Style

영어 덕분에

미끈히 은좌(銀座) 출립이 가지었

고

외교솜씨에 돈김이 붙어

일본 기집애 홀딱 호려내여

아다미(熱海) 숙박이 자랑인

짜·쓰· 코·스·모·포·리·탄· 내 품기며

일본 서울의 보도우를

납신 납신 걷는양이
이건 기름독에서 건져낸 생쥐일
다。

바다 건너 모셔다
미구에 영어학자랍쇼
보내온 아무것이는
꽁화국을 향한 소리의 총사령가
큰 트·렁·크·
적은 손가방에는
밀수업자의 매국의 딸라가 들어
있고
쫓겨온 박사들의 전정은
큰 박사님의 림종을 굽어 기다

리는 동안
려권 전매의 산수에서는
타·잎·ㅣ라·이·다·ㅣ의 폭음이
영문없는 잠을 설피였다。

살필서라
영어족의 뒤전을
살필서라
노망난 늙은이의 시복들을
머리감은 생쥐가
조국의 한편을 들락거리는 틈에
알밥 겁질이 수북 수북 쌓여 오
른다。

"訣別"

具本彩

이대로 벼려두고
너는 빨리 돌아스라
너에겐 내처 쫓따를
부러운 섭섭이 남어있다

바위틈에 끼여
사지를 뺃고
내 넋은 머나먼 길을 떠났느니
철어린 무리들이 되려는
점은 단막이 가소로웠다

그네 무릅을 벤체
빛나는 너의 눈매를
그몇번인가 처다보던
신열에 취한 나는
영 돌아오지 못할 모ー탈이었
다。

……

한갖
조국의 개인 아침을
노래하신 어머니가
승리의 기뿜에 뒤끓는
네거리에서
아들의 이름을 되이는

뜨거운 정경을 또 보았다

나는
人民의 아들로 자라났다.
三代의 아들이란
끔직잖은 감상을 떨치고
나라의 선각
우리 兄弟에게
어깨를 짜게한
어머니의 사랑은 너그러웠다

어머니는
겨레의 복지 따라
희망의 전렬에서

23 — 『불씨』(火種)

끝내 소담하게 싸워주리리

너는
언제까지나 비석처럼 서서
울고만 있으려나
어서 돌아스라
너에겐 이내 진을치고서
사나운 종족을 무찔너야할
부러운 성섭이 남어있다

다만 너에게 원하노니
꽃도 눈물도 아닌
염、 꺼끼울리없는
너의 정열의 노래만 남겨다오

나를 에워싼
마을도 강도
나는 그의 이름을 모른다

그러나 나는
낯서른 파수병으로
太古와함께 엎드린
모진 바위가 되마

14

25 一 『불씨』(火種)

멍든 季節

金棟日

락엽을 모아
불길을 올린다.

밤낮으로 울음소리 와작거리는
곳에서
먹구름 천둥소리에 빼빼 말라붙
은 사람들이 계절에 파묻처 살
고 있었다.
‖ 날 살려 주오 ‖
땡땡히 살찐 헛기신들이 칼춤을
취고
그런 풍습이 제멋머로 늘어간

력사

구름은 흘러가는것。

그날부터 지녀온 석경에 꼬리를
달고
철마다 개가 짓는 이마을에 와
서
수년채 드는 가난을 이고
오늘은
그 멍든 거리에서 잇발 다물고
헤메든
그날 그리운 당신이 매맞어 죽
어간날

등뼈에 스민 노여움이 하늘을
건너
피흘린 그 비거리에 서서
나는 단정히
당신의 명복을 빈다.

멍든 季節。

당신에게로
당신에게로
이 계절이 불길을 타고
담넘 고향이 있다는 방향을 따
라 저간다.

밤이 깊어서.
「고향이란
참 고운것이라오」
그렇게 편지를 써다가도 찢어버
렸다.

지난 기억이 꿈팡이처럼 피어오
르고
중히 지켜온 반역의 손결도
지금은 피곤해저
침침한 벼락무게에 눌려서 초라
하다.

캄캄한 밤
킷떨어진 화로에 불을 피우고
평山里 皿皿皿번지의 략도를 그
려본다。
어릴적 외워둔 통보리밥 씨락국
맛을
벽에 걸어 부치고
멀지않아 겨울이 또 떠난다는
소식에
입맛을 보살펴 앉아
어리디 어린 도톡한 좁살 반항
의 목록을 꾸마면서 어머니、1 당

신의 부푼 젖꼭지가 그리운구려,

「고향이란
참 고운 것이라오」
이렇게 믿다가도 웃어버리면,

아름다운
아름다운
내일을 마련하는 밤이 유달시리
도 칩다.

擬

부성

핑

퐁

이름조차 알수없는 벌기들이
저렇게도 空間을 란무하는 것은
그것은 모두들 생명을 위한 시
위다。
이 험하고 절박한 계절에 나는
나머로 어제를 고수하여야 할 리
유를 발견할수가 없었다。
또 擬說이 될수 있는 다른 리치

를 위하여 똑똑히 자리를 지켜
야만 할 전설을 믿을 수가 없었다.
벌기들은 바야흐로 내일에 대하
여
조전하는 것이다. 그것은 어린 반
항이었다.
그 낡은 벽이 믆어지는 소리
가 차이서 멀리서
空間에서는 파아란 결심들이 비
행기보다도
빠른속도로 저가고 온다.

살고 있다

金太中

고향을 지고 온 사나이가 날더러
고향 흙을 사달라고 왔소구려
불과 한줌의 흙덩어리를 털어내며
「자 얼마라도 좋소」라는 흥정이다。
외면하며 나는 나는 부라리였다
이녀석 상티망타리스트!
사나이의 눈초리가 치솟다가
한마디

「아이고」……신음쳤다

나기를 바다에서 났다 나는
그러므로 흙을 모른다
나는 달밤에 났다더라
그러므로 태양을 모른다

내 고향아、나는 너를 모르는구
나
너도 나를 모르나
고향아、나는 알고있다
너의 흙내가 훈훈함을。

35 一 『불씨』(火種)

여보 고향아

내 고장에는
어늿때나 구름이 떠 돌았다
손을 펴 황망히
먼 데서 나는
“여보” 여보를 되노였으나
옴싹도 않던 내 고장 얼굴은
끝끝내 구름속에 숨어 버리고……

무척 다는 바다를 좋아한다
바다울림은 바람을 타고
귀청을 찌를듯 지나도

나는 외치며 외친다
여보 네 얼굴을 내여 밀어다오ㅡ

여보, 고향아
나는 키떠러진 키먹어리
여보, 고향아
나는 목청없는 불구자

그러나 보소
너 내 고향아
내게는 눈이 있느니라
살점같은 두 눈이 있느니라

異域에서

吳林俊

이역에는 감옥이 있을뿐이였다。
그안에 던져졌던 나

거기에는 특고(特高)가 있었고
거기에는 쇠창살이 있어
조각난 푸른 하늘이 드려다 보
고 있었다。

거기에는 안변소가 붙었고
거기에는 빠짐없는 알랑미밥이
돌았고

거기에는 비셀 걱정이 없었으나
자유는 없었다.
그 자유에는 차입이 통치 않았고
그 자유에는 조국의 속자락에
입마추는 뜨거운 뜨거운 입술이
있을뿐이였다.

거리

허영과
선망과
체재와
해돈(河豚)과 같이
막의가 날카핀
고양인의 넥타이。

수지같이 삶아
커피ㅣ의 근대미각
짜쓰와 지중해 샹송。
발광하는 지성의 스탭파 좌
담회。
신간서의 홍수。
선전대의 그악스런 오케스트라。
거리마다 뿌려지는 지폐의 락
엽。
진발의 내다 디딜 여지는
사라졌다。

41 ─ 『불씨』(火種)

도시여
횟칠한 문명이여
발가숭이가 쫓겨나는
멀잖은 말로의 아우성이여。

31

배

金炳三

1

바람에 불리우는
헛된 아픔인가。
한없이 굴리우는
조약돌의 그늘에서

바람은 썩고
그 한 바루
핏빛도 야윈 상채기의
애증의 때는 떠났으나……。

2

삶은 창우지와도 같아라
창백한 바람을 비추워
나의 빈 뇌수에
達하는

하얀 뼛쪽
아득한 집념에 대하여

아아 지금은
손가락 하나 달삭지 않으며
가누기 어려운 거만한 도사림에
넋 잃은 돌이여
때여.

33

지평은 허물어져 니려
어데로 가냐
뿌연히 허물어진 돌이
狂症의 길을 질러 막어

나는 굳이 굽어 볼 뿐이다
돌의 안식을
하이얀히 숨지는
허탈한 뼈들을。

W·볼히셀트詩抄

李盛夏 訳

사랑의노래

이미 밤이 깊었으나
너의 집에 나를 재워다오
나는 너를 위해
무어든 되여주마!

어데서 어데로 가느냐고
묻지를 말고—
내 사랑을 받아다오
나를 남기없이 받아다오!

오늘밤 하룻저녁을
나를 위해 순한 짐승이 되여다오
이것저것 묻지를 말고 이 한밤
밖에는
너의 곁에 머물지 못 하리니

달이 속인다

달이 「그로테스크」한 모양을 벽에
다 그린다
그로테스크? 밝다나 밝은 四角
形、거이 이그러진 테가 없다

거므죽죽한 회색 가느단 선이
몇줄이라 할것없이 클리어졌다
초망인가? 거밋줄인가?
그러나 窓에 눈길이 갈적마다
아아 눈섭이 파닥거린다
窓에는 창살이 박였다

어지간히 계산했스나
이런것이 겨우였다。
다음 호는 활판으로
낼작정이다。

— 동일 —

불씨 1호 (창간호)

1957년 1월 20일 発行

編輯発行人 金棟日

連絡所 横浜市神奈川区
沢渡21番地

詩·詩論

불씨

BUL SSI

1957

2

詩·詩論

불새

2

黃命東 吳林俊 李蓮珠 李盛夏 金太中 金宙泰 金時鐘 金棟日 具本彩 姜舜

詩·詩論

불씨

1957·

魚

金 東 日

물속은
오늘을 위한 理想이었다。
땅을 눌리고 목숨을 버티는
타고난 生理에
버릴수 없는
欲情에 찬
魚

물고기는
부푼 展望을 머리에 이고
물빛을 計算했다。
달밤도 별빛도
그리움은 아니었다。

나날이 흘러가는물。담긴 물。
그런 時間이 가르친 魚群의 周囲에는
먼 先祖들의 遺蹟이 있었을 뿐。

하늘에 눌려
땅을 눌리고
두 눈알이 遺蹟을 삼킨
그 時刻
마다。
魚族은 헤우잔 잃고서는
내일이 없었다。

편지

柚子골 들담
그기로 부터 어머니는 멀리 떨어진
아들의 생일을 해마다 치러는 것이었다。
모잘게 덤비는 날포리떼들이
낮은 천정아래서 포들소리 살쩌지가는
마을。
ㅣ너는 어랄적 부터 몸이 약했드라
ㅣ그곳은 비가 많다지
눈줆은 모시옷치마에 아들의 婚衣를 꿈꾸
는 어머니。ㅣ
오늘은 비가 옵니다。
때때로 야윈 가슴팍에 호두알처럼

들어와 박히는 敎訓을 좇어
모와。
비오는 날이면 겁질을 벗기는 것입니다。
여문 皮殼。
苔刑、屠殺은 해마다인데
어머니 당신의 이빠진 웃음은 또 몇년
을 기다려야겠습니까。이 비오는 날부터。—

4 —

화려한 屈從

쉴줄 모르는
文明。
어지러운 수레바퀴에
뿔돋은 哺乳動物들이
피로를、푼다。

삿갓 쓴 老人들이
先祖자리를 꾸미고
령한 풍수 陽地비탈에
墓를 돌보고
日月星辰 나무랠수 없는
구비친 터전에
태여난 사람들。

이 하로가

모진제도 가슴 맥히는
그런 옛날이 쉰새없이 퍼부어
숭축한 伝說은
屈從처럼 화려한 장식을 하고
落葉처럼 헐어져 파묻친
屍体를 품고
지금은 서라벌 구백년도 예로 지고
陽地 비탈마다
고근 種族의 体臭로 덮여
령한 풍수도
그 언덕도

뒤집힌 땅。

쉴새 없이
風景은 採色을 베풀어
人情은 스스로의 輪廓을 까먹는
그런 력사가
날로
날로
익어 가는것이엿다。

6 —

独白

具本彩

가라시문 갈래요
납덩일 물고
모래알을 치며
뭇 별들에게
물어 물어
님이 필묵놓고 니르신
어겨시 안될길을 찾어가려오。

표독스런 사탄의 仇敵인
죄많은 나
조고만 경면(鏡面)에
퍼뜨린
오리오리의 란문(乱紋)은

님에게 바뜨릴
기구한 벌모의 넉두리라오。

겁질린 손발 느리고
어둔 구렁텡이에
외따로 스야할……

아아
정연 이 내목숨이라믄
님의 영(令)가시우리
차라리 촉루(髑髏)되어
흐르려오!
이름 흐리운 누리에
흐르려오!
깨여남없는 밤되어 흐르려오。

(一九五二年手帖에서)

出帆

속드리 저린 울적한 가슴에
희미한 장막은 끼었대도
한때 울려온 우렁찬 고동이사 ―

빛두룬 바다의 순례자처럼
은방울 간간이 얄랑이며
몰미러 다닥치는 소리를 듣자 ―

돗접은 갑판위에 설레는
조각조각의 비늘들이
쩗은 환각(幻覺)으로 부서진대도 ―

내못내 안잊히울노래
마음속 깊숙묻고
바람의 길로 한 물결을차마 ―

(一九五三年手帖에서)

추도시

—삼가 안세훈선생의 령전에 올립니다—

金 時 鐘

촛불이 타 꺼지듯이
소리없이 생애를 마친 밤
지상에는 먼동이
고요히 감돌고 있었답니다
뼈어린 조국땅이였기에
사랑하는 겨레의
행복의 길이였기에
캄캄한 토굴속의

진흙을 쥐어잡고
남모라 도라가신
六十여세의 생애
감지못한 눈동자에도
새벽은 아득히 숨여들고 있었답니다

선생님
보답없는 길에서 어둠을 헤치던
선생님
그리 념원하시던
아침이 온다는데
참혹한 남조선의 토굴속에서
생명을 가리우신 선생님
지상에는 봄이 왔답니다
이름없이 묻혀있는 토롱위에
갈려있는 조선의 진달래가
붉게 붉게 피여있답니다
남조선 토막마다

붉은 빛을 띄우듯이
연변의 저의들 마음속 깊이 깊이
분노의 불꽃을 솟추듯이……

（大阪 국문사에서）

望鄕

吳林俊

어머니、떨면서 문을 두들기고 있는것이
저올시다。
어서 열어주세요。어둠에 서서 흐느끼고
있는것이 바로 저올시다。
불을 드시고 계신 당신 저의 귀향을 눈
이 빠지게 기다리고 계셨을 당신이
이제야 돌아 오는길인 이 자식을왜
반겨 맞여 주시지 않으십니까。

불빛이 밝아 문틈마다 죄다 안이 들여
다 보입니다。
인자하심이 생동하고 있는 그곳에 어서

저로하여금 무릎을 꿇게 하옵소서。

어머니 차단히 언 얼굴을 맞여 들여 왜
껴안아 주시려고는 하시지 않으십니까。
바다에 풍랑이 일어 탄 배가 팽이처럼
돌았던 적이 있었습니다。
많은、많은 표류의 쓰라림이 저에게 있
어 해가 갈수록 키여움을 받던 저의
등이 앙상한 산괴(山塊)로 되여졌습니다。

멀쩡한 저올시다。지난날을 잊으시고
어머니 얼른 열어 주실문을 열어주세요。

겨울바람을 벌써 수탉이 울기 시작하였는
데
먼동이 트기전 기어어 흰눈이 퍼붓으려하
온데。

래일을 위해 살지 않으련다

金太中

오만한 래일을 위해
나는 살지 않으련다
자라날 樹木의 그림자를 위해
나는 말을 마련치 않으련다
서로 손 잡으려는 날을 위해
오늘날의 원수를 버리지 않는다
래일이 래일을 위해서만 있을 래일을
나는 유독히 미워한다……

어리던 날이 어제와 같을 그런 記憶에
나는 살지 않는다
어제가 오늘이 아니듯이 지난날이 지난날

가슴을 더듬던 손이 지금의 내에게 어
데 있으랴
저주받은 날들은 저주키 위해
상한 날은 상처를 핥기 위해
그리고 마른 海峽은 패잔한 민족의 流
亡을 위해서만 있었던가
피어린 력사을 설어 히 사람이여

海峽

黃 命東

絞首台를 오르는 나는
死刑囚보다 먼저
목매인 過去의
그림자

또는 거센 물결이
쳐올린 北極바다의
海藻

勲章처럼
주렁주렁 매달린 조개들과
함께 나는
이 한여름의 海边에

흔한 것이다
太陽은
썩은 염통
丹毒보다 詩은
목젖이 海峽까지
내밀리어
地球 꺼풀에서는
머리칼 타는
냄새가 난다
黑死病도
꿈주림도
고기 뼉다귀도

73 — 『불씨』(火種)

이글이글
타는 風景에
억눌리어

이제금 나는
빠짝 가마귀떼를
생각한다

피가 흘러
피고름이 흘러
海峽은
노을처럼 華麗한데

벼란간 갈치비눌처럼
차고 느릿한
閃光이 휘감기는
섬

鶴

金宙桼

한 마리 鶴이로다
푸른 하늘이 그립고
붉은 땅들이 설어

湖水같은 童顔에 희망은 차도
하염없어
하염없이 달리는 詩心은
멀다。

憧憬에 취하고
責苦에 울며
대낮에 꿈꾸는 어리석은 天使

이처럼
긇어 오르기만 하는 정열이기에
詩心은 白鷗처럼 雅尙하여라。

방축

姜舜

바람 치고
억척같이 비가 쏟아지고
강이 넘어나서
전답을 쓸어가며
마을과 낮은 지경을 휩쓸어 가렬때
기를 쓰고
목숨을 바쳐
홍수를 막아내는 것이 있었다
해들고
고요한 날
시원힌 바람과

장쾌한 그늘과
푸른 자라로
고단한 다리를 쉬게 하며
정다운 달밤의 길을 지워 주는
너그러운 품이 있었거니

무수한 사람들이
험상궂은 계절외는
잊고 삶은 웬말인고
우리와 홍수 사이에 서서
부단히 침범을 지키는
무언의 방위가 있음은

77 一 『불씨』(火種)

된서리

아가야 지붕마다
뽀오얀
저 서리를 보아라
둥둥 우리 아가야
바람도 없이
간밤이 추었구나

아가야
재해를 받아
집집이 저렫치면
머언 산 단풍도 지고
앞밭 상수리밭을 뒤지던
목이 흰 곰도 동민을 시작하였으리니

머잖아 흰눈이
우리의 하늘을 찾아 올 것이 아니겠니

야갸야 고동소리가
더 한층 높아진 이 아침에
익은듯 손발이 빠알거니
첫 화롯불을 이렁이렁 피워
서리 줍는 병아리와 달라
너를 너의 엄마 품울 다려가마

꾸미지 못할 일

기쁨의 날.
우리의 천지이던 날.
겨레의 염통마다 불을 지르던 날.
그날로 미쳐 날뛰던 날.

갈퀴던 일.
찌르던 일.
앞서 가는 이에게 총알을 쏘았던 일.
인하여 남의 땅이 되던 일.

그리운 날이여

죽은이 같은 날이여
꿈에라도 다시 만나야 할 날이여
몹쓸것 남긴 날이여

관속에서 나와야 할 일。
우리말인 우리말이 터져나와야 할 일。
한그릇에 싸우지 않는 수저가 넘나들어
야 할 일。
진달랫산에 진달래가 활짝 덮어져야 할
일.

나는 루이지아나에서 한 그루의
박달나무가 수설수설 자라남을
보았노라

原詩 WALT WHITMAN
翻訳 李蓮珠

나는 루이지아나에서 한 그루의 박달나
무가
수설수설 자라남을 보았노라。
동무도 아무도 없으나 그 짙푸른 잎새
들이
즐거운듯이 하느적거리고 있더라.
호방하여 아무것에도 구애치 않는 그
왕성한 자태가
마치 나 같아만 보이더라。
가까운 곳에 동무도 사랑하는이 하나

어렸건만
촐촐이 서 있으면서도 가지와 가지들이
어쩌면 반겨 하느적 하느적거리는지
그것이 나로써는 신기하더라 ── 나는 그
러지 못하기에。
나는 열마간 잎달린채 잔가지를 꺾어
이끼를 감아서 가져왔더니라。
나는 그것을 내방、눈에 잘 띄우는 곳에
두었기에
그것에다 염불로 내 친한 동무라 일러댈
또는 요는 없었더라、
（이 나무보다 더 생각이 가는것이 요즘
내게 없다고 만기에。）
그뿐이랴、 그것이 희안한 표증으로 내게
남아
내 눈이 그 잔가지에 갈적마다
내게 남성다운 사랑을 연상케 하더라。
그리고 그 싱싱한 박달나무는 지금

루이지아나 광막한 빈들 적적한 그곳에
서도
고독을 견디며 우두커니 서서 있을터니
곁에 동무도 사랑하는이 하나없이
그 잎새들 모두가 즐거히 한적거리고
있을것을
나는 너무나 잘 아노니 —— 나는 그렬
수가 없음을。

白鳥

原作 吉田一穂
飜訳 李盛夏

1

손바닥에 사라지는 北斗의 印。

……그러나 열여야만 하다、이 内部의 꽃은。

……背後에서 漏沙는 새다。

2

람푸를 혀다、풍경은 나에게르 돌아올

수 밖에 없는 孤独에。

물오리가 건느다。

강윗녘은 아자도 열어 있었다。

3

장적을 가르다。

雑草의 村落은 잠들다。

델타ー(砂洲)가 크나키 形成되여 가다。

4

멧돌아래 귀뚜라미。

요한福音 第二章·한알의 乾葡萄。

落日。

5

耕地를 걸어 재다 묵은 種子를 움키며。

들에 꽃들 소리하는 童女가 외로히。

노을。

6

갈대의 史前……

물새알을 들고 빙그레、원추리 상처를
핥으면서、스사노오노미꼬도의 이 童子。

産土로 剣을

7

碧深를 담아 地下의 淸洌과 이어 솟는
一滴의 湖水。

湖心에 갈강쇠를 던지다。

白鳥는 오려니. 火環島弧의 옛길을。

8

흰 圓의 假設。

琉璃의 子午線。

四次元落体。

9

물결은 喚呼하는다。

無始의 汀線에 가마귀의 물음이 있다。

모래의 浸蝕……

10

등없는 배가 入港하다 키끄누쓰(北十字)
을 찾으면서。

磁極三十度斜角의 새로운 座標系에 古代
綠地의 巨象이 나타나다。

잃었던 산타!마리아號의 오랜 設計圖。

11

未知에서 白鳥는 오다。

日月과 星晨이 潜泳하는 MIRAGE。

어나곳을、나란 自明의 眩暈……

때의 鐘은 12 차박한 大氣를 잡아 흔들다。

뉘라서 돌아오리……

屋上의 새장은 허물어져 가다。

13 등을 끄다、燐를 발하며 꿈만이 나를

부축하도다。

枯蘆가 웅성거리다。

이미 겨울의 星座가 놔 있는도다。

14 유ー그릿드星座

同心圓을 도는 人獸 神의 나의 垂直에 氷蝕輪廻가 굴르다。

밤새 漂石이 묻히지다。

15 따에 砂鉄이 있도다 끊임없는 샘이 솟다。

또 白鳥는 떠나다!

구름은 떠올라、 소곰이 곤다、 요동하라
山河。

38—

활판은 어려운 짓이다。
이런것을 만든 호주머니가
지금 우리에게는 당연타 할까。
곧 三호를 내겠다。

― 동 일 ―

불씨 2 호

1957년 8월 1일 発行

編輯発行人 불씨同人会

連絡所 横浜市神奈川区
沢渡21番地

一九五七年

불씨年刊詩集

160頁予定。

十二月下旬発刊。

불씨3호

（日本語版）

案内、

＝詩。

姜　舜

金太中

金時鐘

黄寅秀

具本彩

金棟日

呉林俊

＝飜訳詩、

南北朝鮮의現代詩의

代表的인作品紹介。

姜　舜

金棟日

＝詩集評。——

＝評論。

康敏星

金太中

＝其他、飜訳作品等。

十月上旬発刊予定

불씨

BUL SSI

詩・詩論

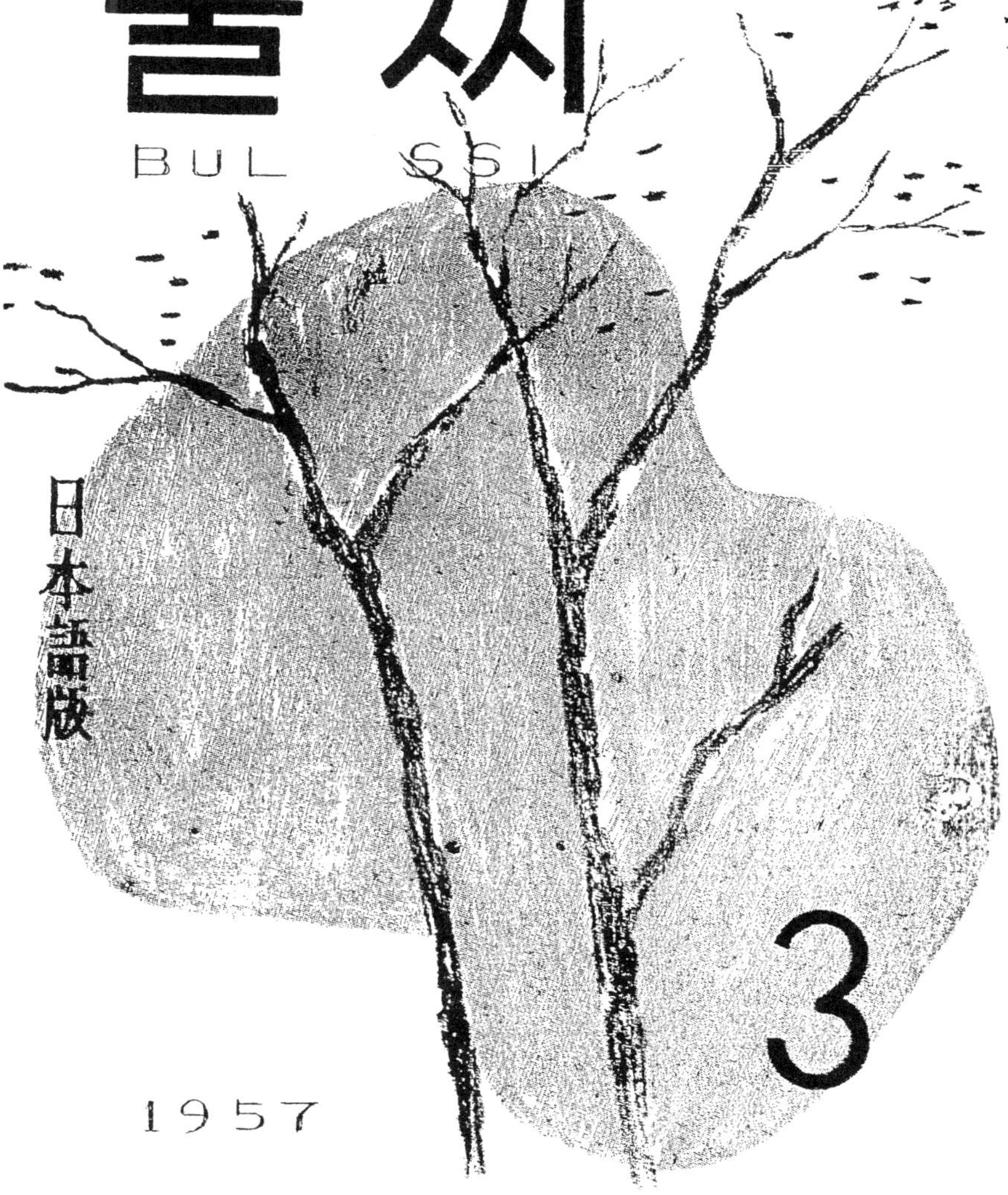

日本語版

3

1957

詩·詩論

불씨

BUL SSI

3

康敏星 姜舜 具李彩 金棟日 金炳三 金時鐘 金宙泰 金太中 南民樹 李蓮珠 李盛夏 朴文俠 成三洙 安宇植 吳林俊 黃命東 黃寅洙

詩·詩論

불씨

BUL SSI

3

1957

巧まないこと

姜　舜

悦びの日。
ぼくらの世界の日。
民族の心に火を放った日。
その日から祝砲が狂い出した日

かきむしった事件。
つきさした事件。
先に発った胸倉に銃丸を貫かした事件。
そのために他国の砂煙をあびせかけられるようになった事件。

なつかしい日よ。
死に絶えた人のような日よ。
いとしい人には再びめぐり逢わねばならぬ日よ。
むごい憶いを残し続ける日よ。

柩から蘇らねばならぬこと。
ぼくらの口からぼくらの言葉で歌い出されること。
同じ器に諍わない踊が出入りせねばならぬこと。
つつじがつつじの花を咲かした山であり得ること。

いとしい地球

ぎりぎりに
シャボン水を吹けば
忽ち五色ゆたかなアドバルーンになった。
ふくれあがり、離れていったものが
飛びゆく青空の彼方で
コスミックな夢となり
爆然と炸裂した無数の球形。

これは魔術好きな子供らの
復活のあるいたづらであった。

だが
キノコの花を恐れる政局で
三角の眼をしたぼくらにとっては
とりかえしようのない
一つの地球
一つの失楽園
いたいほど眼をつむってから
も一度大きく眼をみひらいて
その場面を遮らねばならぬ炸裂。

理解

熔岩の流れは雪崩れ落ち
海はしぶきを揚げながら冷した
静かな凝結
固い時間が動き始めた

岩は　すでに
どえらい紋切型には聞きあきた
ざっくりと割り込める余地のない
そよがない星の一部になったから

岩は　高い座席の古めかしいメッセイジが
どのようにまき散らされるにしろ
岩には無数のたじろがない耳が出来たので
むなしくはよろめくまいと考えているのだ
新しい成層を加えながら

もう裏打ちのない波には加わらないだろう
もう同じ兄弟には二度と歯を立てないだろう
深い傷手を負うのは自分らでしかないことを
もう岩は決して忘れないだろう
平和をおいては立ち上がらねばならないものが
もうこの地上には残されていないことを想うだろう

しかし　星らは暗い
孤独の溶を出帆してしまったことを忘れない
同じ血と血の死斗を払い除くために
険しい理解の尾根を攀じのぼるべきことを忘れない
戦いが教えてから　姉妹らが
黒い汗をびっしり流しながら春の子を産みつける

ぼくは歌いたい

むかしは
月を歌った。
風流な月を歌ってはいけないと言われて
いまは
滅多に月を歌わなくなった。

むかしは
悲しみも　虚しさも歌った。
個人的なそのようなものは
現代的でないし
社会的では猶ないのだから
歌う価値がないと云われて

誰もかれも歌うことを避けた。

たまさか
月が歌われたにしろ
いまの月には変幻な月が多い
心に澄み渡る月ではない
つその月をどうしよう

たまさか
個人の悲しみと
人生の淋しさを歌っても
官製飛行路のそれであっ巨り
怯えをなした規格品でしかない
主人の不在をどうしよう

そこで　ぼくは
月を歌う
故里の
記憶の月を歌いたい。
ぼくにはそのような月しか存在しないから
ぼくが月夜に白く花咲く朴の花をおもうとき
ぼくはそこにいとしい姉妹が生れるので
ぼくは故里の昔の月を歌いたい。

そこで　ぼくは
自分と
自分に似た星のめぐりに活きる多くの兄弟の
悲しみと虚しさを歌う
いつまでも盡きやらぬ貧しさに由来した悲しみと

いつまでも帰り得ぬばかりに
カビついた淋しさを歌いたい。
待ち佗びる親は南に
北に行きたい一念のぼくの悲しみも
赤錆びた器管の無情さも
心を傾けて勇敢に歌いたい
二重写しのぼけた写真の中でも。

妻に

彼女は私に　すべてを愛していた。
羞らいのおもいは　始めっからなかった
いじらしい無関心の上に立って
私のかけらを食い散らしながら
彼女は　私に　すべてを許していた。

私は彼女に　何を与えたと云えるだろう。
それでも　愛の証しをわめかなかった女、
見知らぬ人のように　見慣れた人になって
いま　四人の子供らの母であった。
小さなかまどの火を絶やさなかった女。

髭のまま現れた式場は、永く忘れられない、と云った。
その男との初夜、東京の空が焦げ落ちてから
帰郷もなく歪曲もなく爆けた屋根の下に
日日の単音が佗しげに響いたり止ったり
もう其所には昔かたぎな平安が意趣を越えていた。

私は彼女の　昼なのか　夜なのか
彼女は私の鳩なのか　灰なのか
熱的な記憶を持たなかった薮のなかの
妻よ、おまえの口からは理解を確めないでくれ
私が、あなたの信頼の重みに耐えぬくために。

〈遺稿〉

キリストの遺書

―血について―

張鐘錫

I

宇宙のどこかに血の海があると、伝説の人は云う。愛が化石になったときから、体質性遺伝性の女が、血だらけの音楽を奏でている。地下室で自殺した牧師が行方不明の恋人と恋の歌を不協和音で唱うため十字架を焼いた。

影を喪なった男が、昨日と今日と明日について考えながら、夜の海辺を歩いている。

海辺では老婆と十八才の少年の心中が行われ

ようとしている。
静止した、この宇宙に、キリストだけが知る
悲哀は焼かれた十字架とともに、暗い夜に吸
いこまれた。

II

血の海から、したたる一滴々々の血は、変る
ことを知らずに絞首台を染めてゆく。
宇宙の夜の審判所で
血だらけの手が
血だらけの音楽を
血にまみれた悪を問いただすため
神と　予言者を告発する
あゝ　二十世紀の伝説は告発され、体質

性遺伝性の女は、言葉を喪った化石の愛に自殺してしまった。
ひからびた情欲が、冬の季節に生きているだけで、言葉を忘れた処方箋が風に舞い乱れている。

Ⅲ

血を求めて病院ではまた一人死んだ。やがて街には死気が漂い、どの家にも告知票を見ることが出来るだろう。

忌中

追悼の音楽も聞こえない。ただ国籍不明の神だけが死に絶えた街に、ぽつねんとたたずんでいる。

――一九四九・二――

少年

黄寅秀

この晴れた日に　また
地上には声にならないいかりが立ち罩める
光と風のなかにたわむれていた
檀紀四千二百九十年の少年よ
おまえは涸いた祖国の土の上で
狆ころのように射ち殺された。

罪もないのに
硝煙のまだ消えやらぬ土に
小さな動物のようにうつ伏せに倒された
おまえは　もう
山も川も見ることはできない

髪をなぶった微風を聞くこともできない
おまえのポプラの笛をだれが吹くだろう、、、、

季節はずれに
魂を掠め奪《と》られたおまえのムクロに
おまえの母はしがみつき
爲《し》なれた哀号をとどろかせるだろう。

償われることのない血潮をながして
おまえは誰のものでもないおまえの国のなかで
狆ころのように殺された
空だけがおまえを見ていたが
おまえの目はもう一九五七年十月の空を
うつすことはできない。

不在

おまえの　いないことを知っている部屋に
おまえの　いないことを確かめるために
いつも　疲れた錠前に　おれは
鋭敏な鍵を　さしこむのだが、、、、、

おまえがいないので　いつも
湿った土の匂いのする　この部屋を
おれは　過ぎた記憶で　満たさねばならない。

窓からは　月も光も　もはや　はいることをためらうので
昼間のからだに　沁みこんだ太陽と影を　とりだし
死んだような事物を縁どらねばならない。

手垢によごされた都会の戸口に　おまえは　いた。
陽の光に燃えたっていた木の葉のあいだに　おまえは　いた。
思いつめた人々の顔のなかに　おまえの小さな顔は　あった。
小鳥たちの囀ずりのなかに　おまえの声は　あった。

が、
不意に投げ棄てられた玩具のように　おれは
身構える余裕がなかったので
やさしい　それらの度重なる招きにも　応じなかった。
夜風はいつも冷たかったので
それらの控え目なちぎりにも　同意しなかった。
、、、、、、、、、、、

はだか電球の　まわりに
両掌をかざし
おまえの記憶をたどったが
もう　そこにも　おまえは　いない
ビルディングにも
樹木も　鳥も
港も
船も
ふいに　よそよそしかった。

やさしさに満ちあふれた　声に
あまりにも同志的な　はげましに
いつも　腐臭の匂いを　嗅いだので
この坂を　のぼらねば　ならなかった。

おまえの　いないことを　確かめるために
おまえの　いないことを　確かめることにより
おまえの　いることを　確かめるために。

孤独

キム チュテ

異宗の群を泳いでいく。

大都会の騒音
背すじを走る金属性の冷たさ

愛に飢え
憎悪に歪む

世の広さの中で
目も
耳も
口もなく
夜と
昼を
一人
心臓を噛み切る
毒蛇となる。

鍵を持つ手

金時鐘

昼食の終ったところへ
達雄君の事故が知らされた。
その瞬間　ぼくは
この少年の生涯が決定づけられたような気がした。
めったにはさまれない
パープレスの歯車に噛まれて
右腕を腕のつけねから落したという。
正確無比なその軌道。
めったにない事故だから

カバーがなかったのだろうか？
それともカバーがなかったから
事故がおきたのだろうか？
いまわしい記憶がふえたといって
そのパーを取払いはしない。
むしろできない　小さな企業《くらし》。
ぐわらん　ぐわらん
と　地ひびきを立てて
だれかが達雄少年の
そのあとへ座る。
そして　正確無比な膀の中へ

間隙をぬっ地ねずみのように
泥まみれの掌が延びちぢみする。
かくて出来上った
錠前。
安全を保障された
鍵。
留守がちな家人が
玄関を閉め
かすがいをかけ

錠はこともなげに
パチン　としまる。

（詩集「日本風土記」より）　国文社

動乱の跡

南民樹

からだの中を
血腥ぐさい臭気が心をひらひらなぶって吹き抜けていく
みるみるどすぐろく変色する心に
沈黙の闇がずっしり沈下してきて誰かしら人の気配を漲らす
そのいきぐるしさに目覚めた

硬直し瞳孔をクワッとひらいた
夥しい死者の群が
闇のなかいっぱいにひしめきあって

ぼんやりみえる
若い男の亡骸
逆吊られた紳士
太っちょの女
ドレスを着けない少女
困惑が言葉にもならず無数にひらめいては落ちる
ひしめきあっていた死者の群は燐火を放ってまたたくまに消滅した
その空白めがけて
熱い砂を含んだ風がなだれこみ
嘲嗤いが　憎悪が　苦痛が
いずれからか音もなくひゞきあい

歓喜するかのように
高く　高く　あるいは急に低くコーラスのように逆巻きおこ
って乱舞するのだ

闇を揺るがしていつ果てるともない

木魂
やがて
かすれる風と共に乱舞は途絶えた
すると　ぶつぶつ煮え滾ぎる硫黄のように

止めどなくふりしぼるようにあふれ
たかまりあがる黒っぽい嗚咽
それも
泣き疲れた子供が寝入ってしまったように
いつしか闇はひしひしと沈黙する
そしてそのなかにわたしはひとりとり残されている
焼きはらわれた森が
弾痕が寒ざむと冷える廃墟が
こころにそびえる

柘榴

金棟日

月もない夜に
柘榴の実が割れる
熟れたあこがれのように闇に向って割れる

昨日を覆っていた
体温が下り
暗い今宵のために抗ってきた柘榴は
一枚の皮殻をなして
けなげな忍従を蹴散らしては割れるのだ

眼にみえない叫びをあげて
過ぎた習性の中に持ち続けてきた悲しみを抜き取っては

訓示のように高慢な里程標と向きあった柘榴は
紅の粒毎に今日を吸いこみ
息苦しい気孔すら閉ざされてしまった暗夜の底辺を嘘る
　雑音と立ち向った。

翼のように
はばたいて
柘榴は暗闇をかきわけてはふくれあがり割れていった。

胸を塞いだ今日の体温の中で
もみくちゃになった一枚の設計図を掲げて
ぼくが信じられる紅色の重量を口誦み
闇をかきわけて柘榴が割れる
季節を迎えるのだった。

式順

ちぎられた旗が翻る
群衆は　めいめいの故里を胸に懐いて集って来た。
広場には昨日と同じような式順がくりひろげられて
いた。
―病みついた妻を　臥かしてきた人も
―孤独を知らないキザな政治家も
白髪の老人も　若者も　子供らも　ありとあらゆる
人の茂みから湧き上る豪華などよめきの中で　ぼく
は俯《うつむ》いて　ひとり不可殺伊《ブルカサリ》の想像画を描いてみるの

だった。疲れた視線らが演説の中身をむいてかじる広場では　ぼくには聞き映えのする予言を理解しようがなかったし、マイクを鳴らすかん高い笑声をも信じられなかった。

慈愛と虚ろな心が眼球を押え　演壇と群衆とが互に釣り合わぬ奇妙な冷たい月の中で　朧な故里の月景に頬ずりしながら、自らの姿勢を求めてちぎられて靡く旗と演壇をかわるがわる眺めては　今日と明日が一様ではならないはずの　自らの式順を解き明かそうとするのだった。

☆不可殺伊：―熊形で象鼻犀目の様相をし尻尾が牛に似て鉄をも溶かすという想像的動物の一種、強堅を意味する。

夜

金太中

おれは　夜を信じたくなかった
いつも　ねっとりと指先にまといついて
くらやみのなかで　思いきりおれを嘲弄しつゞける夜を
人間の犯した罪だとは　おれは
信じたくなかった

もっともらしい面をぶらさげては
けむりのうずのなかで語りかける女に
おれは　いきなり　水をひっかけてやった

女は　嗤って　サーヴィス料を請求した
そんなときでも　だまって　財布をはたいた

くずれおちてくる天井にしがみついても
幸福を手ばなそうとしない男たち
ほつれた髪のあいだから世界を眺めながら
いっぱし　天下を論ずることをやめない男たち

そんな男たちの仲間と
おれは　夜　一緒に話し合いたくはない、、、、、、
今日の夜を忘れてまで

明日の朝を希う　愚かな奴はおるまい
明日のために
今日の出来ごとを忘れる愚かな者はおるまい！

だれだって　おろか者になったり
だれだって　世の中からはみだすことを欲しないのに
だれもが　愚かものになり
だれもが　世の中から逃げだそうとする夜
おれは　そんな夜を信じたくなかった

むやみと饒舌になり

やみくもに小さな争いをくりひろげる夜
そんな夜の誘いの手をのがれて
おれは　いつも　朝をまちつづける、、、、、、、、

日

朴　斗　鎮
姜　舜　訳

日よ、昇れ。日よ、昇れ。さっぱりと清めた顔立の凛々しい
日よ、昇れ。山越え山越えて　暗闇を焼いて食べ、山越えて暗
闇を焼いて食べ、うらら　うらら　ういういしい顔立の日よ、
凛々とさし昇れ。

月夜はいやだ、月夜はいやだ。涙のような谷間では月夜はい
やだ。だあれもいない庭では、月夜はいやだ。

日よ、凛々しい日よ、おまえが来ると、おまえが来ると、ぼ

くは　ぼくは　青い山が好きだ。ひらひら　ひらひら　翼をうち振る青い山が好きだ。青い山さえあれば、ひとりでに楽しい

鹿のあとを追って　鹿のあとを追って　陽のあたる所へ　陽のあたる所へ　鹿のあとを追って　鹿に会って　鹿と遊び、、、

葛虎《とら》のあとを追って　葛虎のあとを追って　葛虎に会えたら葛虎と遊び、、、、、、、

日よ、凛々しい日よ　さし昇れ。夢でなくてもおまえに会えたら、花も鳥も獣もひと所に坐り　おういおういとみんなを呼び寄せてひと所に坐って　ういういしい　この日を楽しみたい。

氾濫

李漢稷
姜舜 訳

PLANOが　五月のように氾濫する
午后の影
しばし　風景は反省する
純粋空间で姿を喪失した
ABERLLE
おまえは相も変らず三人称で懺悔する

五月がPLANO　のように氾濫する
幻聴
しかし、　如何なる賃向も必要でない

太陽を射殺せよ
それから
ABERALE　の楽しい逍走。

白鷺

金相湲
姜舜 訳

古き 大木の
梢
ひろびろと 塒《りうぐ》
結びなし
閑かに 江の
葦の茂みに

汝　如何に　歳月を
黄昏に送りてし
月に　苛立つ
群
乱れ散る　月雨に
寒さ　さびしく老ゆれば
去り行く　汝の
道程よ。

洞窟

金相沃
姜舜 訳

ここ、誰もかつて　みたことのない
眞新しい太陽を思慕し、咲き出した
マワリが一株、見張つていた。
幾重にも取りまかれて　ただ位置だ
けがあり　方向を持たず、この暗い洞
窟の中から　叫びのように　叫びのよ
うに　異様に聞えてくる香りが在つた。
無数な髑髏の上に花が咲き、無数な

髑髏が花をかかげて　炬火のように花をかかげて立ち上がる。

永い間　闇に慣れた蝶の群がまた盲いになる。既に不用に帰した羽根の先に新に必要な複眼の　その精密な眼球が、斑点のように噴き出した。

遺言

朴　琦遠
姜　舜　訳

おれが死んだら
碑を建てるな
一枚の麻布も
一枚の輓歌も
なにもかけるな

酒代に女房を売り出し
佛堂の前で　親友の妻を姦《かす》め
終《つい》の果に祖先の遺言を掘りかえした男

何処か山峡の暗いところ
白い歯をむき出したまま

犬のように野垂れ死んだ
おれの腐った屍の上には
一握りの土もかけるな

いま一羽の鳥もみえず
風雨が荒み
雷の切り込む夜
おれひとり　此所に斃れて
むしろ本望だろうよ

おお、ならずものらよ
すべて来れ。

仲秋

韓　何雲
美　舜訳

仲秋の月は冴え、、、、、
すすきの白波に
亡き母のおもかげ
揺られただよふ、

仲秋の月は冴え
レプラなる　末裔なれば
わが父祖に捧ぐる霊祭もなし

仲秋の月
仲秋の月

うらぶれし涯に
盂蘭盆の月のみ冴ゆ

花

金春洙
姜舜 訳

ぼくが　おまえの名を呼ばないうちは
おまえは　ただ
一つのものに過ぎなかった

ぼくが　おまえの名を呼ぶとき
おまえはぼくに近寄り
花となった

ぼくが　おまえの名を呼んだように
ぼくの色とにおいに似合う
ぼくの名を　誰か呼んではくれないのか

おまえのもとで　ぼくも
おまえの花になりたい

ぼくらは　みな　何かになりたい
おまえが　ぼくに　ぼくが　おまえに
忘られぬ一つの意味になりたい

册歴《こよみ》

金潤成
金棟日 訳

私はほら穴のような深い地底から這いでた。
縛りそこねた虎か、狐か、将又どのような獣なのだ。
私の臍は限りなく燃え沈んだ火の底で轉がり出た石の郷愁。

私のえがく頭上の明るい世界、藍色の湖面に水鳥は飛び去り
美しく拡がりいく波紋と――

ここ陽は射さなくても目前の直線を通って
突走る終極の道、私の進む方向は――
この道は果しなく続いても悦びの出迎えもなく　そして
寞々、

蝶と広場

金　奎　東

金　棟　日　訳

眩暈《めまぐる》しい滑走路の
最后の絶頂を飛ぶ白い蝶は
突進の方向さえ失い
血ぬられた破片をみおろすのだった。

機械のように熱《きた》された小さい心臓をも冷す
一滴の泉水もみあたらない虚妄な広場で
幼い蝶の眼膜を遮断するのは

誰もいない海岸のように言葉少い墓地の中と
息苦しい乙機の白い尾と　移動する季節のなかを
炎のように燃えたつ燐光の湖水に流され

白い蝶は傷ついた羽を無音のうちに羽ばたくのだった

白い未来の何処かの地点に
麗しい領土は待っているのだろうか、
青い滑走路の何処かの地標で
華かな希望はみなぎるだろうか

神、奇蹟もすでに
昇天してしまったはるかな流域――
白い幼い蝶は或る最后の地点に向って
もういっぺん自らの神話と対決するのだった。

祈雨祭

李東柱
金傾日 訳

空をみあげる
愛する
喉を切られた駱駝の髑髏、、、、、

草木は燃え
衆生《しゅうじょう》は斃れた。
一滴の水さえも許される人の情ではない

涸れた智慧の
魂はおろかなものであった。

涸れた智慧の
魂はおろかなものであった。

最后の牛を屠れ
丸太で火柱を灯《あ》げろ

此処は皆
太古のひとたちばかりだ。

九天に告ぐ最后の泣き声
絶え間なく小金《ドラ》を鳴らせ
そしてあの空を見守るのだ。

コスモス

李　炯基
金　楝日　訳

幾度となく芽生えたくなる胸に
白く花咲くコスモスであった。
顧りみれば絶えまなく砕けいく
波のような憧れであった。

根こそぎ！　希望も絶望も
燃えやらぬ軀

花弁を落し枯れはてたコスモスは

蟠蟀すだく礎の下で
趐ばたきの果に刻まれた斑であった
そのためにも
啜り泣けぬ哀しみを秘め
ひとり喉が嗄《か》れるまで耐えるのだ。
趐《と》びゆく果しない空の辺で
ぼくの胸が蒼く崩れ去る日
コスモスは静かに散るだろう。

163 — 『불씨』(火種)

窓

朴暘均
金棟日 訳

窓は夜を信じようとし　ぼくは窓を信じようとします
誰の救援《すくい》からも　どうにもならないこの暗闇で
窓は自らの幅を育てるのでした。
波のようなその激情はあこがれの窓によりかかり
ぼくはあなたを否定しながらも　あなたのすくいを
待っているのでした。
ぼくが窓を信じ　窓を信じられずにはいられませんでした。

原作者略歴

朴斗鎮　1916年生、京畿道出身。基督教人にして「文章」より推薦さる。
著書"青鹿集"(朴木月・趙芝薫との三人集)"日"、"禱"などの詩集。

李漢稷　1921年生、ソウル出身。慶応大学卒業，「文章」より推薦さる。
編書"韓国詩集"　詩集"青龍"

金相瑗　1912年生、忠清南道出身。詩壇とは離れて詩作に精進した．
詩集"白鷺"

金相沃　1919年生、慶尚南道出身。時調に秀いで"文章"より推薦さる。
詩集"故園の曲"　"異端の詩"　"草笛"　"衣裳"　"童話集"　"ざくろ"

朴琦遠　1910年、江原道出身、日大文科卒業、以来25年間新聞記者。
詩集、"寒大集"(崔載享と合著)

韓何雲　1919年生、咸鏡南道出身。中国北京大卒業。癩病者の詩人として
特異な存在。詩集"韓何雲詩抄"　"麦笛"

金潤成　1923年生　京畿道出身。詩塔同人。
訳書"文学概論"

金奎東　1925年生、咸鏡北道出身。延大医学部修業。
詩集"蝶と広場"

李東柱　1924年生　全羅南道出身。恵化専卒業。"詩精神"同人。
詩集"婚夜"

李炯基　1933年生、慶尚南道出身。東国大卒業。
詩集"三人詩集"

朴暘均　1924年生、慶尚北道出身。成均大卒業
詩集"道いてきた指標"

「十八詩篇」抄

ディラン トマス
黄 寅秀 訳

五

緑の信管をとうして花を駆る力が
おれのみどりの若さを駆るのだ、 樹木の根を枯らす力は
おれを破壊するものでもある
だがおれは唖なので歪んだ薔薇に語ることができない
おれの青春もおなじ冬の熱病に侵されている、と。

岩間を縫って水を逆ばしらせる力 ― が
おれの赤い血を逆ばしらせる、 奔流を涸らす力は
おれの血潮を蠟と氷らせるのだ
だがおれは唖なのでおれの血管に語ることができない
どのようにおなじ口がその山の泉から飲んだのか、を。

プールのなかの水を渦巻かせる手が
浮砂を掻きたてる、吹きつける風を縛る手が
おれの支檣索の帆をたぐるのだ
だがおれは唖なので絞首刑になる人間に語ることができない
どのようにおれの粘土から絞首刑執行人の石灰がつくられるのか、を。

時間の唇は泉の尖端《さき》に蛭を吸いつかせるのだ
愛は滴りそしてまた集《つど》う、だがおれは落ちた血で
そのただれを静めよう
だがおれは唖なので一つの天候の風に語ることができない
どのように時間は星々のまわりに一つの天を、 刻んだのか、を。

だがおれは唖なので愛人の墓に語ることはできない
どのようにおれのシーツにおなじ歪んだ虫がゆくのか、を。

六

わたしの英雄は　手首より肩を統《す》べる
わたしの手首にそってかれの神茎を裸《あらわ》にする
わたしの死すべき支配者である
曲折を拒む高慢な背骨に　眠たげなひとりの精霊のように倚りかかる
頭の中身を掴みだすのだ

こうして頭蓋に巻かれたこれら哀れな神茎は
恋にすてられた紙の上で痛み
わたしはあらゆる恋の飢えをもらし
ページに空虚な病をつげる
抑えがたい走り書きで愛にとりすがる

わたしの英雄はわたしの腸っ腹を裸にし　かれの心臓が
裸になったヴィ：ナスのように
肉の炎辺を歩き　心臓の血に染まった襞を月にさらすのをみる
わたしの腰から約束を剝ぎとり
かれは　ひとつの秘密の熱を約束するのだ

かれは　この神経の箱の鉄線をにぎり
盗人たちの二人の悲しい下僕《しもべ》
飢えの帝王である生と死の
この世の過誤《あやまち》をほめつつ
鎖を引っぱり、水槽を揺するのだ。

石工

ブリューゾフ
安宇植 訳

〈石工さん、前掛け姿の石工さん、
あちらに何をお建てかね？ 誰に？——
おい、仕事の邪魔をしないでくれ
おれたちゃ建てる、牢獄を——

〈石工さん、手慣れたシヨベルの石工さん、
そこでは誰が　泣くのかね？〉
——お前をだます必要はないが、　たぶん
お前や金持の、兄弟たちではないようだ——

〈石工さん　夢さえさめるながい夜を
誰をそこへ閉じこめる？〉
―云わずと知れた働き者よ
そいつがおいらの、運命《さだめ》だよ―

〈石工さん、思い出しておくれよ
レンガを運んだあいつのことを！〉
―おい気を付けろ、森の近くでふざける
な、おれたちゃ知っているんだ　黙ってろ！

（一九〇二年）

帆

レールモントフ
安宇植 訳

海の蒼く漂よう霧のなかに
白帆がひとつ浮かぶ
それは遠い国に　何を求めているのか
それはふるさとに　何を棄てたのか

浪は躍り　風は吹え

帆柱はたゆみ　きしむ
ああ　かれは幸せを求めるのではない
また　幸せを避けるのでもない

その下には明かるい瑠璃色の潮
その上には黄金色の太陽が輝く
しかし、叛逆の児かれは　嵐を願う
嵐のなかにこそ　安らぎがあるかの如く！

（一八三二年）

Jindalrre

金 素 月
皮 千 得訳

When you go away, weary of me,
Having not a word I will let you go.

Yung-byon Yak-san Jindalrre,
An armful of them I will pluck
And spread the flowers on your way.

Treading softly step after step,
Go your way on my flowers.

When you go away, weary of me,
I will not, I will not shed tears
Even though I die.

A Self Portrait

尹東柱
皮千得訳

Turning around the hill I come upon a secluded well by the rice-field and look down in the water.

In the well the moon is bright; the clouds float; the sky spreads; the azure wind blows and there is autumn.

And there is a man.
Somehow I become disgusted with the man and turn away.

On the way black I think of the man and begin to pity him.
I come to the well and look in the water. The man is still there as before.

I become disgusted with the man and go away.
On the way black I think of the man and begin to pity him.

In the well the moon is bright; the clouds float; the cky spreads; the azure wind blows: autumn has com; and there is the man like a memory.

マティスは語る

アラゴン
康敏星 訳

ぼくは両手のなかで　毛髪のすべてをほどく
日はぼくの両手があたえるさまざまの色をもつ
ぼくの部屋でひとつの吐息がふくらせるものはすべて船の帆だ
そして時に耐える夢はぼくの明日のまなざしだ

どんな花も裸ということによって囚われの女たちに似ている
自分たちが美しいというただそれだけで指をふるわせる囚われの女たちに
ほくは待つ　ぼくは見る　ぼくは夢みる　と漂う空はぼくのまえでは

脱ぎすてられた着物のように単純だ
ぼくはときあかす　ことばもなく　巡羅するその歩みを
ぼくはときあかす　風が消した素足を
ぼくはときあかす　なんの神秘もなく　この世界の一瞬を
ぼくはときあかす　つくりだされた宵の上の太陽を

ぼくはときあかす　開いた窓のある黒いデッサンを
ぼくはときあかす　鳥たちを　樹々を　季節を
ぼくはときあかす　緑の植物の無言の幸福を
ぼくはときあかす　家々の奇妙な沈黙を

ぼくはときあかす　限りなく影と透明を
ぼくはときあかす　女たちの触覚を　女たちの光彩を
ぼくはときあかす　さまざまの異なったオブジエの天空を
ぼくはときあかす　あそこにあるさまざまな事物の関係を

ぼくはときあかす　つかのまの形体の香りを
ぼくはときあかす　白い紙を歌わせるものを
ぼくはときあかす　木の葉の軽いわけを
そしてやや動きの緩慢な腕である枝々を

ぼくは光に返す　正義の貢物を
現代の不幸のさなかにびくともせず
ぼくは描く　双の瞳の希望を　アンリ・マティスが　人間の期待し
　ているものを
未来に証するために

ぼくは

ラングストン・ヒューズ
康　敏　星　訳

ぼくは　黒人《ニグロ》だ——
夜が黒いように　黒いんだ、
ぼくのアフリカの奥地のように　黒いんだ。

ぼくは　奴隷だったのだ——
戸口の階段をきれいにしておけ　とシーザーは　ぼくにいったんだ
ワシントンの長靴に　ぼくはブラシをかけたんだ。

ぼくは　労働者だったのだ——
ピラミッドは　ぼくの両手でできたんだ。
ウール　ワース　ビルディングのモルタルはぼくがつくったも

のなんだ。

ぼくは　歌い手だったのだ——
アフリカから　ジョージアまでの道々を
ぼくの悲しい歌うたを　ぼくは運んできたものだ。
ラッグタイムは　ぼくのつくったものなんだ。

ぼくは　犠牲者だったのだ——
コンゴで　ベルギー人が　ぼくの両手を切りとったのだ。
いまじゃあ　テキサスで　やつら　ぼくにリンチを加えるんだ。

ぼくは　黒人《ニグロ》だ——
夜が黒いように　黒いんだ。
ぼくのアフリカの奥地のように　黒いんだ。

編集ノート

第三号をお送りする。ごらんのように本号は日本語版とした。ほとんどが朝鮮語で発表を続けてきた詩人たちである。ぼくらが日本語で作品を発表することについての論議はしばらくおいて、きたんのないご批判をたまわれば幸いである。なお、十二月中に活版で年刊詩集を出すことになっている。ご期待いただきたい（太中）

さいきん、在日朝鮮文学——とり分け詩の分野で、新たな気運が生れつゝあるのをぼくたちは感じる。その特徴（もちろんここでは一般的に語れないが）のひとつは、「在日」の歴史的・文学的意味内容を深い地点からとらえ、追及してゆこうということにある。

こゝで誤解を恐れずにいえば、その場合、安易な「ノスタルジー」——それは、一方では古風な、ひよわな抒情を、他方では観念的・スローガン的性格を生む——を内部から破砕してゆくことと、ひところ、軽蔑・嘲笑の対象としてしか扱われなかった「半日本人《パンチョクバリ》」の問題——二世の問題、といいかえてもよい——と意識的に取り組んでゆくことが必要であろう。そしてそれは、太平洋戦争以前からの在日朝鮮文学・文学運動の精力的・持続的な再検討の基礎の上に立たねばならぬこと、これはあらためていうまでもない。

ぼくたちは、この動きを打上げ花火に終らせてはならない。意見を公開し合うこと、検討を重ね合うこと、試みをたすけ合うこと、なによりも相互の馴れ合いに陥ちぬ徹底的な論議——これが、いま、ぼくたちにもっとも必要だ。

（敵星）

目次

詩

訳詩

編集ノート

表紙 金昌洛

불씨 3号

1957年11月15日発行

編集発行人　불씨 同人会

連　絡　所

横浜市神奈川区沢渡 21 番地

印刷所　東京都板橋区大谷口 588
教同 印刷所

一九五七年

블씨 年刊詩集

発刊　十二月

A5版　84　ページ

二　『鶏林』　鶏林社

鶏林

一九五八年十一月一日発行
隔月・一回一日・第一年第一号

1

鶏　林　社

＝創刊のことば＝

われわれはさきに、一九四六年から五〇年にかけて雑誌「民主朝鮮」を刊行したことがある。これは三〇数号をもって一応の使命をおわり、その後もつづいて「朝鮮評論」「新しい朝鮮」とでたことはあるが、どれも長つづきすることはできなかった。もちろんいろいろな事情があってそうなったのであるが、これもまた、われわれにとっては貴重な経験である。われわれはこうした経験のうえに立ち、ここにふたたび鶏林社を設立し、雑誌「鶏林」を刊行する。

いまこの日本には約六〇万の朝鮮人が住んでおり、日本人とともに日々の生活を営んでいる。われわれはこのあいだに〃相互理解〃という一つの橋をかけたい。そうして、一衣帯水の関係にあるとはいいながらも、そこはまだ〃暗い〃朝鮮と日本とのあいだにまでこの橋をかけわたし、われわれは、その上のささやかな一灯の道しるべとなろうとするのである。さきにわれわれが「民主朝鮮」を刊行したのもこの願いからにほかならなかったが、それからすでに一〇数年、われわれはそれぞれにまたさまざまな経験をつみかさねてきた。それをここに要約していうとすれば、われわれは一歩一歩と進む――、ということである。

そして一歩一歩足もとを固めて進むことこそが真の歩みというものであり、これこそが何者も押しとどめることのできない進歩である、ということである。この歩みこそはまた、ダンガイにぶつかっても引き返すことはないであろう。これは雑誌そのものを存続させるうえでも、おなじことがいえると思う。

以上はわれわれが新しい出発にさいしてえた教訓であるが、このうえに立って、われわれは進みたいと考えている。本誌の編集にあたっては在日朝鮮人社会科学者や文学者たちはもちろんのことであるが、ひろく日本人社会科学者や文学者たちの協力をもえてゆくつもりである。また、それ以上に、われわれは多くの読者たちの参加を期待する。われわれはことさらに〃専門家〃ということにはとらわれたくない。専門家といってもそれはすべて読者のなかからでてきたものなのである。

われわれはここしばらくはこれを隔月刊ということでだしてゆくが、読者の支持・協力の増大をまってこれを月刊に移行させるとともに、頁の増加をもはかってゆくつもりである。なお、誌名の「鶏林」は朝鮮の別名・雅号である。

一九五八年十月

鶏　林　社

鶏林

1

1958・11

題字・カット　神谷信治郎・永井潔

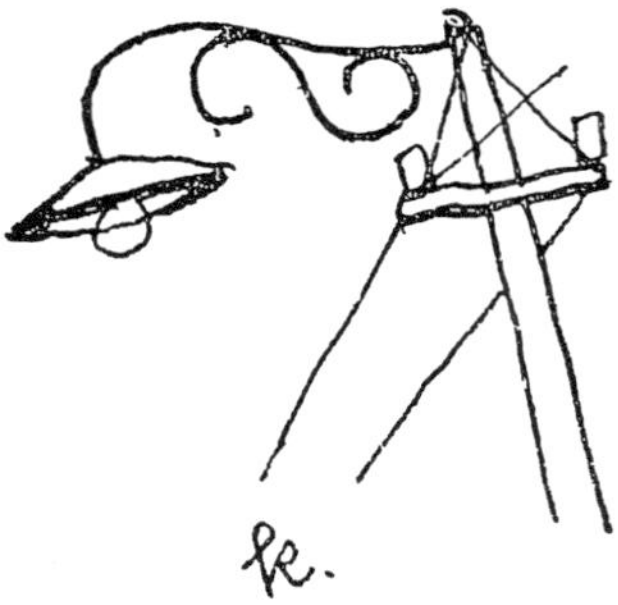

朝鮮における国民経済の発展

——第一次五カ年計画のあらましと展望——

裵　秉　斗

はじめに

『まして、もともと貧しく暮していたところへ、戦争で破壊され、すべてが不足し、ひとより貧しい暮しをし、立ちおくれたわが国の人民が、よい暮しをするために、ひとなみに暮すために、駈《か》けても駈けてもまだ満足できず、もっとはやく駈けてゆくことは、なんとすばらしいことではありませんか！』これは、去る六月、最高人民会議（第二期・第三回）で、第一次五カ年計画に関する法令を決議するに先立って、金日成首相がおこなった演説の中の一節である。これは、五カ年計画のもっとも重要な一面を、端的に、わかりやすく説明することばである。そして、同じ演説の中で、首相は『すぎし日、朝鮮人民は日本帝国主義の植民地統治の下で、暗澹たる生活をしました。かれらは一年さきのことはさておき、あすのことさえ知ることができませんでした。……しかしこんにちわが国の勤労人民は、一、二年どころか、五年もの間になすべきことを前もってはっきり定めうるようになりました。』とのべている。これは、五カ年計画の歴史的意義を平易にのべたことばであろう。ここから朝鮮民主々義人民共和国の北半部（以下「北朝鮮」と略称）の社会主義建設の基礎事業も、朝鮮の平和統一独立と革命の源泉地構築も出発するであろう。

ことさらに説明するまでもなく、わかりやすいことばでのべられているから、といって、この計画の実行は決してたやすいものではない。ましてや、周知のとおり、一九五〇年からの三カ年にわたる忌わしい戦争中のアメリカ帝国主義軍隊とその手先き李承晩軍の悪名高い盲目・ジュウタン爆撃とローラー式徹底的破壊のあとでの復旧・建設事業であるだけ、その困難さは、並大ていではない。いわば、焼けあとの焼け残りを元本《もとで》として、この歴史的大事業をなしとげようとする困難は、もともと貧しかっただけに、容易ならぬものである。

第一次五カ年計画のあらましを説明するに先立って、停戦当時の状態と、それから五カ年計画に移るまでの間に先行した「戦後経済復興発展三カ年計画」（以下「三カ年計画」と略称）について、少しばかり見ておく必要がある。というのは、五カ年計画は、先行した困難な復旧事業の成功と成果を土台としてたてられたものでありさらに、その間残され、新たにおこった問題をもちこされているからである。

一、停戦当時の経済状態と復旧・建設事業の大原則の樹立

一九五三年、停戦をかちえた当時の朝鮮の無惨な状態は、すでに周知のとおりである。簡単に数字だけを示してみれば、戦前の一九四九年に比して

工業総生産は　六四％に
　重工業の生産水準は　四二％に
　そのうち
　　電力工業は　二六％に
　　燃料工業は　一一％に
　　冶金工業は　一〇％に
　　化学工業は　二二％に
農業生産は
　穀物総生産高は　八八％に
　棉花、タバコは　各二三％に
　役牛は　六四％に
　豚は　八二％に

生産はそれぞれ減少し、その上、八、七〇〇の工場、六〇万戸の住宅、三七万町歩の耕地、数多くの灌漑施設と堤防、殆んどの学校、病院、劇場等の目ぼしい教育・保健・文化施設が灰燼に帰していた。きわめて大ざっぱな計算でも、被害総額は四、二〇〇億円の巨額である。

戦後の復興事業は、この焼け残りを元本《もとで》として始められなければならなかった。それは大へん困難なことであったが、困難はそれだけではなく、解放以来のいくつかの未解決の問題が、戦争のために、或いは中断され、或いはふり出しにもどってしまったものがあり、この際、それも同時にぜひとも解決しなければならない、ということである。その代表的な一つは、朝鮮独自の均衡のとれた経済確立のためのガンであるいわゆる「植民地的跛行性」の排除である。もともと、日帝から受けついだこの跛行性は、国土の二分のために「自乗化された」だけに、これの除去はきわめて重要なものである。

戦争によって破壊された国民経済の復旧は、単なる復旧でなく、旧い欠陥の克服と同時に、新しい重要な諸問題をも解決しつつ、次ぎの更に高い発展への土台を築き上げることが要求された。停戦と同時に、朝鮮労働党と政府が打ち出した「総路線」とよばれる大原則は、以上のような現状を正確に把握・分析した上でなされたものである。

それによれば、復興・発展は三つの段階を経て、順次すすめられる。すなわち、第一段階は、戦後の半年ないし一年間で、復興のための準備と整理事業をおこない、第二段階では「三カ年計画」を実施して、生産を戦前の一九四九年の水準に回復し、そして第三段階では、三カ年計画の成果を土台にして、「第一次五カ年計画」を実

行するのである。そして、この三段階を一貫して「重工業の優先的発展を保障しながら、同時に、戦争のために破壊された人民の生活状態を安定向上させるため、軽工業と農業を急速に復旧発展させ」、それを通じて、植民地的跛行性を清算し、社会主義工業化の基礎を築き上げよう、というのである。

戦後の復興・発展は、大体以上のような基本的原則と構想のもとですすめられたのであるが、すでに知られるとおり、一九五四―五六年の三カ年計画は予想をはかるに上廻る、驚くほどの好成績をおさめて完遂され、その成果を土台として、今第三段階であるところの五カ年計画が着々実行に移されつつある。

二、五カ年計画のあらまし

第一次五カ年計画（一九五七―六一年）は、それに先立って実施された三カ年計画の成果を土台としてすすめられるものである。ところで、三カ年計画は、一口にいえば、「生産を戦前（一九四九年）の水準にとりもどす」ことが当面の目標であった。一々数字的資料をあげることはやめて、きわめて大づかみに、その成果をみれば、全体的に計画はその期間内に完遂され、目標をしのぐ復旧事業が達成された。

工業部門では、一部の石炭・建材・日用品生産をのぞいては、重工業も軽工業も、全体としては当初の計画を突破した。とくに、重工業優先政策とそれに併行する軽工業政策の結果、重工業と紡績・食糧品加工業に、目ざましい進歩を見ることができた。

農業部門では、当初の計画に無理があり、それに西・東海岸一帯に自然災害も加わり、その目標に達することはできなかったが、しかし中途でそれらの弱点に気づき、一九五五年一二月の党中委総会で、現状にあうよう計画がたてなおされたので、それによって期間内に戦前水準をとりもどすことができたのである。

工・農業部門での成果が計画を完遂し、しかもそれをはるかにしのいだが、この期間にとくに注目すべき成果がある。それは、この期間中に社会主義経済化がいちじるしく進んだことである。戦前には国民経済で占める社会主義経済形態は、工業総生産高における九〇・七%は別としても、農業総生産高ではわずかに三・二%であり、小売商品流通高でも五六・五%にすぎなかったが、三カ年計画完遂の後では、工業では九八・三%、農業では七三・九%、小売商品流通では八七・三%が社会主義経済形態にかわった。そのうち、とくに目立つのは、農業の社会主義的集団化で、これは朝鮮にとっては、まさに「世紀的問題」の解決である、といえよう。また工業においては、単に量的発展のみでなく、工業部門間の不均衡や地理的配置の偏倚を是正するのにかなりの成功をおさめた。これは工業における植民地的跛行性の清算を大きく一歩前進させるのに役立ったのである。

ところで、この三カ年計画ですべての問題が解決されたのではない。例えば、労働生産計画のうち、建設部門は当初計画の半分以下の成績しかあげることができなかった。その原因としては、建設作業の工業化と機械化がはじめの予定通り進まなかったことがあげられている。そこで、この期間中に解決できなかった諸問題を整理・再検討し、それは次の段階にもちこされることとなった。その主な二・三の問題を指摘してみれば、(1)計画目標を上廻る成績をあげはしたが、まだ戦前水準を回復することができなかった。例えば電力・石炭・化学工業などがそれである。(2)工業部門と工業と農業との不均衡、及び植民地的跛行性はかなり是正されはしたが、しかしそれを完全に一掃するには至らなかった。(3)国民の生活水準も、向上はしたが、全体的にみれば、まだ戦前の水準を回復することはできなかった。五カ年計画は、これらの未解決の問題をふくめながら、しかし質的な変革を予想して立てられているのである。

五カ年計画の重要な一つの特徴を、金日成首相は先と同じ演説の中で、次のようにいっている。すなわち「このように五カ年計画にも復旧の課題が部分的にのこっておりますが、その主な課題はもはや復旧ではなく、国民経済を技術的にだんだんと改建することであります。……こんにちわれわれは、わが国国民経済が技術的改建期にはいったと十分にいうことができます。……いままでのすべての計画と区別される、わが国における五カ年計画の重要な特徴の一つが、まさにここにあるのであります。」と。五カ年計画では、復旧事業は部分的な地位しか占めず、主たるものは、先進的技術で装備された社会主義工業化と、近代的農法を広く採り入れた社会主義集団農業化とが目ざされている、という点である。

三、その展望

第一次五カ年計画とその展望のアウト・ラインを眺めてみれば、先づ工業部門では、三カ年計画中に達成できなかった部分をとりもどすことはもちろん、更に現代的技術による国民経済の技術的土台の改造・建設を強くおし進めることになっている。引きつづき重工業部門の金属・燃料・電力・機械・化学工業に重点がおかれ、とくに機械工業が重視されているが、同時に軽工業部門の大巾の発展も計画されており、なかでも紡績と食糧品加工業には大きな関心がはらわれている。全体を通じて、工業の自立化と多様化をネライとしている点は注目に値し、また黒色金属・機械設備・電力・石炭・化学肥料・織物および一部の日常消費材の国内自給体制の確立が目標とされているのは大きな発展といえよう。

このようにして、最終年度である一九六一年には、工業総生産高は一九四九年に比べて五・二倍に増大し、基礎物資の一人当り生産高は、鋼鉄と織物とをのぞいては、現在の日本を追いこすことが予想されている。

次に、農業部門では、集団化を完成し、協同組合を強化し、農業生産を増加させ、とくに穀物生産は自給体制を確保することが計画されて居り、そのための灌漑・河川整理事業は更に拡大し、農業労働を機械化することや、先進営農法を積極的に導入・利用することが予定されている。

また、基本建設の急速な進行はとくに痛感され、総投資額は国家投資一、四七〇億と農業協同組合の自己資金による投資四〇〇億とを合わせた、計一、八七〇億で、その五五％以上が工業建設に、九％が農業に、一四・三％が住宅建設にふりあてられている。このような基本建設によって、工作機械台数は約二倍、電力生産力は一・七倍、圧延鋼材は三・一倍、化学肥料二・四倍、セメント一・八倍綿織物一・七倍、絹織物八・七倍にとそれぞれ生産能力が増大するはずである。

以上、きわめて大まかに、第一次五カ年計画のあらましと展望をみてきたが、これまた、最終年度以前に、計画をはるかに上廻る成績で完遂されるであろうことが予想される。これは単なる希望的観測ではなく、その第一年度であった一九五七年、すなわち昨年一カ年の実績によってささえられるものである。例えば、工業生産はすでに計画を一七％も上廻り、生産高は前年にくらべて四四％も増加している。また、昨年は数十年来のひどいひでりがつづいたが、それでも穀物は三二〇万トンも生産され、わが国歴史上はじめての多収穫の記録を残した。その他の部門でも可速度的なはやさと超人的な成績がぞくぞくあがりつつあることは、日々報道されている。したがって、五カ年計画の結果は非常に楽観的である、といっても良いであろう。

しかし、だからといって、楽観的な材料ばかりがそろっているわけではもちろんない。というのは、朝鮮の生産力の発展水準はもともと余りに低いものであり、それさえも植民地的片ちんば性の強いものであった。その上、戦争によって徹底的に破壊された後だけに、全体的に立ちおくれをとりもどすには、まだまだ数多くの問題があり、長い時間を必要とするであろう。社会主義的生産関係の基礎が確立されたとはいえ、物質的・生産的基盤はまだ弱い。地方、三カ年計画の時期には友邦諸国の直接的・物質的援助も大きかったが、いつまでもそればかりを頼っていられず、今後はそれはますます減少するのだが、これを国民生産の中からまかなわなければならない。国民の生活水準を戦前に追いつき追いこすには、更に大きな努力も必要であろう。

将来の問題は山積されている。しかし、ともあれ、長い目でみたその見通しは大へん明るく、それは必ず大きな成果をおさめることであろう。なぜなら、すべての人民は、再び昔のみじめな状態に逆もどりすることを欲しないし、退くことのない前進のみをねがっているのだから、ここでも、希望に満ちた人民の創造的労働意欲はますますもえ上り、献身的努力がたゆみなくつづけられることであろう。

日本の予算と朝鮮人の財政的義務

——その受益について——

朴　進　山

私は定職がなく、または定収入がないから、税金なんか払ったことがない——と言ってはいけない。日本に住んでいるわれわれ朝鮮人も、老若男女を問わず、収入の有無にかかわりなく、消費生活を営む限りは、日本の国家予算と地方予算に対し、直接あるいは間接的に租税またはそれに類似する公課の納付を強いられている。かりに喫茶店で音楽を楽しみながらコーヒーを飲み、コーヒー代を支払ったとする。すると彼は、コーヒーの輸入関税・砂糖消費税・レコードや電蓄の物品税の一部を負担したことになる。友人とビールを一本飲めば、にがい部分——七〇円二〇銭——は税金で、ビール一本の原価は四四円一〇銭に過ぎない。ピース一箱は、二六円八二銭（六七%）が、専売益金というかたちの間接消費税である。タクシーをひろって映画を見に行ったとすれば、揮発油税・地方道路税・自動車税・入場税を負担したのち、スクリーンの画面に接することを許される。

このように、商品やサーヴィスを購入するプロセスをとおして無意識のうちに税金を支払い、またそれらの商品を購入しなくても、一定額以上の収入があれば直接税を課徴される。——すなわち六〇万の在日朝鮮人に対しても、一様に税金を収奪される機会がふりかかってくるのである。ただ個々人の納税高は、彼の収入や消費の金額によって相異する。税法は日本人に対して平等に適用され、まったく差別がない。法規上はそうであっても、実際の取扱上には、朝鮮人に苛酷な場合が少なくない。たとえば自分の子弟を教育する学校に寄附した金額を、日本人の場合は課税所得から控除してくれるが、朝鮮人の場合は、民族教育を受けさせるために朝鮮人学校へ寄附をするとその金額を課税所得に含めるから、われわれに対する課税額は多くなるのである。

朝鮮人とアメリカ人は、日本人ではないという点で等しく外国人に属するが、税金を負担する面では、必ずしも同じく取扱われていない。米国人は、外交官としてあるいは駐留軍人またはその家族として、観光客として、種々の税金について減免の措置がとられているばかりでなく、アメリカ一般市民の日本における所得に対しても、国際的重複課税を回避するための協定により、日本での脱税の機会が与えられている。

朝鮮人は、日本国憲法第三〇条に規定する〝国民は法律の定むるところにより納税の義務を負う〟の摘要を、日本国民とまったく同様にうけている。課税上の負担公平の理念だけは、容赦なくわれわれの生活を貫いている。このようにして、朝鮮人に課徴されている日本人の中央政府予算及び地方予算の租税と公課の総額がどれほどに達するか、凡その概算を推計してみることにしよう。

この場合、一般的に所得や財産の多い人が、少い者より多くの税金を負担するのであるが、一人当りの平均所得額及び所得財産の量は朝鮮人が日本人より若干少いのかも知れないが、一応等しいものと測定する。また納税人員が多ければ多いほど多額の納税をするのであるが、在日朝鮮人の総人口は一九五七年現在五九万九千余人が公式的数であり、このほかに登録されていないと想像される若干の朝鮮人、及び朝鮮人の配偶者とその子になっている日本人を合わせると、それは数万に達し、皆朝鮮人の所得で生活し税金を納めているのであるが、この人口数を含めず、在日朝鮮人を六〇万人と仮定する。そうすると、日本人の全人口九千万人に対して、六〇万の割合は〇・六七%になる。

この二つの前提の下に、きわめて概括的に標題についての考察を試みてみよう。

一九五三年七月一八日第一六国会衆議院通商産業委員会において、村上勇代議士は「朝鮮人は大体一年間に一二億円程度の税金を納めておりますが……」(同日付通産委員会議事録第二〇号)と述べているが、如何なる資料根拠によるものであるかは明らかでない。

一九五八年の日本の国家予算は一兆三、一二一億円、地方予算は一兆二、三七二億である。このうちで朝鮮人も納付する諸税公課が含まれている歳入をとりあげると、次のようになる。

国家予算で、普通の国税印紙税収入が一兆二五九億円、専売納付金が一、一七〇億円、官業収入官業益金が一五三億円、手数料等の雑収入が四三三億円、前年度剰余金(大部分は前年の税収分)一、〇〇二億円、合計一兆三、〇一六億(A)になる。この場合国有財産整理収入は除外されている。

地方予算では地方税及び雑収入が六、二六七億(B)政府一般予算の歳入として計上されずに国税として徴収され、地方予算へ分譲される地方譲与税(入場税地方道路税特別噸税)が三二二億円(C)で、合計六、五八九億円になる。地方予算の中で、中央政府予算歳

第1表

		億円
A	普通の国税・印紙税	10,259
	専売納付金	1,170
	官業益金・収入	153
	雑収入	432
	前年度剰余金	1,002
	(合計)	億円 (13,016)
B	地方譲与税(国税)	322
C	地方税	5,105
	地方予算雑収入	1,106
	(合計)	(6,589)
	総額	億円 19,605

入として一度計上され、地方予算歳入として繰入れられる地方交付税及び国庫補助金等は、重複するので地方予算歳入には含めず、また地方債は一応朝鮮人は応募しないものとして除外した。

そうすると、朝鮮人も負担するものとみなされる政府予算および地方予算の歳入総額（A＋B＋C）は、一兆九、六〇五億円になり（第一表参照）、その〇・六七％は一五一億円になる。すなわち、在日朝鮮人六〇万人が負担した一九五八年度の日本政府及び地方政府予算の収入額は、およそ一五一億であるということになる。

村上代議士が国会で述べた一二〇億円は今から五年前で、当時の政府予算及び地方予算の規模はおよそ昨年より二～三割ほど小さかったことを考慮すれば、根拠のある確実な数字であることが理解出来る。

この場合、特別会計及び国鉄・電電公社等独立採算をとっている国営企業については、資金が一般会計から流れるか、またはそれに支払った代価に相当する反対給付がなされ、課徴金の性格を有する部分が含まれていないものとして除外した。

それは、国民一般に利益を与える経費は国民一般が負担し、国民一般に利益を与えると共に特定の個人に利益を与える場合は、その経費を国民一般と特定の個人の両方が負担する。例えば国立大学は国民一般に利益を与えると共に、入学した特定の個人に利益を与えるから、その経費の一部は国家予算が支出し、一部はその個人が授業料を納めることによって負担するというたて前である。この二つの場合の負担額を、前の計算で計上したのであるが、特定の個人にのみ利益を与える費用は、特定の個人が負担する場合、たとえば国家の経費で建設した国有鉄道は、それを利用する特定の個人が利益を受けると同時に、それに相応する価格を即時支払うから、これには計上されていない。われわれが国鉄の乗車券を入手して汽車賃を支払う場合、それと等価の反対給付（サーヴィス）をうけるから、財政的義務と受益は一応つりあうものとして、財政の一般的義務とは区別するのが妥当であろう。

すると日本の中央・地方予算に対し、朝鮮人一人当り平均年間二万五千円の税金公課を負担したことになる。

歳出の方を考える場合、われわれ朝鮮人に全然関係のない費用、たとえば防衛関係費・賠償費・恩給費及び朝鮮人学生には貸与されない育英事業費等、これに類似する諸費用を除いた多少なりとも朝鮮人にその利益が及ぶものと思われる経費をとりあげると、次のようになる。

一九五八年度一般予算支出の中で、生活保護・社会福祉・社会保険・失業対策・結核対策等の社会保障関係費が一、二五八億円、義

第２表

		億円
A	社会保障関係費	1,258
	文教関係費	1,394
	公共事業関係費	1,758
	中小企業対策費	31
	（合計）	(4,441)
B	義務教育関係費	1,852
	地方公共事業関係費	1,960
	地方社会保障関係費	341
	（合計）	(5,113)
	総額	億円 9,554

務教育・国立大学・文教施設等の文教関係費が一、三九四億円、治山治水・道路整備・食糧増産・国土開発・災害施策等の公共事業費が一、七五八億円、中小企業対策費が三一億円で、合計六、三五七億円がその部類に属する。

地方予算でも同様に、義務教育関係費が一、八五二億円、公共事業費が二、九六〇億円、社会保障関係費が三四一億円で、合計五、一一三億円になる。（第二表参照） この両方を合せた総額は九、九五四億円で、その〇六・七％は六六億円になる。

すなわち六十万の在日朝鮮人が、日本政府の一般予算及び地方予算から財政的利益を受けると考えられる経費は凡そ六六億円で、負担額一五一億円の四四％に過ぎないということになる。

以上のような私の推計は、きわめて大ざっぱであるが、我々朝鮮人の財政的義務と受益の量的対比は、あまりにもアンバランスになっているという事実だけは確かであろう。正確な資料にもとづく確実な調査をするということは我々として困難であるが、このような考察だけでも、財政的義務と受益の関係が非常に不均衡であるということは指摘し得るものと考える。

ここで言いたいことは、①在日朝鮮人は、戦前も戦後も変りなく、日本国民と同じく財政的義務を果しており ②われわれは自発的に日本へ渡来したのではなく、むしろ強制的に渡日させられた人が大部分であること ③外国人であるとすれば、外国人として享有すべき自己の祖国へ帰る自由を保障すべきこと ④終戦前までは日本国民として取扱われたこと等、その他の諸条件を考慮する場合、日本政府当局は、在日朝鮮人が日本国民に準じて財政的利益をうけられるようにするのが、政治的社会的道義的見地から自然なあり方であり、適切な措置であろうかと考える。

朝鮮人が日本国民と同様に財政的利益を受けられるような具体的措置については、取扱上若干の不便があるにしても、大局的にはこのような理念が貫かれて然るべきであろう。たとえば学生に対する育英資金にしても、朝鮮人学生当人は勿論のこと、その父兄は数十年前から日本政府に対する財政的義務を果しているのだから、当然国家の育英事業の恩恵を受けられるべきであるし、政府関係金融機関は、朝鮮人商工業者に対しても、日本国民に準じて一様に融資の機会を与えるべきであろう。このようなケースは数多い。

在日朝鮮人の歴史的社会的特殊条件を一応度外視して、財政的義務受益の方面からのみ考察しても、そのような要望は決して無理でなく、むしろ当然な表現かと思う。

わが信仰

姜 魏 堂

私は倖せなことに、未だかつて所謂宗教というものにたぶらかされたことは一度もない。そのくせ、ひと一倍に宗教心は深いのだ。その前に立っては心から頭を垂れ、戦争中は子らのためにひそかに祈りすら捧げた――そういう信仰を、私は一つだけ持っている。

鹿児島行の急行が最後に途中停車する「伊集院」と、その一つ手前の「東市来」という小さな駅との中間に、九州本線には珍らしい長いトンネルがあるが、その山の裾が西北に拡がり伸びて行って大きな高台を形造っているところに、戸毎に石を積上げ、その上に竹の垣根を結った風変りな家並が整然と立ち並ぶ一つの部落がある。これが、日本で有名な陶器の一つである『薩摩焼』の原産部落「苗代川」である。そしてそれは、一五九三〜四年の『壬辰倭乱』の際、島津勢のために捕えられ、連れられて来た南原城や加徳島の捕虜と、熊川や金海の陶工ら二十二姓・六十余名の後裔から成る〃特殊部落〃なのだ。

記録によれば、その二十二姓中、羅・燕・安の三家は一代で以て断絶、黄・張の二家は後に製陶指南として琉球へ派遣され、結局朴・李・沈・陳・何・白・朱・丁・鄭・林・車・卞・申・金・盧・崔・姜の十七姓が残ったとある。

尤も、いきなり前記の「苗代川」に上陸した訳ではない。一行は最初、薩摩半島の北部、西海岸にある串木野島の平浜というところへ連行されて、監視されながら製陶を命ぜられた。然し、そこにはろくな陶土もなかったし、第一、それどころではなかった。みんな海辺の砂丘にしゃがみこんで、遙かに霞む島影に故国を偲び、毎日泣いてばかりいたという。おどかされ、なだめすかされてやがて築いた窯――然し、出来上ったものはなんの変哲もない在来の土器にすぎなかった。

こうして藩主の期待が外れた時は、庇護の手が退かれる時でもあった。彼らは、地方民の軽侮と迫害の重囲の中に取り残されたのだ。〃壺つくりの朝鮮人部落〃は〃壺屋〃と呼ばれ、鉢や土瓶類を担いで物々交換の〃市〃へ出かける女達の上には、〃壺屋《ツボヤン》の高《コ》麗人《レジン》〃の罵声と共に小石が降って来るのだった。こうした迫書に、彼らはとことんまで無神経になっていった。だが、それにも限度はあったものとみえ――地方の侍たちが、神聖視された粘土のこね合せ場に草履ばきのまま入りこんで来たことから悶着を起こし、とど、寄って集って打ちのめしてしまった。人間のうちには入らぬ〃壺屋ん高麗人ども〃が、こともあろうに武士たちを半死半生の目に遇わせたのだ。檄がとび、騒ぎは次第に拡がっていった。部落民ミナゴロシの計画が進められているのを知って、部落の長老たちは、部落を挙げて退避することに決め、暗夜を利して山また山を超えて南下した。そしてたどりついた、斧鉞のまだ入らぬ深山――そこが、私の郷里「苗代川」であり、それは、一六〇三年のことであった。

人々は振出しに戻って、やり直さなければならなかった。〃帰国〃などということは、も早望むべくもなかった。こうして、背水の陣の中から『薩摩焼』が生みだされるまでには、更に十年の歳月が必要であった。その偉業を成し遂げた朴平意の苦心については、他日に譲ろう。(『民主朝鮮』第一〇号に載った拙作『壺屋ン高麗人』の第一幕は、それを書いたものであった)

薩摩焼——当初は帖左焼と呼ばれた——が作られて、島津はそのあごをなでながら己れの先見の明を誇った。喪われた高麗人たちへの彼の興味も取り戻され、その庇護の手も次次と打たれていった。——そして二世紀半。それは然し、軽侮に加うるに反感を以てされ、相も変らぬ嘲罵の中に送り迎えた長い歳月であった。だからこそ隔絶された世界に、伝来の朝鮮色は毫も毀損されることなく温存されたのだった。

ともあれ、異国の空にも平和が返って来た。人々は、春ともなれば挙って〃丘登り〃(ピクニック)としゃれこみ、秋は一里もある吹上ケ浜へ〃浜下り〃をした。檀君の霊を祀ったという村端れの山奥にある玉山神社では、旧暦の九月十五日、歴代その祭司とされた丁家の神官が朝鮮服を纏って祝詞をあげ(ところがそのノリトたるや〃遊べ遊べ大いに遊べ〃と、天下の泰平を謳歌した朝鮮古代の俗謡なのだからふるっている。然し後代の人はも早朝鮮語を解せず、頭を垂れ、それをノリトとして傾聴した)そしてその晩は部落を南北に二分し、山から採って来たツタカズラで作った綱を、中秋の名月下に引き合って夜の更けるのを忘れた。異国のこの地に生れて故国を知らず、異邦人としてこの地に生涯を閉じた人のためには村中が集まり、担がれた柩の上には紙製の鳥がとまり、笙のもの悲しい曲に送られて行列は進み、玉山神社の山麓に拡がる土漫頭の墓へと送りこまれるのであった。

明治維新を迎え、その七年に施行された戸籍法で、苗字を持たなかったこの国の百姓たちは、先を争って姓をつくりだしたが、朝鮮人の後裔はあわてる必要はなかった。然し、文明開化の風に乗って外へ出てみると、封建時代の偏見は微塵も改まってはいないのだった。そこで、部落氏の間に改姓が始まった。こうして明治もその末期ともなれば、一字の姓は数えるほどしかなくなっていた。その彼らは、村当局の慫慂にも拘わらず、も早改姓の意志のない人達であった。その中に、私の父もいた。

私の父義篤は、渡来後姜家の八代目に長男として生まれたが、家は極貧、おまけに継母育ちだった。畑の耕作や製陶用の薪割りに日雇いとなって働きながら、然し父は本を離さなかったという。島津家の邸内にある〃お庭焼〃の絵師として幅を利かしていた朴平意後裔の一門の者が、それに目をつけて自分の妹を嫁がせた。そこで父は、僅かばかりの家財を異母弟妹に分けてやり、木製の行李一つと鍋釜を持ち、妻の持参金を資本にはるばる東京へと旅立った。新橋と横浜間にはじめて岡蒸気が走り、その開通式を母が見たという、その頃のことである。かくて父は、日本における最初の洋医(といっても蘭医だが)の国家検定試験を受けた。そして、合格した三人の中の末席に父の名があった。

村端れの小屋に人々が押しかけ、姜家には自称のにわか親族がいたずらに増えた。父はそして、最後には県の医師会長、県会の副議長とのし上って行ったのだが——そんなことに、子供は驚かない。資本主義勃興期の立身出世譚。だが、あの時代、あの環境の中で、一字の姓を守り通しただけでなく、どうして父が完全な無宗教に終始し得たのか?——これは私にとっての驚きである。思うに、性来の負けじ魂が、迫害によって却って磨かれていった結果だったのであろう。

その父にしても、然し四人の子供には、改姓した母の里方に入籍させることによって、二字の姓を与えている。況んや――部落の窯業が自由主義経済下の競争に敗れ、縁もゆかりもない鹿児島市の商人達によって粗製模造され、土産品として乱売されるに及び、村を捨てて朝鮮・台湾・満洲へと〃雄飛〃して行った部落の若人たちは、その多くが他郷で雑婚して古里の遺習を忘れ、果ては本籍や墓地までも、腰を据えた場所へ移すのが常となってしまった。私も兄の命を受け、旅費を貰って汽車に乗った――父と母とを埋めたあの墓地の土を、移転のしるしとして採りに行くためであった。

私の最初の中学は、鹿児島湾を横切ってなお馬車で半日行程の志布志という港にあった。兄も姉も全部東京で暮していたので、村一番の大きな家でわがまま放題に育った末っ子の私は、かつて思ってもみなかった生活を、そこの寄宿舎で送り迎えねばならなかった。ラッパで叩き起こされ、月を戴き霜を踏んでする寒稽古や自源流の立木打ち――そんなことにはいつの間にか馴れていったが、びろうな話ながら〃パング〃という言葉から忽ちにしてばれてしまった私のお里！パングとは、〃屁〃の朝鮮語だったのだ。祖先の国の言葉が、二世紀後の自分の日常語の中にまで少なからず残されてあることを、どうして私が知り得たろう？　にわかに受け始めた嘲笑の中で、私は自分の運命を呪った。私を産んだ親たちを恨んだ。「日韓併合」を〃国威の発揚〃としてよろこび、明治天皇の病臥にはその平癒を祈った〃日本の一少年〃は、こうして〃異邦人〃としてめざめ、固い孤独の中へ閉じこもっていった。時既に父は亡く、母もやがて死ぬに及んで、私は東京の兄達のところへ引きとられた。

私は成長した。私はもう、自分の生い立ちを悲しみはしなかった。それどころか、倖せにすぎたボンクラを僅かに救ってくれたのがほかならぬその生い立ちであったことにも、気がつくようになった。

私は墓前にぬかずいた。そして、長兄の趣味でそこに彫られてある法名を見上げながら〃魂あるものならば〃と、私は幼い頃の鹿児島弁でそれを呟いた＝〃この土地を離れてはいけませんぞ！　あなた方の末っ子だけは、間違いなくここに帰って来るんですから！〃

それから墓地の砂を一と握り、持参の茶筒に入れて蓋をした。……その缶を長兄の手に届けた夜、私は更めて、も早無用になった筈の田舎の墓地を〃親から残された唯一の遺産〃として貰い受けた。――その兄も、他家へ嫁した姉も、いまではもうみんないない。そして甲斐性なしの末っ子は、むざんにも竹籔になってしまっているに違いない姜家の墓を、未だに、コンクリートで固めることすら果せないでいる。

朝鮮人が、この国の文化の上に果した大きな役割については、良心的な学者の著書には詳しく記されてあるが、それらの現実の遺跡は、一体全体どうなっているのか？　一番完全に残されてあった筈のわが燕屋ですら、今日それは見る影もなく喪われてしまっている。全国的にそれを調べ上げて、いまのうちに記録だけでも遺しておこうにも――在日朝鮮人の金持連は、もっと儲けるためにいつも血眼になっており、在日朝鮮人の組織は、今日当面の問題処理だけに汲々として――噫！全国に散在する筈の貴重な遺跡は、日毎に損われ、永久に消滅していっている！

読書案内

現代の植民地主義

具島兼三郎著

朴慶植

「われわれはよく植民地主義は死滅したということを聞く。そのような言葉に欺かれてはならない。慰められることすらいけない。植民地主義はまだ死滅していない。アジア・アフリカの広大な地域になお自由が与えられていないときに、どうして植民地主義が死滅したといえるだろうか？…」（インドネシア大統領スカルノのバンドン会議での開会宣言の中の言葉）

　私達はともすれば事の本質を見失って表面的なもの、形式的なもの、枝葉末節的なものにとらわれやすい。その結果、黒を白、悪魔を天使ととりちがえてあとからひどい目にあうのである。著者は「現代の植民地主義」を巧みに行使する「みえない帝国」についてともすれば現代人の認識の誤りに注意を喚起し、現代植民地主義の支配と方法についての正しい理解のために本書を公けにしている。

　独立国とはいうもののまだ従属関係を立ちきっていない日本、南朝鮮に現代植民地主義がどのように浸透しているかを正しく、本質的に把握するためには更めて本書をひもといてみるとよい。筆者も編輯子から本書の紹介を請わるるままに一読して植民地政策について歴史的にまたその本質的なものをもう一度頭の中に整理し直すことができた。読者の必読の書として推奨したい。以下本書の内容を簡単に紹介してみよう。

　本書は㈠現代と植民地主義、㈡現代植民地主義の選手、㈢現代植民地主義の特質、㈣西ヨーロッパの後退と抵抗、㈤社会主義国間の関係と植民地主義、㈥むすび――日本における植民地主義等にわけてかかれている。

　先ず㈠においては暗い過去を十六世紀―十九世紀初め植民地主義の主要な担い手が独占的な商人で、むき出しの暴力をふるって植民地の富を掠奪した時代、十九世紀はじめから終りまでの産業資本家が商人に代って植民地主義者の担い手となり、植民地を原料・食料供給地・商品販売市場と化する「文明の通商」の時代、さらに十九世紀末ごろから現代の入口にさしかかるまでの金融資本家が植民地主義の主要の担い手として植民地獲得競争、帝国主義戦争の時代の三段階に分けて述べている。そして植民地主義者の支配の方法が時代を追うて巧妙になり、その害毒が年とともにひろがって現代の入口にさしかかったときにはそれが全世界におよんだこと、植民地主義弁護論者は植民地主義には悪い面もあるがいい面もあるというかも知れないが、そのいい面といわれるものは貪欲で残忍、冷酷な自己の利盛を追求する利己的行為であり、およそヒューマニズム精神とは何のかかわりもないものであることを説いている。現在日本には過去の植民地主義を弁護し「日本の物質文明の朝鮮に対する寄与」を強調する論者も一部にはあるようであるがそれは全く植民地主義の主観と歴史の発展の客観性を混同させた愚かな考えである。

　次に著者は現代（ロシア革命以後）における植民地主義の特徴としてその担い手が金融資本家であることは前代と同じであるが、現代は植民地主義の没落と破滅の時代であることを立証している。即ち、第一次大戦から現在までに植民地的地位を脱した地域の総面積は世界陸地総面積の八一・八％、その人口は世界総人口の半ばに達しており、この傾向は今後ますます拡大しようとしていること等から、その原因としては勿論ロシア革命の与えた影響が大きいのであるが、さらに第二次大戦が植民地、半植民の政治経済に大きな変化を与え、民族解放運動を活潑化させたこと、アジア・アフリカ会議のような被圧迫諸民族の団結と協力が強化されたこと、社会主義圏の成長とその後進国援助、国連における反植民地勢力の強化、植民地領有国の内部における反植民地主義勢力の強化等をあげている。「植民地主義の行方はいまや八方ふさがりであり、現代植民地主義をとりまく環境はかくの如く暗く、かくの如く変うつである。」

㈡においては過去の第一、二、三期における植民地主義の選手として活躍した国の交代が述べられ、現代植民地主義の選手はアメリカであること、植民地はむしろ氷山の一角であって、アメリカ帝国は「みえる帝国」と「みえない帝国」の二つの部分から成っており「みえない帝国」がより大きな比重を占めているといわれる。

㈢はこの「みえない帝国」―アメリカの現代植民地主義の特質を論じている。この本の主眼はここにある。アメリカ帝国の中には植民地は勿論であるが、外国の自治領や植民地（カナダ・グリーンランド等）、独立国（メキシコ、ペルー、フィリッピン、トルコ、ギリシア等）までが入っている。現代においては他民族の独立を否定し、他国の主権を否認する「むきだしの植民地主義」よりも、他民族の形式上の主権を認める「偽装された植民地主義」の方がより大きな適応性をもっており、今日では先進的工業国、植民地領有国――イギリス、フランス、西ドイツ――もアメリカ帝国への従属が強いられている。

次にアメリカ帝国の「偽装された植民地主義」の形成過程におけるモンロー主義、ヘイの門戸開放宣言、ウイルソンの民族自決主義、ダレス・ドクトリンの本質が述べられている。そしてダレス・ドクトリンの実践として第一の軍事同盟（米州相互援助条約、北太西洋条約、東南アジア集団防衛条約、バグダッド条約）は「同盟者」の名の下に内政干渉の合理化であり、他国経済の軍事化、軍事援助による支配、他国軍隊にたいする支配を行うものであること、第二の「経済援助」という名の支配――西ヨーロッパ諸国にたいする「経済援助」（マーシャル計画）、資金の「贈与」、物資の「贈与」、「借款」、「援助」物資の組み合せや価格操作等を通じての支配、共産圏貿易の制限、後進地域にたいする「経済援助」、社会主義世界の一部にたいする「経済援助」、――さらに第三にグァテマラ事件、ヨルダン・クーデターのようなクーデター、プロデューサーをも演ずることが詳しく述べられている。

㈣においては、西ヨーロッパにおけるアメリカ帝国の進出によるイギリス、フランス等の後退。

㈤においてはポーランド、ハンガリー事件に提起された社会主義国間の関係の問題点。

最後に㈥のむすびとして日本におけるアメリカ帝国の植民地主義の現われとして日米安全保障条約、軍事援助、経済援助、沖縄、小笠原基地問題が論ぜられ、植民地主義に反対する日本国民の闘いの展望がなされている。

森と湖のまつり

――武田泰淳著――

小原　元

この長篇にはアイヌの民族的存亡の問題が大きくとりあつかわれている。だが、問題そのものは十分に主題となりきっているといい難い。作者のなみなみならぬ関心をよせるアイヌ問題が、大きくあつかわれながらも、主題として統一された集中を保ちえていないというところにこの長篇の弱さがある。

多くの批評にひとしく指摘されたことだが、アイヌ統一委員会なるものの実態が全くアイマイなのである。統一委の委員長で主人公格たる池博士が「政治的な組織なのか、文化運動の一翼なのか、それとも趣味的な集りなのか、わからない状態」をかこったのは、統一委の自然消滅を告げざるをえぬ終末近くになってのことであった。

統一委の指導者たる池や風森一太郎らが、民族の純粋を保ち和人に拮抗してゆくためのどのような方策を考えているのか皆目不明なのである。あるいはまた、合法面に心を置くこの統一委なるものが、一太郎の非合法的出没から平野謙ならずとも「アイヌを中心とする北海道独立の秘密結社のような節」を感じとらせずにはいない面もある。だがそれすらも印象以上のものではない。

風森一太郎の行動と性格にはアイヌの運命的象徴が象られているのだろうか？　暗い情熱にいろどられ、それとして魅力的なエネルギーを発散するが、それにしてもこの英雄の情熱的行動がどういう目的に支えられているのか理解に苦しむのである。民族の立場からでなく自己中心の立場から利害を判断し策をめぐらす現実主義はそれとして批判さるべきだが、これら現実主義者たるトウロ館や網元への一太郎の挑戦は、根拠がアイマイだけにいちじるしく観念的である。彼の行為や思考が非現実的たることの伏因となるのは、のちに証されるこのアイヌ青年が裏切酋長と和人武士の混血の血統をひくという秘密であろう。

民族的な自己否定、自己破壊の力から新らたな転生の道もひらかれるのであろう冷厳な歴史的時点に立って、なまなかな同情や感傷はなんの救済ともなりえぬ。

いかに一太郎らの行為が純粋を保とうとも現実主義者の力に拮抗するだけの批判力や行動的論理をもてぬかぎり、この均衡を破ることはできぬ。まして統一委の和人たち、池や福島屋、あるいは佐伯雪子らの善意がどれほど人道主義に根ざすにもせよ、民族の転生という距視的視点に立ってみたとき、所詮は無力な感傷にすぎず、アツカの病主婦の現実的な批判に全く耐ええぬ実態なのである。そして批判をよくなしうるものが、和人ないしは混血ならぬアイヌそのものであることは示唆的であり教訓的でもある。

女絵かき佐伯雪子の、芸術家的興味や冒険がこの長篇の一つの軸をなしているとはいえ、民族転生の苦悩の場に深まってゆけばゆくほど、風森ミツや千木鶴子や、嵐の夜をすごした小屋の和人に棄てられた病婦や山城の娘に対するその異分子性をあらわにせざるをえぬ。佐伯雪子なる存在は、作者によれば、芸術家の冒険として「これでもか、これでもかとひどい目に遭わせ、困難な武者修行を強行させ」「原始と生産の大原野で試してみたかった」ということだが、結局は主題の集中をさまたげる役割を果す結果となっている。どだい佐伯雪子の関心は、アイヌ問題よりも風森一太郎の野性的情熱によりつよくかたむいているのであり、作者がこの問題を大きい素材の中に雪子を投入して冒険せしめたとき、素材の重量に雪子の冒険ははねかえされ、作者が雪子の冒険にこだわるほど主題は拡散してしまう結果におちいったのである。

ともあれ今日なお、アイヌ民族の〈純血のアイヌは三、四百人、和人との混血二、三万人という〉問題が、深刻な意味や示唆をもつということは、そこに日本とアメリカとの関係、あるいは国内政治関係への示唆をふくんでいようといまいと、国独自の重要な問題にちがいない。その人種的起源はどうあれ、れっきとした日本国民たるアイヌを、別個独自の民族観念によってみなければならぬところに、どれほど主観的に誠実であれ、池的人道主義が、アイヌを未開人視する反動政治のアイヌ措置――貧乏人は麦を食え流の政策につながる――を決定的に批判しつくしうるものでないことはあきらかである。〈新潮社刊・四六判四一八頁、三七〇円〉

公ろん・私ろん

近来とかく在日朝鮮人社会において（特に青年層）ケンリョクに屈することなく、ものをはっきりと言い、また書くようになってきた。何かといえば拍手喝采しながら賛成々々と喚声をあげた時代は過ぎたようだ。結構なことである。

× ×

かなり前の話だが、日共機関紙「アカハタ」に日共に苦言を吐く欄があるから〃朝鮮人として一言〃と言うはなしがあったので、その時「わたしがその任でないことは勿論だが、それよりもまず足もとのわれわれ朝鮮人のありかたに苦言もできないものが」と言って赤面したことがあった。他に苦言するよりは自分をよくすることはむづかしい。

× ×

ゼスチュア、アッピール、プロパガンダ、これらを否定するものでは無論ないが、ゆきすぎると鼻につく。日常茶飯事のゼスチュアから、公けの宣伝にいたるまで、臭いものに蓋をする外面虚飾的なものをオーム返しにされても効果はうすい。このような方法が勝利を得られなかったことは過去が証明している。（N）

三年間の活動停止処分！ 何だ、おい、それは誰だ？ あわてるなよ、これは居留民団のはなしだよ。民団が雑誌「白葉」というのをだしている。元文教局長、総務局長の崔鮮を三年間の活動停止処分にしたんだ。へェー、それでどうなるんだい？ どうなるつて、その活動停止処分にあった人というのはどうもなりはしないさ。あいかわらず元気だろう。それで、そんなことをいいわたした方の連中はチットばかりいい気持になり、いいわたされた方はチットばかりクスグッタイだけのはなしさ。要するに目的は、三年間の活動停止処分に附す！なんていってみたかったのだよ。

× ×

「東京にいったことのある人は誰もが駐日代表部は〃自動車外交〃だといって非難する。大使、公使はもちろんのこと、二等書記官にいたるまで最新式高級車を乗りまわしているとのことだ。たかだか二百五十ドルのサラリーが最新式高級車に化けるのだから、ただただ代表部職員諸君の錬金術士なみの手腕には頭が下るばかりだ。……彼等は外交官特恵の無税をいいことにして購入した車を二年後には必ず売り捌いている」バカに朗読はウマイが、それは何だい？ これか、これは「コリア評論」の九・十月号だ。よんでいるのは「日韓会談の落穂」という東亜日報の特派員がかいている文章だ。もう少しよんでみるか。

× ×

「同胞の誰かが代表部幹部のあやまちを見つけ非難でもしようものなら、立ちどころに〃アカ〃のレッテルを貼られるとのこと。いくらなんでも〃アカ〃を養成するようなものだと、東京の識者層を嘆かせている。次に挙げられるのが旅券問題で、在日同胞が本国入国の手続をする際五万円乃至十万円の金を交際費として居留民団と代表部に注ぎ込まねばならないということだ。旅券が発行されればまだしも、注ぎ込んだ揚句の果てに食い倒される例も多いとか……」おい、もういいよ。もうたくさんだよ、そんな話は。ところで、その特派員というのは何という人だい？ うン？ うむ辺永権というんだ。こういうチットばかり骨のある記者も南朝鮮にはいるんだね。われわれとしても、それは心得ておいてもいいだろう。わかった。よし、では、彼は十年間の活動停止処分に附す！ （U）

私の歩いてきた道（一）

張　斗　植

私は、自分のことを書いてみたいとは前々から思っていたが、生来のひっこみ思案のためなかなか書けなかった。

そのひっこみ思案というのは、私というものそれ自体がつまらない存在で、なんの変哲もない自分を書いていったいなんの足しになるんだ、という気持が作用し、これが私の人生観のうえに昔もいまも大きくのしかかってきている。したがって、いま私は私の生きかたにあまり自信がもてない。いや、のちのちまでも自信がもてないような気がする。

ところで、いざ勇を鼓して書くとなると、これまたなんとなく怖いものに触わるような姿勢になるが、ともかく、たとえそれがどんなつまらないことでも、もう一ど鏡にうつしてみたい欲求がさいきんとみに強くなってきたことは否めない。これはかつてない経験である。

私には幼いときの楽しい思い出はなく、あるのは孤独と涙の思い出ばかりだ。

私の家は、かくべつ由緒があるというほどでもないが、それでも曽祖父の代までは昌原邑内（慶尚南道）でも相当の旧家にぞくし、作男も十二、三人おいてなに一つ不自由をしなかったそうだ。それが祖父の代になって没落し、祖父は夜逃げも同様に家をたたんで昌原邑内から程近い新方里へ移り、当時、結婚して間もなかった長男の父は、母の郷里・漆原へ義父―私には外祖父―を頼って行ったそうである。したがって私たちきょうだい―兄・昌植、姉・小順、そして私―はここで生れ、本籍・昌原郡新方里を名のってもその土地には縁はない。

誰しも、生れ故郷はいいもの、懐かしいものだが、私には生れ故郷・漆原の山川は、私の涙で曇る彼方にある。

それというのも、生活に追いつめられた私たち一家は最初に父、つぎが姉、そのつぎが母、そしてとうとう五つの私ひとりを外家（母方）にのこして兄までが日本へいってしまったのである。このときがちょうど関東大震災の前後で、恐ろしい噂―事実、朝鮮人数千名が虐殺された。―が朝鮮の隅々までとんでいたにもかかわらず、それでもそのような人殺しの恐ろしい日本《くに》へ相次いで渡ってこなければならなかったことをいま思うと、家の貧窮がどんな状態だったか、わかるような気がする。もっとも十二もとしが違う兄・昌植は東京へ苦学が目的だったが。――それからというものひとりのこされた私は、孤独の味をいやという程しり、私は肉親こいしさで日夜を涙でくらしたのである。

一九二三年五月某日、―これは日本政府発行の私の外国人登録証にそう記載されてある―、これが私の日本に渡ってきた年月日である。そうすると、今年は五八年だからまる三十五年間、日本での生活が記録されるわけだ。そして今年かぞえで四十三だから、私が渡ってきたとしは八つということになる。

その八つのとしに日本へ渡ってきたのであるが、たったひとりの肉親から置去られて三年目、ある日とつぜん、ほんとうにそれはとつぜんだった、ふたりのおんなのひとの来訪をうけると、その翌朝早く、私は山の中腹にあった外祖母―外祖父は前のとしに亡くなっていた―の家から、まるで牛がひかれてゆくような思いでふたりのおんなの後をついていった。ひとりは子供を変な背負いかた―翌朝、下関についてそれが日本式の背負いかただとわかったが―をした三十ぐらいのおかみさん、もうひとりは十七、八ぐらいの娘だった。娘だとわかったのは、髪を後ろにながくさげていたから―出発の前の晩、私は外祖母から日本にいる両親に会えるのだといい聞かされ、それまで一日として泣かなかった日がなかった私はうれしさで胸がいっぱいだったが、ほんとうに母のところへ連れていってくれるのだろうか、それとも腕白の私をどこか売ってしまうのではないだろうか、と道々私は心配でならなかった。そのころ幼い私の耳に、人凌《さら》いがきて日本のサーカス団へ売りとばすため、ちょうど私ぐらいの子供を淩っていく話しをちょいちょい聞いていたので尚更のことだった。ふたりは別に話しかけてこなかった。かえってそれが私にはたすかった。とにかくついていくほかになかった。母に会えるよろこびのためにはどんな犠牲でもはらうつもりだった。

当時、郷里―漆原から馬山まで一台しかタクシーがなかったと思う。そしてこのタクシーのほかには交通機関はなかったような気がする。それもガタガタの幌車で、朝と夕の二回しか往復しなかったようだった。多分、その道路が新作路と呼ばれ、南江の支流に沿って走り、岸にはアカシヤの並木が植わっていたように記憶している――ともかく、そのタクシーにのせられ、小一時間もかかって私たちは馬山駅についた。そこで私ははじめて汽車というものに乗った。百足《むかで》のような恰好でいて、それでいて図体の大きい癖に凄くスピードがあるのにはおどろいた。きっとこれを運転しているひとは偉いひとに違いないと思い、自分も大きくなったらきっと汽車の運転士になって偉くなるんだと心に固く誓ったものだ。そのうち、私の心配（人凌い）も消え、このひとたちはほんとうに間違いなく母のところへ連れていってくれる親切なひとたちだと思うようになり、いつしか気が落ちついてきた。

あとでわかったことであるが、見ず知らずのこのおんなのひとたちは、年上のほうが姉で、妹のほうは私の叔父のところへ嫁ぎにゆくところだった。つまり妹のほうは私の叔母になるひとだったのである。とんだ意識過剰もあったものだが、無事に両親のもとにとどけられ、道中不安だった話を母に聞かせたら、母は私の顔に頬ずりして泣きなが笑いやまなかったし、私は私で恥づかしくてならなかった。
叔父は、十六才のとき家をとびだし、一時釜山の魚市場にいたが、日本にきていろいろ苦労をなめた結果、その甲斐あってそのころ八王子の埋立工事の大丸組—この大丸組は、勘定の払いが悪いので飯場頭泣かせで有名だった。そのまた飯場頭はしぜん近所の諸式屋（酒屋、米屋）を泣かせることになり、なかには米屋から米を五俵、十俵とだましとってその日の夜中、トラックに積んで夜逃げするものまで出てきた—の配下となり、三十前の若い土木請負兼飯場頭をしていた。

私の父—私が赤子のとき、一ど抱いてくれたそうだが、このときはじめて私は父の顔を知ったのだ！—は、十もとし下のこの叔父の配下で同じく飯場頭をしていた。あまり羽振りはよくなかったように思う。叔父よりも七、八年もまえきていろのに、その配下になっている事実には幼な心ながらなんとなく口惜しく淋しかった。

また、父の名は張永起だが、日本名を高橋利三郎と名のり、一ぽう叔父の方は張永堪こと島田栄三郎で通っていた。私はずうっと大きくなって、なぜ叔父は兄の高橋の姓を踏襲しないで勝手に島田をつけたのだろうか、ふたりの仲が悪いのは——と、その原因をこんなところに求めたりしたことがある。

ところで、叔父がはばを利かせるようになったのは叔父と義兄弟の縁を結んだ兄貴の趙致益という人物が後楯になつていたからであった。このひとは、私を郷里から連れてきてくれたおかみさんの亭主である。無学で小柄な男だが、度胸のいい点では関東一円の日本人請負師のあいだにも知れわたり、同胞の飯場頭仲間からは一目も二目もおかれていた。このふたりの間柄は、叔父が日本にきはじめてから、ずうっとただならぬ関係だったそうで、それがお互い同業者仲間に顔をしられるようになり、そこで趙致益の口から≪おれの女房の妹を貰え！≫ということになったようだが、お蔭で私は、思慕の情深かった母に会うことができた。とにかく本人の意思を無視しての結婚だったが、—このような結婚のしかたは、当時いろいろと悲喜劇をうんでいる。たとえば花嫁が、写真で見合いしてはるばる朝鮮《くに》から結婚式場に臨んでみると、自分の良人となるひとがせむしだったり、片腕がなかったりして泣くにも泣けず、破談するにも既に受取った結納金やら旅費のことで身がつまり、けっきょく結婚したひとたちの話を随ぶん私は聞いてしっている—十七才の私の叔母はこの結婚を心からよろこんでいたと思う。叔父は役者にしたいほどの好男子で背が高く、多少の学もあったから花婿として申分なかったであろう。私のしるかぎりでは、もっとも、あとで述べるが私はこの叔父のもとを離れては来、きて離れるというように二十五までの、あたら青春時代をこき使われておくるが、惨めな私の母に比べて苦労のない生活をおくる叔母を私は幸福なひとだったと思う。

金史良登場前後

趙 奎 錫

1

一九四一年十二月のなかば―日本が真珠湾を奇襲攻撃、凄惨な太平洋戦争の幕をあけて一週間ぐらいたった頃、ある日の午後、僕は鎌倉扇ケ谷の「米新亭」の玄関先にたっていた。吉原寿美枝さんが出てきて僕の顔をみるなり「あら、あなたは大丈夫だったの!?」僕はキヨトンと相手の表情《かほ》を眺めあげていた。

「金さん検挙されたのよ。」低いささやくような声でいった。あたりをはばかっている気配だった。「ま、おあがりなさい。」

吉原さんの話をきいていくうち、無知な僕にも事態が容易でないことがわかった。

不安よりもよるべを失った大きなかなしみに僕は声も出なかった。

キチンとかたづいてはいるものの、特高連中が荒したあとが、それとひとめでわかる、まだ生々しいかんじのただよっている金さんの部屋で、吉原さんにすすめられるままに、金さんの体臭がしみこんだ蒲団にくるまって僕はまんじりともせず一夜をあかした。――僕は十七才だった。

2

飛躍するようだが、さきごろ新聞紙上をにぎわしたいわゆる小松川高校の「女高生殺し」の李少年のことについて、僕は僕なりに受けとれるものがあった。少年が犯した罪の性格については、もはや論議の余地はない。けれども菊村到が書いているように知能指数一三七という常人のそれをはるかに上廻る頭脳の持主であったこの少年の置かれた環境に問題の大半があるのではなかろうか。

「たぶん李は生れたときから頭をおさえつけれてきたに違いない。彼はたえず、抑圧されそしてその重みの下で成長してきた。せまいバラックのなかでの八人家族の暮し、その中で外国文学書を読む少年。李は小学生の頃は明るい人なつこい子供だったという、中学時代一年から三年まではほとんど首席で通し、卒業するまでは近所の人からもかわいがられていた。

何が彼をゆがめてしまったのか。図式的に説明すれば、たぶんこんなふうになるだろう。健康で頭のいい少年が貧しい朝鮮人の家に生れた。やがて、彼は自分の才能にめざめるのだが、そのとき自分をとりまく環境と自分の能力とのあいだのうづめがたいギャップを発見し、絶望的になる。そのいらだたしさが思春期の少年特有のなまぐささのなかで異様にふくれあがり、それがひとりの少女への理由のない殺人となってバクハツする。彼に殺人を犯させたものが何であるのか、それはたぶん彼自身にもわからないだろう。」

菊村の解釈の是非はさておいて、僕たち在日朝鮮人、殊に日本で生れたり、あるいは日本で育った朝鮮人のほとんどすべては程度のちがいこそあれ、李少年の環境と似通ったなかでその少年期をあるいは青年期を過ごしてきたのではなかったか。

僕とても勿論、例外でなかった。屈辱と混迷のなかで必死で歯をくいしばった苦く哀しい思い出を、皮膚《はだ》にしみつかせてない朝鮮人はいない筈だが、とりわけて、僕がかなしいのは、日本生れの日本育ちの朝鮮人の場合である。これにはこれだけの問題があるのだ。

風土――というものの影響を忘れてはならない。公式的な史家や通俗学者が人の生涯を評伝する場合、誰それは、山紫水明の地で呱呱の声をあげた云々式の意味あいで云うのではない。

それより、すべての文学作品に色濃くにじみでてくる作家の体臭のうち、自然を主軸とする風土性を消し去ることは出来ない。それはメカニズムの交錯する都市の風俗を描いたものにすら人間の生理のように存在するものである。

日本で生れ、日本で育ったものは、それはもはや朝鮮人ではない。日本人である。その人格形成期において、自然環境の与える影響がどれだけの比重をしめるか、僕はつまびらかにすることはできないけれども、尠くともそれは原次的なものであり人文環境がそれに続くのではなかろうか。

当時の僕にとっては、父祖の地朝鮮に憧憬と懐かしさを感じてはいた。けれども、実感としてのふるさとは朝鮮でなかった。日本の山河であった。

朝鮮の象徴的な風物とすら見られる青く澄みきった大気、丘をこえてつらなるポプラ並木を恋うるまえに、しとしと五月雨のふりつづく東京のおはぐろどぶのしめった空気を狂おしいばかりにもとめた。意識以前の問題であった。

精神的な日本人！　それは、小泉八雲（ラフカディオ・ヘルン）や四国・徳島でその生涯を閉じた異邦人たちが、日本を愛し、日本の土と化した動機と意識とは自から異なる、より本質的なものだった。

小泉八雲を日本人が、あくまで異邦人としてながめていたように、僕も八雲を異邦人としてみた。日本人として異邦人を見る眼であった。

朝鮮人の立場からするならば、こんな僕がコッケイそのものであったろう。が、そのコッケイな自分のすがたを自覚出来ぬみじめさをつめたく客観していたのは他ならぬ日本であり、日本人であるとすれば、いったいどうなるのか。

愛する（つかいようによってはこんな美くしいひびきを持つ言葉はすくないが、また場合によってはこんなイヤらしい言葉も珍らしい）日本は、僕のような日本人を日本人として遇したろうか。日本の社会のすべては、この奇型児をあたたかく受けいれただろうか。

その回答は云うまでもなかろう！

ただ、僕は、時の差こそあれ、あるいは現象の違いはあれ、李少年――この日本で生れ育ち、本を買う金がなく図書館で万引した文学書をむさぼるように読みふけっていたという少年のすがたに、僕自身の往時のすがたを見出すことを言いたかったのだ。

金史良に会ったのは僕のそんなときだった。

マルクスもレーニンも知らなかった。僕の全然知らぬ世界で巨大な歴史の歯車が正確に回転していることも知らなかった。

日本人になり切ろうとして拒まれ、祖国朝鮮に愛情を持つことのできぬ無知な少年が、現実の冷酷な壁にぶつかったまま身動きすらできず、もがきにもがいたあげく、死ぬことを考えた。実行出来る気がした。

死ぬ場所を、僕は、大宮の氷川公園にえらんだ。これにはわけがあった。

僕が死のうとした間際まで、持ち歩いた本は斎藤茂吉の「万葉秀歌」（岩波新書）であった。

金史良の作品「光の中に」が芥川候補作品として、文芸春秋に発表される半年ぐらい前のことだった。（未完）

わがふるさと・京城

追われた街

李方郎

　故里は、はなれてみて初めてなつかしさがわかる。ソウル（京城）！ それはわが朝鮮の首都である。美しい山々にかこまれた静かな街、子が母の胸にいだかれたように山脈に抱擁され、その街の真ン中に、スリバチをひっくりかえしたような可愛い南山《ナムサン》がある。山々の頂きから街へと連なっている長い城壁は、今もなおそのまま残っているだろう。街の西南には巾広い漢江が流れて、特に、紅葉季のソウルは全く大自然に吸いこまれてしまった感じである。ソウルの春は比較的短いが、昌慶苑の桜はすばらしい。昌慶苑は一九〇七年故李王が徳寿宮から昌徳宮に移る時、久しく廃墟であったものを動植物園とし、専ら彼用として創設されたものを、二年後一般に公開したものである。四月末ごろ満開となる桜は、桜花の国の首都東京でもあの豊さは見られない。桜の花ビラは、春風にひるがえる朝鮮乙女達の色とりどりの衣服によって、ひとしお美しい。

　私の家は昌慶苑の西、仁旺山の中腹であった。すぐ裏の小高い峰から夏などに眺めるソウルの夜景は、実にすばらしかった。闇に明滅する電燈のまたたきは、澄んだ夜空の星座そのものである。仁旺山の右下に刑務所があり、そのまたすぐそばの電車どおりには独立門！

　小学校に上る前、ややっこしい漢文の千字文を習う時、日課が終るとメダカの群のように、皆で高い赤レンガの刑務所の塀に落書に行った。ある日乳母から、刑務所は悪い人も入り、いい人も運が悪いと入れられて苦労するところだといわれ、不思議に思って聞きただすと、例えば朝鮮人で日本人にモンクを言ったりする人達も入っているのだといわれたことを、いまも憶えている。

　いわゆる日韓合併から十六年が過ぎてから私は生れた。子供の頃の環境の影響力というものは実に恐ろしいもので、これは殆んど永久的である。そのモンクをいったりした人達が入る時は、朝鮮独立門の建っている道路を通る外に、あそこには道がない。街の端にある刑務所と西大門警察署とは、僅か一キロ位で一本道路が直通、その間に独立門がある。

　ずっと後でわかったが、この所と署には特に政治犯が多いときいて、実に皮肉な三角形だと思った。

　我が家はモンクを知らなかったためか、幸にこの皮肉な三角形には厄介にならず、お蔭で先祖をつぐべき貴重な種の一人息子は家系を離れ、情愛で言えば朝鮮人だか日本人だかわからなくなってしまった。というのは、小学校一年のとき母が死に、財産目的の第二のハハが機を得たとばかりに本家と合併したのだ。私は邪魔者になった。妹達も死に、姉達もばらばら、食母二人もやめ、残るは乳母一人。乳母の保護がなかったら、私は今頃朝鮮の土に細い白骨となっていただろう。食物には針やガラスのかけらが混じり、お腹をこわせば朝鮮醤油に蜂蜜をとかして漢方薬だとのまされ、危く死を免れたことも幾度。今考えると、実に原始的な殺人手段である。唯一の味方であった乳母もやがて死んだ。『コジキになっても、殺されないうちにこの家を出なさい。外で誰かにきかれても、エライ人になるまでは絶対この家の息子だというな』というのが彼女の遺言であった。

京城駅で日本人の伊藤不二郎に拾われたのは、九つのまだ肌寒い春であった。

孤独感よりも、生活様式の急変に驚いた。食事の時のひざのいたかったこと、朝鮮流では罰せられる時の姿勢である。窮屈さにたえかねてとび出し、〃日本人街〃という本町の食堂で皿洗いをやっている時の京城祭の行列はすごかった。京城祭とは、南山の中腹にある朝鮮神宮祭で、これは日本人だけの祭である。私は親方の目をぬすんで見物し、それを見つかってぼろくそに怒られた。あげものをしていたフライパンを油ごと「イノムチャシク！（バカヤロ！）」とどなりながら投げつけてきた。「あんなのがどこが面白いんだ、ヒトの国をただで食っていばっていやがる奴等のやること！」

私はそれでやめて、朝鮮人街という鍾路へ行った。弱い者はつとまらない街であった。

そこの喫茶店でボーイをやっている時、朝鮮人の東京の大学生達をずいぶんあこがれたものだった。店で大学生達が逮捕される時は驚いたが、それもやはり〃モンク組〃だったらしい。

結局伊藤家に呼び戻されて、今日まで育った。実父の死後、問題の相続財産（農地）の処分について伊藤不二郎に相談したところ、『よいきれいな足跡を残せ』の一言であった。私は相続権を放棄した。「それでこそ本当の我が子だ」と、手を握って喜んでくれた肉親以上の「心の父」伊藤不二郎も、今は亡き人となった。

わがふるさと・京城

白雲台の飛び岩

張　東　元

私の生れ育った頃は、朝鮮人の間でソウルではあっても、公式には京城とよばれ、街の名まえも、本町だの明治町だの、日本的なものにぬりつぶされていた。

しかし、思いかえしてみると、私たちは本町とよぶことより、ジンコゲ（ぬかるみの坂）とよび、黄金町一丁目のことを、クリゲ（どんな意味かわからないが）とよんでは、田舎から来ている友人に、それはどこにあるのかときかれたりしていた。そういう友人たちが母と話をする時には、私は街の名の通訳をつとめなくてはならなかった。

今は忠武路、乙支路などとよばれて、こんどは私が、ききかえすことになってしまったが、近い将来にはどんな名に変るか、ちょっと楽しみである。

南山に朝鮮神宮や京城神社を建て、黄金町を境に、南は日本人街北は朝鮮人の街であった。私たちの生活は、日本人街とは没交渉に営まれていた。大きなデパートができても、母は買物にもでかけないし、珍しいエレベーターの話を私たちがしても、そこへ行くのはきびしく禁じられた。

鍾路の朝鮮人商店は、さびれてはいったが、土着の京城人たちは、こういう店で買物を続けていた。一様に貧困化した朝鮮人の家庭では、現金をもってデパートへ買物に行く程のこともなかったし、母の年令では、恐怖と嫌悪とで、巡査のサーベルも「三越」のビルも、オーバーラップしていたに違いない。

秋になると私たちは、タコ合戦に夢中になった。竹をけずり、紙を切って四角いタコをつくり上げると、こんどは糸を強くする作業である。どんな材料をつかったのか忘れたが、糸をひたして乾かす時に、手がべとつくのが嫌だった。これを二、三度くりかえすと、糸は、簡単にかみ切れないほどになり、私たちは、よく糸で切傷をこしらえた。この糸は変形の糸車に巻かれ、私たちは、吸いこまれそうな高い秋空にむかってタコを上げて、同じ様なタコに向って挑戦するのである。

糸を巻いたり伸ばしたり、相手のタコの糸の上から切るように、優位にたつことが勝つこつであり、糸の強さと技術のすぐれた方は無敵で、この噂が少年の世界にひろまると、彼はヒーローであった。ホームラン競争のように、なぎ倒したタコの数は、少年たちの間で記録され、負けた少年たちも一緒になって強敵を目ざして遠征するのであった。

私たちは郊外へもよくでかけた。北門を出て五、六時間登ると、北岳山で、頂上は白雲台とよばれ、九百か千メートル足らずの山であったが、手頃なハイキングコースだった。

途中の文珠庵で一休みしても、五時頃、北川を出て、昼頃には白雲台についた。洗剣亭のような変てつもない古蹟に、少年たちの興味があるわけはなかつたが、最大のスリルは白雲台にある「飛び岩」を飛べるか、どうかというテストだった。

飛び石は、白雲台に一メートルぐらいの割れ目があって、割れ目の向うは、やはり一メートル四方ぐらいの足場しかなく、その先は絶壁であった。足がすくんだら、割れ目に落ち、飛べても勢い余れば、絶壁の向うに落ちて、一巻の終りである。

私たちは、家を出る時、白雲台に行くことをごまかすか、行っても飛び岩には絶対近よらないと誓って初めて許される。ここを飛ばないと、仲間では臆病者のレッテルを貼られるので、何でもない顔をして飛ぶのだが、無事にこちらの岩へ戻る友人の顔は一様に血の気をなくしているのだった。

何十人かが、ここで死んだときいている。私たちの仲間は、臆病と笑われながら飛ばなかったのも、左足で飛んでみせた無茶なやつも、にこにこして家に帰っては、絶対に飛ばなかったし、近寄りもしなかったと報告して、またでかけて行ったのである。

私たちは、自分たちのおかれている立場をみつめるようになると、一様にゆううつになり急速に大人びていくようになった。もはや無邪気な少年ではすまない時期が、明かるい場所にいる国の少年たちより早くやってくる。大人たちの屈辱にたえている姿が目につき、支配者に抵抗する人たちの勇気を、自分も持ちたいと讃嘆するようになる。

植民地の少年たちの、少年期はあまりにも短かい。私たちは奴れいになっている大人のあとを追うか、もう一つの道を選ぶか、真剣に考える毎日が、いやおうなしにやってくるのだった。

こういう少年たちには、故郷は美しいだけのものではない。故郷は風物だけで存在するのではないから。泥足に踏みこまれた故郷をもつ人は不幸である。

遭遇

許南麒

わたくしはある日
にぎやかな街角で
その人達に出会った、

するとどうしたことだろう
ふいにそこだけが
日暮れどきの悲しさに変り
ふいにそこだけが
紫色のしみをたたえる、

街は依然として
精一ぱいの金切声を張り上げているのに
そこだけは
音の切れた場末の映画館のフィルムのように
疲れはてた時の刻みが
聞えるばかりの静けさに変る、

朝鮮は
この街からは海一つの距離でしかなく
釜山からは三トンの船でも
二十五時間もあれば
来られるところだというのに、

この潮風を浴びて来たばかりの人達

日本語は片言しか言えない
その数珠つなぎにされた男達の一団が
通るそのひとすみだけは
彼等の
あきらめきった笑顔にもかかわらず
あまりにも青ざめている、
あまりにも悲し過ぎる。

やがてこの人達は
街角を曲がるだろう、
やがて彼等は
消えるだろう、
やがて彼等は
遠くに連れ去られてしまうだろう、
そしてまた
この街ももとの騒々しさに
帰ることだろう、

しかし
ああ　しかし
ここに残された彼等の影は
消えない、

彼等は　また
明日もこの時刻に
ここに来る、
時計の振子のように
わたくしの胸の上を
やって来る、
時の続く限り
彼等とわたくしとは
この街角で
すれ違わなきゃならないのだ、
彼等の朝鮮と
わたくしの朝鮮とを
ふれあわせて
ほのかなあかりをともすために――、

記憶はいつまでも色あせないだろう、
博多の街角は
いつまでも青ざめたままだろう、
ああ　わたくしのまわりの
多くの紫色の日本よ。

両班伝

朴趾源

許南麒 訳

両班《ヤンバン》とは、つまり、あの士族のことである。旋善郡《チョンソン》（訳者注＝江原道の南の古邑）にも、その両班が一人住んでいた。この男は大変な読書家で、その上非常にものわかりがよく、新たに赴任して来る郡守は必ずといっていいほど、彼のところを訪ねて、この先よろしく御指導を乞うと挨拶するのがならわしとなっていた。

　しかし、彼は大変貧しかった。だから、彼はやむをえず、役所の還上米（訳者注＝春窮期に百姓に貸し与えて秋返してもらう一種の備荒米）を借りて食うのだが、一度も返すことができなかったので、つもりつもってその額が千石になんなんとしていた。

　さて、この郡に、ある日、ひょっこり観察使があらわれたのである。彼はまず還上米の帳簿をあけ、あまりにもその帳尻の開きがひど過ぎるのに憤慨して、どこのどいつが、このように国の穀糧をくらいこんだか、早速とらえて牢に入れろとわめきちらした。

　郡守ははたと困ってしまった。郡守は、その両班の貧しさを知り過ぎるほど知っていた。彼をふんじばって見たところで、どうにもなるものではなかった。だが、開き過ぎた穴は何とかつぐなわねばならず、また観察使の命令はあまりにも厳しかったので、他にどうしようにも方法がないのだ。

　一方、くだんの両班も、全く途方に暮れてしまった。彼は泣くより他に手がなかった。彼の妻は、その彼のそばで、

「生涯一文にもならない本ばかり読んでいて、かろうじて還上米にすがって生きて来た挙句が、全くいいざまですわ。両班ってビタ一文の値打もないものなのね」

　と、憎悪のありったけをこめてまくし立てる仕末であった。

さて、この両班と同じ邑《むら》に、町人夫婦が一組住んでいた。その町人が、この両班の窮状を聞きおよんで、自分の妻に、次のような相談を持ちかけた。

「両班ちゅうものは全く結構なもんじゃよ。いくら貧乏していてもいばれるのに、おれたちと来た日にゃ、多少の小銭があっても、いつも賤しく、馬にも乗れず、道端でひょっこり両班の影でも拝もうものなら、うろちょろ、おろおろ、それこそ大騒ぎをせにゃならず、両班の前では縁にものぼれず、地面にこうべをひれ伏して膝折り曲げてなきゃなんねえとは、やりきれねえはなしよ。さいわい、お隣りの両班殿が、使いこんだお上のお米返せもせず、困りあぐんでいらっしゃる様子。返せにゃ返せぬで牢屋に入れられ、両班召上げになるとなれば、ひょっとしたら売らぬものでもないわい。一つ銭づくで買おうと思うがどうじゃ」

こうして、相談がまとまると、町人は、早速その足で両班の邸におもむき、両班殿におかれては還上米でお困りの御様子であること、もしどうにも仕様のないものであれば両班を自分にゆずっていただけないだろうかということ、その両班の代価として還上米千石は自分が返してもよいことなどを、なるべく両班の体面を汚さないように、なるべく彼の癇にさわらないようにと、おそるおそる遠まわしに申上げたのである。

しかし、例の両班は、もはや進退極まり、体面とか癇とかを篤と考えるどころの騒ぎではなかったので、町人の懸念していたこととはまるっきり違った、抱きつかんばかりのよろこびようで、この提案は受諾されたのである。

そして早速、町人は両班に代って、還上米千石を官衙に届けた。

さて、還上米を受取った郡守の方では、観察使の命令通りにふんじばることもできず、また、そのまま捨て置くわけにも行かず、困りぬいていた矢先に、意外にも還上米千石が返って来たので、うれしさの余り、その両班を訪ねて行き、お礼も言い、どうしてそんなに早く返せたのか、その理由も知りたく思い、彼のところを訪ねることにした。

だが、郡守が両班の邸の門をくぐるやいなや、郡守は、世にも不思議な光景に出くわしたのである。両班が冠の代りに陣笠をかぶり、羽織が道袍《ドポ》（訳者注＝両班が羽織っていた白い上っ張り）の代りにハッピをまとい、地面に額をすりつけて、恐れ多くも申上げますと、おろおろ声で口を利き出すのである。郡守は驚きのあまり、駕籠から飛び下りて、彼を抱きおこし、

「一体、これはどうなされたことです」

と聞かざるを得なかった。

すると、その両班は、全くこれ以上は恐縮のしようもないような、そういう恐縮の仕方で、ていねいにお辞儀をして、

「まことに申上げにくいことでござりますが、わたくしめの力では還上米の返上がどうにもできそうにござりませぬので、致し方なく、隣家の町人に両班を譲渡し、その代償として還上米千石を返上していただき、わたくしめは、こうして町人になりましたのでござります。こうなりましたる上は、どうしてあえて郡守様の御前で、昔のごとくふるまえましょう」

と言うのである。

郡守は、どうにかわけがのみこめた。全く信じられそうもないはなしであるが、しかし、とにかく、彼の、このような時代離れのし

た美行で、郡守自身が助かったのである。

「いや、全く君子です。夫子は全くわれわれ両班の亀鑑ですぞ。家滅ぶも吝嗇せざるは義にして、人の困るを見てわがことのごとくなすは仁にして、低きをいとい、高きを望むは智なれば、あなたこそ本物の両班ですぞ。しかし、二人だけで売ったり買ったりして、何等証文を残さぬというのは、あとになって訴訟沙汰になるおそれがあっていかん。だから、邑の名だたる方たちをお招きして、その方たちを証人にした上で、証文を作り、郡守であるわしが証判を押さねばいかん。そうするがよいですぞ」

と、感謝とも慰安ともつかぬ言葉をかけ、後日、両班売買にいさかいがおこって、折角返してもらった還上米に余計な言いがかりがつかぬよう、譲渡証文を作ることをすすめて官衙に帰ったのである。

　さて、役所に帰りついた郡守は、早速下僕をやって、郡内の士族工匠、商人らを役所の庭に集め、くだんの町人は郷吏の右側につかせ、例の両班は、そのずうっと先の、縁の下に立たせて、両班売渡証文を作りはじめた。

「乾隆十年九月某日、次に陳ぶるは、われ両班を売りて還上米を返すに、その価千石なり。

そもそも両班には、その名多く、ふみ読むは学士にして、官位につけばすなわち大夫、徳あればこれ君子なり。また武班（訳者注＝両班とは武班と文班との二つを言うのであって、官廷その他の公式的な式次では文班は東に、武班は西にならぶを常とした）は西階に、文班は東階にならぶをもって両班というが、そのいずれを選ぶも勝手。但し両班たる者、その体面を維持し、威厳を保たんがため、次なる条項を厳守するを要す」

　そして、証文は、つぎのように、その条項なるものをしるしはじめた。

「一、いやしくも愚かなる真似は、これをなすまじきこと。ひたすら古人を手本として志を高きに置くこと。常に早暁に目覚め、硫黄もて油をともし、眼ざしは鼻の頭のあたりに置き、必ず正座して、四書五経を、氷の上にかぼちゃを転がすがごとくすらすらとそらんぜざるべからず。
一、ひもじさと寒さに耐え、貧しきことなぞをこぼすべからず。歯を鳴らし、手でやたらに首のあたりを掻き、大きく咳払いなどせず、唾はこれをのみ下すべし。
一、冠は袖もてふき、塵を払いて綾《あや》が見えるようにすべし。顔を洗うに際しては、拳を作りてこするまじく、歯を磨くときはうがいを大袈裟にすべからず。あまり声を長くして婢を呼ぶまじく、歩はゆるりとして、履物をひきずるようにすべし。
一、『古文真宝』と『唐詩品彙』は、これを一行に百字ずつ、胡麻粒ほどの大きさにて書き、手に銭すべからず、米の値を聞くべからず。炎天にも足袋を脱がず、ちょんまげのままにて食膳に向うべからず。(訳者注＝両班は寝所にあるとき以外は、冠をつけていなければならなかった)
一、飯は汁より先に食うべからず、また汁をすするときも決して音を立てるべからず。また煙草は、両の頬がくぼむほどには吸い込むべからず。
一、腹立つも、妻女をぶつべからず。しゃくにさわるも、器物をこわすべからず。
一、たとえ如何にこらえきれぬことがあるときでも、下僕をくたばり損いなどというまじく、牛を見て怒鳴るにこん畜生などとはいうべからず。
一、病いにかかるも巫女を呼ぶまじく、祭祀に坊主をして読経さすべからず。火鉢に手をかざさず、ものを言うに唾を飛ばさぬようすべし。
一、牛を殺さず、金を賭けて丁半などをやるまじきこと。
すべての起居動作のうち、一つでもこの定めにそむくことあるときは、これを訴え出れば、本郡の郡守、これを調べ、譲渡を無効とすることあるべし。以上念のため」

さて、このようにして、条項がひと通り揃うと、郡守がまず署名し、つぎに庄屋二人がそれぞれ証印を押したあと、印番の通引《トンイン》（わかしゅう）が、印箱より郡守の官印を、身ぶりよろしく取り出して、押すというよりはぶちつけるといった方が、はるかに似つかわしいやり方で、まるで太鼓でもたたくように、あっちこっちと何個所も押しまくった。そして、それを、もう一度ていねいに郡吏頭が読みかえすのである。

しかし、この朗詠、――むしろそれは読みかえすというよりは朗詠に近かった――を聞いているうちに、町人はすっかり失望してしまった。何と義務ばかりが多くて、実益の少ない証文だろうと考えたのである。そこで、彼は、おもむろにこう聞きかえした。

「一体、両班ちゅうのは、それだけでごぜえますか。わしの聞くところでは、両班ちゅうのは、えらく結構なものだということでしたに、これじゃ、七面倒くせえことばかしで、何もええことはありませんや。こんなこっちゃ、つまらねえでごぜえやす。何とか少し、ええこともあるように、つけ加えて下さるようお願いしますだ」

郡守は、あきれはててしまった。全く町人の言う通りだが、そこを言わぬのが、つまり両班の第一のつとめであるのだ。郡守は顔をしかめた。しかし、この新米の両班に、――いや正確には、まだ何十分の一ぐらいしか両班になっていないこの男に、それを要求することは無理だろうと考え、郡吏に命じて、彼の要求通りに、つぎの一節をつけ加えさせた。

つまり、「天は民を造るに、士農工商の四層をもってす。四民のうち、もっとも貴きは士なる両班にして、またその利役も大なるべし。田畑も耕さず、あきないもせず、ただ文を作り、書冊を読むだけでもって、上は文科に受かり、下は進士の位につく。文科合格の証は、わずか二尺のものなるも、すべての金銀財宝がその中にそなわりおるをもって、世人、これを宝の袋と言う。三十にして進士となり、官につけばその栄誉は子々孫々に伝わる。鬢髪は野宴の唄に霜降り、腹は芸妓のつやある嬌声に肥る。別堂に眉目うるわしき妓女をかこい、庭にその声もよき鶴を飼う。貧しき士族も、田舎にてはそのほしいままを振舞い、隣家の牛もてわが田を耕させ、百姓をして草をむしらせるも、何人もこれを咎むべからず。もし、何や彼やと文句を言う奴がある際は、そいつの鼻の中に灰をつめ、ちょんまげをつかまえて、ふりまわし、平手打ちを二つ三つ、立続けに加えるも、あえてうらむべからず――」という一章である。

しかし、町人は、証文の続きが、このあたりまで来ると、びっくりしてしまった。彼が願ったのは、わずかばかりの実益であったのに、いま読み上げられたのは、あまりにも大き過ぎるのである。彼は、もうこれ以上は我慢のしようがないといった調子で、突然起上って両手をふりながら、

「もう、もう沢山ですだ。やめておくんなせえ。とんでもない。お天道様が見下していなさるだ。それじゃ、両班じゃねえ、まるっきり泥棒だ。あんたがたあ、わしを泥棒に仕立てるおつもりか。わしは、両班はもう沢山だ」

　と叫んだのである。そして、彼は何とも理解しにくい、全くわからないといった格好で、頭をふりながら、履物もはかずに逃げるようにして、その場を立去ってしまったのである。

　その町人が、後日、もう二度と両班などになろうとしなかったことは断るまでもなかろう。

朴趾源について

朴趾源は、ヨーロッパ史で言えばフランス大革命前の、百科全書派にでもくらべられようか。彼はそういった啓蒙思想家である。「実事求是」というのが、朴趾源と、その思想的流れを汲む人たちのスローガンであった。永い間、朝鮮を支配していた儒学徒たちの荒唐無稽な詭弁術の代りに、朝鮮の現実を正しく見つめ、そのゆがめられた社会を如何に直すかに自分たちの学問の焦点を合わせようとした人たちである。

　彼、及び彼と同じ思想的立場に立つ人たち——これを実学思想と呼び、これに属する人たちを実学派と言うのであるが、この実学派の人たちは、その方法の基礎として、中国を経由して入って来たヨーロッパの自然科学的方法と、またそれから引出される社会科学的方法をもってしようとした。

　彼は一七三七年三月五日、ソウルの両班朴師愈の次男として生れた。彼は年少の頃から、明や清の小説を愛読した。そして、十八才の年に、はじめて『広文伝』という短篇小説を書いた。そして、一七五七年には『閔翁伝』、一七六五年から六六年にかけては『金神仙伝』、その翌年には『虞裳伝』というふうに、『放璚閣外伝』に収められている九つの短篇を、二十代の終りまでに書き上げている。

　これらの作品は、出来のよしあしは別として、それぞれに、その当時の朝鮮のゆがめられた現実に鋭い批判を加えた小説であった。

　彼は、その当時の両班が当然たどるものとしていた科挙を受けての仕官の道を、自ら捨ててかえりみなかった。そして、彼の文名を慕って来る青年たちを集めて私塾を開き、実学思想を普及することに努めたのである。

　彼は、その後、遠い従兄にあたる金城尉朴明源が、中国への正使として北京まで行くのに随員として同行し、『熱河日記』という紀行文集をものしている。この本は単なる中国紀行記ではなく、中国の文物と朝鮮の文物の比較から始まって、中国の施政と朝鮮のそれとの対照、そしてそれに対する啓蒙思想家としての彼の鋭い批評が加えられているという、一種の警世の書であった。

　彼は五十になって官位につき、五十五の年には安義県監、六十一の年には沔川郡守、そして一八〇〇年には江原道の襄陽府使を勤めている。そして、五カ月にしてこの位を投げ捨てて故郷に帰り、一八〇五年十二月十日、六十九才でもって世を去った。ここに掲げた『両班伝』は、さきに紹介した短篇小説集『放璚閣外伝』に収められている。彼は、朝鮮文学史上、最初のレアリズム作家であった。なお、ここに訳出した「両班伝」は原文の忠実な訳ではない。原文は漢文なので、多少の文辞をおぎなった。


（許南麒）

末裔

金泰生

宗勲が中腹の洞穴にたどりついたのは、夜が明けはじめたばかりの時刻だった。右手の暗い谷をへだてた漢拏山の肩の辺りから上は、黒灰色の靄にすっぽりおおわれて未だ眠りのなかにあったが、彼の登る山の頂きだけは淡いオレンジ色の陽光に洗われて簿紫色に朝の眼醒めにかかっていた。陽は背後の海の方角からのぼっているはずだったが、彼の立っている地点からは海はみえなかった。欝蒼とそそりたつ濶葉樹の木下はまだ夜の色をのこした灰色の靄を流してほの暗い。靄は秋の息吹きをたたえて冷く下生えや樹々の体臭がつよく匂った。

宗勲は背のリュックの尻を両手でずり上げ、肩に食いこんだ負い紐の重みをゆるめると深く息を吸って、用心深い足つきでゆっくりと洞穴に近づいていった。

丈高くびっしり群生した羊歯の茂みになかばかくれて墨色の岩肌がみえ、ほの暗くひらいた洞穴のまえを靄が扉のようにふさいでいる。大人が肩をかがめてどうにか出入りできるほどの天然窟だ。

彼は緊張で声がかすれないようにいくども生唾をのみほして咽喉をしめし、声をととのえて呼びかけた。

「山神さま、三羽の雉子がほしいんです。」

最初の呼びかけにはこたえがなかった。彼はもう一度腹に力をこめておなじことばをくり返したが、靄の扉の奥には微かな動きの気配もみとめられなかった。俄かに彼はじぶんの胸壁にぶつかってはずみだす心臓の音を耳にありありと聴いた気がした。耳鳴りがする。膝頭が意志を超えて小刻みにふるえだすのだった。それが不安のせいか寂しさによるものかは彼にはさだかでなかったが、ただ怖れのために震えているのだとは考えたくなかった。彼は息をつめてしばらく動かなかった。刻々に黎明の色を加える薄いが透明な織物を思わせて白さをましていた。時間の消失を惜しまねばならぬことに気づいた彼はさらに三度目の呼びかけを口におしだしたのだったが、その声はすでに震えをおびていた。彼は微細な気配も逃がすまいと聴覚を澄ませて洞穴のおくを窺ったけれど、いぜんとして低く唸りをあげている耳鳴りのほかに聴えてくるものはなかった。意を決した彼は露に濡れた羊歯の茂みへ一歩すすみ出ようとして、再びぎくりと動きをとめた。耳朶から頬をかすめた冷んやりした靄のゆらぎのなかに、微かに流れる蒸れ酸っぱい汗の匂をとらえたからである。じぶんの体臭ではない。どくっと波うつ血液の流れを耳の底に意識しながら、しかし彼はゆっくりとかぶりをめぐらして斜めうしろをふり返った。

「山鳩、がいい！」

宗勲から二間ほど距った真相の樹影の向うからよく透るしっかりした若々しい声がそう応じてきた。彼の期待していた兄の声でなかったことが、瞬間彼を寂しくさせた。靄でぼんやりと輪廓をゆるめた太い幹の後から身をはなして、いら草や羊歯の茂みを踏みわけながら歩みよってきたのは宗勲とは三つともちがわぬぐらいの民服の少年だった。

「重たかっつら、同務《トンム》、」

と、土地訛りでねぎらって少年は右手でリュックの上を軽く叩き、よく光る黒い眼を細めて快活に云った。「同務が合図を三度云うのを待ったんだ、意地悪したわけじゃないから悪くとらないでな？」

「ううん、いいんだ」宗勲ははにかむように俯向いて云った。「約束の時刻におくれやすめえかと、心配だったんだ。」

「誰だって、はじめのうちはそうさ」と民服の少年はうなずいて云った。「怖いと、思うことだってあるさ」

少年は痕跡をのこさないために、羊歯類を踏みおらないよう習慣的に注意深く爪先でかきわけながら洞穴の入口に近づき、宗勲を手まねいた。

「ここは、おれたちの領分だがどんなことがおこるか分らない、要心にこしたことはないから、ここへ入ってひと休みしよう。」

少年は宗勲の背負ったリュックをおろさせると胸にかかえこんで頭をかがめ、先に立っておくに入った。洞穴はかなり奥深いものらしかった。進むにつれて闇がいっそう濃くなり冷気の底に湿ったかびの臭い匂いがつよまった。熔岩の足場はでこぼこして歩きづらくともすれば躓きがちに進まねばならなかった。五六間ほども入ったと思われたとき、宗勲は前方の少年から注意された。

「ここに窪みと曲りがあるんだ、要心しろよ。」

宗勲は手探りでごつごつした壁伝いに七八歩横歩きして爪先さぐりに一段ひくくおちこんだ個所をたしかめるとそろりと降りたった。片手を上にのばして頭上をまさぐり、さらに腕を左右にひろげて測ったが指先のとどく空間からは天井も壁もともに遠のいて、洞穴はそこでぐっと四方に広がっていることがわかった。

「左へ曲がるんだ！」

宗勲は指示された方向へ壁伝いに折れ、しばらく進んだときに眼前にさっと眩しい光りの束をなげかけられて思わず眼をつぶった。少年が懐中電燈を照したのだった。

「見通しの利く位置ではこれを使うなって、禁じられているんだ、歩きづらかっつら。」

「こんな深い穴ぼこは始めてだな、山道なら夜だって平っちゃらだけど。」

宗勲は先刻からの民服の少年の仰々しいほどの落ちつき払った慎重ぶりに少なからず忌々しさを感じたが、あまり強がりを云うべきでないと考えて云いなおした。

「おれは、独りでなら怖くってここへは入れないな、きっと。」

二人は咽喉を鳴らしてくっくっと笑いあった。彼らはリュックの揚げ蓋に挟みこんだ懐中電燈を中に向いあって坐った。洞穴はそこだけが黒褐色の熔岩の小砂利で平坦になっており、彼らが背をもたせて双方から脚をのばせるほどの広さをおいてさらに向うへ空間を狭めながら暗くつづいていた。

「えらく深そうだな、この穴は突き当りがないみたいだ。」

「ないことはないさ」民服の少年は黒い服を悪戯っぽくすがめて云った。「昔、親子の狩人が山で俄雨に遭ってこの穴に逃げこんだことがあったんだ。親子がぐしょ濡れた服をしぼっているとずっと奥の方で――順伊《スニ》や、雨らしいから天窓を閉めなっ――て云う女の声がきこえたそうだ。」

彼らは再び声をたててけらけら笑った。

「だって、おかしいよな、おれの村にも順伊って女の子なら、ごろごろいるんだもん。」

宗勲はややうちとけた眼を少年に向けて、たしかめるように聴いた。

「でも、独りでここへ来るのは、やはり同務でも怖いと思うんだろう？」

「人喰い虎でもいると思ってかい」と少年はさっきと同じ調子で反問した。「昔、白頭山の虎が一匹はるばる海を泳いでこの島にきたんだ。けれども、数えてみると島には目星しい山だけでも九十九もあったのさ。さすがの暴れものも一匹で棲むには寂しすぎるって、すごすご退散したということだ。それ以来、島には虎は一匹もいないことになってるんだ。」

「はぐらかさないで欲しいんだ」宗勲は生真面目な面持で云った。「同務がさっき、おれだってはじめは怖わかったって、そう云ったからさ。」

「そう思うことは誰だってある、と云っただけさ。頭で考えるほど怖いことはそうた易く起らないよ。かりに起ったとしても、想像よりは遥かに怖くないものだ。」

「どうして同務にそれが分るのかな」宗勲はむきになろうとする声をおさえて云った。

「まるで大人みたいなことを云うんだな。」

「大人になるのは、歳に関係はないって、おれが山へ登るとき親爺が云ったぜ、男の子は必要なときにいつでも大人になるものだって」

「変だな、ことばでは同務の云うことはよく分るけれど、心がちっとも納得しないんだ。お前はまだ子供だって、まるで説教されてる気がするんだ。」

少年は歯をのぞかせてにこりと笑ったが、それが宗勲のことばを肯定しているようで彼をむっとさせた。

「ほら、同務は笑うだろう、世の中の怖いことはじぶんだけが経験ずみだっていう風にさ。」

「そうじゃないさ、同務があまり怖さにこだわるのがおかしいんだ。何がそんなに怖いんだい？」

「おれを怖がり屋だと思うのかい」宗勲は声をとがらして相手をみかえした。しかし、先刻の洞穴の前での小さな動揺が思いだされたので、ちょっと顔を赤らめて眼を伏せた。

「それや、おれだってわけもなく体が震えることはあるさ。だけど、頭では震えまいと精いっぱい気張っても、体がひとりでにそうなるんだ。それがおれの責任かい、おれが怖がり屋の弱虫というしるしなんかい。」

「誰も、同務を弱虫だとはいわないよ」少年はいくらかきびしい調子で云った。「怖さにこだわると、いっそう怖さが増すもんなんだ。」

「じゃ、同務は怖いものや、怖いことは何もないのかい？」

「ないとは云わない。ただ、怖さは想像するよりも、実際にぶつかったときの方がずっと楽なんだ。」

「自信があるんだね。」 宗勲は皮肉たっぷりに、しかし力無く云った。

「同務は、何が怖い。」少年は力のこもった応えを拒めないような調子でたずねた。

「大事なものを喪うことだ」と宗勲もきっぱりこたえた。「父や母や兄や、じぶんの命を喪うことが。」

そう云いきってしまうと彼はなぜかふいに胸がひきつり、涙が出そうでならずに顔をそむけた。

「同務は、捕まりゃしないかと怖れているんだね。」

少年の声はしずかで、宗勲をいたわるようなやさしい響きがあった。宗勲はいくども唾気をのみこむ風を装って、咽喉もとにこみあげたものを体の奥へおしもどした。

「さっき、洞穴のまえで震えがきてならなかったと云ったろ？ あれは本当なんだ、二度も合図を送ってもこたえがないから……つい心配したんだ。」

「おれは夜中に山を下ってまだ暗いうちにここに着いたよ。夜が明けはじめても同務が登って来ないから、外で様子をみることにしていたんだ。」

「そらね、同務だってきっと万一のことを考えたんだろう」宗勲は少し元気をとりもどして少年のことばをひきとった。「おれもその万一の場合を、考えたんだ。それで、利赫《イハキ》のことを思いだしたんだ、すると、急に震えがきやがったのさ。」

「利赫？」

「うん、おれたちの村じゃ、このごろはもう友達どうしでも、うっかり気を許してものが云えなくなっているよ。村の西端れにおれと同じ歳の利赫という子がいたんだ。この春の麦刈りのすんだ或る夕方、小学校の同窓生が一人、利赫の家にきて彼を呼びだしたんだ。――利赫同務《トンム》、いるかってね。利赫が気がるに庭を出て行くと石垣のうしろに穏れていた韓国青年《ハンチョン》団の連中がとびだして、利赫をしょっぴいて行ってしまったんだ。理由は簡単だ。同務（君）ということばは同志の意味にも使われるだろう、同志と呼ばれて返事をする奴は赤にきまっている、これが彼らの論法さ。わざと囮を使って、そんなわなを仕かけるんだ。本当の理由はハヌチョンの仲間に加わるのを利赫が拒んだからなんだ。

　四日後に、面事務所の使丁が憲兵隊長の布令を村へもってきたよ、村民は一人かかさず利赫の家の畑に集れってね。おれの村は二十戸前後の単位にわかれた班制度で、班長は各戸の交代制なんだ。布令違反は班全部の共同責任で罰せられるから、否応なしに狩出される仕組になってるんだ。

　その日になって、畑に集ってみると、利赫は顔を紫色のかぼちゃみたいに腫れあがらせて、後手にしばられ、麦の刈株の上に石ころみたいに坐っているんだ。腫れのために瞼が開かないせいか眼をぴったりふたして、何もみようとしないんだ。そのくせ体だけはたまらないほどぶるぶる震わせていた。村の人たちにまじって利赫の両親もきっとそれをみていたはずだ。

　ジープで乗りつけた憲兵隊長の警告は残酷なほどにべもなかったよ――。今日、ここに集ってもらった良民のみなのなかには、かかる不心得ものはいまいと余は信ずる、かりにいるとすればどんな結果を招くかは云うまでもない、この虫けらめは、山の同類と連絡を交わしていた。

　憲兵隊長が片手を挙げると、二人の下士が村の人たちの中から中学生を一人えらびだして、カービン銃を握らせた。利赫を、撃て、と云うのさ。中学生は真蒼になって歯をくいしばり、銃をまるで重い岩みたいに持ち上げ、いったんは利赫に銃口をむけたけれどもどうしても撃鉄がひけないんだ。とうとう銃をだらりと垂らして、眼を糸みたいにつぶりがくがくはじめてしまった。そのとき、憲兵隊長が胸のところで右手を横に振ったのだ。きっと、手間どってはじぶんの警告の効果がうすれるのを恐れてのことと思うんだ、下士の一人が中学生の頬にぐゎんと平手打ちをくらわせてから、銃をひったくった。もう一人が利赫の衿を首をつかんで、ぼろ切れみたいにひきずり立たせたんだ。

　最初の一発は利赫の尻をかすったよ。その下士があわてて狙いをはずしたんじゃないんだ、決してそうじゃないよ、わざと急所をそらしたんだ。利赫は撃たれた尻の方へがくんと身を捻って膝をついたが、それでも倒れはしなかった。歯茎を剝きだしがっと裂けるように見張った眼を空に向け、頭を肩のうしろへのけぞらせ、二三度上体を前後にゆすらせていたんだ。利赫を撃った下士が屠殺機械みたいに無表情に近づき、こめかみに銃口をつきつけて撃鉄をひいた。利赫は頭から先にはじけるように麦の刈株へ顔をつっこんだよ。体がぶるっぶるっと二三回ひきつり、手足の指が内側へ縮まり、それから萎んだみたいに動かなくなってしまったんだ。」

　夢中にしゃべっていた宗勲は急に口をつぐみ、じぶんの四肢が間歇的に小さく震えているのに気づいた。

「ほら、おれはいまちっとも怖いとは思わないのに、どうしても体が云うことを利かないんだ。やっぱりおれは臆病なんだろうか。」

「いや、震えるのが必ず臆病のせいとはきまっていないよ」少年は落ちついたしっかりした声でこたえた。「同務は怖さを想像しすぎるんだ。それに震えを恥じることはないさ。」

「利赫の話をきいても、ちっとも驚かないんだね」宗勲は不満げに云った。「――ぶるっぶるっと震える蜘蛛みたいに手足を縮める利赫の恰好を思いだすと、どうしてもおれは震えるんだ。利赫がこめかみに弾をくらわされたとき、突然、ぎゃあ――っていう女の声が村の人たちのなかできこえたよ。頭をなたでぶち割られた豚みたいな、ぞおっとする声だった。利赫のおふくろさんが気絶したんだ。あの声を思いだすと、いまもがくっと息がとまる。本当に同務は怖くもなんともないかい?」

少年の顔が何か苦痛におそわれたようにふいにひきつって歪んでみえた。少年はのばしていた膝をゆっくりとひきよせて立てると、その上に組合せた骨太い両掌をのせてぎゅうっと握りしめた。握り方がよほど強かったのでポキポキと鳴った関節の音が宗勲に聴えたほどだった。予想以上の効果に彼はあわてた。相手の強がりに衝撃をあたえた満足感がむくむくと身内にふくらんでくると、彼は少なからず後悔めいた気もちも覚えた。懐中電燈の淡い密柑色の光芒のなかで、少年は平静をとりもどそうとするように唇をこまかくひきつらせながらしばらく黙っていた。宗勲は、少年もやはり怖いのだと思った。しかし、少年はすぐに先刻と変らぬ表情にかえると、黒い眼を考え深げに宗勲に注いでそらさなかった。あまりにみつめられるので彼は体をもじもじさせねばならなかった。じぶんの考えを見透かされたようで恥ずかしかったのだ。

「怖さを吹聴するのは少しも大事なことじゃないよ、同務」

少年はその眼差しのように正確でしずかなことばで宗勲をたしなめた。

「怖さは吹聴するより、我慢することの方が大事なんだ。その方が男らしいとは思わないかい。それに、こうして同務はちゃんとじぶんの仕事を果たしているんだ。」

少年は間においた古びたリュックを軽くゆさぶってみせた。

「びくつきながらやるのは、仕事に卑怯なことじゃないのかい?」

「やり通すことが大事なんだ!」

「大事なものを喪いたくないと云ったのを、軽蔑しない?」

「なぜ軽蔑するんだい、それは人間らしい心さ。」

「利赫があんな目に遭ってからは、村中おびえあがってしまったんだ。もう親類も友だちもない、じぶん以外は誰も信じるなって、おれの父さんはそう云ったよ。おれの兄貴はその後ですぐ姿を消したんだ。父さんはずっと黙っていた。だけど、兄貴が山に登ったことはおれもうすうす感づいていたさ。村に居れば韓背《ハスチョン》の仲間にひきこまれて、人殺しの手先にされるか、国防警備隊に強制志願させられるにきまっていた。だから、山に登ったことをおれは兄貴のためによろこんだよ。」

「同務の兄さんは山で張りっきているよ。そう伝えてくれって頼まれたんだ。暇ができたら冬ごもりの仕度に炭を焼くんだって、抜け目がないんだ、竈もじぶんでつくるんだとさ。」

「そうさ、兄貴は山の人間だ、山の仕事なら何だってやってのけるよ」宗勲は誇らしげに云った。「いまにその竈で丼まで焼くって云いだすぜ。」

少年は愉快そうに声を高くひびかせて笑った。宗勲を制し、足元のリュックを指差して云った。

「丼は要らないんだ、必要なのはこの紙だ。食糧もあれば武器だっておれたちにはある、ただ、紙だけは山で作れないだろう?」

「兄貴も似たことを云っていたよ。一月ほど前に、兄貴がひょっこり夜中に家に来たんだ。始め、父さんはおれにこの仕事をやらせることを仲々うんと云わなかった。兄貴が粘って説き伏せたんだ。その晩、おれは兄貴と一諸にここへ登った。道を覚えるためにね。おれたちは暁け方にこの洞穴のまえに着いた。すぐ別れたよ、山の部隊では、記録をつくるのにも、ビラをつくるのにも紙は血のように大切だって、兄貴はそう云っていた。おれには紙の大切なことはよく分らなかったけれど、兄貴に大切なものはおれにとっても大切なんだ。おれは兄貴を愛しているんだ。」

「そうさ、何が大切かは人によって違ってもいいわけだ。」

「うん……ただ、どうして父さんが紙を手に入れるかは知らなくともいいぞって、釘を刺されたな。」

「同務が、おれの名を知らなくてよいのと同じようにね。」

「紙は、おれの村では買えないんだ、町でないと。」

「じぶんの仕事はじぶんの責任だけで果せばいいんだ。」

「今朝は、きっと兄貴に会えると思っていたよ。」

「おれだったから、がっかりしたわけかい。山じゃ働き手は手がいっぱいなんだ。」

「村じゃ大人がただ山に登るだけでも目立つんだ。立入禁止区域だろう、夜の七時になるともう戸外は通行禁止だ。みなが寝しずまるのを持って家を出ると、ここへ着くのは夜明頃だ。いまからここを下ってまっすぐ村に入ると昼頃になるから、山裾の灌木地帯で夜を待つんだ。おれも兄貴みたいに山で育ったから夜道も平ちゃらだった。ここだって寝床にもぐるより楽に探せたよ。」

宗勲は得意の面持で少年に語った。兄のことを話していると心が晴れてくるのだった。彼は出がけに母がととのえてくれた包みのことを思いだし、急に空腹を感じた。揚げ蓋の懐中電燈を抜きとって少年の手にもたせると、宗勲はいそいそとリュックを開けにかかった。柿渋で染めた麻地の布包をとりだして膝の上にひろげた。唐もろこしの皮にくるまった蕎麦掻きだった。蕎麦粉を熱湯で練ってとろ火で固めた軽食である。甘味をつけるために小切りの甘藷がまぜてあった。少年は宗勲の手もとをのぞきこむと鼻をうごめかして香ばしい匂いを嗅ぎ、にこにこ顔で云った。

「いい匂いだ!」

宗勲は包みの一つを少年に渡した。

「食べていいんだな、ありがとう」少年は歯を鳴らして二口三口うまそうに頬張り、ひどく満足そうに叫んだ。「おふくろを思いだすなあ。塩味がちょうどいいや。おれの家ではね、雨で畑に出られない日は麦をいって麦こがしに挽いて食べるんだ。だから小さい頃は雨の日が待ち遠しかったもんさ。」

「それは兄貴の分にって、おふくろがよこしたんだ。でも、同務がみな食べていいよ、おれたちも兄弟みたいなもんだからね。」

宗勲は心からそう思っていたのだった。少年の沈着な性格がたのもしく、兄に対するような親密な感情が身内に暖かくふくらんでくるのだ。どうして先刻はあれほど相手を傷つけようとしたのかふしぎなほどだった。少年の思わせぶりなふるまいに反撥したのも、兄に会えなかった身勝手な八ツ当りだったのかもしれない。気づいてみると耳鳴りも消えていた。震えももうこない。少年のそばにいることで、火のそばにいるような暖かさがそれらをつつみこんでしまった感じがするのだ。彼は少年の旺盛な食欲にさえ満足していた。

「同務の家は、島のどっちにあるの?」宗勲はきいた。

「南だよ、山と海辺の中間の村なんだ。海は見えるが波の音は家からきこえない。霧が立つと家は山肌にとけこんで反対に海からはみえないんだ。」

少年は唇をぬぐって、てきぱきと説明し、忽ち空にしてしまった唐もろこしの皮を丹念に畳むとリュックの後ポケットに蔵った。

「じぶんのいた場所に、目印になるものは残さないよう同務も注意することだ。」

　宗勲も食べ残しを布きれにくるんで腰にゆわえつけた。家に帰りつくまでの昼と夜の食糧だった。

「そろそろ別れる時間だね」と少年は名残りおしげに云った。「おれたちは互いに知らない場合は、名乗りあわないきまりだ。だが、おれは同務の名を知っているよ。同務の兄さんに聞いたんだ、宗勲《ジョンファン》というんだろう。」

「李、宗勲だよ。」

「おれも名乗れないのが残念だが、同務に会えて、本当にうれしかった。それじゃ、別れよう。」

「待ってくれ!」

　宗勲は、立ちあがろうとする少年をあわてて呼び止めた。

「同務のことを最初は強がりやだとあまりよく思わなかったんだ、けれども、いまは違うよ。別れるのがつらいほどなんだ。さっきは同務を意地悪く試したんだ、わざと利赫のおふくろさんのことをもちだしたりして。だけど同務がえらくびっくりしたんで後悔したよ、分ってくれるかい。」

　少年は快活にうなづき傍へにじりよると骨太い手を宗勲の肩へしずかにのせた。

「脅かしたんじゃなくて、同務は兄貴のことを思いださせたんさ、おれを悲しませたよ」

「悲しませたって?」

「ああ、死んだ兄貴のことだ。いや、利赫同務みたいに殺された兄貴のことなんだ。」

「聞いてもいいかい?」と、宗勲はどぎまぎした調子でたずねた。

「いいさ」と少年は肩を落して沈んだ声でこたえた。「兄貴は村の小学校の教師だったんだ。おれは中学校を終えると親類の家に下宿して、S浦の高校に通っていた。そのころ、おれも同務みたいにリュックで着更えの洗濯物の底に穏して村へ紙を運んでいたんだ。村には紙がなかった。兄貴もそう云っていたし、おれもその紙は兄貴の学校で使うものと思いこんでいた。途中で警官に訊問されてもそう答えればよかったから、はじめはまるで怖さを感じなかったよ。だが、或る時、兄貴から、持運びに不便なら紙を小さく切ってきてもいいと云われて、おれにもやっと分ったよ。

　だから、S浦から土曜の午後になると泊りがけで家に帰るのはひどく楽しみでもあったが、リュックのなかに紙をつめこんだときだけはやはりびくびくものだったよ。S浦から村まではおれの足でたっぷり三時間はかかる。夕方おそく、熔岩原の道を村へ登っていくと家の燈が茄子色の山肌に向日葵みたいにぽっかり点っているのが遠くからみえる。夕餉の煙りがおふくろのようにやさしく屋根をつつみこんでいることもあった。それをみるだけでおれはいつも巣に帰る小鳥の幸福を味ったよ。おれのなかに十人もの別なおれが生きていて、その十人のおれがまた百づつもの幸福をささやき交わしあっているような、うれしさだった。途中で捕まらなかったことや、兄貴の役に立つことがそれほどうれしかった。

　兄貴はそれから間もなく、警察にひっぱられたんだ。村で撒かれたビラと同じ形のワラ半紙が学校の事務机の抽斗の中からみつけだされたんだ。兄貴は紙の入手経路を最後まで口を割らずに、処刑されたんだ。兄貴は五発の弾を胸に撃ちこまれて穴だらけになって殺されたよ。そして、父や母やおれは、村の人たちと一緒になって、〈大韓民国万才!〉を兄貴の遺骸を前において叫ばされたんだ。おれはその〈大韓民国万才〉を精いっぱいに三唱したよ。万才、万才兄さん、万才ってね。おれもその時たしかに震えてはいたが、決して怖さのせいだけじゃなかった。怒りと憎しみ、一つの心を二つにひきさかれるはげしい痛みのためだった。

おれが山へ登ると云いだしたとき、おふくろは気狂いみたいに反対した。宝は喪ってみないと尊さは分からない。兄貴を死なしただけでもう沢山だって。だけど父さんは許してくれたよ、おれは百姓だ、刈入れのためには種はまかにゃならねえものだと、そう云ったんだ。」

少年はことばをきるときらきら光る眼で宗勲をじっとみつめた。宗勲を或る理解に導こうとする少年の熱っぽい眼差しは彼の心に深くとどいた。宗勲は少年が何を云おうとしたのか分りすぎるほどわかっていた。宗勲は恥ずかしさと後悔のあまり肩をわななかせてうなだれた。少年はぴくぴくひきつる宗勲の肩を力づよくゆさぶった。

「さあ、こんどはほんとうにお別れだ、同務も元気でな。」

「同務を試そうとしたおれのことを、悪く覚えているかい?」宗勲は眩しそうに少年を見上げると、咽喉につまった声で云った。

「兄弟のように、よく覚えているよ!」

少年は黒い眼を星のように輝かせて応えた。

(未完)

支社・支局の設置について

本社は各地に支社・支局を設置する。今日までのところふつうにおこなわれている雑誌や書籍の販売配布方法は、これを東販とか日販といった取次会社におろし、そこから小売店をへて読者の手にわたるということになっているが、本社はこの方法のみにはたよらず、本社独自の販売・配布方法を確立しようとするものである。

社告

一、本誌「鶏林」および本社出版書籍の販売配布。広告の業務。編集・企画への参加

支社・支局の仕事はかんたんにいうと右のとおりであるが、しかし、従来民主的出版物の販売と配布とにみられた一種の「義務感」「奉仕感」といったものによっては、これをおこなわない。したがって本社はタダ品物を送り、うけとったものはこれをまたタダ滞納するといったダラシのないことはしない。

あくまでも合理的にこのあいだをはっきりとし、本社としても、本誌「鶏林」の月刊移行と出版活動の活発化とにともない、支社・支局にたいしては相当の収入をはかる。そして、同地方におなじ支社・支局をいくつも設置して競争をさせるようなことはしない。その調節は本社においてとるが、希望者はかんたんな経歴書をそえて本社まで申込んでもらいたい。詳細な「支社・支局設置規定」を送る。

東京都墨田区寺島町一の二
鶏林社
電話(六一一)一四二七番

近代日本文学における朝鮮像（一）

——研究ノート——

朴春日

はじめに

ある一国の民族文学における国際的連帯の運動は、さまざまな方法と、形態を必要とする。《作家間の最高の有情行為》としての飜訳活動は、その最たるものといわなければならない。しかし、このことはある意味では全く原則的な問題であって、それぞれの国家間では幾多の障害と斗いながら多かれ少かれ行われつづけているものである。

そしてこれらの運動の重要さは、情勢から論じる必要もないほど自明であり、平和と独立をねがう文学者ならば周知の課題である。

しかし、文学における国際的連帯の運動を単に「外」との接触だけのものとして飜訳と紹介だけにとどめるならば、それは実り少い結果しかえられぬであろう。そこで、当然の帰結として考えられることは、ある一つの民族文学の「内」にある国際的な性格の一つの側面として、それが他の国家と民族をどのようにとらえ形象してきたか、という問題が提起される。

こういった新しい動きの具体的な例としてあげられるのは、一九五七年一月に中国研究所から発行された『昭和文学における中国像』（竹内実氏執筆）である。

これは「中国資料月報」として出されたために世の人々の目にふれる機会がきわめてせまいものであったにもかかわらず、その意義は非常に深いものであった。しかも、それが日本人の手によってなされたということに意味の重要さがあり、われわれに一つの感慨を与える。

しかも、この労作の出発点は、『日本文学のなかで、それも昭和時代という限られたなかで、中国をどのように描いてきたか、ということ』であり、その目的は『今日、われわれは正しく中国を理解しているのか、理解しているつもりなのか、ふたたび、あの苦い経験をくりかえさないために、この中国像を吟味したい。』というところに設定されている。

このような出発点や目的が正しく、また創意的であることはいうまでもない。

かつて私は、それを朝鮮人としての立場から、自民族が日本の文学にどのように映っているのかをたしかめるために、その研究のいとぐちとして〔朝鮮月報〕（一九五七年NO7、8、9号）に『日本プロレタリア文学における朝鮮人像』という小文を発表したが、それはひとえに朝鮮と日本との〃信頼のあかし〃をさぐりだすためであった。なぜなら、かつて、われわれは余りにも〃憎しみと怒りの歴史〃だけをこぶしにこめて語りすぎたからであり、もはや、それだけでは新しい時代の情勢に適さないからである。

私は、前記の一文で、ある程度自己の目的を達した。ある意味では当然のことであろう。つまりプロレタリア文学にかぎったからである。しかし朝鮮と日本との〃信頼のあかし〃を文学の分野で確認しえた喜びは、この上なく大きく深いものであった。

今後私はそれを日本近代文学という「ひろば」の中で掘りおこし、その「ひろば」とのかかわりあいの上でみつめてみたいと考えた。むろん、私個人には過ぎる課題である。しかし、私なりに一つの道を切りひらいてみようと思う。

そして、それが実り多い結果を生むとすれば、ゆくゆくは日本文学全体の中からの朝鮮像の発掘と追求がなされるであろう。

それは、たとえば日本最古の文献である〔古事記〕から〔日本書紀〕へといったような記録としての史実の問題から、〔万葉集〕における具体的な文学形象、たとえば、

韓人《から》の衣染《ころもし》むてふ紫の
　こころに染《し》みて思ほゆるかも

という大典麻田連陽春《あさだのむらじやす》の歌から、

　ふるさとは遠くもあらず一重山
　越ゆるがからに思ひぞわがせし

という高丘河内連など帰化人の文学の発掘まで問題をすることができるだろう。

このように日本文学の歴史は、古代よりさまざまな形で朝鮮をとらえ、朝鮮人像を描いてきたし、現在でも描きつつある。それは一見断片的でありながら、一つの体系的なものをひめ、日本と朝鮮の友好的な文化交流をねがうわれわれに大きな示唆をあたえるものである。

ともあれ、臆測と独断のそしりもまぬかれない研究ノートであろうが、今後このテーマにたいする組織的な研究がはじめられることを期待しつつ筆をすすめることにする。

I　日本帝国主義の朝鮮侵出と 鉄幹・秋水・未醒・尚江・啄木

（1）乙未事変と与謝野鉄幹の『東西南北』をめぐって

明治維新後の国際情勢からみて、朝鮮は日本資本主義の侵略のもっともよい対象であった。かれらはレーニンの指摘するとおり、ま

さに「わかくしてひじょうに急速に進歩しつつある資本主義国家」群の一方の立役者として、朝鮮に対する年来の野望を実現するため、あらゆる策謀に狂奔していた。

西郷隆盛や板垣退助らの主張した〈征韓論〉は、そのもっとも露骨なあらわれであったといえよう。周知のように、この〈征韓論〉は日本の朝野に賛否の論議をふっとうさせたが、ヨーロッパから帰った岩倉具視、大久保利通、木戸孝允らの反対にあって実現されなかった。しかし、それはあくまでも〈征韓論〉そのものがもつ本質的な〃朝鮮侵略〃に対する反対ではなかった。つまり、日本のまだ幼い資本主義体制からみて、時期尚早であり、後日の本格的な侵略にそなえて国力を充実しようという立場からの反対であった。

これは、のちの「雲揚号事件」の陰謀の結果として〈江華条約〉（一八七六年二月）にまずあらわれ、どろぬまのような朝鮮自体の政争と弱体をたくみに利用したいわゆる「壬午軍変」、「甲申政変」では公然と日本の軍隊を出動させ、さらに日清戦争勝利の結果としての〈馬関条約〉（一八九五年四月）において公然たる朝鮮侵略の踏台をつくりあげたことなどにはっきりとあらわれた。

一八九五年十月八日。ロシアの極東政策の強化に大きな脅威を感じた日本は、朴泳孝らの親日流をそそのかし、親露流である閔妃一派を虐殺する暴挙に出た。いわゆる「乙未事変」である。日本政府は国際的な与論をおそれ、かれらが犯した罪状をかくすために、この虐殺事件に関係した日本公使三浦梧楼以下四十余名を広島の獄に投じて、外観をつくろったが、このような殺人強盗的な日本帝国主義の暴挙に対して、朝鮮人民は全国各地で義兵ののろしをあげ愛国的な戦いに参加していった。――

こうした血なまぐさい朝鮮侵略の陰謀も暴虐のうずの中で、誤れる情熱をたぎらした日本の文学者がいる。それは与謝野晶子の夫である鉄幹である。

与謝野鉄幹（一八七三〜一九三五）は、一八九五年四月、韓国政府学部省乙未義塾の教師に赴任し、その分校の一つである桂洞学堂を主管した。彼の担当課目は日本語であった。

きこしめせ。御国の文を、かの国に
今はさづくる、世にこそありけれ。

これは、鉄幹が朝鮮に行く途中でよんだ歌である。さらに『廿八年の春、槐園（筆者注・鉄幹の親友鮎貝房之進のこと）、朝鮮政府と議して、乙未義塾を京城に創す。本校の外、分校を城内の五箇所に設け、生徒の総数、七百に上る。高麗民族に日本文典を授け、兼ねて、日本唱歌を歌はしめたるが如きは、特に槐園と余とを以って嚆矢とする也。開校の初め、余の歌に云く。』と題して、

から山に、桜を植ゑて、から人に
やまと男子の、歌うたはせむ

と歌つた。《日韓併合》以前に、早くも朝鮮の子弟に日本語教育が行われたという事実は、まさに驚くべきことであるが、かって豊臣秀吉が朝鮮を侵攻した際にも同様の史実が記録されているところからみれば、侵略する国家の必然的な手段であったろう。

ともあれ、問題なのは、そうした侵略政策のお先棒を無批判にかついだその当時の鉄幹の思想的な背景である。

すなわち、それまでの彼は落合直文に師事し、浅香社の創立にも加わっているが、そこで槐園や、のちに晶子の『君死に給ふこと勿れ』という有名な反戦詩を『乱臣なり、賊子なり』とののしり評し

た大町桂月とも親交を結んでいる。皮肉といえば皮肉であるが、いづれにしても槐園との交わりが大きく鉄幹に影響していることは、いろいろな記録によっても明らかなごとく、いなめない。

…………………………

薩摩男子のあはれさよ。
猛き武臣のこころをば、
歌よむ公卿の知るべきか。
あたら熱血の征韓論、
愚論と嗤ひすてられつ。
国威を外夷にしめすべき、
いくさをせむと願ひしを、
真心になきあらそひに、
賊と云ふ名を負ひにけり。

…………………………

これは『祭南洲先生』と題する詩の一部であるが、いうまでもなく西郷隆盛をたたえその末路を悲しんだ歌である。彼が日蓮や秀吉を生んだ日本をこよなく愛するといった姿勢と同一のものである。

このような鉄幹が、「乙未事変」に自分を投じたことは当然のことといわねばならない。

『韓延に、十日八日の変ありて、未だ二旬ならざるに、諸友多く、官にある者は、帰朝を命ぜられ、民間にある者は、退韓を命ぜらる。余もまた、誤って累せられむとし、幸に僅にまぬかる。ここに於て一時帰朝の意あり、諸友中、広島に護送せらるる者と、船を同じうして、仁川を発し、宇品に向ふ。……』（傍点―引用者）

これは「乙未事変」に参画した鉄幹自身の記述であるが、重要な事実との相違がある。つまり傍点を施した部分では、鉄幹は「乙未事変」に『誤って累せられむとし』とあつて、自分がこの事件に関係がないかのようにつくろっているが、この事件の前後に日本公使館の副領事である堀口九万一や槐園とひんぱんに画策していた事実があり、「乙未事変」の直接的な首謀者でないことはたしかであるが、中枢部参加の一人であることはいうまでもないことである。また彼は『一時帰朝の意あり』と帰国することを自分の意志であるかのごとく書いているが、実は彼自身も『広島に護送せらるる者』の一人であったことは次の一文が証明するだろう。『朝鮮王妃閔氏殂落事件あり、（略） 公使館一等書記官杉村濬、副領事堀口万一等他数十人と広島に護送せられたるも取調の上放免さる。』（与謝野寛年譜）

何故彼が卑劣にも事実を偽ったのか。それにはいろいろな答が準備できるだろう。が、ともかく、彼はこうして日本に帰ったのち、同年の十二月再び京城に足を運んでいる。つまり「乙未事変」に参加して一時的に獄にあつたものたちは、すべて釈放されていたからである。彼はその翌年に帰国し、その次の年にはまた朝鮮に渡つている。そして、江原・咸鏡・平安道などに遊び、一八九八年三月に東京に帰り、それ以後は朝鮮の土を踏んでいない。そして、この頃から鉄幹の思想的な懊悩期がはじまるが、それまでの彼は萩原朔太郎が評するごとく、『彼はバイロンに私淑していた。そして確かに、彼の熱情はバイロンに比較さるべきものであった。或はもっと詳しく言えば、バイロンを支那壮士風の東洋的気慨家に変えたような男であった。』そして〃虎の鉄幹〃といわれた彼の歌には、虎や太刀を歌ったものが多いことも興味を引く。たとえば、『咸鏡道を旅行

して、雪中に、虎の吼ゆるをきくこと、三回』と題して、

　いでおのれ、向はば向へ。逆剥ぎて、
　　わが佩く太刀の、尻鞘にせむ。

と歌っていることや、

　から山に、吼ゆてふ虎の声はきかず。
　　さびしき秋の、風たちにけり。

などと歌っていることがそれである。しかしそのような鉄幹も朝鮮で病いに仆れれば、

　韓にして、いかでか死なむ。やまとには、
　　父もゐませり、母もゐませり。

と歌い、ものと情に感じては『官妓白梅を悼む』という一文と歌をつづっている。

『……城中の官妓名を白梅と呼ぶ。年十八、才色ともにすぐれ、多少の教育さへあるなど、謂ゆるこの国官妓中の尤物。その極めて、日本びいきなるが如きは、稀に見るところの者也。乙未の年、四月十五日の夜、われ某大臣の宴につらなりて、大酔立つ能はず。一妓あり、ひそかに、自己の輿に扶け載せ、送りてわが寓に至る。われの白梅としりしは、この夜ぞ初めなりし。そののち、われ屢々彼と会しぬ。彼や、ただ羞じらひてなまめかず。二人の中は、意気相投ずといふほどのことにして、聊かうきたる言葉だに挾まざりき。われの、稍々、韓語に熟せむとして、朝鮮小説を読まむとするや、卑猥淫靡の書、男子の手にすべきものならずとし、その書を裂て、読ましめざりし者は、彼なりき。

　われの、剣を抜いて、一韓官を斬らむとせし時、身を以て、之を遮ぎり、徐ろに、錦帳の中に臥さしめて、酔気怒気、併せて去るの後、徐ろに、わが欝勃の不平を、且つ慰め、且つ諌めたる者は、彼なりき。われの病で、褥にある一百余日、彼は、朝夕の祈禱に余念なかりしと云ふ。彼の鉄幹に対するなさけ、概ね此の如くなりき。嗚呼、彼病むで、今や亡し。そもや、香魂、いづれの処にかゆける。……』と書いて

　太刀なでて、わが泣くさまを、おもしろと
　　歌ひし少女、いづちゆきけむ

　唐琴の、きよきしらべは、耳にあれど
　　絶えつる絃は、如何につながむ

と歌いこめている。

　こうして〝虎の鉄幹〟は、しばらく苦悩する時をむかえる。そして一九〇〇年、新しい出発の意味をこめて新詩社を創立し、雑誌〔明星〕を刊行した。そして〔明星〕の盛行とともに高村光太郎をはじめ、鳳晶子、石川啄木などが続々と同人となって、日本の詩歌壇に新風を送りこんだのである。その意義けのちの日本の文学研究家たちが評しているごとくである。

　与謝野鉄幹がとらえた朝鮮像は、その詩歌集『東西南北』(一八九六)に描かれているが、それはいうまでもなく日本帝国主義の朝鮮侵出という時流にのった位置から発想されたものであり、否定されるべきものである。むろん〔新詩社〕創立前の彼と後の彼は、当然区別して評価しなければならないが、彼が果した役割は、われわれ朝鮮人にとってばかりでなく、日本人にとっても多とすることでないことは、その論を待たないであろう。

(2) 幸徳秋水の『敬愛なる朝鮮』

一九〇四年二月二十三日——ツァー・ロシアに宣戦してまもなく、日本は武力的脅迫と恐喝でもって「韓国政府は日本政府の行動を容易にするためのあらゆる便宜を提供し、戦略上必要なときには、必要な地点を任意に使用することが出来る」という強盗的な条項をふくむ〈日韓議定書〉を成立させた。つづいて同年八月には〈第一次日韓協約〉を、さらに翌年の十一月には〈第二次日韓協約〉を締結させた。

その結果、もはや朝鮮の経済・政治・軍事などに関する実権は、ことごとく日本政府の手中におさめられ、朝鮮の外交に関ずる一切の権限もはぎとられてしまった。そしてこの恥知らずな収奪と並行してすすめられていた日露戦争も、結局は日本側の勝利に帰してしまった。

このようにして、朝鮮に対する日本の侵略政策の地歩が次第にうち固められていった反面、これに対する朝鮮民族の激しい抵抗がいたるところでまき起ったことはいうまでもない。

こういった激動期の中で、日本国内の世論はどのような反応をしめしたであろうか。

高山樗陰は『無弦琴』(一九〇二年八月刊)の中で『日本主義を論ず』と題する小文を発表し、『…日本国民が特殊なる国体歴史を有するが如く、他の世界の各国民も亦、各自に特殊なる国体歴史を有せざるか。(略)支那は支那(略)、朝鮮は朝鮮として、其の国体、其の歴史、各々特殊なり、各々格別なり。』と説き「日本主義」の発明者に対して批判を加えた。しかし、これはまだあいまいな面をのこしており、明確に日本帝国主義の本質を暴露できないまま終ってしまった。

一九〇三年十一月十五日——幸徳秋水、堺枯川らを中心に、「平民主義」「社会主義」「平和主義」の三大スローガンをかかげた〔平民新聞〕が創刊された。これには西川光次郎や片山潜、田岡嶺雲、安倍磯雄、木下尚江らが参加したが、その立場はきわめて明確なものであった。すなわち、朝鮮問題に関しては、一九〇四年の一月十七日号で早くも秋水の健筆を掲載した。

『かれら曰く、露すでに満洲をとる。必らず朝鮮をとらん。一たび朝鮮をとる。必らず対島をとり九州をとり日本全土をとらんと。甚だしいかな、主戦論者の恐露病や。もしこの論法をもってよるべしとなさば、日本を防ぐにはまず朝鮮を防がざるべからず、朝鮮を防ぐにはウラル以東を防がざるべからず、ロシア本部を防がざるをべからず、しからずんば、露国国家を滅尽せざるべからず、しからずんば、日本はついに永遠に安全なるをうべからず、今の主戦論者、よくこれをなしうべしとするか。』

秋水はこのように日本の「死の商人」である主戦論者たちの大義名分をするどく暴露し、戦争のもつ悪の本質をあばき出しと同時に、驚くべき勇気と情熱をもって反戦・平和の筆論を展開した。しかし日露戦争は遂に始まった。秋水は、『嗚呼、戦争遂に来れり。吾人は、支那・朝鮮人民のためにその不幸に同情し、ひとりひそかに泣かざるを得ざるなり。』と、その悲痛な心情を吐露した。

このように一貫した秋水の反戦思想は、やがて一九〇四年六月十九日の〔平民新聞〕社説、『敬愛なる朝鮮』において、プロレタリア国際主義に立脚した不滅の金字塔を形づくった。

彼は、まず第一に日露戦争が決して朝鮮の独立を擁護する義戦ではないことをあばき、第二に朝鮮をめぐら列国の激しいつばぜりあいが、列強の帝国主義的な性格から出発していることを指摘し、第三には朝鮮の腐敗し切った支配階級、両班、皇帝の政治支配から朝鮮人民が解放されなければならないことを説き、第四には、旧「国家観念の否認」にまで至らねば、朝鮮の真の独立は可能でないことを主張している。すなわち、

『日本の政治家は正義の戦争と称す。しかれども、日清戦役、および日露戦争における日本の態度が、果してかれら自らいうが如く、しかく正義なりや否やはこれを局外の批判に待たざるべからず(略)わが邦人つねに朝鮮国民を嘲罵して曰く、かれらは毫も国家的観念なく、忠愛的情操なしと。吾人をもってこれをみれば、朝鮮人に国家的愛情なきは当然なり、かれらの幸福と安寧とが、国家および主権者の為に毀損せられ来りしこと、実にかれらの歴史なればなり。(略)かれらは先天的に遊惰の民にあらず、また狡獪の民にあらず、いな、かれらは勤勉忍耐の美質特長を有せるなり。いかんせん、敵国侵略の歴史は遂にこの民を退化して、今日あるを致さしめぬ。(略)

吾人は朝鮮人の素質に多望を寄す。かれらはあくまでも現世的なり。かれらは、いかなる圧迫の下にも厭世的ならざるなり。かれらの要求は現世の幸福にあり。遁世的ならざるなり。かれらは階級制度の毒弊に倦み疲れたり。侵略政治の害悪に飽きつくしたり。(略)

他年一日、この半島の一角より、地に平和をもたらすべき一大予言者の音響をきくこと保すべけんや。(略)亡国の屈辱を嘗めたるものに非ざれば、侵略の罪悪を鞭つこと能わざるなり』と。

当時のあのきびしい弾圧の中で、祖国日本の運命をうれうるがゆえに朝鮮に思いをはせた秋水のこの意味深い主張は、厳密にいうならば多くの問題をふくんでいるが、しかし、文字どおり朝鮮人民と日本国民の〃信頼のあかし〃であり金字塔である。

しかし、他方、この『敬愛なる朝鮮』が発表された同じ年に、『朝鮮は自由でなければならぬ』("Korea Must be Free")という英書が日本最初の輸入禁止本になるという不当な事実が依然として続いており、その力は、やがて〃大逆事件〃の名のもとに秋水以下、すぐれた日本の反戦平和主義者たちを投獄し、むごたらしい拷問を与え、そして一九一一年一月二十四日、これらを無残にも絞首刑に処してしまったのである。

それは、奇しくも朝鮮がもはや完全に日本に併呑されたいわゆる《日韓合併》の翌年であった。

幸徳秋水のけわしく苦渋にみちた生涯は、朝鮮の暗黒の歴史、「没歴史」のはじまりと同時に、その幕をとじたのである。(つづく)

表紙のこと

題号は「創刊のことば」にあるように、朝鮮の別名・雅号であるが、表紙の写真は慶尚北道・慶州にある「鶏林」である。「鶏林」は「三国遺事」によると、新羅の脱解がその子をえたときに林中に鶏鳴の瑞をきき、以後、国号を「鶏林」と改めたとある。これが朝鮮の別名・雅号となったことのいわれである。

日本語でかかれた朝鮮に関する文献 (一)

近い将来、詳細な解題をつくる目的をもって、以下号を追ってこれを掲載してゆく。いまは順不同、手元にあるものから手あたりしだいに掲載し、そのうちに種目別に分類したいと考えているが、これはもちろん広い読者の協力なしにはつくりえない。この仕事の民族・国家的意義を理解されて、充分な協力を仰ぎたい。

題名	著者	発行年月	発行所
朝鮮通史	林泰輔	一九四三・四	進光社
朝鮮文化史大全	青柳南冥	一九二四・二	朝鮮研究会
朝鮮の建築と芸術	関野貞	一九四一・八	岩波書店
朝鮮文化の研究	京城帝大文学部	一九三七・一〇	朝鮮公民教育会
日鮮同祖論	金沢庄三郎	一九四三・四	汎東洋社
最近における朝鮮治安状況	総督府警務局	一九三四・五	総督府警務局
拓務要覧(一九三三年版)	拓務省	一九三三・一	拓務省
朝鮮の都市	萩森茂	一九三〇・五	大陸情報社
鎮南浦府史	前田力	一九二六・一	鎮南浦史発行所
朝鮮社会考	朝鮮駐箚憲兵司令部	一九一二・三	京城・文星社
朝鮮区域一覧	姜義永	一九三七・四	京城・永昌書館
朝鮮陰謀事件		一九一三・三	セウルプレッス社
朝鮮史話	幣原坦	一九二四・三	富山房
朝鮮の市場経済	朝鮮総督府	一九二九・三	朝鮮印刷株式会社
朝鮮之研究	釈尾春芿	一九三〇・八	朝鮮及満州社
朝鮮農政の課題	久間健一	一九四三・三	成美堂書房
朝鮮語学史	小倉進平	一九四〇・五	刀江書院
最近の朝鮮	市瀬五郎	一九三六・九	朝鮮問題調査会

編集後記

▲創刊のことばにあるように、われわれが「民主朝鮮」を刊行したのは一九四六年三月のことであった。筆者はそのときから「民主朝鮮」のこの後記をかいてきたものであるが、本誌のこれをかくにいたってまず気づくことは、執筆者のメンバーが大幅に変ってきたことである。考えてみれば、あれからもう十数年もたっているからあたりまえのことではあるが、この号についてそれをみると、当時からの執筆者は姜魏堂、許南麒、張斗植くらいのものである。

▲新しい、若い人々の進出が目立っている。これははなはだうれしいことで、われわれがふたたび本誌を刊行するのも一つはこのためで、今後とも、われわれはできる限りこれらの新しい才能を見出していきたい。読者の投稿を歓迎する。われわれはこの投稿を、これら新しい才能を見出すための有力な手段とする。

▲「日本近代文学における朝鮮像」は貴重な研究の一つで当分つづくが、「私の歩いてきた道」もかなりつづくであろう。そしてわれわれはこれによって、在日朝鮮人の典型的な一つの像をみることができるだろう。朝鮮本国の現代文学を精力的に紹介してゆこうというのも、本誌の大きな使命である。 (K)

鶏林 第一年 第一号

定価五〇円 (隔月一日発行)

一九五八年十月二十五日印刷
一九五八年十一月一日発行

編集兼発行人 張斗植

東京都中央区日本橋茅場町二の一〇
印刷所 大成印刷株式会社

東京都墨田区寺島町一の二
発行所 鶏林社
電話 (六一一) 一四二七

鶏林
一九五八年十一月一日発行　第一年第一号（隔月一回一日発行）
定価五〇円（送料八円）

鶏林

一九五九年一月一日発行
隔月・一回一日・第二年第一号

2

青磁彫刻飛竜形水注（表紙）

これは雄大な迫力に満ちた水注ぎで、高麗青磁の優雅な好尚の彼方にある破格の絶品である。高さ八寸五厘もある大きなもので、手法雄勁、霊獣の神韻をつくしてあまりある。だいたいこんないりくんだ線の多い怪獣みたいなものはグロテスクになるのが定石で、李朝磁器の海駝みたいないやになるのが当然なのであるが、これは少しもそういう点がなく醜怪であるべきものが壮麗雄渾なものとなり、一種の神話を示しているのである。この神話的な感じは、土民信仰に、陰陽思想、密教思想、などが結合されてその時代の渾然たる神話精神をなし、それが反映して生じたものと思われるのであつて、高麗も密教精神の衰えざる初期をあまり下らぬ頃のものであろう。

一般の高麗青磁愛好者は「このような迫力に満ちたものをあまり好まぬようであるが、こういうものを愛するのが最も真面目な高麗青磁愛好者ではなかろうか。（「図説・朝鮮美術史」より）

鶏林

2

1959・1

在日朝鮮人の帰国運動について

裵　秉　斗

1

さる八月以来、在日朝鮮人総連合会（以下総聯と略称）を中心とした在日朝鮮人の朝鮮民主主義人民共和国北半部（以下北朝鮮と略称）への帰国運動は、そのはじめから、在日六十万の朝鮮人の間に、非常な関心と感激をもつてむかえられ、それは未だかつて見ない急速なテムポと広汎な層の共鳴をよび起しつつ、日に日にもり上がりを見せている。それは、第一には、今まで広くかつ深く存在していた在日同胞の帰国の切実な希望を総連が適切に一大運動としてもり上げ、展開したためであり、、第二は、第一におとらず重要なことであるが、祖国北朝鮮の受け入れ態勢と温情あふれる一連の措置等々が感動的につたえられ、在日同胞の危ぐとためらいをぬぐいさるに充分であつたためであり、さらに第三には、広汎な日本人民が積極的に支援・協力してくれているためである。

帰国運動がはじまつて、わずか三カ月をすぎたばかりの十一月末現在、帰国希望者の申請書は五万通に達し、それはさらに増加しつつある、とつたえられている。そして、申請書を提出した人々は、帰つたその日から、すぐにでも働けるようになりたい一心から、忘れかけたものを復習したり、新らしい祖国に関する予備知識を学んだりの「学習会」を自発的に開いて、至る処でさかんに勉強をはじめている。六十歳近くまで、文字とは縁をもたずに生きて来た老人も、母国語を知らずにすごして来た若ものも加わつて、学習はますますさかんになりつつある、というのである。さらに又、この運動には、今までのいわゆる「韓国系＝民団系」の同胞達さえも参加して来ている例も少くないとのことである。これらの事実は、在日同胞の帰国の希望が、いかに深刻かつ切実なものであるかを如実に物語るものである。

このような在日朝鮮人の切なる願いにたいして、祖国ではいち早くこの問題を取り上げ、九月八日の朝鮮民主主義人民共和国創建十周年慶祝大会の記念報告のなかで、金日成首相はこれに言及し「…わが朝鮮人民は、日本で生活の道を失い、祖国のふところに帰りたいという、かれら（在日朝鮮人—筆者註）の願望を熱烈に歓迎する。在日同胞は日に日に隆盛発展する朝鮮民主主義人民共和国の公民として、自分の祖国にかえり、国内同胞とともに幸福な生活をいとなみうる当然の権利をもつている。共和国政府は、在日同胞が祖国に帰つて、新しい生活ができるように、すべての条件を保障するであろう。われわれはこれを自己の民族的義務であると考える。」（傍点筆者）と言明して、無限の激励をあたえたものである。これにつづいて、南日外相は日本政府にたいし、帰国希望者を即時北朝鮮に帰すことを要請した声明書を発表し、さらに十月十六日には金一副首相は談話を発表して、帰国のための旅費の支給・配船の用意まであることを明らかにして、この運動に拍車をかけた。十月三十一日、平壌で開かれた祖国統一民主主義戦線中央委拡大会議でも、この問題が重要な議題となり、在日同胞をむかえ入れるための準備はすでにととのい、帰国後の生活についてもすでに準備が、着々進められていることをしらせる「在日同胞に送る手紙」を決議、送付して来ている。「あなた方が繁栄しつつある自分達の新しい祖国に帰つて来るその時は、荒れ狂つていた東海（日本でいう「日本海」—筆者註）の荒波も頭を垂れて船路を開いてくれるであろうし、美わしい祖国の岸辺の鷗もあなた方の船べりに飛びかい、あなた方を祝福するであろう。」という手紙の一節は、在日同胞の帰国のもだしがたい心情をますますかき立ててくれたのである。

これらの朝鮮人側の熱烈な帰国希望に歩調を合わせ、さる十月十七日結成された「在日朝鮮人帰国協力会」は、日本の自民党・社会党・共産党等の各政党、数多くの有力な労働組合・社会団体及び各界の著名人士等々が文字通り超党派的に積極的に参加したもので、その代表はすでに数回、日本政府当局及び日本赤十字社等を訪問して「在日朝鮮人の帰国について直ちに具体的措置を講ずるよう」強力に要請している。又、十一月二十八日現在、日本各地の三十六地区地方自治体や市町村長会議等が、岸政府に対し「人道的立場で、在日朝鮮人帰国を実現させるべきである」との要請を表明するとともに、帰国促進を行うべきことを決議している、とつたえられている。のみならず、大新聞・有名綜合雑誌・放送機関等も、ことこの帰国問題に関しては同情的に取り上げて、日本人民に好意的解説をしている。この意味においては、在日朝鮮人運動がこれほど、幅広い日本人民の支持と協力をえたのははじめてであり、まさに歴史的な出来ごとである、といつて良い。

ところが、それにもかかわらず、この問題にたいして、日本政府は終始一貫して冷淡な態度をとりつづけている。ことばをかえて言えば、今では日本政府だけが、在日朝鮮人の帰国問題を取り上げようとしないでいる。それは何故であろうか。純然たる人道上の問題として出発したこの帰国問題を、もつぱら政治的なものにする意図があつての故ではなかろうか。端的にいえば、これは当面のいわゆる「韓日会談」場での、取引の条件となつているからである。もしそれが事実であれば、日本政府は人道上の重要なあやまちをおかす結果になるであろう。

又、この帰国運動について、在日同胞の中にも、充分に理解されていない部面もあるのではないだろうか。もちろん一部には、タメにする悪意からの悪宣伝にまよつている人々もいるようだが、それと同時に、未だ半信半疑の人々もかなりいるらしい。さらに又、帰国そのものと帰国運動とについて、未だ明確な認識をもてないでいる人々もいるのではないだろうか。これらの問題について、以下あえて二・三の私見を加えて見ようと思う。

2

日本政府が上にのべたように、在日朝鮮人の北朝鮮への帰国の切実な願望に冷淡であり、できればそれを圧殺してしまおうとしている当面の大きな理由としては、次の二つのことが考えられる。その一つは、先にも一言ふれたように、例のいわゆる「韓日会談」において、在日六十万朝鮮人をまとめて「韓国」に引き渡すこととその代価を求めようとするきわめて不純なものであり、その他の一つには、帰国の希望先が北朝鮮であることにたいする反撥からであろう。もちろん、この二つの理由は全然無関係のものではなく、終極的には一つに帰着する政治的意図によるものであることは明らかである。

しかし、今度の帰国運動は、その出発から何ら政治的意図をふくんではいないことは、あらゆる機会に強調・言明されている。それは民族的誇りの問題であり、生活権の問題である。前者もそうであるが、個々人にたいする生活権について考えて見れば、それはすぐれて人道的問題以外の何ものでもない。今日日本に在留している朝鮮人の多くは、困窮のどん底にあえいでいる。正常な職場にはよりつけもせず、まともな就職等は及びもつかず生活は日々悪化するばかりである。日本経済自体が、いわゆるナベ底景気におち入つているのに、歴史的な理由は問わないまでも、われわれ朝鮮人に職をあたえ、安定した生活を保障できるわけのものではないであろう。

子弟の教育の問題一つとり上げて見ても、自主的な民族教育を受けることのできる学校一つ、正式に認めようとはしない。苦しい中でも、自らの無智の悲しさを子供にはさせまいと、血のにじむようなギセイをはらつて学校を建てておけば、日本政府の都合によつて折にふれて弾圧を加え、それに子供をやらず日本人の小学校にやろうとすれば、区長や校長の許可を必要とした上、子供は子供で、事ごとに「朝鮮人」とさげすまれ、いじめまわされるのが普通である。このような状態は、人の子の親として、とても笑つてしのべるものではない。あわよくば、高校や大学を卒業しても、朝鮮人であるという理由だけで、一さい就職の道はなく、いわゆる高等ルンペンになるのが大部分である。

商工人には銀行融資の途がたたれ、あまつさえ、保険会社は保険加入を拒否することさえある。一事が万事、在日朝鮮人の処遇は全く、日本政府の意のままであり、完全な無権利状態に放置されている。その反面、納税をはじめとした一連の義務だけは、守ることを強要されている。たとえば、本年度の日本の中央・地方予算の中で、朝鮮人の負担する税金公課は、大まかな計算にしたがっても一五一億円であり、一人当りにすれば（子供も含めて）平均二万五千円を負担していることになるそうである（「鶏林」第一号、朴進山「日本の予算と朝鮮人の財政的義務」参照)。

日本政府によつて、このような差別と悲惨な状態を解決される日が来ることを望むのは、朝鮮のことわざでいえば「孫の還暦をまつようなもの」で、歴史的な因果が清算されなければならない。藤島宇内氏は、在日朝鮮人にたいする歴代の日本政府のこのような非人道的取り扱いを「日本の三つの原罪」の一つに数えている(「日本読書新聞」十一月二十四日号)。自らの手で、このような原罪を清算できないとすれば、日本政府は在日朝鮮人が自らの安定と幸福のために、その祖国に帰ろうとするのを妨げる理由はないし、むしろ積極的に促進するのが、余りにも当然なことである。つきつめていえば、今や日本政府はその原罪を大して労せずして清算できるチャンスにめぐり合つた、ともいえよう。

帰国先が北朝鮮であるから妨害しているとすれば、それは全くよけいな心配であり、それだけでも在日朝鮮人をどう扱つているかを暴露することである。誰にでも、国籍の撰択の自由があり、その国籍地に帰る権利がある、というのが今日の常識になつているはずである。とり立てて国際法や国連憲章をもち出すまでもなく、それはむしろ常識以前のことである。それを今もつて知らぬはずはないし、又、否定する根拠もないであろう。かれらをして語らしめよう。いわゆる「韓国民社同」を名のる一派の機関紙にさえも「現在社会問題化している帰国問題については、北鮮・南韓たるとを問わず、帰国先は自由であるべきである……」といつている。もはや多言を要しないであろう。

それにもかかわらず、それにこだわつているとすれば、理由は明らかである。十一月二十一日に、カイライ李承晩政府の日本出先のさる「公使」(かれは「韓日会談」の李政権首席「代弁人」である)が、もし日本政府が在日朝鮮人の北朝鮮への集団帰国運動を認めれば両国関係は最悪の事態におち入る、と日本政府を強迫している事実は、明らかに「韓日会談」を念頭においたものである。再三発せられるこのような強迫が、日本政府の思わくとマッチする時点で、帰国運動が妨害を受けているわけである。して見れば、帰国運動を政治的なものにしているのは、在日朝鮮人ではなくて、日本政府とカイライ李政権であることが明らかである。

さらに、一部タメにする悪意の宣伝によれば、総連は「韓日会談」を妨害するために、にわかにこの運動を引き起したようにいつているものもある。しかし、この種のでたらめな悪宣伝には、在日朝鮮人の帰国の希望は「韓日会談」以前から広く深く存在していた事実を知らせれば足りる。そして、この人道的立場での帰国の要請を、ことさらに政治問題化しようとするのは、他ならぬかれら自身であることを銘記すべきである。

以上の観点から、われわれはさらにもう一度強調しよう。この問題を政治問題から切りはなして、人道的立場で解決すべきである、ということを――。

3

「貧乏ひまなし」というが、これはまだ良い方で、「貧乏ひまだらけ」というのは、もうどうにもならないものである。大部分がこのような状態にある在日同胞達にとつて、先にのべたような、北朝鮮政府と首相の数次にわたる温情のこもつた言明や談話がつたえられた時、はじめは異常な興奮と感激とをまきおこしたのだが、だんだん冷静になつて来ると、有難すぎて、一部では何だか信じられないような気持になつた人も出て来たようである。自分達の祖国や政府といつたものを、意識の上では知つていても、実感的に感ずる機会の少なかつた人達の間に、比較的多かつたようである。四十・五十歳になつても、公民として公職選挙の投票一度もしたことのない在日同胞にとつては、自らの政府の有難さを実感的に知るということは、考えて見れば、むずかしいことであつたのも無理なからぬものである。これは、一面からいえば、大へん疑い深いからであつたともいえるであろう。

　在日同胞が疑い深いのも無理のない話である。かれらは祖国で、日本人や朝鮮人の地主に土地をだまし取られ、夢物語のようなウマい話にだまされて日本に渡り、明日は明日はとだまされつづけて生きて来たために、こういう習性がついたことを思えば、とがめることのできる人は居るまい。そのかれらに、余りにもウマすぎる話として受け取られたのが帰国運動である。したがつて、一面では疑いながらも、他の一面では、きわめて善意からの、素朴な疑問もでてくることも当然といえば当然であつたろう。かれらの疑問は「われわれは今まで、自分のふ甲斐なさでこのように落ちぶれている。それをわれわれのせいではないといつている。そして、帰つて来る旅費もくれる。船も出してくれる。また、帰つたら帰つたで、すぐに住宅をくれ、職をくれて生活を保障し、子供の教育まで、ただでしてくれるといつている。こんな夢のような国があるだろうか。」といつたようなものである。このような疑問が生じた時に、悪意に満ちたカイライ李承晩のその又手先共が、帰国運動を、中共軍の撤退に伴う労働力の不足にともない、在日朝鮮人でその穴埋めをするようにという指令があつたからであり、いわば強制労働をさせるためのものである、といつた愚にもつかないデマをばらまきはじめた。そこで、前の疑問とこのデマとが結びついて運動の否定的要素となつたものも事実あつたらしい。このような事実は、むしろ貧困のはげしい層や自ら字を読めない層に比較的多かつたようである。

　そこで、かれらの素朴な疑問と悪質なデマとを切りはなして、デマを徹底的に暴露するとともに、疑問には万べんなく答え、帰国運動の真意を知らせることが急務である。祖国の北半部では、すでに社会主義の発展期に入り、第一次五カ年計画は一年半も短縮達成されるべく、全人民が焰のように燃え立つて、生産に突入している。この五カ年計画の最終年度には、鋼鉄と織物をのぞいた基礎物資の国民一人当りの生産高は、現在の日本を追いこすことが予想されている。そこでは、今後六・七年以内に

電力は　二〇〇億ＫＷＨに
石炭は　二、五〇〇万ｔに
銑鉄と粒鉄は　四〇〇万ｔに
鋼鉄は　三〇〇―三五〇万ｔに
化学肥料は　一五〇―二〇〇万ｔに
セメントは　五〇〇万ｔに
織物は　五億Ｍに
砂糖は　一〇万ｔに
漁獲高は　一〇〇万ｔに

それぞれ達することになるはずである、といわれている。このように生産＝国民経済が飛躍発展しつつある祖国では、遊んで食べるつもりさえなければ、仕事はいくらでもあり、働きさえすれば、安定

した幸福な生活ができるのは当然である。何故に強制労働を必要とするというのであろうか？　以上の計算はすべて現在の北朝鮮の労働生産力を基礎にして算出されていることを知れば、上のデマが、いかに荒唐無稽な馬鹿げたものであるかは、ことさら説明を要しないであろう。したがつて、祖国の前述の配慮はあくまでも、同胞愛・民族愛から出て来たところの善意以外の何物でもない。恥じることもためらうこともなく、すなおに受ければ足りることである。

中等学校までの義務教育制も、すでに十一月から実施して居り、それは当然国家の負担で受けさせてくれるものである。したがつてもはや子弟の教育の問題で頭をなやます必要はなくなるであろう。

われわれは無為徒食のために帰国するのではないと同様に、乞食をしに、出かせぎに行くわけでもない。誇りある祖国の公民として、祖国の社会主義建設の担い手として、堂々と帰れば良いことになつている。疑うことをやめて、一日も早く帰国運動に参加すべきであり、それを実現させることのみが、残されたただ一つの問題である。

4

さらに、在日同胞の比較的大きな一部では、帰国が事実行われるようになつてから申請をしてもおそくはない、といつたようなルーズな気分があることもうなずける。これには大へん簡単な算術計算があずかつている。たとえば、一隻の帰国船に三千名収容できるとし、一カ月二往復するとしても、一カ月六千名しか帰れず、一年でも七万二千名である、在日同胞の中、半分が帰国するとしても、約五年はかかる、したがつて、自分は帰国がはじまり、先に行つたものの様子を見きわめた上で、申請をしよう、といつた思わくがかなり広くある。これは先にのべた、疑い深さと関連しているが、帰国の意志があるとすれば、当面の運動の性格と重要さに、まだ気づいていないからではないだろうか。

たしかに、実さい帰国がはじまつても、その順番は、そうとう長い期間にわたるばあいも出て来ることは、当然予想される。その限りでは、先の算術もあながち無意味ではない。しかし、当面の問題はその算術以前の段階にある、ということである。今われわれは、すべてが共和国の公民であることをはつきり具体的に示すべき時期に達している。その一つの手続きが、帰国運動に直接参加することである、と考えても良いであろう。この具体的事実を大きくもり上げることが、帰国を実現する原動力となる。少数の幹部や、当面帰りたい人々だけが、いくら運動をして見ても、全体在日同胞のものとしてもり上がらなければ、いかに切実な希望があつても、帰国の実現はおくらされるおそれがあるのではないだろうか。この意味では、今の処、帰国を希望せず、一応日本で今まで通り定住するつもりの人々も、運動には積極的に参加する必要がある、と思う。現在の段階では、先ず帰国を実現するための運動がもつと大きく成長する必要があり、それをかち取つてから、具体的に帰国の順番に応じた態勢をととのえるべきではなかろうか。

運動をするのは、当面帰りたい人で、帰国が実現できれば、その時になつて態度をきめれば良いし、それまで傍観者的な立場で、様子を眺めていよう、と考える人がいるとすれば、それは大きな誤算であるように思われる。くり返して強調するが、今は帰国を実現させる、それをかちとらなければならない段階であり、この運動には在日同胞全部が積極的に参加しなければならないものである。したがつて、この運動には傍観者はいてはならず、実さいの帰国船の出港地には見送人がいてしかるべきである。

さて、さいごに現在日本で、一応生活が安定して居り、一定の基礎の固まつた事業をいとなんでいて、今の処帰らなくても良いと思われる人々についても、言及しておく必要があろう。もちろん、こういう人々の立場とその将来についても、それにふさわしい対策が当然なければならない。これらの人々が苦心惨たんして築き上げた前述のような貴重な生活の基礎とその安定した生活は、充分保護されるべきである。帰国運動とその実現にかこつけて万が一にも、これらの人の生活権がおびやかされることがあれば、それは重大事たることをまぬがれない。

ところが最近、帰国運動がもり上るにつれて、悪質な日本人の間には、朝鮮人には「取るものは早く、払うものはおそく」といつたような唾棄すべき言辞をろうするものが、しばしば見受けられるといわれる。はなはだしきにいたつては、在日同胞の不動産不買の動きを示しつつあるものもある、ということである。これらの動きは、帰国運動の本質を知らない無智に起因しているばあいが多い。しかし、さりとて、将来もこの種の動きが無くなるものと考えてはいけないのではないだろうか。

これよりさらに無意識なものの中には、われわれの帰国が実現されれば、朝鮮人は日本から一掃されるもののように誤解しているものもいるようである。現に筆者も、一人ならず、二・三人のものからこのような話を聞いたことがある。これは考えようによつては、大へん危険な思わくと結びつきやすいもののようである。

以上の二・三の例で見るように、思わぬ誤解や思わくが生じて、後に残るはずの在日同胞に少しでも迷惑がかからぬよう万全の措置を講ずることも、帰国運動の重要な一環となるであろう。さらに又帰るものも、「立つ鳥あとをにごさず」のたとえ通り、先進国民のほこりを傷つけるようなことなく、立派に、堂々と引き揚げる、余裕ある態度をとるよう必掛けることは、きわめて重要なことである。

来年中に日本追いこす
主要工業製品で

さる十一月二十日に開かれた朝鮮労働党全国市・郡委員会宣伝部員会議で、金日成首相は、北朝鮮は来年中に主要工業製品の人口一人当り生産高で日本を追いこすであろうとつぎのように語つた。

来年北朝鮮では人口一人当りにして電力を八百五十KWHないし九百KWH、銑鉄を八〇キロないし百キロ、セメントを三百キロ生産するが、これはみな日本の水準に追いつき、追いこすものである。石炭生産では今年の北朝鮮はすでに人口一人当り六百九十キロを生産し、漁業の水揚高では一人当り六十五キロを生産して、ともに日本をすでに追いこしている。

また紡織品は三、四年内に日本に追いつくことができるし、機械工業もちかく日本と肩を並べるようになるであろう。

現在のような速度で進んだならば北朝鮮は四、五年内は、電力二百億KWH、銑鉄三百万トンないし四百万トン、セメント五百万トン、化学肥料二百万トン、綿布五億メートル、石炭二千五百万トンの年産高をもつようになるであろう。

北朝鮮の全人民はいまや「千里の馬」にうちまたがつて、空前の速度で社会主義の最高峰をめざして前進している。

（平壌九日発新華社＝ANS）

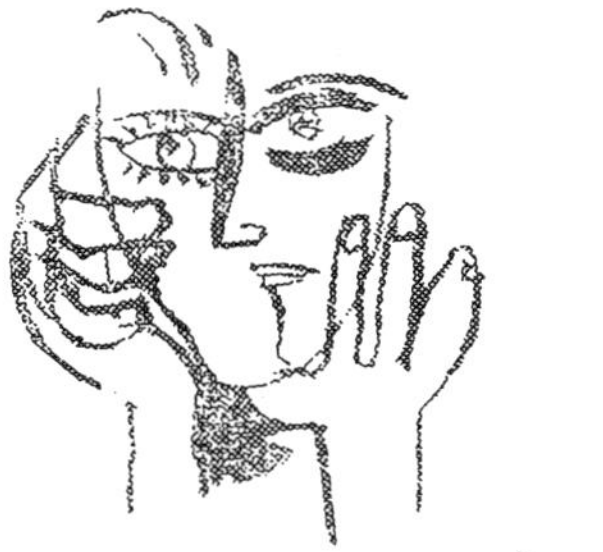

日本のなかの朝鮮人

—金史良登場前後—

趙奎錫

金達寿が編んだ「金史良作品集」（一九五四年理論社刊）の序文を書いている保高徳蔵がそのなかで、戦時中、金史良が激しく卓をたたきながら、

「日本は朝鮮に米を出せと云うから朝鮮は米を出した。今度は労力を出せと云うから労力を出した。血を出せ（朝鮮人に対する徴兵制度）というから血も出した。それに日本は朝鮮に対して何もしないじゃありませんか。学生は専門学校以上は閉め出して入学させないし、会社でも役所でも朝鮮人だつたら有能な人物がいたつて一定の線よりあげない。こんなことで朝鮮人の協力が得られると思いますか。日本人は give and take ということを知りません！」と叫んだことを伝えている。これは僕も直接《ちか》にきいた。

今年（一九五八年）の三月、僕は千葉県九十九里にいる末弟が通つている中学の担任教師から長距離電話を受けた。

何事だろうと思いながら受話器を耳にした僕は、間もなく自分の頬から血の気がすうつと引いてゆくのを感じた。

「—本人にはまだ何も知らせてありません。張りきつて勉強しているのに、こんなことを知らせたんではショックを与えますし、それに……」

言い淀む担任先生の暗い呟やきをさえぎるように僕は、「判りました。至急対策を考えましょう。」

この三月、田舎の中学を出る末弟を僕は、東京の僕の手許に引きとることにしてあつた。

僕は長子であり、老いた両親の手許から、彼を引きとつて四月から東京の高校へ通わせる準備をたてていたのである。

齢七十に近い父の生涯もまた、祖国を植民地にされた民の典型にちがいない。

家柄と由緒のみを金科玉条とし、李朝封建機構の末端に位して自からは鋤鍬一丁手にしたことなく、吟遊を専らにし風流こそ君子華《ひつ》生の道と骨の髄まで思いこんでいたという慶南の小地主であつた僕の祖父は、風流道に精進したあまりか四十にみたずなくなつた。

遺した祖父の業蹟は、数人の愛妾の存在と嫡妻である祖母に生ませた二十をかしらにした八人の子供および黄表紙じみた詩文数巻。

二十歳の嫡男というのが僕の伯父である。奇しくもこの小文をつづつている今日（十二月七日）がこの伯父の一週忌である。

祖父が死に、家督を相続した伯父は、正しく祖父の嫡男にふさわしい風流君子ぶりを発揮、血統の純粋さを証明して余りあるものがあつた。その淫蕩好色ぶりは近隣比ぶものなく、東に美形あるときくや昼夜をわかたず途を急ぎ西に艶香あると嗅ぎつけるや千金を投じてもあがなうといつたありさま。

絶対専制の家父長権を十二分に行使したこの年わかい伯父は京城の官妓何某との一夜が忘れられず、最後に残つた、土地、田畑、家屋敷、牛ぐるみたたき売つて、出奔、有終の美を全うした。以後約十年間、伯父は肉親の前にすがたを現わさなかつた。

正確にいうと〃家族ぐるみ〃たたき売つたわけだが、初老の未亡人と鼻をたらして空腹を訴える幼児を含めた八人の〃人間〃を高利貸は歓迎する筈がない。にべもなく家を逐われ、軒のかしいだ雨露すらしのげぬ豚小屋まがいの小舎へ、それも親族のはからいで、やつと入れたという。

祖母は伯父が家を売ることすら知らなかつたという。たよりにする長男はこの始末、祖母は泣き暮れている暇すらなかつた。八人の糊口をなんとかしなければならないのだ。十四歳の次男が僕の父なのだが、たよりは次男だけである。

栄古盛衰世の習いとは云え昨日に変る今日のこのすがた——というといささか講談調になるが、こんな風景は、当時の朝鮮にはクサるほどあつたに違いない。

いわゆる〃日韓併合〃の前夜である。李朝積年の悪政その極に達し、日帝の侵略は実質的には九分通りその兇牙を朝鮮人民の咽喉くびにかぶりついていたのだ。

祖母は、父といつしよに近くを流れる洛東江へでかける。そして、しじみ、淡水産ののり、小魚類を獲つて、それを邑から邑へ売りあるくことで辛うじて、飢餓を凌いだ。

思い出がある——。

いまは、田に化学肥料を使つたりするので、あまり獲れないが、僕たちが子供の頃、九十九里浜附近の田や沼沢、小川などに鮒、鯉、雷魚、鱩鰻、泥鰌などがくさるほど獲れた。

天気の好い日よりも、小雨が降り、田の水かさがいくらか増える、そんな日和に、僕ら子供たちは手製のお粗末な四つ手網を、田の水が落ちる小川にかけておく。鮒をはじめ雑魚《ざこ》がバケツいつぱい獲れる。獲物は家へ持ち帰るが、家中誰もたべない。

口の割れた焼酎がめを生簀がわりにして、二・三日、飼い楽しみ、飽きると鶏の生餌にした。どうも子供ごころにも鮒などという淡水魚は普通食料にするものではないと思いこんでいたふしがある。そのくせ、ときたまわが家に出入りする近所のおぢさんたち（日本人）が獲つてきたとき居合わせて、どうするのかと訊くから、鶏の餌にするんだと云うと、そいつはもつたいないおぢさんにわけてくれないか。一銭銅貨を三つ僕の手ににぎらせる。縁側で胡坐をかいて僕たちの問答をみている父の表情《かほ》をうしろめたく窺う。父の貌がけわしくひきしまつていると銅貨を押し返えして、獲物は無料贈呈する。が、照れた苦笑いを泛べているときは、僕は素早く、小銭をつかんで、魂消たチヤボッ鶏のように横つ飛びに父の視界から消え去る。表紙のはがれた、月おくれどころか、一年も二年も前の「少年倶楽部」しかみることの出来ない僕は、こんなチヤンスによつて得た小銭を用心ぶかく貯めこんで三日に一回か、あるいは半年に一回、四里近く離れた東金の町にある書店へ自転車を馳しらせ、真新しいインクの香りがほのかに匂う「少年倶楽部」を酔つたような気持で手にする。

けれども、一時期、零落し果てた父がままならぬ思いを独酒でまぎらわせつづけたあげく、再起を図つて、東京湾の埋立工事の人夫、つづけて伊豆の三宅島へ出稼ぎにいつた留守、僕をかしらに四人の子供をかかえた母は、父の送金も途絶え、千葉県下に住む朝鮮人きつての金満家と云われ、事実数十人の雇人を擁し、隣町で手広く事業を営み、協和会とやら云う官製団体の県副会長におさまり、警察署長やら町長たちと、町の料亭で、どう聴いても妙な日本語で安来節を唸つて、県下における〃半島人〃唯一の成功者と煽てられては生命よりも惜しい金を、「おまえは有名税ということが判らんのか！」と愚痴る女房を呶鳴りつけ、内心は女房よりも切ながりながらも空元気をつけて気前よく寄附をするといつた叔父（父の実弟）からは、他人よりもすげなくされ、その日の糧もなく全く途方に暮れてしまうのだつた。

思えば、父は、自分の留守中ぐらいは、もしもの場合は、手塩にかけて育てた弟（父と叔父は十歳違い、伯父が出奔したときは三、四歳であつた）のことゆえ、なんとかなるだろうという期待があつたのではないか。

ともあれ、母はそんなとき、僕が、竹の節と節の両端を切つてつくつた手製の貯金箱と僕の顔をあかく泣きはらした眼でみつめる。僕はドキンとする。たつたひとつの希望がいつぺんに消しとんでしまうのだ。僕は母の視線をそらして、かたくなに黙りこむ。母はつねづねどんなことがあつても、父のいるときは、僕の貯金箱を意識することはなかつた。酔つた父が、もつと酒を買つて来いと毎度のように暴れだし、擲りつづけても、母は、僕のひそかな貯金箱の存在を父につげなかつた。酒屋は借りるだけ借りていて、もはやたとえ十銭でも現金を持つて行かない限り、売つてくれなかつた。

母は、おおげさに云うなら僕の生命の灯が、貯金箱にともつていることを知つていた。儒学者の女《むすめ》に生れた母は僕の向学心？をこよなく頼りにし、「この子は外祖父生き写し」と洩らしそのことを生き甲斐にしている風情だつた。夫に絶望した年わかい母の哀傷であろう。

僕は、机代りの林檎の空箱の奥深く秘めてある貯金箱をとりだすと、土間にある薪割りの手斧を摑んで裏庭にゆき、地面にすえてたたき割る。銅貨が何十枚か泣きたいような音をたてて、転げ出るのを土をはらつて、ていねいに数え直して、母に「これ……」といつてさしだすと、母は、瞬間、僕をみつめたかと思うと、薄汚れた裳《チマ》の裾で顔を覆ひ、声を殺して、肩を震わせた。

父が、留守の間は、僕はおつぴらに、鮒や泥鰌を獲り貯めては、有志？のおぢさんたちに買つて貰つていた。はては、食用蛙を沼から釣つてきては、売つた。これはいい値段になつた。しかも都合のいいことには、食用蛙の場合は、これ専門に買い歩く商人が月に一・二度定期的に、立ち寄つてくれるので、買手をさがす手数が省けるので助かつた。

父が居るとき、何故か、僕が獲つてきた魚を〃売る〃ということではないにせよ、それによつてなにがしかの代価を僕が受け取るのをひどく厭がつた。

父が淡水魚を絶対口にしないことと、この点僕は不思議に思ったものだが、朝鮮人は、鮒や鰻は喰べない風習なのだと思っていたし、売るということは、子供が、大人のそれのように、〃商い〃をすることはいけないからだと、単純に考えていたものだ。

しかし、あるとき、僕は、見事な大鯉を三匹、獲った。父のいるときだった。明らかに養殖鯉だった。そのころ農家の副業として、田植え頃から鯉の稚魚(といってもかなり大きく生育したものだが)を田に放ち、刈り入れどき頃まで育てて、売るということが流行っていたらしい。学校の帰り途、あぜ道を歩いてくると、思いがけなく大きな鯉が、稲の株の間をおよぎ廻っているのをみかけたことがある。ひとつには、稲の害虫駆除にも役立っているのだときいた。

僕が獲った、そいつも多分それらしく、何かの拍子で田を飛びだし、小川に出て、僕のしかけてある四ツ手網にひっかかったものらしい。

意気揚々とバケツに入り切らず網ごとくるんで帰ってくると、流石、父も眼を瞠った。

僕は、どうせ父は喰べないだろうと思い例の焼酎がめに入れようとすると、父は、僕をとどめ、井戸端へ持ってくるように命じ、ついで俎と庖丁をとってこいといいつけた。

意外な思いで僕が眼をまるくしていると、父は、驚くほど手慣れた、庖丁さばきで、料理はじめたのである。そして、母や僕にすすめたが、父自身は、せいぜい一切れか二切れしか喰べなかった。

僕は朝鮮人でも川魚を喰べるんだな、と思い、ただ父自身が川魚を嫌っているのだということを知った。

どうして、川魚を嫌うのだろうか。理由を母に訊いたことがある。

僕は、そのとき、父の生いたちを具体的に知ったのだった。

伯父がとびだしたあと、父は、祖母とともに十年近い歳月の間、洛東江の川魚を獲って、幼い弟妹を育てたのだ。その苦い思いが父をして、川魚を寄せつけなかったことを知った。また、僕が魚を売る？ すがたに、父は父なりでやり切れない思いをしたのではなかろうか。

後年、——といっても金史良と会った翌年、僕が、神田の私立大学に通いはじめた年の夏、生れてはじめて、僕は、故国朝鮮に帰った。釜山のはづれ、沙上という小駅のあるささやかな聚落である。僕が来るときいて、当時既に九十に近かった祖母が、曲った腰に杖をつき、部落の真ン中あたりにあるバスの停留所で、伯母やその他の大勢の親戚にかかえられるようにして、迎えに出ていたが、写真でしか見たことのない僕が、バスを降りたつや、必死の気配で孫の面影をさぐりあてるようにしていたが、僕が「祖母上《ハルムニム》！」と声をかけると、バネ人形のように腰をおよがせ、かきいだいたまま慟哭するのだった。——帰省中、祖母は、言葉通り僕を瞬時といえども彼女の傍らから離そうとしなかった。後架へたつにも杖をたよりについてきた。少女のようなあげけなさだった。そして、絶え間なく、僕の父のことを語った。この日本人かぶれのした長孫のこころに、民族のせつなさを彫《え》りつけるように語ってうまなかった。そのとき僕は、祖母の口から、祖母と父が川魚を漁どり、弟妹を育てたことをあらためてしった。それだけに祖母の父に対する愛情は異常なくらい激しいのを知った。それをそのまま孫の僕に注ぎこんでやまないのである。

閑話休題——。父や母の生涯を語らない限り、今日までの僕をある程度正確に語ろうとするのは困難な気がする。しかし雑文はそれが主題ではない。

とにかく、僕は、僕の息苦しい成長期から脱出することが最大眼目であつた。

かたちこそ変れ、二十年を経た今日なお、もつと新しい何かを背負つて、老いた両親の膝下にある末弟を東京へ呼び寄せるのは、長兄としての義務感ばかりでない。〃僕〃をくりかえしてはならないのだ。

僕は、末弟に、東京の明治高校と、もうひとつ、私立の高校を受験させることにし、この二校へ願書を提出させたのである。勿論これは、彼の中学の担任教師を経由して出したものである。

東京の都立高校へ出来るならば受験させたかつたのであるが、学区の関係上、他県から東京の公立校への受験は不可能と判つたためであつた。

末弟は、猛烈な受験勉強をはじめているようであつた。

折も折、担任先生の電話は二校とも、受験願書が突きかえされてきたことを伝えてきたのである。理由は朝鮮人——だからである。受験成績が悪くて落ちたというのならば止むを得ない。あたまから受験すらこばまれたのだ。

この事実をもし、僕が弟に知らせたならばどういう結果にならうか。図式的に云うなら、彼は二つの発想のいずれかをたどろう。それは、劣等感にうえつけられた復仇意欲、もしくは、学業そのものに対する懐疑——いづれにせよ、これが、いま成長期にある彼に動揺を与えるということはいうまでもない。しかも、彼もまた、この日本の風土に培われて育つたのだ。

無条件に愛するものから、裏切られ、そこから発する復仇感覚がどのようなかたちで伸びてゆくかを、日本の為政者たちは知つているのだろうか。祖国朝鮮を愛すると等しく、あるいはそれ以上に日本を愛せざるを得ない日本という環境に育つたものとして、宿命的にそれを甘受せよというのだろうか。

友好という生易しい言葉ではかたずけられない絆を一笑すべき感傷としてかたずけられていいものだろうか。

朝鮮人には朝鮮高校という教育機関があるではないか。朝鮮人子弟はそこへ入ればいいではないか——というかも知れない。しかしこれは別問題である。

朝鮮人だからといつて、受験すら拒む、その質を考えたいのだ。

かつて、僕がおなじ苦渋をなめたのだ。

僕は中学を出るその年、東京高師を受験した。第一次試験が学科、充分自信があつた。第二次の口頭試問及び体格検査——私は第一次試験に合格したことで、もはや自分が落ちようなどとは考えられなかつた。苦労した甲斐があつたと友人知己から祝福すら受けて合格通知を待ちわびた。

結果は無惨だつた。まず驚愕したのは、僕よりも、僕を高師へ推薦した中学の教師だつた。絶対有利な内申だつたのだ。先生は、あらゆる手段を講じて、僕の不合格の原因をつきとめてくれた。理由は——朝鮮人だからだつた。全く信じられぬことだつた。

自殺を決意したのはこのときである。

数年後、僕——ばかりでなく当時のすべての学生が強制された恰好だつた——が、海軍予備学生を受験、三田の慶応で第一次試験、築地の軍医学校かどこかで第二次試験があり、このときだけは、日本人、朝鮮人の区別なく実力？　通り合格させてくれたが、こういうときだけは、遠慮なく合格させる日本のこころが日本の敗戦後十有余年、いまなお、脈々と波打つていることを日本の識者や大衆はどう考えているのだろうか。

いまですらこうだ。あの当時、怒号した金史良の激しい怒りは当然のことだつた。が金史良の登場以前は、僕の歎きと悲しみを訴える何物もなかつた。——そのくせ日本の古典ばかり読んでいたのである。ああ。（未完）

私の『朝連』時代

姜魏堂

『朝連』が、あのマッカーサーによつて解散させられてから、今年の九月で満十年になる。速いものだと思う。

私がその機関紙『朝連中央時報』の嘱託になつたのはその前の年の十月で、それまでの朝鮮語版が日本語版に切替えられて間もない頃のことであつた。推せんしてくれたのは、日本の敗戦直後に〃読売演劇文化賞〃を貰つた私の〃神を畏れぬ人々〃（三幕）が奇縁となつて知り合つた雑誌『民主朝鮮』の人々、特にその中の金達寿であつた。東京駅の八重洲口にあつた朝連ビルの屋上で祖国を遥拝後私にとつてはチンプンカンプンの朝鮮語で一同に紹介されたことや、元来ろくな衣類を持つてなかつた上に戦火や盗難で着たつきり雀となつていた国民服姿を、「でもせめて、その帽子だけでもなんとかなりませんか」と金達寿に言われて戦闘帽を脱ぎ捨てた代りに、どういうつもりだつたか人に貰つた犬殺し棒を常用し始めたことなどを、いま思い出す。

実のところ私は、最初から気負いこんでそこへ入りこんだわけではなく、それまでいた日本の小新聞が面白くなかつたからにすぎなかつた。しかし、さて入りこんでみると――そこは、朝日や時事（解散合併前のいわば本ものそれ）などの記者生活はもとより、私がそれまでになめた相当幅の広いどの生活体験に較べてみても、まるで別な世界であつた。当時〃新円の大部分は第三国人（朝鮮人のことだ！）の懐に〃と言われた彼らでありながら、その実みんな私と大して違わぬみなりで薄給に甘んじ、ひる飯時ともなれば配給のコッペパン一つを取出して噛りながら議論を闘わし、少くとも機関紙の編集室ではそのための気兼ねもオベッカもてんで要らなかつたし、それよりもなによりも、私の机上に殺到する連日の通信――それらは悉く、いわゆる商業紙上ではお目にかかれぬシロモノばかりであつた。商業紙の階級的役割については百も承知で、戦時中はもとより戦後と雖も〃紙面の裏〃を読むには馴れ切つていたつもりの私が、やつぱり〃心の中のシャッポ〃まで脱がなければならないものを、それらは教えてくれるのであつた。私はその生活に急速に馴れ、みんなと親しくなり、そして、未だかつて知らなかつた生き甲斐をその仕事の中に見出した。

それまで旬刊であつた機関紙は、一九四九年に入ると五日刊になり、春ともなればまた三日刊となつて、その第二面はまた朝鮮語版へと戻つて行つた。『朝連』の財政を殆んど無視したこの機関紙の強化は、米占領軍当局の弾圧に抗して、どこまでも進められて行くのであつた。進めて行かざるを得ないのであつた。という訳は――当時の商業紙の縮刷版を開いてみるのが一番手つとり早い。そこには虎の威をかり、その内命によつてする日本の官憲の挑発が、例外なく〃朝連系在日朝鮮人の暴挙〃として報道されてあるのだ。本当の犠牲者はきまつて犯人とされ、被害者はいつもお強い筈の日警サンということになるのであつた。
日本の、大新聞の記者たちは、米占領軍が彼らの〃ブルジョア・デモクラシー〃と一緒に持ちこんだ〃報道は一方に偏することのないように、あくまでも客観的であれ！〃という報道界の戒律を、知らなかつたのであろうか？　そんなことはない！　そんな戒律なんて、新聞の始まりと共に、この国にもあつたのだ。ただそれが、言うべくしてなかなか行い難い証拠には、その戒律の先生面をした米軍当局自体が前述のような糸を引き、戒律など百も承知の筈の大新聞の記者すらが、当局発表の大ウソを平然として活字にしたのでも判る。そのように、報道から国家や階級の宣伝色を全く払拭するということは、払拭していると思う愚かな記者たちの自負とは拘りなく、それは殆んど不可能に近いのだ。だからこそ、庶民は庶民のための本当の新聞（や教育の手段）を、出来たら別に持つべきなのだ。

ところで、その頃編集室内に燃え上つた問題は、そのことではなかつた。追いつめられた在日朝鮮人たちが、生活のためにするカストリ焼酎やドブロクの密醸は、しかしながら当然日本の警察によつて片つ端から摘発されそれに対する同胞たちの抗争の記事が毎日のように送られて来始めた。私は、大部分形容詞と怒号とに充ちた甚だ以て景気のいいその素人記事を無残に削りとつた上、余り大きくは扱わなかつた。それが同僚たちの不満を買い、はては、「あんたの見出はどうも生ぬるいよ！」ということになつて、一夕、大議論をおつ始めた。私は、機関紙の目標とする読者層は一体どこにあるのか、という点を追及した。機関紙が、組織内の先鋭分子のためのものならばそれでいい。しかし、意識水準の至つて低い組織外のフラフラ分子の獲得や、現にそのための日本語版である筈の日本人読者の啓蒙が主要な狙いだとすれば、それはおかしい。基本的には資本主義社会の強力極まる擁護者でありながら、一般には〃公平無私〃と思われ・思わせているところのこの国の或大新聞の存在から、われわれは教訓を学びとるべきではないか。それは大衆が愚かだからだ、という放言は、仮令事実がそうであつても、問題の解決には役立たない。しかし彼らの答は「それア両方さ」であり、「俺が聞いてるのはだ、主要目標は一体どちらかつてことだ」に対しても「両方だよ、あくまで！」であつて、議論はそこで行詰りとなつてしまつた。「要するにだ」と、T君の捲き返し＝「もつとこう、見出ひとつを見ただけでみんなが立上るようなさ……」「なにを言やがる！」と、勢い、親しさに馴れた私の放言となる＝「見出で起せる革命なんてものがあるか！（あるのだ！それもまた、小さな小さな、しかし大切な要因の一つではある筈。だが、私は放言した）新聞を先鋭分子だけのマスターベイションの道具にするんだつたら、なんのための苦労だ。君達の気に入る紙面を、寝ころんで拵えてみせらア！」

「ハハハハ」と、彼らは笑いだした＝「あんたにかかつちやアかなわんよ！」――しかし、笑いごとで済ませる問題ではなかつた。みんなが出て行くと、真面目で無口な編集長の金四哲氏が言つた＝「あなたの編集ぶりに対する不満の声は、実は最高幹部の間からも出て来て困つているんです。僕としてはあなたのやり方を支援してるんだけど……どうもねえ。それに、日警の挑発つてことが、どうもまだ呑みこめていないようですね。密醸の疑を口実に土足のまま踏みこんで、殴る蹴る――勿論挑発なんですが、挑発だと知りながらやつぱり乗せられて行くわれわれ同胞なんです。」

私は頭を垂れた。そのようにして教わり、

そのようにして目を開いて貰つたことが如何に沢山あつたことか！しかし、編集上のことは別問題である。だから私は言つた＝「私がただの月給とりだつたら、黙つて皆さんの仰有る通りの紙面を作つていればいいんです。しかし私は、ここでは信念をもつて働いているつもりです。議長団の会議で、右か左か正式に決めて貰つて下さい。そしてその会議には、私も列席させて下さい。」

機関紙は自分の専属工場を持つてなかつたので、小新聞や街工場を転々としていたが、その頃は代々木の『あかつき』に落付いていた。そこで私は、校正が終つて大組が始まるまでの余暇を利用して、隣りの『あかはた』の編集局を訪ねた。編集長が不在だからと言つて出て来た代理の人は、委細（特に私が日本人であること）を聞くと開口一番、「弱体だなア！」と嘆声を洩らした。「こうしてやつて来られるようなあなただからいいようなものの、変な人間だつたら大変なことになる。どうにでもひつかき廻せるわけですからね。……その編集方針の問題は、僕はあなたと同じ意見です。しかし組織なのだから、組織の決定に従つべきでしようね。」

共和国政府から発せられた〃国土完整〃の呼びかけが、南半部の津々浦々にまで大きな反響を呼んだ頃ともなると、李承晩政権下の牢獄は超満員となり、有力な自由主義的政治家が次々と〃消され〃て行つた。そうした方向を必要とする〃本家本元〃の要請に応える日本の反動調も、次第にその速度を加えて行つた。――そして、『朝連中央時報』に対する用紙の割当ても、遂に停止された！

用紙の配給停止は、『朝連』にとつての致命傷であつた筈。だが、いや、だからこそ、機関紙はいよいよ以て強化しなければならなかつた。万難を排して、だからその隔日刊化が決議され、神田に専属工場の整備を計画、直ちに着手されたのであつた。――編集方針の問題は、しかし未だに裁断を受けてなかつた。

九月八日は、私の非番の日であつた。そして、ラジオ嫌いの私はいまでもそれを持つていないのだが、夕方から外出して夜おそく帰り、『朝連』に対する最後の弾圧＝解散を、夕刊で知つた。翌日行つてみると、表玄関は平板をなん枚も打ちつけて閉鎖し、その前に武装警官が立つている。裏口へ廻つてみるとここはまた警官のトンネルだ。そして、個々にやつて来る職員を、追い返している。私は一応そこを立去つて、民主朝鮮誌の編集部を置いてある東京本部へ行つてみたが、ここも日警の人垣で内部との連絡どころか、中央総本部を固めた部隊に輪をかけた荒つぽさ。朝鮮の青年との悶着を尻目にとつて返すや、私は〃身分証明書〃を示しながら、大手を振つて警官のトンネルを抜け、総本部へと入つて行つた。国鉄の二等パス然たる青地の新聞記者証は、その裏面が英文で印刷され、〃プレッス〃と大きく捺印されてあつたので、外部の（若しかすると進駐軍関係の）新聞記者と思つたのであろう。

四階の編集室には、金編集長がいた。「来ましたよ、とうとう」と、彼は微笑し、握手を求めながら言つた＝「しかし絶対負けません。闘はこれからです！」

号外を出すことになつて、神田の印刷屋で準備中――校正を終つてホッとした時、門前にとまつたトラックから、バラバラッと警官隊がとび降りるのが見えた。

それからやがて十年、朝鮮民主主義人民共和国は、反動資本主義諸国の飽くなき妨害をはね返しながら、その建設の巨歩を着々と進めており、この国では更生して誕生した『総連』が在日朝鮮人の先頭に立つている。人生つくづく長生きしたいと思う所以である。

沖縄の張一六

當間嗣光

張献功こと張一六は、一六一六年にときの琉球王尚寧の招きで、王子尚豊が王の使いとして薩摩へ渡り、一官三官とともに琉球に招いた陶工師である。琉球は一六〇九年に島津軍の侵入によつて、以後その支配下におかれるようになつていた。当時の琉球は中国を親国として中国・東南アジヤ諸国とさかんに貿易をやつて栄えていた。島津はそれをいいことにして、徳川の鎖国政策のなかにあつて、琉球をして海外と交易させ、その利益を収奪していた。それよりさき、豊臣秀吉の軍が朝鮮に侵入し、その権威で諸大名はあらそつて朝鮮の陶工をつれてきた。島津（薩摩）も八〇人あまりの人をつれてきて薩摩に陶業を広めた。薩摩焼のはじまりである。したがつて張一六、一官、三官もそんな事情によつて高麗からさつまに連れてこられていたのである。しかし、ときの琉球はそんな権力づくで外国人を引張つてくることはせず、さつまの承諾を得て、陶工をていちように招いてきたということである。

この三人の陶工、とくに張一六の指導とはたらきによつて、琉球の陶業はさかんになり、その伝授を受けた平田典通が一六七一年に中国にいつて上焼物のやきかた色づけなどまなんできて、琉球の陶業は品質をたかめていつた。

のちに一官三官は、郷愁の念にかられて、同胞の集まつているさつまへ引揚げていつた。張一六は中年に入りかけていて、技術もすぐれていた。まじめで職人気質の一徹で、まだ土質、火加減、だみ手をよく呑みこんでいない人々に、とことんまで納得のいくまで教えてゆくというねばりのあるひとで、陶業の趣味の深かつた尚豊王のお気に入りとなり、ねんごろな希望によつて、ついに琉球に留まることになつた。禄も下り家屋敷をもらい、当間村の高官安次嶺の娘真牛《もうし》をめとつて苗字も仲地麗伸と改め、琉球に帰化した。真牛との間に二人の男子ができたが、一六が死亡したときには長男が六つ次男が四つで、したがつて、かれのすぐれた技術は直接には子供たちには伝授されなかつた、といわれている。かれの作品は、よく尚豊王お手製の品として残つていたが、専門家は一六ものといつていた。沖縄戦でその品が残つたかどうかつまびらかでない。とにかく、張一六の名は沖縄の陶業史にはもちろんであるが、日本の窯業民芸史に重く残つている。

ところで、張一六については一つの伝説が残つている。琉球古典音楽のなかに瓦屋節《かしらやぶし》というのがある。わたしもときどき三線《さんしん》（蛇皮三味線）でその節をかなでて口ずさみ、その哀調をかみしめているが、その歌詞は次のとおりである。

瓦屋ちぢ登《のぶ》て真南向《まふえんか》て見りば
　島うらど見ゆる里《さと》や見らぬ

里とは、貴男《あなた》あるいは夫ということである。この歌は一六の妻真牛《もうし》がよんだということである。ただし沖縄の権威ある文献や学者は読人しらず、といつている。ところが伝説は伝説として伝わり、沖縄の文学好きのひとびとも興味ある話しとして、かれららしい趣味でいい伝えている。これは大事な問題が含まれているようで分析する必要がある。

　話しの内容はこうである。尚豊王は一六の技術や人柄が好きになり、どうしても琉球にとどめておこうとおもつて、一六が琉球にとどまるならば、望みは何でもかなえてやるから所望を伝えよ、といつてきた。そこで一六はその言葉に甘えて、かれがよく那覇の町で見受ける美人を妻に欲しい、といつた。四〇歳でまだ独身ではもつともだと王はおもい、その女の身元を調べさせたら、その女はすでに夫ある身であつた。王は一時こまつたが、それがだめだ、といえば、一六はひそかに琉球から逃げてゆくかもしれない、と考え、王命令でその女を無理無体に夫から離して一六の妻にした。女はそれで毎日毎夜悲嘆にあけくれて、瓦屋ちぢ（地名のこと）に登つて、じぶんの村の方を眺めて夫のことをおもい、一目でもそれらしいすがたをみたい、とおもうが、島うらが見えるだけで里（夫）のすがたは見るよしもない、ということでこの歌をつくつたというのである。その女というのが一六の妻真牛だといわれている。

　この伝説が五八年七月二十七日NHKから火野葦平台本「沖縄悲恋カラヤー節」として文化座同人によつて放送され、東京にいる沖縄の舞姫がそれを振付けして、琉球の唐人お吉として大隈講堂で披露したり、そんな紹介で朝日新聞に出されたり、また、沖縄の新聞の続きものの民謡集にまことしやかにかかれたりしたので、ついに一六の子孫が門中会議を開いて、それがでたらめの伝説であることの誤りを指摘することになり、沖縄タイムスに五八年十月三十日から四回に亘つて一六の子孫仲地麗明が抗議の文章をかいた。その内容は、たしかに一六の妻は真牛であるが、そのひとは当間村の高官安次嶺の娘で、れつきとした身分ある家柄の娘で、決して人妻ではなかつた。一六が尚豊王の信任が厚かつたことはたしかで、一六が死んでその墓の前を王が首里の王府から那覇下りするときは、路吹楽を奏して死してもなおその霊を慰めることを忘れなかつた。とくにその時代は一五カ条の人権擁護ともいうべき宣誓が尚寧王から出されたときでもあり、一六は人妻とわかつてもなおその女を妻にしたい、というひとでなかつたであろうことは、いろいろ文献や古老の伝えではつきりしている。また尚豊という王様がそんな権力で夫婦のなかをさくようなことは宣誓が布かれた直後にありうべきことでない。一六たちは、最初は秀吉軍の「馬蹄に蹂躙され惨憺たるなかから敵国へ連れ去られて」きたのであるが、その気持は、「敗戦で親兄弟を失ない、物を失ない、果ては祖国まで失つて心のよりどころをなくして、虚脱の状態にあるわれわれでもよく理解できる」として、こういう伝説を興味本位に売文的にかく連中は、じぶんらの祖先にそれをおきかえて考えたらどうだろうか、というのである。一六は、最初はそのいきさつから考えてさびしかつたであろうが、沖縄に渡つてきてからは、王の熱意と沖縄人の情《なさけ》の美《ちゆ》らさにほだされて、心よく帰化したことであろう、と仲地麗明は老人らしい固さと気くばりでかいている。

　たしかにこの伝説はあとあじが悪い。被害妄想があるようだ。とかく伝説は流すほうをよく分析しないと理解しにくい。いずれにしても、朝鮮人張一六の陶工師としての業績は消ゆることがない。

朝鮮の姓氏のはなし

尹学準

朝鮮人の苗字――。といえば、まずこの日本においてもざらにみられる＜金さん＞＜朴さん＞という一字姓であるが、必ずしも一字に限るというものではない。たとえば、鮮于、独孤、南宮という復姓がそれである。そして当然なこととはいえ、その種類もまたさまざまである。

邵、乜、艽という苗字は字引きなしでは読めない文字であるが、介、卜、斤、乃、凡、丕のような苗字もあり、＜竜さん＞もあれば龐、龔、龔……と、ならべてゆけばきりがない。

ところでこの姓氏の由来であるが、三国遺事に次のような神話がある。

三韓のうちの一つである辰韓(新羅の前身)には六つの村落があつた。即ち楊山村、高墟村、大樹村、珍支村、加利村、高耶村がこれである。

ある日、この六村の長たちが、それぞれ自分たちの子弟をひきつれて閼川という所に集り会議を開いた。楊山村の村長である謁平はそのうちでも一番の年長者であり、したがつていつも座長格であつた。彼はこの日、一つの大議案を提出した。謁平曰く

「さておたがいはそれぞれ村を治めておられるが、われわれの上にはもつとも肝腎の統べ括りをする君主というものがいなく、村を治めるにおいて非常な難関にぶつかつています。村民どもはいずれも勝手三昧のことをして、いつこうに村の掟を守ろうとしません。これでは村の行末が案じられるのですが、どこからか有徳な君主をさがして仰ぎ奉り、国を建て、都を設けることにしてはいかがでしようか」という提案であつた。衆議はたちまちこの提案に賛成して、その場からさつそく君主さがしにとりかかつた。

一行はまず高山という山に登つた。ところがその時、はるか南の方の楊山の麓にひとすじの瑞気《ずいき》がいなずまの如くサンサンとして地上に垂れており、一頭の白馬がなにものかに向つてしきりに跪《き》拝《ぱい》をしていた。

皆はふしぎにおもい、さつそく山を下りて行つてみた。一行が近づくと白馬は一声高くいなないて天空はるかに飛びさり、その跡には一つの美しい紫の卵があつた。それを破つてみると、なかからうつくしいまるまるとふとつた男の子がでてきた。一同のおどろきと喜びはたとえようもなく、さつそく近くの東泉という泉へ行き産湯をつかわしたところ、赤ん坊のからだからこうこうたる光を放ち、鳥や獣たちはその周囲にきて舞いおどり、天地は振動して、日月は一段とその清明さを加えたという。

この瑞兆《ずいちょう》にちなんで赫居世と名づけ、位号を居瑟邯《きょしつかん》とし、卵からうまれたので一同は相談のうえその姓を＜朴＞とした。朴とは瓠《ひさご》のことで、卵の形が瓠に似ているからだという。

これはもとより一つの神話である。このような神話は、東西をとわずどの国においても必ずみることの出来る共通した事実であるが、このことはいうまでもなく、古代社会に

おいてその支配者たちが、自分たちを偶像化し、超人的な存在として奉るために、＜神の子＞＜天降れる人＞として神秘化するための神話——つくりばなし——であるということにほかならない。したがつてこの＜くにづくりのはなし＞（神話）と姓氏の由来のはなしとの関係も当然ながら深くむすびついているのである。

　善生永助氏は『朝鮮の姓氏と同族部落』という彼の著書のなかで「朝鮮における姓氏の起源は、元来中国の姓を模倣したものである。新羅の朴、昔、金の諸姓は、当初より斯かる漢姓を有して居たものではなく、新羅に唐の文化の影響が強くなり、支那勢力の支配を受くることが漸く大きくなつて、その王家が漢姓を用いるようになつた」といつているが、その真偽はともかくとしてたとえば賜姓というのがある。三国史記に、新羅の儒理王九年に前記の六村の村名を改め、その始祖たちにそれぞれ李、崔、孫、鄭、裴、薛の姓を賜わり、また、脱解王九年に功臣閼智に姓、金を、景文王四年李技春という人に倭寇《わこう》をおいはらつた手柄として姓、安を授けたという記録がある。

　このことはつまり、すでに神秘化させられた支配者が、その同類階級をも神秘化させる必要があつたからにほかならない。いいかえれば、権力者の需要が増えたということであろう。この時代においては姓を用いるということはまだ一般化されていず、したがつて姓を賜わることだけでも充分に支配階級になりえたのであり、事実当時における姓の持ち主は、すべて貴族階級のみであつたらしい。

　姓氏の使用が一般化され、だれもが用いるようになつたのは高麗中期以後からであるらしいが、この時期になるといわゆる姓氏の概念がまた少し変つてくる。即ち、あたらしい支配階級が擡頭するとあたらしい神話を作り、新しい姓を名乗つて始祖となり、本貫を異にすることによつて新しい格付けをするという、いわゆる格付けの問題である。

　つまり、封建社会におけるそのシステムと支配方法の問題——いいかえれば、血縁共同体を主体とした支配方法が支配者としては一番便利な方法である。たとえばある一族のなかで一人が忠臣になると全部がいわゆる名門になり、一人が逆賊になるとその一族は没落することになる。だから封建社会においては個人よりも門中が大事であり、支配者はこういう血縁関係を適当に操縦さえすればこと足るということである。

　＜尹＞という姓は最初は本貫が一つであつたのが、時がたつにしたがつて坡平尹、海平尹、南原尹、玄風尹といろいろの派にわかれ、その本貫によつてそれぞれ格が違う。また、同貫だからといつて必ずしも同格とはいわれない。＜尹学準＞の＜尹＞は坡平であるが、その本拠であるソウル（細しくは坡州）に較べると一段と格がさがる、というぐあいである。そしていわゆるこの血統なるものを証明するものに族譜というものがある。

　南朝鮮では、一九五八年、五・二選挙を前にして二・三年のあいだにこの族譜の再編纂事業の一大ブームをまきおこした。そればかりでなく、ソウルのまん中に「××李氏門中会館」というビルディングがたつたり、「××公墓補修事業準備委員会」などという看板がさかんにおめみえしたりして、長いキセルをもつた老人達や、政府の高官、議員さんたちがひつきりなしに出入りするという。

　というのは、つまりこのような前世紀的なことをもち出すことによつて、登用ならぬ国会というヒノキ舞台に及第しようということである。たとえばこういう例がある。

　慶尚北道のL郡にはY氏がかなり多く住ん

でいる。そしてそのほとんどが常民であるが、そのうちGという面（村にあたる）には同じYでありながら強力な氏族部落を形成することによつて、かれらだけが族譜を大事に守り、両班の体面を保つてきた。彼等のいわゆる族譜なるものによれば、李朝燕山朝時代に政治に飽きた一人の高官が、官位を棄てて洛南し、現在の土地に落ちついたという、いわゆる〈ソウル・ヤンバン〉であるとのことであるが、ともかくとして現在においてもその地方の実権をもほとんど握つている。

　ところでこのY氏の宗孫であり、G面の面長でもあつたオヤジさん、選挙が近づくやいちはやくこの族譜をもちだし、再編纂するための厖大な費用等を集めたり、ケチで通つているこのオヤジさんが、自分のふところまでいためて奉仕していたかと思つたら、いつのまにか〃わがY氏は同本なり〃という政見ならぬスローガンをかかげて、しかも見事当選の栄冠をかちとつたといういわば朝鮮版の「しんちやんアメ」といえる。

　これは、一つの例に過ぎないが、

　南朝鮮でのこのようなもろもろな現象は、いつたいなにを意味するのだろうか。それは決して偶然でもなんでもなく、封建制の復活であり、前近代への逆コースの現象である。つまり、近代社会における自我の尊厳さ――いかなるものよりもまず個人の意思が優先するというデモクラシーの大原則に対する挑戦である。

　両班制を擁護・助長するということは、とりもなおさず、「血縁共同体を主体とした前近代的な支配方法」であり、このような支配方法によつて自己の政権の座を維持しようとするいわゆる李承晩のあがきがあり、逆コースへの道をたどる必然性がある。このことは、去る五・二選挙に一そうはつきりと現われている。つまり、自由党議員のほとんどが、封建性の強い農村から出ており、近代的な意識がある程度備わつている都市――たとえば京城の議席数十六に対し李承晩のひきいる自由党はわずか一名という完敗ぶりである。

　五・二選挙のまえのことであるが、大韓民国の国会で、民法の改正案が上程された。その草案によると、たとえ同姓、同貫であつても、近親でない限り婚姻を許すとなつており、これをめぐつてケンケンガクガク、大論争をまきおこしたらしいが、結局、李承晩のツルの一声であつさりと廃案になつてしまつたのである。ところでその例の〃ツルの一声〃なるものがまたふるつている。つまり、同姓結婚は獣や野蛮人のすることであり、いやしくも「東方礼儀之国においてとんでもないこと」であるというから、まつたくひどいはなしであり、実にバカげたことである。

　ところで族譜再編纂期には、両班たちのかき入れ時でもある。即ち賤民たちを族譜にくり入れてやることによつて、金品、その他をまきあげるという手口であるが、今日なおこのようなことがさかんにおこなわれているということは、まさに喜劇ならぬ悲劇である。

×　×

　朝鮮における姓氏の種類は、時代によつてかなりの消長がある。李宣顕の「陶谷叢記」には二百九十八姓が集録されており、総督府中枢院の「朝鮮の姓名氏族に関する研究調査」には三百二十六姓があげられているが、最も最近のものとしては一九三〇年におこなつた総督府の国勢調査結果の統計による二百五十姓である。これがだいたい現存する姓といつてよかろう。

×　×

私の歩いてきた道（二）

張　斗　植

私は、私の幼いころのことを語るとなれば、それはけつきよく母のことを語ることになる。母はその一生を貧乏苦労に明け暮れた不幸なひとだつた。〃家貧しくして孝子出ず〃の諺があるのに、親孝行の真似ごとすら何一つできず母に先きだたれた今となつては臍《ほぞ》を噬むの思いである。

私が八王子の父母のもとにきて、両親をえた喜びも束の間だつた。着いて間もないある日のこと、私の目の前でふたりの肉親の憎み合う姿を、私は生れてはじめてみた。父はあるつたけの憎しみをこめた真つ赤な形相で、母の長い黒髪を手に巻いて二、三間先きの自分たちの飯場のなかへひきずつてゆこうとしていた。母は押し倒された姿勢で、両手で父の腕にぶら下り、「ひと殺しい！」と叫びながら懸命に抵抗していた。雨降りのあとの地面はぬかるみ、母の着ている白衣は泥だらけになつてしまつた。このとき、私は五、六間はなれた、洗濯干場の広つぱで近所の子供たちと遊んでいたが、父と母が口喧嘩しているときからずうつとそれを眺めていた。私ははらはらして、早く誰か救けにきてくれないかとそればかり念じた。そのうち父が母を殴り倒したので、まるで自分が殴られたように、急に私の身体がブルブル震え出した。そしてふと、私の心にかぎる黒い影をみとめた。それは、実感の伴わない父という存在に対して、彼との距離の大きさを計らずにはいられないものだつた。

父と母はその後も絶えずこういう醜い姿をさらしたが、もう私は傍観するようなことはしなかつた。私が居合わしたときは、必ず母の身をかばい父の拳のかずを少しでも減らしてやることができた。

父と母の夫婦喧嘩は、もともと父の女遊びからであつたが、ときには母が、東京で苦学している兄への学費仕送りのためのへそくりがばれてやることもあつた。父は極端に兄を嫌つていた。父が亡くなるまで、同じ屋根の下にいても兄と親しく話しを交わしているところを私はついぞ一度もみたことがない。どういうわけか、父は勉強する子を徹底的に嫌つていた。ずうつと後のことになるが、私が苦学しながら大学へゆくことも反対だつたし、また学校へいっている留守中に私の学校の本をそつくり家の前の溝の中へ叩きこんだこともある父であつた。

このような父が、不思議なことに他人には親切で、迷惑をかけるのが嫌いな性分であつた。そして夜はまるで別人のようになる。私は父と母の真ん中に入れられて寝たが、父は酒の臭いをプンプンさせて私を抱き、首筋から顔へ針金のような濃い髭でこすり廻すのにはとても我慢がならなかつた。父としてみれば八年間離れていた親子の愛情の空白を一度に埋めようとする努力のあらわしかたであつたろうが、父とのあいだに相当な距離をおいている私には、どうしてもその愛情を素直な気持で受入れることができなかつた。また母は母で、昼間あんなに打擲されていながら、一つの寝床の中に入るといつも父のなすがままになつているのには、私にはどう考えても腑におちなかつたし、物足らなかつた。

私は半月ぐらい経つてからだと思うが、とうとう我慢ならず人夫部屋のあの蒲団、この蒲団ともぐりこんでは毎晩寝床を変えるようになつていつた。

ここで私は気がついたことは、母の変りようであつた。漆原にいたときの母は、房々とした黒髪をいつも後ろにちやんと束ねていたし、身に纒つていた上衣《チョグリ》や裳《チマ》は汚れ一つないきちんとした身なりで、非常に清潔な柔和な感じのひとだつた。そして一家を支えていたミシン掛の仕立仕事は愛想よく誠実につくしたので、邑内(町内)の誰からも後指をさされるようなことがなく、お蔭で私たちきようだいは父がいなくても肩身の狭い思いをせずに育つてきたのである。

それが、髪は油気がなくバサバサに乱れ、上衣《チョグリ》の紐の結び目はいまにも解けんばかりに口があいていたり、裳《チマ》は前後ろもわからないような着方から股引《バチ》がはみ出ている母の硬直したような顔、このひとが私の母かと最初あつたとき、私は自分の目を疑つたぐらいだつた。そしてかつて私の耳に聞いたことのない父を罵ることばが、このように変つた母の姿を私は小さな胸を痛めて心淋しく眺めるほかなかつた。

母は尹の姓で五人姉弟の一ばん上だつた。順牙とよばれた娘時代は気立てがよく、気量よしとして漆原の評判娘だつたそうである。このことは偶ぜん作家金達寿の母と、私の母とは幼な友達だつたので、彼の母から聞き及んで知つたのであるが、その母が十六のとき三つ年下の父のところへ嫁いでいつた。十三で妻をめとつた父は、夜中、母に起こされて小便にたつたり、ときには母の愛撫におどろいて跳ねおき、泣きわめいて祖母の部屋に飛びこんでいつたそうである。その都度、父は追いかえされ、しぶしぶ母の部屋へ帰つてくるそうだが、そのときの母は、翌朝、舅や姑にあわせる顔がなく、羞ずかしくて何をいわれてもどぎまぎし、「ほんとうに穴があつたら入りたかつた」と、よく親戚の女のひとに話しているのを私は聞いたことがある。

とにかく、その頃父は書堂（寺小屋）に通つていたが、衣服を着替えてもらつたり、書堂へゆくときの本の風呂敷包みを肩にかけて貰つたりして一切合さい母の手を借りなければならなかつた。そのうち父は書堂へゆくのが嫌になり、祖父母の蔭にかくれて悪い仲間とつきあつているうちに賭博に手を出し、酒をのむことを憶えるようになつて母をぶつたり、けつたりしはじめた。母のことばを借りていうならば、――一夜で子供が大人になつた、そうである。

母は誰彼のへだてなくよくつくしたので、祖父から賞められ可愛がられた。しかし、それがかえつて母には仇となつてかえつてきた。料理をよくすればするほど、親切に振舞えば振舞うほど祖母が目をひからしことごとにつらく当つた。ただひとりの味方である祖父は、そのとき家が傾いていたのでその収拾策に東奔西走し、ほとんど外泊する日が多くすがりつくところがなかつた。特に家が破産するということがはつきりして、作男がひとりふたり去つてゆくようになると、祖母と父の仕打ちはいままでよりも倍もひどくなり、とうとう嫁いで六年目、母はふたりの子供のうち乳呑み児の姉だけを連れて実家へ追い帰えされてしまつた。泣くにも泣く涙は既に涸れ、何十里もある山道をトボトボ辿つていつた。やつとの思いで、故郷・漆原の街を一望のもとに見下す峠につくと、今までないと思つていた涙が一度にどつと眼から溢れおちた。めつたに人通りのないのが幸だつたが、母は背中の姉の泣くのも気がつかず、がばつと道端に坐りこむと身を投げ出して、――哀号、哀号、わたしの幸福はいつたい何処にあるんだよ！――と大声をあげ、拳で固い地面を叩きながら泣きつづけた。十何時間も背中におぶさつて両足を締めつけられていた姉の脚は、紫色にはれあがり、泣き声はかすれて母の耳にとどかなかつた。陽は西の空を茜色に染めてはいたが、母は日暮れ前にはどうしても実家の敷居をまたぐことができなかつた。しかし実家に帰つてからの母は、当時、馬山基督教会の伝道師であつたすぐ下の妹の導きで信仰に入り、自分の不幸の定めをこの信心によつて終生支えることができたようである。悲しいとき、苦しいときに必ずといつていいぐらい聖書を開いて祈禱をしていた。その祈禱の願いはただ一つ、「どうか、子供たちを立派に、そして幸福になるように守つて下さい」で、あつた。

私たちの住んでいた飯場は、埋立てのほうの捨て場の近くに一画をなし、五十人ぐらいは楽に収容できる大きさのバラック建てが、一定の間隔をおいて三軒二列に並んでいた。工事現場は三方の山に囲まれ、遙か彼方に八王子市街がかすみかかつた空の下にひらいている。何処の埋立工事でもたいてい土をとる山場とそれを埋める捨て場の二つの現場に別れているが、ここもそうで、半分も削りとられた小高い丘の山場から捨て場までの距離は相当あつた。そして山場から捨て場のあいだは数条のトロッコの線路で結ばれ、工事はどんどん進んでもうおおかた完成に近づいていた。

トロッコといえば、一台に二人がついていて、スピードを出して押しているときでも普通に押しているときでも、線路から足を踏み外さないのが土方の世界では一人前とされている。またスコップを使うときでも左右自由に使いこなす土工を高く買われていたもので、このことは、のちに私が小学校を出るとすぐ土方になり、簡単に真似のできない芸当であることを知つた。

三、四十人の飯を炊く母の仕事は決して女手ひとりでできるものではなかつた。でも、母は誰も雇わず、朝は誰よりも早く三時半に起きて飯を炊いた。五時半に現場へ出掛けられるようにしてやらねばならないからであつた。仕事にかかるのは七時半からであつたが、早くいつて軽いトロッコを選び、そしてそのトロッコを線路からひつくり返し、ほかのトロッコを上下におくつて、山場で一ばん積みいい土砂が当るように割りこせるのだつた。こういう動作はひとのこないうちに、素早く相棒と一しょにやらねばならない。

一つの山場ではたいてい十五、六台のトロッコが並んで土砂を積むのだが、その土砂は一様に同じではなかつた。或るトロッコの位置は砂利ばかりが当り、また、ほかのトロッコは粘土質の土に当るというふうに違つていた。なかでも一ばんいいのは石専門の位置で、石と石の角で大きな隙き間ができ、それだけ容積が減るのでほかのトロッコが半分も積まないうちに箱は一ぱいになつた。その反対に一ばん率の悪いのは砂利で、これはスコップでいくらすくいあげてもトロッコの箱はなかなか一ぱいにならない。ぢれつたくなつて途中スコップの手を止め箱の中をのぞきこむこともあつた。そうしているうちに、後ろから「おーい、早く出せ、この間抜け奴！」「まだけつわらんのか！」と怒鳴られたり冷やかされたりする。それがまた重い足のトロッコにめぐりあうと一日辛抱できるものではなかつた。たいてい九時の休憩時間までにはけつわつて（落伍）しまつた。そのうえ仕事はこまりといつて一日二十回なら二十回を捨て場へ運べば、その日の仕事は終るので、早く終りたい一心からもよけい急きたてられるのであつた。このこまりの仕事はたいては昼すぎか、おそくとも二時までには終るのだつた。そして早くしまつたトロッコ組の若い連中はよそゆきに着替え、頭に油をテカテカつけて街へ女の子を冷やかしにでかけてゆく。

それだけにトロッコの仕事はつらいが、早くしまえるのでしぜん早出の競走になつてゆくわけである。もつとも、はじめから身体の弱い者はトロッコを敬遠し、四時半までの常備のほうに廻つて油を売るだけ売るのだが、このほうはトロッコ組から軽蔑視されていた。

母はほかの何処の飯場よりも早く飯を炊いてやつたので、若い連中から喜ばれ、化粧クリームや下駄を贈つて貰つたりした。そういう母の忙しい生活を眺めて、身なりにかまつて居られないことがよくわかり、だんだんと私の母をみる目は昔にかえつていつた。事実、母の部屋には贈つて貰つたクリームのほかに歯のかけた櫛が一つあるだけで化粧道具はなに一つなかつた。ここでちよつと飯場のことを紹介すると、

——飯場というのは、工事場につきものの土工の宿泊所のようなもので、ただ普通の宿泊所と違うところは飯場頭が工事場から工事場へと移動して、連れている土工たちに仕事を与えねばならぬ責任があつた。夫婦ものであれば誰でもなれたが、土工たちの頭数の多寡によつて待遇も違い、仕事の性質も違つていく。したがつてある程度のにらみが効かないと、工事を請負つている組からも土工たちからも馬鹿にされるので、なかなか普通の夫婦ものではつとまらない。

飯場頭の唯一の収入は工事を請負つている場合は別として飯代だ

けである。彼らの資本《もとで》は取りも直さず土工たちの頭数であるが、多ければ多いほど収入が多く、飯場頭仲間でも格が違って羽振りがよくなつてゆくのである。たいてい飯代は土工たちの賃金の三分の一程度と相場が定つていて、当時、八十銭の賃金を貰つていたので三十五銭の計算で働いても働かなくても差引かれた。飯場の世帯道具といえば、大小二つの釜と食器だけである。蒲団をもつている飯場頭は少く、たいてい組から一日いくらで借りていた。

何処の飯場も、入口に大小二つの釜が据えつけられ、中央に高さ三尺あまりの長い飯台がところ狭しとたつている。その長い飯台の下は食器棚になつていて、何一つ飾りのないのが飯場特有の炊事場であつた。人夫たちの部屋も、炊事場から一と目で見透かされ、あちらこちらに畳まれた蒲団の山と、四角い木枕と缶詰缶の灰皿が散乱している。まるでドサ廻りの芝居小屋を思わせるような、ガランとしていた。しかしいざ飯どきになるとこのなんの変哲もない炊事場は、忽ち混乱をきわめ戦場と化してゆく。四斗釜からもうもうとひとの顔もわからなくなるぐらい湯気がたちこみ、工事用のスコップですくつた飯は大きなお鉢につぎつぎ容れられて飯台のほうへ運ばれてゆき、二斗釜のおつゆは各自が水汲み用の杓子でセトビキの丼鍋についでゆく。

箸も丼も自分の専用のものはない。彼らの顔は瞬く間に火照り、腹は豊かにふくれてゆくのだつた。特に、月二回の勘定だつたので、十五日と晦日は朝から炊事場はごつたがえした。彼らの最大のご馳走はなんといつてもトンチヤン（牛の臓物）である。大根とネギと一しよに煮込まれたトンチヤンのおつゆの味は格別で、食欲がグッと旺盛になり、小さかつた私でさえ飯をふだんより茶椀で二はいもよけい食べられた。この牛の臓物はいまでこそ肉屋に出廻つているが、その当時はなかなか買える代物でなかつた。それを、勘定のある日か前の日に、必ず飯場廻りの乾達《クンムダル》（用心棒）が石油缶に一ぱい詰めて二缶も三缶も遠くから運んでくる。そして飯場頭に押しつけるのだつた。以前の彼らは素手でいくらかの小使銭を貰っていたが、現物代価の取引という形で五倍ぐらいの値で売りつける戦法に変り、彼らはそれを資本《もとで》に人夫達の賭博の仲間にはいり一と儲けしようと目論でくるのであつた。

しかし、私のしつているところでは前にも述べたように、大丸組の勘定はいつも延ばされがちで、ただ人夫たちの小使銭ぐらいしか払つて貰えなかつたので、彼らの目論見はおおいに当が外れ、トンチヤンの代金を貰つてゆくのが関の山だつた。

一方、人夫達は小使銭だけでは承知しない。しかたなしに飯場頭が立替えねばならぬ破目になるが、私の父などは気が弱く、その立替えるほうの役に廻るのでいつもふところはピイピイしていた。それでも親方が弟だつたので、ほかの飯場頭よりは少し無理を効かすことができた。

すつかり冬が訪ずれると、発破の音も日に日にすくなくなり、こまりのトロッコの仕事はもうとうになくなつて線路はどんどん外されていつた。あとは埋立てられた土を平坦に地均しするだけが残つているだけで、そうなると飯場頭は条件のいい工事場を探しにでかけてゆかねばならない。この探しにゆくというのを段取りしにゆくといつていた。

当時、関東大震災後の日本は極度の不景気にみまわれ、都会には失業者の群があふれていた。飯場頭はこの失業した日本人労働者に目をつけたが、いざ飯場に連れてきて仕事をさせてみると、仕事そのものがあまりにも荒々しく、都会育ちの腺病質のような青白い顔の体力ではとうてい仕事ははかどらなかつた。したがつて土木工事場は渡航してきた朝鮮人の独壇場であつた。広いこの日本のくにの中で、朝鮮人が好きなことを自由にやり、もつている力を存分にやれる職場はほかになかつた。都会にいる朝鮮人は先ず賃金の民族的差別をうけ、そして仕事は日本人労働者が忌み嫌うものしか与えられなかつた。おまけに事があると、「この朝鮮人！」といぢめられ、蔑まれるのである。

土方の世界ではそういうことはなかつた。むしろ、逆の立場におかれていたといつていい。肉体労働者としての朝鮮人、それはそれなりにまた悲劇をもつていたが、——頑丈な体軀、すこしのことではへこたれない、理窟をしらない無知さ——、これがおおいに歓迎されたことであろう。

工事場に集るひとたちはたいていその過去が似通つていた。——つまり朝鮮《くに》で、三、七という不利な小作料と悪い小作条件にしばられて身動きの取れないまでに追いつめられた小作農たちが、その頃、制限から自由にきりかえられたばかりの渡航熱にうかされ、「一ど騙されたつもりで」と家財道具を売払つたり、借金をしてやつと旅費をつくつてこの世界に飛びこんできたものが多かつた。こういうひとたちは、酒ものまなければ女遊びもせず、せつせと働いては勘定を貰うと故郷へ送るひとたちで、なにか大きな望みを託しているようであつた。そういう彼らは朝雨が降ると空を仰いでうらめしそうに長歎息し、その日一日じゆう落ちつかないのである。「土方を殺すにはアイクチはいらぬ、雨の三日で皆殺し。」だとは、当時の流行語だが、こういうひとたちのことを指していつたのではあるまいか。

また、飯場頭のなかにも、日本人地主の活溌な進出の犠牲になつて大地主から中、小地主につき落され、これまた一旗あげようと渡航してきたものが多く、彼らは一つの工事場からつぎの工事場と転々とし、年に二、三回移動していくこともあつた。

飯場頭を父にもつた私は、このため小学校を終えるまで七、八回転々としなければならなかつた。あるいは、小学校を出るまで父と一しよについていたら、おそらく二十回以上も転校しなければならなかつたのではないかと思う。幸に私は、五年生のはじめごろから横須賀の小学校に籍をおいて、姉の家から通学しその学校を卒業することができた。

私は日本へきて、すぐ学校へ入らねばならぬとしだつたが、日本語を皆目しらなかつたのと、もうすぐ工事も終るので翌年にのばすことになつた。

私にとつてはじめて迎える日本の正月だというのに、父は半月も前に段取りにいつたきり帰つてこなかつた。しぜん父がいないと人夫たちは仕事に出るのを怠けがちになつた。もつとも、仕事らしい仕事はなかつたが、それでも残務整理がだいぶあつた筈である。こういう人夫たちは、父から前借りに前借りを重ねて借金にしばられているひとたちで、雨を怖わがる真面目な人夫たちはとうに他所《よそ》へ移つて三十人以上もいた人数は半分にもならなかつた。

お蔭で事務所へ米を取りにゆくといい顔をしないようになり、そのため母は毎朝人夫たちを叩き起こして無理矢理に現場へゆかせた。そのとき私は、母の先きにたつて人夫たちが手で押えて深々と蒲団を被つているその蒲団をまくつてゆく役目を仰せつかつた。

日本の冬は、冬のような気がしなかつた。

例年八王子は雪が二、三寸つもる話しだつたが、その年は雪の降る天候に一度もめぐりあわなかつた。そのかわり、からつ風の突風がよく吹いて黄塵を巻きあげるのには驚いた。

故郷の冬は厳しく、遠いシベリヤから吹きよせる風は風でなく、氷の水を頭から被せられるような思いだつた。

二年まえの冬、外祖父が亡くなつたので、私は親戚のひとに連れられて新方里の祖父のところへ預けられた。祖父は厳格なひとで一家の偶像であり、誰ひとり遊んで飯を食べることを許さなかつた。

私は着いた翌々日から、柳の枝で編んだカゴを渡され河原へ犬糞を拾いにゆかされた。朝鮮の肥料は草と藁を動物糞に混ぜて堆肥したものだが、犬糞は特に質のいい肥料になつた。夜はまだ明けきらず、吐く息は白くたつて首筋が肩に縮つていつた。手拭で頰被りしていたが、吹きつける風で私の耳はまるで鋸で斬りおとされるような思いだつたし、手は凍つて指先きが抜けてゆくような気がした。すつかり乾ききつた川底は見渡すかぎり大小の石塊で埋つていた。犬糞はなかなか見つからなかつた。はじめての土地であり、どう探したらいいかわからなかつた。村のひとが私よりもつと早く起きてみんな拾つていつたのではないかと思つた。怖い祖父の顔を思い浮べ、もう寒いどころではなかつた。血眼になつて探しもとめ、やつと一つ二つみつけたときは鬼の首を取つた以上に私は喜んだ。しかし、カゴの底さえ埋めることができないことを知つた私は、牛の糞を拾うことにした。漆原にいたとき、牛の糞も肥料になることをしつていたのである。おとしたばかりのやつは湯気がたつて塊りがくづれるので気持がわるく、乾ききつたやつはなかからうぢ虫が出てくるので尚さら気持わるかつた。家に帰つたら祖父は別に怒りはしなかつたが、かえつて私には気持ちが悪く寒さが一度に私の身体を包んだ。これが私の朝の日課となつた。私は生れてはじめて働かされたのである。外祖父の家にいたときは「天地玄黄」の千字文を習うのが日課だつたのに。――朝飯を終ると今度は、もうそのときはわたくし用の支機《チゲ》（背負いこ）ができあがつて山へ薪取りにやらされた。これが毎日のように繰り返えされ、雨の降る日は納屋に入つてまだ残つていたふたりの作男たちと一しよに一日じゆう縄編みと草鞋づくりをさせられた。こういう急激な生活の変化のためか、私は夜中に寝小便をするようになつた。その度に私は、家の裏の柳の枝を折つてきて祖父に渡し、私は両脚をそろえて後向きになつた。すると、その枝はムチとなつて私の脚に飛んできた。両脚のふくらばぎはみみず腫れしてその痕が絶えなかつた。そうなると深寝入りができなくなり、神経質に気を使うようになつていつた。

ある晩、私は急に通じのもよおしを感じ、ランプが消された真暗な闇のなかを手探りで、部屋の奥の隅つこにおいてあつた丸い小便壺を探しあてて用を足した。ほんとうは、通じは外の便所へいつてしなければならないことになつていたが、遠くの山々から狼の吠える声がきこえ、六つの私にはとても怖わくて出られなかつた。部屋には祖母と叔母が寝ていた。ところが、便壺のなかへちやんとしていなかつたのである。それを私は祖母から叩き起こされるまで知らなかつた。。部屋のなかは赤いランプの灯に照らし出され、祖母が呆きれかえつた表情でつつたつている。私は、また寝小便か、とがつかりして敷蒲団に手を当ててみたが別に異状はない。どうしたのだろうと思って、寝足りない眼をこすりながら祖母の顔をうかがつた。すると、祖母は吐きすてるように、「あれはなんだ、うんあれは！お前の目玉に入らないのか！」と怒鳴つて奥の方へ指さした。その指先きを追つていた私は、「はつ」とした。そして、「アイゴ」と一と声あげるやいなや、弾きかえつたように寝床から飛び起きて一目散に縁側に飛び出し、雑巾を手にしてまた部屋へ飛びこんだ。まるで黄ろいペンキを滑りおとしたように白い便壺は汚れ、その下の壮版《ジャンパン》（油紙・日本の畳）の上に汚物が一と塊りになつていた。私は臭《くさ》いとかきたないどころの騒ぎではなかつた。無我無中でそれをきれいに片ずけると便壺をもつて表へ出た。だいぶ夜が更けていたが、それでも星はいくつも瞬いていた。庭には丸く堆積された藁束が山になつて黒くつつたつていた。あの藁で便壺をきれいに拭いてやろうかと、しばらく迷つたが、けつきよく家の裏へいつて露がかかつている草をむしつてはなんべんも寒さに震えながら洗つた。私はすつかり生色がなかつた。また祖父からムチで叩かれるのかと思うと、思うだけでぞつとし、家へ入る勇気がどうしても湧いてこなかつた。

不思議なことに、このあとのことを私は憶えていない。たぶん祖父母のことであつたから、例のように柳の枝を折つていつて、それを祖父に差出し私は後ろ向きになつて両脚をそろえて立つたろう。そして寝小便をしたときよりも、もつと強く打たれたことと思う。あるいは、祖父はその日外泊していたので私は難をまぬがれたのかもしれない。

祖父の外泊といえば、月にして五、六回はあつたように憶えている。多少もつている田畑は作男たちに任せ放しにして、自分は漢方薬のほうを本業のようにしていた。家におるときは草根を刻んでいるか、さもなければ漢籍を繙いていた。商売の朝鮮人蔘のヒゲの部分をきつて庭先きに埋め、それを毎朝せんじてはお茶がわりにのんでいた。そのお蔭かも知れないが、顔色はいつもつやつやして四、五里の山道を往復しても、別に疲れたようすをみせなかつた。

ある日、その日は祖父母とも外泊することになつていた。

叔母――といつてもまだ娘だつたが、ひとりで留守番をするのが怖わかつたのか、その晩近所の娘を五、六人連れてきて泊ることになつた。私は祖父母がいないということで、部屋のなかに広々としたものを感じ、この家へきてはじめて自由に手足をのばし、いつもより早く寝についた。そのうち私の身体が誰かに抱かれている息苦しさを感じたので眼を醒ましてみると、ランプの灯りのなかに、私がいつも姉さんとよんでいる隣りの大柄の娘の顔が映つしだされた。私はびつくりして飛び起きたが、それまで彼女の脚は私の身体に巻きついていた。すると、「ほほほう…」「はははあ…」と笑い声が起き、「もういいかげんにしな。」「そんな唐辛子みたいなものでは役にたたないよ。」といつて洪笑した。私はなにをいつているのかその意味がわからなかつたが、みると私の下半身はいつの間にか裸にされていた。私は無性に眠く、そのままの恰好でまた蒲団のなかにもぐりこんだ。しかし、とうとう私は寝かされなかつた。

私は前にこんな話しを叔母から聞かされたことがある。

二人の姉弟がいて、山道を毎日仲良く連れだつて学校に通つていた。姉のほうは六年生でもうお嫁にいつてもいいくらいの年ごろだつた。弟のほうは三年生で、級のなかには結婚して子供まである生徒がいたが、彼はまだ袖で鼻を拭く腕白ざかりで、姉のいうことならなんでも聞く素直な子だつた。それが夏のある日、前に歩いてゆく姉の薄着の後ろ姿をみて、弟はへんな気持を抱かされてしまつた。風に靡いてひらひらと舞う姉の裳《チマ》の下に女の肢体を連想したのである。すると、自分の身体の一部が硬直しているのに気がつき、はつと我にかえつた。たしかに自分は、ほかの女のことを連想したのであつて、けつして姉さんのことを……と、自分自身に納得するように努力したが、一ど邪念を抱いた羞しい気持はなかなか解けなかつた。なにもしらない姉は先きへどんどん歩いてゆく。弟はしょんぼりと首垂れて姉の後をついていつたが、その足取りはしぜんおもく、姉との距離はだんだん大きくなつていつた。ふと、弟は道端にある大きな石の前にきて立ち止つた。その石はもうなん回も坐つて休んだことのある馴染みの石である。「そうだ、死んでしまおう。オレのような、犬猫にも劣るようなヤツは死んでしまつたほうがいいんだ。」

弟はそう決心すると、その石の上に、いまはすつかりちぢんでしまつた忌わしいヤツを取り出してのせ、拾つておいた小石で一と思いに叩き潰した。もちろん、弟はその場で即死してしまつた。

この話しをしたあとで叔母は、「どうお前だつたらどうする？」と聞かれた。そのとき私は、その弟がなぜ死なければならなかつたのか、また、なぜ叔母はこんな話しを私に聞かせるのか、ぜんぜんわからなかつたので答えようがなかつた。

この晩の出来事は、終始私は寝ぼけていたのに、どうしてこのことをよく憶えているのか、ほかのことは思い出そうとしても思い出せないのに不思議でならない。この叔母も日本へきて一ど結婚したが失敗し、叔父の飯場にいた若い男と駈落ちして、いま生きているのかいないのか消息不明である。

私は、ついに祖父の家にいるのが辛抱できなくなり、三カ月ぐらいも経つたある日、祖母のタンスの抽出しのなかからギザギザの五十銭銀貨を三枚盗んで外祖母のところへ逃げて帰つた。

とうとうお正月になつても父は帰つてこなかつた。私は母から下駄を一足買つて貰つただけで着物は普段着のままだつた。

あとでわかつたが、父は他所の工事場の段取りにいつたのではなく、豊橋の紡績工場に女工として働いている姉のところへ縁談のことでいつていたのである。それもひとりでなく、婿になるひとを連れてであつた。姉は泣いて嫌がつたそうだ。その理由は、対手が一定の職業をもたない、他人から爪弾きにされている賭博打ちだからという点にあつた。たしか姉は十八だつたと思う。そのひとは鄭致模といつて一流の乾達《クンスダル》で賭博《バクチ》がうまく、喧嘩早く、そのうえ能弁で事件屋をも兼ねていた。八王子の私のところへも派手な恰好でちょいちょい出入りし、私によく小使銭をくれた。そのひとが私の姉の良人になろうとは夢にも思つてみなかつた。しかし、姉もついに我を折つて承諾することになり、それが正月も半ば過ぎたころで、父は帰つてきた。

父は帰つてくるとすぐ荷造りをしはじめ、人夫たちに暇をやつて飯場を解散した。そして親子三人は姉のいる豊橋へ引越していつた。豊橋に着いてみると既に二階家の一軒を借りてあつて、そこには例の乾達《クンスダル》が住んでいた。

姉の縁談について、母は一言の相談もうけていないらしかつた。

引越してきて間もなく、姉は工場を辞めて僅かな荷物を纏め私たちの家へ引払つてきたが、ふたり抱き合つて泣きながら話し合うことばことばにその様子がみられた。

数日後、姉は極く簡単に嫁いだが、私たちと一しよに住むようになつた。私は朝鮮《くに》の片田舎から出てきて、はじめて畳らしい畳の上に寝ることができた。その上、どこを向いても人家が密集し、道路の真ん中には電車が走つている街に目をみはり、そしてその街に住むようになつた自分がなにか偉くなつたような気がして私は有頂天になつた。その時分には、私は日本語を少し使えるようになり、広つぱでよく日本人の子供たちと遊んだり、喧嘩をしたりした。喧嘩したとき必ず日本人の子供は、「やーい朝鮮人、朝鮮人！」と、軽蔑した眼で大声でいう。はじめのうち私は、その「朝鮮人」というのは日本語の悪口の意味にとり、私も負けずに、「お前朝鮮人、朝鮮人」とやりかえした。すると対手はみんなと一しよにドツと笑うので、おかしいなあと思い母に聞いてみた。母の説明では別に日本人が偉いとはいわなかつたが、私は私なりに小さな民族意識をおぼえ、反抗心を湧かした。

そういう意識をもちはじめた矢先きに、豆腐屋の小僧がどういう怨みがあるのか、夕方自転車で廻つてきて私の家の前でペタルを止めると、「おーい、朝鮮人」と、呼びたてるのにはいささか閉口した。それが一どや二どではないので家のひとが、障子をあけて出てゆくとさつと逃げてゆくのでつかまえようがなく、そのまま放つといていた。でも、私にはどうにも癪にさわるのである日、やつと持ちあげられた石を拾つてきて、それを私の家の前の電信柱の後ろに隠くしておいた。

もうくる時分だと思い、それまで遊んでいたチャンバラごつこをやめ、私も電信柱の後ろに隠れた。しばらく待つたが、やがてラッパの音が聞こえ出し、向うの路地から白い半袖シャツに鉢巻をした小僧が現われ自転車でやつてきた。

私は心臓がドキドキするのを覚えたが、今更尻ごみする気にはなれなかつた。小僧は私の家の前にくると自転車を止め、家のなかをのぞくようにしてからラッパを口にあてた。その時、私は石を持ちあげて小僧の後ろの自転車の輪目がけて思いつきり叩きつけた。はずみをくらつた小僧は自転車もろとも横転し、豆腐があたりに飛散した。「なにするんだ！」と、小僧は尻もちをついた恰好でそういうと、急いでたちあがり、私のほうへ飛んできた。と同時に、私のほうからも彼のほうへ飛んでいつた。私は彼に組みつくと、歯をむいて太もものところに喰いついた。私は夢中だつたが、小僧が泣きわめいたので彼から離れた。その時はもう物音に驚いて私の家族のものや、近所のひとたちが飛び出してきていた。私の目に飴のように曲つた自転車の輪が入つてきたので、私は怖わくなり家のなかへ飛びこんでしまつた。あとどうなつたのか、どう解決したのか憶えていない。

（つづく）

× × × × × ×

わがふるさと・蔚山

江陽の鳳根山

尹紫遠

　ベートーヴェンの交響曲をきくたびにその力づよさに私は圧倒される。ブラームスの荘重、ラローの情熱、メンデルスゾーンの明るさ——等々にも私は陶う。けれども、所詮それらの和音は私の耳から、脳裏をめぐつて、私の心にひろがる和みだ。

　ところが、あの素朴な長鼓や、伽倻琴などの音色になると、何のてまひまもなく、じかに私の胸にしみとおる。それはあたかも自分の名をよぶ遠い母の声にも似て、無限の滋味にあふれるひびきだ。

　私の「わがふるさと」にいだいている感懐もまたこんな甘つちよろいものらしい。うつくしい景色や、すばらしい自然の美のなかに立つては目を瞠つたり、感嘆のこえを私は素直に発する。けれども、わがふるさとの山河に対したときの「なつかしさ」を私はおぼえたことは無い。それがどれほど単純で見ばえのせぬ踏みつけ道のひとつにしろ。あたりまえの話で、しかし、この至極あたりまえのことを、私は中年のこんにち、ようやく識つた。

　蔚山の南方、温山面の東端、江陽里という半農半漁村に私は生れた。三十戸ほどの小村だつたが、面長や面の書記がずつとこの江陽里から出ていた。書堂（寺小屋）もあつた。何か事件でも起ると遠い村の人たちが面長や面の書記のところに集つて来た。近村の子供たちは竹細工の弁当をぶらさげてここの書堂に通つていた。まれには他面から通つている子供もいた。鼻をたらしながら例の「千字文」をまるで舟でもこぐように正座の上体を前後にふりながら大声でよんでいた自分の幼年のころを想うと、何百年もの昔のことのような気がする。ともかくその書堂は「私立普通学校」等に急速に吸われていつて、一九一六、七年ごろにはその影をまつたく消した。

　子供たちの夏の仕事であり、たのしみのひとつは、牛に草をくわせることだつた。それは明け方早く牛といつしよに叩き起されて、すこしでも草のよく生えている土堤や山の麓へ牛をひいてゆく。つまり他人より速く行かないといい場所を占められないのだ。そしてそこに昼すぎまで牛をつないでおく。子供たちは昼のごはんをすますと、つれだつて朝つないでおいためいめいの牛のところへ行き、たづなを角にまきつけたり、そのままだらだらひきずらしたりして山に放つのである。たいていの牛にはヨロング（鈴）がつけられてあつて子供たちはそのヨロングの音に自分の牛の位置をたしかめるのである。そして日がまつたく暮れるまでさまざまの遊びがくりひろげられるのである。

　私たち江陽里の子供は、洞内山（自分の村の山）である鳳根山に集るのがつねであつた。松におうわれた鳳根山はたいへん形のよい、温山面では有数の高い山で、頂上は平らで美しい芝生だつた。よく晴れた日は素足のうらにしなやかにこたえる芝生の一個所に固つては「おい、あれが対馬だ」「対馬が見えるぞ」と水平線の果てに黒ずんだ一点に私たちは幼いひとみを集めたものだ。

　南は有名な「西生浦城」である。鳳根山と

西生浦城との間に江陽江がゆるやかに流れて朝鮮海峡にそそがれる。その江陽江の北岸に私の生れた家があり、その北岸ぞいのアシの茂みがうつくしい線を描いていた。アシの茂みから投網を打つとハゼやコノシロが網の目にひらめき躍る。風物詩的なつかしい光景ではある。

西生浦城をこえて東莱の月陰山の頂上が遙かの雲すれすれにそびえていた。私たち子供はこの月陰山に妙な恐れとそこに登つてみたいというあこがれを持つていた。月陰山には虎がいる、というのだ。今から三十年ほど前にはじつさいに虎が住んでいたらしい。虎と言えば、鳳根山から真西にあたる長安面の仏光山や温陽面？の大雲山にも虎が出没したようであつた。今でも私は心のどこかではそれを信じている。何しろ虎はこわいが、その実物に出会つてみたい、という子供らしい冒険心を燃やしたことは事実である。

狼はたつた一度山の上から見かけたきりだが、狐はよく見た。野うさぎでも追うように私たちは石ころを投げつけ投げつけながら息を切らしたものだ。私たちは狐には特別の憤りを感じていた。奴らはひとの墓（土まんじゆう）を掘り返してはその屍をくいちらすのだ。鳳根山の北の中腹に私たちの村の共同墓地があつた。その墓地の周辺で私たちは頭骸骨や、腕の骨や、あばら骨を見たことは二度や三度ではない。まれには食いちぎられた真新しい子供の着物や、丸く掘り返されたなまなましい墓の穴を、私たちはひじような義憤をもつてのぞき込んだものだ。そのへんの足跡からそれはあきらかに狐の仕わざだつたのだ。

鳳根山から眼を北東にむけると、魚で有名な方魚津が蔚山湾に突き出ている。方魚津には二度行つたことがあるが、至るところが魚の山であり、コワイ日本人ばかりが印象に残つているだけだ。私たちの少年時代は「日本人」ときくと恐しくてふるえ上つたものだ。方魚津ほど有名ではないが、蔚山湾の西にあたる長生浦に私は特別の親しみをもつている。この長生浦には私の姉が片づいていた。それにそのころは毎年九月ごろになると捕鯨船団がやつて来た。東洋捕鯨会社の作業場もここにあつた。キッチボートの舷側に巨大な鯨を仕止めてかえる光景に私たちはどれほど驚異の目をみはつたものだろう。血のしたたる鯨の肉(公には持ち歩けなかつた)をふろしきにつつみ夜道を急いだこともなつかしい。

学校のかえりに芋をぬすんで食つたこともずい分ある。砂地の芋畑にそつて歩きながら学友のひとりを突然芋畑めがけてつき倒す。倒された方はわざと大きな声で「あー痛い」と泣きながら素早く芋を掘るのだ。倒した方はうしろをふり返り松林の方へ逃げてゆく。大人の目には子供のけんかに映る。「この野郎待て」と芋を掘つた奴が逃げる奴を追う。やがて松林の中におち合うと、手のひらで芋の砂をはらい落し、皮ごと頬ばるのだ。

月の夜すつ裸で桃をぬすみに行つたこと、松毛虫を友だちの背中に入れてけんかになつたこと、女の子を裸にさせ、その着物をわざわざ高い木の枝にくくりつけたこと、青大将の尻つぽをつかんでぐるぐるまわしては空高く放りなげたこと、枯芝生に火をつけては松の枝で叩き消すのがおもしろくて、何度もくり返すうちにとうとう山火事になり、村じゆう総出動というさわぎ——。

私はいま「わがふるさと蔚山」を書くために実にひさしぶりで机に向つている。もうすこし気のきいたことが書けそうでいて、こんな他愛もないことばかりが私の頭を占める。なぜだか私は知らない。知らないながらに私の胸にふかく食いこんでくる想いだ。私のもつとも敬愛した郷土の先輩のいく人かはもはやこの世にはいない。私の肉親も大分欠けて来た。

公ろん・私ろん

　だいぶ旧聞に属するが、去年の九月、東京を皮切りに、名古屋・大阪等で公演された、いわゆる「民間文化使節・韓国芸術団」は、その来日に先立つて「韓国最高の豪華な顔ぶれ」といつたような、大ソウなふれこみで、前景気をあふつたものであつた。唱劇の林芳蔚、申快童等々のソウソウたるメムバーに、舞踊の趙勇子を配したあたり、在日朝鮮人のオールド及びセミ・オールドゼネレーションの興味をかなりそそるものがあつた。その上「春香伝」を演《や》るとあつては、多少の無理をおしても、見ておく気にさせられた人も少くなかつたであろう。

　そこで、誰にもまけぬヤジ馬根性をあふり立てられて、行つてみて、先づ、新宿の松竹座という大きくもない劇場の観覧席が半分以上、空席になつているのに驚いたのだが、次にいざフタをあけてみると、太極旗なるものをかけて、「愛国歌斉唱」ときたのに二度びつくり。出演者が舞台にズラリとならんで、うたい出しても、客の方は「これも芝居の中」という顔で、誰一人立ち上ろうとはしない。後で考えると、じつはこれが一番まじめな喜劇であつたのである。

　さて、始まつてみると、出演者の不まじめさ加減は客を恐らせるに充分。楽屋での冗談のつづきらしく、顔見合わせ　、やたらとニタニタ想い出し笑いをしている。これでも牛の糞や古ぞうりを投げつけない観客のオトナしさが、かえつて気持が悪いくらいである。

　衣裳の貧弱さは、全くお話にならない。いかにもドサ廻りの行李から引き出したばかり、といつたような、しわだらけの安手の衣裳をまとつた夢竜の暗行御使や卞学徒の使道及び春香にしてしかり、後はおして知るべし。何ともはや、ウソ寒いような「豪華」さであり、これが「文化使節」と自称しているのだから、在日朝鮮人こそ良いツラの皮で、自分が恥をかかされたような気持になつてしまう。

　第二幕、芙蓉堂の場は、本来ならば、夢竜と春香が生木をさかれるように離別させられる、副題通りの「断腸哀別」の愁歎場になる筈なのに、これが喜劇に終るのもおかしいが、それにもまして、大団円の東軒の場、すなわち「御使出到」の場は、古来庶民の最も血わき、肉おどる処でなければならないことになつている。ここで、乞食姿の御使がその正体を明かし、春香をわがものにできず殺そうとしている残忍・横暴な使道をしばり上げ、さんざんな目にあわせたあげく、危機にひんした恋人を救い出す「良いとこ」であるが、この「使節団」は新解釈を加えたらしく、使道をこらしめる場面を、そつくり省略していた。みる方は、気のぬけたビールを飲まされたような気持で、アツけらかんとしている。

　さては「韓国」の今のお役人共に遠慮しているな、と誰もが勘ぐりたくもなる大団円であつたのは、いまだに面白くて仕方がない。

　そこでさいごに、これならば、「見るな」というよりは「見なさい」といつた方が、百万言をついやして、「韓国」のダ落した文化の実体を説明するよりは、手つとり早い説明になつたであろう、と考えさせられたのだが、これは私だけの結果論的偏見であつたろうか。（壬）

　新聞にはスポーツ欄というのがあつて―といいたくなるほどに、このスポーツ欄なるものをほとんどよんだことはないが、ある日、たまたま次のような記事が目についた。

〔ローザンヌ十六日発ＵＰＩ＝共同〕十六日明らかにされたところによると国際オリンピック委員会（ＩＯＣ）は一九六〇年のローマ・オリンピックに北鮮、韓国が統一チームを送ることを歓迎している。統一チームの派遣は九日北鮮オリンピック委員会から提案されたが、マイヤーＩＯＣ主事は「ブランデージ会長がこの問題について韓国オリンピック委員会の李会長と意見をかわしたとの報道は事実である」と次のように語つた。

われわれは韓国側が北鮮との話合いを拒否しないように念を押した。ＩＯＣは政治問題に介入するつもりはないが、オリンピックの旗印のもとであれば、たとい政治的に対立した二つの地域に属していても、統一した形で立派に参加できる。これはメルボルン大会に出場したドイツ・チームの例でも明らかだ。

十二月十八日付の朝日新聞の朝刊である。私はこの記事をよんで「うん、たまにはスポーツ欄もみるべきものだ」と思つたものであるが、われわれは、この記事のことをよくおぼえておく必要があると思う。

なおまた、念のためにここにしるしておくとすれば、朝鮮民主主義人民共和国オリンピック委員会では十二月九日、右のローマ・オリンピック大会への参加準備を討議し、委員長洪命熹の名をもつて南朝鮮、大韓民国オリンピック委員会委員長李起鵬にあてて次のような申入れをおこなつている

一九五七年十二月十八日、朝鮮民主主義人民共和国オリンピック委員会は、第十七回国際オリンピック大会に南北朝鮮体育人たちで構成された単一チームを派遣する問題を討議するため、南北朝鮮オリンピック委員会と体育人たちとが互に会うことを貴委員会に提案したことがある。朝鮮民主主義人民共和国オリンピック委員会は、一年近くになる今日なおわれわれのこの正当な提案にたいし、貴委員会から何らの回答にも接することができないでいることを遺憾に思う。われわれは南北朝鮮体育人たちの団結した力と知恵とをもつて、悠久な歴史を担つている朝鮮民族の栄誉をいちだんと輝かしいものにすることを期待している朝鮮人民と体育人たちとの念願が、南北朝鮮オリンピック委員会と体育人たちとの共同の努力によつてすみやかに実現されるべきであると認める。

朝鮮民主主義人民共和国オリンピック委員会は、第十七回国際オリンピック大会に派遣すべき南北朝鮮体育人たちの単一チーム構成問題を討議するため、今年十二月下旬に板門店、平壌市、京城市いずれかで南北朝鮮オリンピック委員会の代表者たちが互に会うことをいま一度申入れる。

われわれは、大韓民国オリンピック委員会が国際スポーツ舞台に共同で進出するための全朝鮮体育人たちの一致した念願にもとずいたわれわれのこの提案に当然の関心をしめすものと確信する。私はこの書簡にたいし、すみやかな時日内に貴下の肯定的回答があることを期待する。

私がいまこれをかいているのはすでに十二月下旬であるが、われわれはまだ、南北朝鮮側から「肯定的回答」があつたとのニュースをきいてはいない。私、いや、われわれわれはいまもなおこの「肯定的回答」を心から期待するものであるが、同時に、われわれは右の事実をよくおぼえておく必要がある。（肯）

ルポ・学生と子供たち

木造だてのさびれた教室に、五・六十人の子供たちが一心に紙芝居をみつめている。一夜づけの紙芝居屋さんであるY君は、大きな体軀に身ぶり手ぶりの大熱演。ものがたりが進むにつれて、子供たちの瞳は輝く。

ここは、東京駅からバスでゆられること約二〇分、枝川町第二朝鮮小学校の教室。都内の地図をひろげると、東京湾の中央に面した所に、何枚かのセンベイを無造作に投げつけておいたような埋立地、その中の一つである。周囲は、いかにも埋立地らしい索寞とした風景がひろがつており、子供たちの身なりや、からだつきなどからもそれとなく生活の困窮さをただよわせている。一人一人と、ながめているうちに二本だての紙芝居がいつのまにか終つたらしく、室内は急に騒然となつた。

〃他人《ひと》の噂も七十五日〃とは、ここ日本の諺であるが、世間をあれほどさわがせた例の小松川高校事件も、いまは人々の記憶からだんだん遠ざかりつつある。しかし、われわれにとつてはそれがたんなる一つの〃事件〃ではなく、第二、第三の小松川事件がまたいつおこるとも限らない、というのが現在われわれがおかれている立場である。

東大に在学している朝鮮人学生たちのセッツル運動は、このような問題意識からたちあがつた運動である。

記者は、偶つこの方で赤ん坊の子もりをしながら熱心に紙芝居をみていた女の子にはなしかけた。

「きみ何年生？」

「五年生です」あやうげな発音ながらも、きつぱりとした朝鮮語であつた。

「いつも赤ん坊の子もりしているの？」

「ウン」

「おかあちゃんは？」

うつむいたまま口をつぐんでしまつた。

K君の童話がすむと子供たちはどつと運動場へ走り出た。セッツラーたちを中心としてそれぞれの遊びがはじまつた。ソフトボール、ドッチボール、蹴球――と。これらの様子をながめながらK君はいろいろ話してくれた。

この町に住んでいる同胞たちの大部分は、東京都のごみ焼場（都内の塵芥は総てここへ集積されるという）から出る鉄屑を拾つて生活をしているという。それもこの頃は鉄屑の値下りと、トラック上乗り人夫たちに先取りされるということから、文字通りのどん底生活で、朝はやく仕事に出かけ、暗くならないと帰らない。したがつて、子供たちは学校がひけても暗くなるまで帰らずに学校で遊んでいるという。

このような環境であるから、教育に対する父兄たちの関心もあまりなく、すべてを学校まかせということになるが、当の校長先生は、「なにしろ他校の児童たちより、学力も保健も平均以下ですよ。しかしそれはまだしも、いま一番の悩みの夕ネは、不良少年たちの影響から、子供たちをいかに守り隔離させるかが問題です」という。K君の説明によると、この界隈の少年たちが組織しているいわゆる野ら野球のグループは、親分子分関係で結ばれている不良グループで、その勢力がすでに児童たちにまではびりこんでいるという。

いろいろと聞いたり、子供たちといつしよになつてとびまわつたりしているうちに、短い初冬の日はいつのまにか暮れ、あたりはうす薄い夕闇につつまれていた。

運動場のまん中を通つている道路——それを突きぬけるとこの町のいわゆるメインストリートとなり、ごたごたしたバラック建がぎつしりとたち並んでいる。ひとまわりした一行は、うす暗いホルモン屋の片隅に腰をおろした。ホルモンを焼きながらいろいろと語つてもらつた。

最初は五・六人のあいだで話しが出されたのが、学内に意外な反響をよび、今では二十余人が結集され、思想・信条を超越した運動となつているという。経済学部のS君は、「一つの目標に向つてみんなが力を合せるということは実に気持のいいことですね」と、いかにもたのしそうな表情であつた。

いまのところ週に火曜日と土曜日の二回である。火曜日は夜からで、主に幻燈や勉強の指導等をやるが、多い時は百二・三十人もくるという。責任者である医学部のP君は、いままでは自分が朝鮮人であるということに対して、実感としてはどうしても響いてこなかつた。〃民族・国家のため〃とはいうものの、しよせんは観念的な、遠い世界であるように思われ、日本の学生たちが、基地闘争とか警職法反対闘争などに全情熱を注いでいるのを傍でみていると、羨望というより、むしろはげしい空虚さを感じるという。それが、この運動を通して、はじめて自分の民族・国家をぢかに、肉感として触れられたような喜びを感じたという。法学部のI君は「子供たちと接することによつてなにか新しいものを見いだすような感じがする」といい、女子学生の一人Yさんは「朝鮮人学生のあいだで今まで疎遠にしていたのが、この活動を通じて話しあえるようになつてからは、学校やセッツル活動がなによりもたのしみになりました」といつている。

この運動は、たんなる義務感からだけではない。深い自己洞察から発しており、たとえ少しでも力になればと、真剣に考えている。しかしながら、ここにも色々と困難な問題はあるようだ。たとえば、幻燈や紙芝居一つ借りるにしてもかなりの経費がいる。苦しいアルバイト生活をしながらポケットマネーを出しあつている。いまのところはどうにかやつているという。が、果してどこまで続くだろうか。たといいくらかでも援助するという篤志家はいないものだろうか。と記者はつくづく感じたものである。

帰りぎわにK君はこうつけくわえた。

「なにしろはじまつたばかりで、これから先どうなるか楽観は出来ない。しかし、問題が出ればそのつどとりあげて、みんなとの話しあいのなかから一つ一つ解決し、一歩一歩と着実に進んで行くつもりです。さいわいに何回か回をかさねているうちに、ある程度の見通しもついてきました」

静かに語る口調には、力と自信があふれていた。

（編集部　尹記）

旧大阪造兵廠米軍用地すべてが
お前を追いたてている
タングステンを発見した
お前を追いたてている
昨日の
あの男のことを憶いだすな
みだらな鉄の愛撫に
身を任せた
あの男の恐怖を憶いだすな
逃げろ逃げろ
秘密を知つた朝鮮人

○

ひとりの男が死んだ
粘つこい沼の中で
三日も横わつていた
はづかしげに
一個のタングステンをにぎつて

男のすべてが死んでも
一個のタングステンは生きている
やがて誰かが
その固い肌におもいをよせるだろう

男の去つた
貧しい
ブーム・タウンに
いまも鉄の叫び声が
なだれこむ

夜をいそぐ
鉄の叫び声は
海の方から充満してくる
タングステン鉱
七五〇万トンを胎む
南部朝鮮
おびただしい
夜光虫のしぶきを
あげて
あのテキサス・スタイルの
アメリカ資本は
いま海をすべつているはずだ

読書案内

遠藤周作著「海と毒薬」

長谷川四郎

生体解剖というのは読んで字の如く死体解剖ではなく生物を生きているまま解剖することである。これは医学者がなんらかの研究上の必要から人間以外の動物に対して行うものである。まだ生きて動いている内臓器官を切りひらいて点検することは、死んで動かないそれよりも、より多く参考になるにちがいない。医学といつても獣医学でないかぎり、人間の病気を対象とするものであるから、人間を生きているまま解剖してみたいということは、医学者の心中に時として浮ぶことかもしれない。しかしこれは、たとえ学術上からみて有益であるとしても、許されないことである。動物を殺すことは罪ではないが、人間が人間を殺すことは罪だからである。わたしはキリスト教徒ではないが、旧約聖書をよむと、人類最初の犯罪者として記録されているのは、弟殺しのカインである。カインは神を第三者とする嫉妬から弟アベルを殺すが、殺すにさきだつて、というのはつまり犯意を抱いたとき、早くも罪の意識がカインにまといついたことは、神の見破つたところである。〈なんじは、これに打ち克つべきにあらずや〉と神はかれにいつたけれども、カインはアベルにとびかかつて殺してしまつた。ところで、あらゆる嫉妬、あらゆる憎悪、あらゆる物欲から自由で、人間を一個の動物として、ただただ研究心から、その生体解剖を実施するとすれば、どうか。これはすでに人間冒瀆の思想であろう。しかし、解剖の後、傷一つとどめず、もとの健康体に復し得るほど、技術が発達するならば、そして本人の承諾があるならば、必ずしも思考外のことではない。また、ここに一人の医者がいて、万人の病気を治癒せんがため、一個の死に定められたる人間を生きているまま解剖してみたとすれば、どうか。目的は手段を神聖にするであろうか。すでに死刑ということを人間が行つている以上、これは考えられることではないか。以上二つの仮定は、少なくともカイン的な罪の想念からは自由な、一つの課題になりうると、わたしは考える。

遠藤周作さんの「海と毒薬」というお話をよみながら、そんなことはなんにも書いてないけれど、わたしの頭に浮んだのは、右のようなことがらである。戦争中、九州大学医学部において、アメリカ人の捕虜を生体解剖した。その医学上の成果がどんなものであつたか知らないが、要するに手のこんだ殺人にほかならない。すでに戦争である以上、殺人行為であるが、捕虜は戦線外のものであり、これを殺すことはもちろん、虐待することも国際法で禁じられている。この戦争において、日本はあくまで加害者であり、沢山の戦死した日本人も犠牲者ではあるが、つまりは相手の正当防衛の結果として殺されたのである。かてて加えてこの生体解剖や細菌兵器の生体実験を日本はやつた。遠藤周作さんはこの戦争に対する日本人の罪悪感がこの生体解剖の実施者に集中的に現われているとみて、これを小説に仕立てたのにちがいない。

そして遠藤さんはそれを日本人の罪の意識という点から、いわば形而上的にみようとしているように思われる。ここで遠藤さんのみている日本人は、暗い罪の意識に苦しめられてはいるが、また同じ状況になれば再び同じことをくりかえすであろうという、永却回帰的な絶望的なものである。何故なら、日本人には神が不在だから、とまでは言っていないが。

　小説の出来不出来など問題でない。可もなく不可もなしの一語でかたづけていい。いわゆるリアリズムなるものの手品にすぎない。勝呂という医者がしやあしやあして大病院の院長になっていいようと、妾を五人もつていようと、いつでも捕虜を生体解剖してやると放言しようと、自殺しようと、乞食になろうと、修道院に入ろうと、ベストセラーの告白ものを書こうと、一等重役になつていようと、そんなことはいつこうかまわない。どうでもお好きなように、或いは深刻に、或いは憂鬱に、或いはおもしろおかしく、書くがよい。そんなことは問題でない。大切なことは、また同じ状況になつたら、同じことをくりかえすだろう、などと、たぶん警告のつもりであろう、いいかげんな、知つたかぶりを、深刻めかして言わないことである。

　と、ここまで書いたところへ、電話がかかつてきた、曰く、あれはまだ結論がでてないんですよ、続篇で書くつもりですが、なかなかむつかしい問題でしてね、それあ、わたしだつて、あやまちはくりかえしませんというのはわかりますよ、問題は、「泥棒論語」ではないですが、戦争か平和か、しかし、ああ、第三の道はないか、というやつです、わたしは、その、第三の道はあると思つています、いや、両陣営以外の第三の道なんていうつもりはありません、正真正銘の第三の道、つまり革命です。電話の相手は遠藤周作と称していたが、たぶん偽電話だつたろう。上には上があるものですな。

×　×

読書案内

陸井三郎著

社会主義対資本主義

——米ソ角逐する現代史——

権寧旭

マルクスは、一八四八年に「一つの怪物—共産主義の怪物がヨーロツパを彷徊している」(共産党宣言)と述べたが、この「怪物」は一九一七年には、現実の社会として世界の一角に立ちあらわれた。ロシヤ革命による社会主義社会の誕生がそれである。以来、社会主義対資本主義の現実の対決が開始される。しかし、いまや、この対決は、全人類の三分の一が社会主義となり、社会主義は、資本主義と並んで存在する世界体制となつたという結果をもたらした。

　著者は、「どうして、このようなことがおこつたのだろうか。また、社会主義が世界体制に成長するまでの四十年間に、資本主義は、また、とくにアメリカは、どういう道のりを歩んできたのだろうか。さらに、『競争的共存』といわれる米ソ関係、資本主義と社会主義との関係は、現在どうなつているのだろうか。この関係は、また、こんご、どう発展していくのだろうか。」という問題設定のもとに、「こういつた問題をできるだけ具体的に、事実にそくして考え事実の側から理論や思想の価値にさぐりを入れてみる」(まえがき)というユニークな方法によつて、興味ある現代史を書きあげている。

　この本は、カッパ・ブックという性質からして、学術書のような固いものではなく、大衆向けの一般啓蒙書として気軽に読めるように工夫され、叙述も極めて平易なものになつている。しかし、内容は低いものではなく、プロローグ、Ⅰ米ソ現代史、Ⅱ二つの民主主義、Ⅲ社会主義対資本主義、Ⅳ米ソ競争の現状、を通して社会主義の現実的な、理論的な優越性が、見事な手法により説得力をもつて語られている。専門家が読んでも得るところは決して少なくない筈である。

猶、「ソ連自身が立てている目標は、『重要品目の生産で』十五年後にアメリカを追いぬくことである」と述べているのは正確ではないように思われる。一九五九年から実施される新七カ年計画は、フルシチヨフ報告草案には、「ソ連の生産力発展のテンポの優位は、本七カ年計画終了後約五年のうちに人口一人あたりの生産高で米国に追いつき追いこすための現実的な基礎をつくりだすだろう。」（十一月十四日、朝日夕刊）と述べており、はるかに雄大な見通しがたてられている。しかし、これは、本書の欠陥というよりは、二三カ月間（本書の出版は八月）に米ソ角逐する現代史がどれほど躍動的に展開しているかを物語るものであり、逆に、本書一読の必要性を示しているといえるのではなかろうか。

最後に、結末の文章を引用しておこう。「私たちは、米ソ二大陣営の谷間におかれているとか、米ソいずれの陣営にも属さずとかいうような、いわば二つのものを二で割つたような、中途半端でいい加減な立場をとつていることはできない。思想のたたかいのほんとうの意味をよくつかみ、ほんものとニセモノをよりわける能力をつちかつて、この世界的な渦巻と流れのなかで、どう自分たち自身を処していくか、―私たちは、国民としても、個人としても、本気で考えてみるときにきているのではあるまいか。

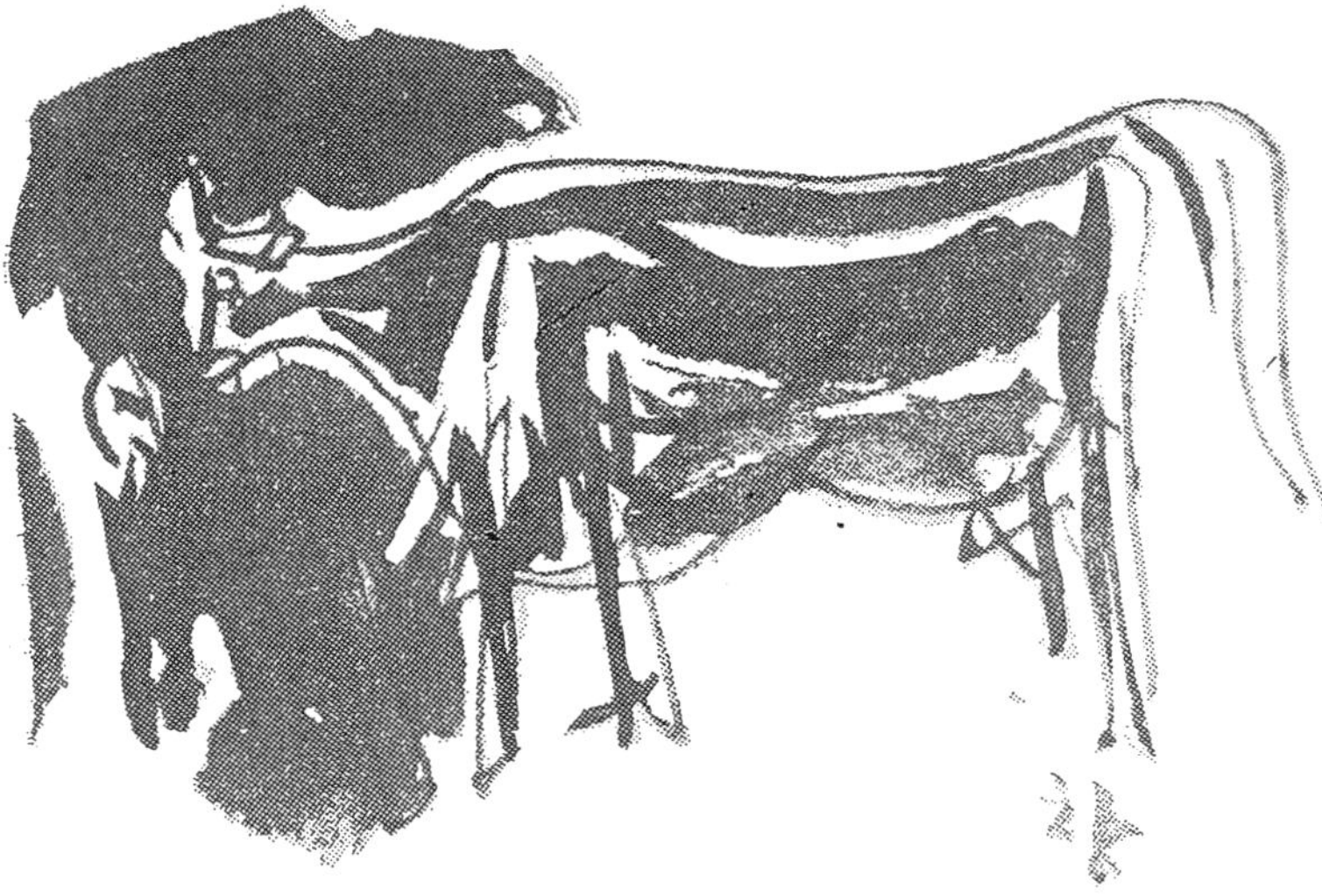

まくわ瓜と皇帝

金達寿

私は京城にいた。そしてハズカシイはなしであるが、毎日、腹をすかしていた。太平洋戦争がさかんなころで、食べ物が街から姿を消していたということもあつたが、しかしあるものさえあれば、それを手に入れることはさほど困難でないことは、朝鮮とておなじことであつた。

当時、私は朝鮮最大の新聞である、つまり総督府の機関紙であつた京城日報の社員であつたが、それがキミョウなことに、朝鮮でありながら私はその朝鮮人であるということで、月給はすべてを合わせても七十円であつた。日本人はこれの約倍であつたが、私はそのなかから盛りきり二食つきの下宿代を、五十五円払わなければならなかつた。たばこも吸う。二十三歳の私は、うつ屈したものを抱えながらいつも腹をすかしていたのだ。

秋だつた。街には、いつときだけハンランするようになるまくわ瓜が出盛つていた。いま夕飯を食つたばかりであつたが、私はそつと下宿の部屋を抜けでて、かくしのなかの二、三十銭をたしかめながら通りにある青物屋へ向つて歩いていつた。日は暮れていたが、まだそう暗くなつてはいなかつた。

　青物屋の横に立つている制服の憲兵が目に入つた。私は何とはなし、ドキリとした。それというのは、私は二、三日まえの明け方ねているところへ、彼らに土足のまま踏み込まれたばかりであつた。別に何かがあつたわけではない。そういうことは、しじゆうあることであつた。

　しかし、私はそうしてドキリとしたことで、大股で通りへでていつた。通りを横断した向うが青物屋である。まくわ瓜をたくさんつみ上げてある。それが、憲兵といつしよにまつすぐのところにみえる。が、どうしたことか、その通りはばかにしんとしてみえて、人つ子ひとりとおつてはいない。憲兵といい――、また、何があつたというのだろう。

　私は通りを前にして、立ち止つた。そこには私のほかにも二、三人のおかみさんが立つている。多分、私はけげんな顔をしてそこらをみまわしたのであろう。あるいは、ちよつと恐怖の顔だつたかも知れない。

「李王が、とおるんだそうですよ」

　ききもしないのに、そのうちのおかみさんの一人が、私に向つてささやきかけるようにしてそつといつた。近所のかみさんだつたかも知れない。

　ああ、そうか、と私はまた何とはなしに腹のものが下へさがるような思いでうなずいた。と同時に、私は三、四日まえの新聞紙面を思いだした。そこには李王殿下、つまり本来ならば第二十八代目の朝鮮国王となつたはずの李王垠が展墓のために帰郷したということがかなり大きく報じられ、李朝時代の古式に則つた服装でそれに向う写真もでていた。

　私はその写真をあるカンガイをもつてながめたが、しかし、彼にたいしては、別に興味はなかつた。あるとすれば、それはむしろ悪意に近いものであつた。それで展墓もヘチマもあるか、という――。

　が、考えてみれば、彼もあわれでなくはなかつた。私は、日本での小学校の教科書か何かにのつていた彼の一枚の写真のことをおぼえていた。それはたしか彼が十二歳かそこいらの皇太子のころのことで、伊藤博文につれられて日本へきた写真であつた。そのころの彼は、それがいつたい何のことだかもよく知らなかつたにちがいない。自分がどうなるのかも知らなかつたにちがいない。そのまま、彼の運命はずるずるときめられたのだ。展墓とかその他以外のことでは、そうかんたんには朝鮮へも帰れまい。

　私は、おかみさんたちにまじつて立つていた。通りをわたろうにも、交通が遮断されているのでわたれなかつた。すると、私にもちよつと興味がわいてきた。李王殿下というのはいつたいどういう顔をしているのだろう、一つみてやれ、と思つた。本来ならばこの朝鮮という国の皇帝といわれるものであつたはずだが、その皇帝というのはいつたいどういうものなのだろうか。おじぎをさせられるようではコマルが、あたりの警戒ぶりや人々のようすからして、そういうことはなさそうだ。

　人々といつても、それは大勢たくさんいるというわけではなかつた。そこは、光化門通りを入つて突きあたりの総督府から右に折れた、司諫町をへて安国町、景福宮へいたるゆるい坂道でもともと人通りの少いところでもあつたが、とおりかかつた数人のおかみさんなど、ただ道をとおれないためにそこに立ち止つているといつたものがうす暗がりのなかにちらほらとみえるだけである。向いの青物屋の主は、人がよりつかないものだから、店の外へでて不満そうに腕を組んで突っ立っていた。

李王垠は陸軍中将の肩書きをもっていたからか、警官の姿はみえず憲兵が立っているだけで、それも私がさいしょに目にとめたその青物屋の横にいる一人のほかはみえなかった。と、その憲兵がひとりで気をつけの姿勢をして、直立不動の姿勢をとった。

右手の総督府の方から、憲兵のオートバイに先導された黒い自動車が一台、ゆるい速度でやってきた。私は、前をとおりすぎるのを待った。近づいてきた。向うにいる憲兵が直立不動の姿勢のままくるっ、くるっとまわってうしろ向きになった。あたりはうす暗かったが、しかし車のなかはルームライトがついているので、かなり遠くからも彼の坐っている姿ははっきりとみえた。

彼はどこへいってのかえりなのか（総督官邸へあいさつにいったのかも知れない）、陸軍中将の軍装で一人きりであった。わりに太って、頰の筋肉のダブついているところなど故高宗・李太王の写真とそっくりの顔であった。そして私は、その彼に向って思わず背をかがめるかして、会釈をするところであった。するというよりは、かえすといった方が適当であったろう。

というのは、李王垠は何とも、何といったらいいか、固い悲しげな表情をして挙手の敬礼をしていたからである。私は会釈をかえすかわりにあたりをみまわしたが、誰も彼に向って礼をしているといったものは一人もいなかった。そばにいる二人のおかみさんは身体をこちらへさし向けるようにして横目でその車をみすごしているのであり、向うの青物屋の主はあいかわらず腕を組んだまま突っ立っていた。一人いる憲兵さえも、それがそのときの彼らの方式らしく、向うをむいたきりであった。

つづいて、私は目をみはった。李王垠のその敬礼は何もそこにたくさんの人々が堵列しているから、あるいは誰かが礼をしたから、手をあげてしたというものではなく、彼のそれは、車が道路にではじめたときからはじめられたものらしいのであった。あるいは、心のなかでは、日本からこの朝鮮に上陸すると同時にはじまったものかも知れない。私は彼の車が坂をのぼりきってみえなくなるまで見送っていたが、そのあいだも彼はずっと手をあげたままであった。バックガラスにうつる肘は、あたかも向うの憲兵の不動の姿勢のようにうごかなかった。

憲兵はまたくるっ、くるっとまわってこちらに向きをかえた。彼はほっとしたように姿勢をくずし、ちょっとあたりをみまわしてまごまごしたかとみると、どこへともなく歩き去った。道路には人がうごきだした。私もそこを横断して、青物屋から二本のまくわ瓜を買った。

私はまくわ瓜をもって下宿の部屋へかえると、それを机のうえへ投げだしたまま坐っていた。いまみてきた李王垠の姿が、頭から離れなかった。それといっしょに腹をすかしてまくわ瓜をぼりぼりと食っている自分の姿が遠景の一つのようにうつり、そしてその遠景のなかには自分がいままで経験してきた、またみてきた朝鮮人のみじめなさまざまな姿が二重うつし、三重うつしとなってあらわれた。

私ははげしくかぶりをふり、まくわ瓜の一つをとってばりつばりっと音を立てて嚙った。水っぽい味であった。……

ラジオ・ドラマ

沈清伝

（朝鮮古譚より）

村山知義

人物

沈清　十五歳の孝行娘
沈学圭　その父、年老いた盲人
参月　張家の女中
船主　定期貿易船の船長
舟乗り一、二、三、四
夢雲寺の和尚
乙順　沈清の友達の少女
隣のおばさん
解説者

○　M――テーマ音楽

○　紹介アナウンス

解説　時は李朝の中葉、所は黄州の杜花洞《とかどう》という小さな村。日射しがそろそろ強くなる或る初夏の朝、村人たちは刈り入れた麦を搗《つ》くのにいそがしい。

○　麦搗きのコーラス（ＯＦＦ）

とととん、とん、とん、それ搗け
えいさ、えいやさ、麦搗き、
娘と若者、仲よく働け、
とととん、とん、とん　麦搗きだ。
えいさ、えいやさ、麦搗き

どこがいいとて、おらが村が一番、
とととん、とん、とん、麦搗きだ。
（このコーラスと足踏みと手搗と両方の麦搗きの音とをB・Gにして）

沈老人　清《せい》よ！――清よ！――娘はいないか？――

沈清　（OFF―ON）はい――はい、ここです、お父さん、どうして出ていらしつたの？

沈老人　お前一人を働かせて、気の毒でなあ、家でじつとしてはいられなくなつたのだ。

沈清　お父さんは目が見えないのだから、働けないのは当り前ですわ。

沈老人　手を貸してごらん、ずいぶん荒れたなあ。

沈清　いいえ、これは麦の糠《ぬか》がついているのです。それよりもお父さん、口をアーンとあけて下さいな。

沈老人　また何か食物かい？

沈清　何でもいいから、あけて下さいな。

沈老人　（口を開けて食べる。）ほう、これは草餅じやないか。

沈清　ええ、隣りの小母さんが、お父さんに上げて下さいつて、持つて来てくれたの。

沈老人　なあに、お前にくれたんだよ。だつてわしにはさつき持つて来てくれたもの。麦搗きでお腹がすくだろうに、なぜ自分で食べないんだ。

沈清　私はもうたくさん食べたんです。

沈老人　うそばかりいつてる。お父さんのことを思つてくれるのは有難いが、万一お前が病気にでもなつたら、もうどうにもならないのだから、気をつけておくれよ。

沈清　大丈夫ですわ。私の身体はぶつても叩いても参りやアしないんですから。（見附けて）あら、張さんのとこの参月《さんげつ》さんじやない？どうして、そんな所に立つているの？

参月　だつて二人でとても楽しそうだつたから――私も一ぺんでいいから、お父さんとそうやつて話がして見たい。

沈清　お父さんのない人は本当にお気の毒ね。

参月　あのね、うちの旦那様がね、沈清さんにぜひ会いたいんですつて。

沈老人　え？清《せい》に会いたいんだつて？

参月　清さんの噂がとても高いので、ぜひ一度お会いしたいというのです。

沈老人　もつたいない話だ。お前早く行つておいで。

参月　お父さんは私がお宅へおつれするから、すぐ行つてね。

M　短いブリッジ。

E　百姓たちのガヤガヤ。

船長　（大声で触れる。）俺たちは船乗りだ。お上のおいいつけで、南の方の国々と、貿易をしている者だ。ところがえらく海が荒れて、どうしても海の主《あるじ》にいけにえを捧げなくちや乗り切れねえ。いけにえは当年とつて十五歳の乙女だ。

百姓一　なんだと？娘をいけにえに捧げるんだと？

百姓二　とんでもねえことだ。

船長　金はいくらでも出す。十五歳の乙女がなければ、お上のお仕事が果せねえ。身を売る娘はいねえか？金はいくらでも出すぞ。

百姓三　金で人の命を買うのだと？

百姓四　世の中には、とんでもねえことがあるものだ。
百姓五　よくもそんなことを、真昼間に、いつて廻れるもんだ。
百姓一　この村にやアな金で身体を売るような娘は一人もいねえぞ
百姓二　そうだ、そうだ。この近所にやア、そんな娘はいやアしねえ。
百姓三　さあ、とつととうせろ！うせろ！
百姓四　二度と二たたび、そんなことを触れ歩いたら、叩きのめすぞ。
E　百姓たちのガヤガヤ遠ざかる。
船乗り一　船主《ふなぬし》さん、ここは駄目ですよ。早いとこあきらめて、よそへ行こうじゃありませんか。
船主　ばかいえ。金さえ出しや、娘の一人位手にはいらないことがあるもんか。あつちの方へ行つて、もう一度触れて見よう。
M　短いブリッジ。
船乗り一　あツ、あぶねえ。やいやい、何でもつと気をつけて歩かねえんだ？——なんだ盲か。
沈老人　へい、どうも、あいすみません。目が見えないもんでございますから。
船乗り一　盲じやア喧嘩にならねえや。
船乗り二　ちえツ、縁起でもねえ、村の者にやア聶ずかれるし、盲にやアブツかるし——
船乗り三　行こう、行こう。（OFF）
E　夕の鐘。
沈老人　あれは夕の鐘だのに、娘はまだ帰つて来ない。張旦那の家の帰りに、何かあつたに違いない——ええと、ここいらに橋があつたな——あ、そうだ、ここから左へ曲つて、橋を渡ると——そうだ、ここだ、ここだ——あツ、あツ——
E　ドブーンという水音。
沈老人　（水をはねとばし、アツプ、アツプしながら）あツ、助けてくれ！——助けてくれ！——だ、誰か——た、たすけて——清や！——清や！——助けてくれ！
和尚　（OFF－ON）誰だ？誰だ？——あツ、大変だ！待て、待て、今すぐ助けて進ぜるから、それ、この捧につかまりなさい——そら、ここだ、ここだ！目が見えないのか？——おや、沈老人だな。それこの捧につかまるのだ——
M　ブリツジ。
和尚　南無阿弥陀仏、南無阿弥陀仏——さ、あんたの家に着いたぞ。いやあぶないところだつた。さ、早く濡れた着物をぬいで、上にあがつて、火で暖まりなさい。着換えの着物はどこにあるね？
沈老人　へい、戸棚にはいつております。
和尚　うん、これか。
沈老人　へい、あいすみません——二十《はたち》の時に生れもつかぬ盲になり、一人娘を生むとすぐ家内に死なれ、貧乏しながら死にもせず、とうとうこんな目にあつてしまいました。
和尚　それもこれも、前世の悪業《あくごう》のためじや。阿弥陀様にお願い申して、その悪業を洗い落して頂けば、しあわせが廻《めぐ》つてくる。目もあきますよ。
沈老人　えツ、阿弥陀様にお願い申せば、この三十年このかたの盲の目があくのでございますか？
和尚　阿弥陀様のお力は限りがない。持つているものは何もかも捧げて、おねがいすれば、阿弥陀様はきつとかなえて下さるのじや。
沈老人　ああ！目さえあけて頂けるなら、なんでもいたします。
和尚　私の寺の本堂は、古くなつていまにも頽《くず》れ落ちそうだ。私は今、その建て直しのために勧進《かんじん》しているのだが、お前さんも三百石供養しなさい。そうすれば、きつと目をあけて下さるに違いない。
沈老人　えツ、三百石？
和尚　三百石でも少いくらいだが、お前さんは阿弥陀様にご縁のある人だから、その位でかなえて下さるだろうと思うのじや。
沈老人　私が阿弥陀様にご縁があるとは？
和尚　そうではないか。私が隣村に勧進に行こうと思つて歩いていると、橋のたもとへ行け、橋のたもとへ急いで行け、と誰かが耳のそばでいうのじや。で、急いで行つて見たら、お前さんが溺れかけていたのじや。これで見ても阿弥陀様がお前さんに目を掛けていらつしやることがよくわかる。南無阿弥陀仏、南無阿弥陀仏
沈老人　（おどろいて）ほう——では、三百石捧げれば、本当に私の目が——
和尚　隣村の趙の家の次男は、三百五十石供養してせむしがスツクリとなおつた。足なえの李さんは、十反歩《たんぶ》の畑を捧げて、足をシヤンと伸ばして頂いた。
沈老人　私は足腰はちやんとしておりますから、目さえあけば、どんなにでも働けます。娘に苦労もかけないですみます。もし和尚さま！何としてでも三百石供養いたしますから、私の名前をはつきりと勧進帖に書き込んで下さいませ。
和尚　よしよし、ここに勧進帖を持つているから、そら、書き込んでおくぞ——黄州杜花洞、盲人沈学圭、目明き発願《ほつがん》のため、供養米三百石施主《せしゆ》——
沈老人　ありがとうございます。
和尚　日限《ぎ》りは来月の十五日じや。間違えると阿弥陀様に偽りを申上げたということになつて、罰が下るぞ。よいかな。それ迄は南無阿弥陀仏、観世音菩薩と、よう、お念仏を申していなさいよ。では、これで失礼する。
沈老人　ご苦労さまでございました。
和尚　（→OFF）南無阿弥陀仏、南無阿弥陀仏——
沈老人　南無阿弥陀仏、観世音菩薩——
乙順　（OFF—ON）清さん、清さんはいないの？
沈老人　誰？誰か来たのか？
乙順　乙順よ。清さんはお留守？
沈老人　ああ、ちよつと出掛けて、まだ帰つて来ないよ。
乙順　そう。あのね、昨日、うちの麦搗を手伝つて貰つたので、お母さんがそのお礼にツて麦をこれだけ上げてくれつて。
沈老人　そうかい。それはわざわざ有難う。
乙順　じや縁側《えんがわ》に置いて行くわ。清さんが帰つたら、今夜、うちへ刺繍《ししゆう》しに来るようにいつて頂戴な。
沈老人　うんうん、いうよ。
乙順　じや、さよなら。
沈老人　麦搗のお礼に麦を持つて来たといつたな。どれどれ、どこに置いて行つたのかな。
E　麦を入れた鉢を引つくり返し、麦がこぼれる音。
沈老人　あツ、しまつた！麦がすつかりこぼれてしまつたらしいわ

い――（フッと気附く）あッ、わしは大変なことをしてしまったぞ。娘が賃仕事をして、やっと食つている身で、どうして三百石の米が都合出来よう。気が狂つたに違いない。お、和尚さま、目なんかあかなくてもいいから、どうぞ勧進帖から私の名前を消して下さい！――ああ、どうしたらいいのだ？家財道具一切売つたとて、三石にもなりやアしない。とんでもないことをしてしまつた――。

沈清（OFF―ON）お父さん、只今――

沈老人　おお、帰つて来たか。

沈清（おどろいて）あら、どうしたの？この濡れた着物は。

沈老人　米搗場の裏の流れで、足を洗つていて滑つてね。

沈清　まあ、それで、どこも怪我はなさらなかつたの？

沈老人　いや、怪我などしない。それよりお前、こんなに遅くまで、どうしたんだ？

沈清　それがね、とんでもないお話なの。張さんちの旦那さま、奥さまが、子供がなくて淋しくて仕様がないから、私に養女になつてくれないかツておつしやるの。

沈老人　えツ？お前を養女に？

沈清　でも私はもちろん、家の事情をよくお話しして、お断りしました。そしたら、お父さんの夏の着物を作つておあげツて、木綿を二反下さいました。ほら、これです。

沈老人（物思いに沈んで）ほう、有難いことだ――だが、あの張さんのような、お金持の娘になれたら、何不自由なく、どんなにでも楽しく暮せるだろうに。

沈清　ところが旦那様も奥様も、一日中沈んでおいでで、ちつとも楽しそうじやないんです。たとえ貧乏でも、私の家の方が、どんなにいいか知れやしません――あら、お父さん、何だか顔色が悪いわ。私の帰りが遅いので、怒つてるんじやないんですか？

沈老人　いいや、そんなことじやアない。

沈清　じや、どうなつたんです？ね、かくさずにいつて下さいな。ね、お父さん！

沈老人　じや、仕方がない。本当のことをいおう。さつき夢雲寺の和尚さんが見えて、わしの目は前世の悪業のためだから、供養米三百石の施主になれば、きつと目があくといわれ、来月の十五日までにきつと捧げると、勧進帖に名を書いてしまつたわい。

沈清　まあ、それはよかつたわ。お父さんの目があいたら、どんなにうれしいでしよう！

沈老人　だが三百石をどうして手に入れるのだ。これから夢雲寺に行つて、早く名前を消して貰わなくちやア。

沈清　いえいえ、お父さんの目があくというんなら、どんなことでもして三百石を手に入れましよう。私が何とかしますから、どうか気にしないで下さい。

沈老人　一ぺん勧進帖に名を書いて、取消したら、仏罰が当るといつていたが、和尚さんにたのめば何とかして取りなして下さるだろう。明日、取り消して貰うことにするから、気にしないでおくれ。

M　静かな、祈りの曲。

沈清（祈りの歌）

お情け深い阿弥陀様
人の二つの目というものは
太陽や月と同じもの。

太陽と月がなかつたら
この世はないも同じこと。
お父さんの目があくならば
私は百度死にましよう。
お情け深い阿弥陀様
哀れな者の願いを聞き
お父さんの目をあけさせ給え。
お父さんの目をあけさせ給え。

M　それが陽気な娘たちの水汲みの歌に変る。

娘たち　えへや、水汲もう
えへや、水汲もう
泉の水が溢れる。
しなやかな手でサツと汲めば
銀色の水が
かめの中でゆらゆら。(↓B・G)

乙順　船乗りたちが、まだうろうろしているわ。あれからもう一ト月にもなるのに。

隣のおばさん　身を売る娘をまだ探しているのだね。もしかするとお前さんを狙つているのかも知れないよ。

乙順（叫ぶ）きやア……いやだ！

隣のおばさん　噂をすれば影、あそこへやつて来たよ。

乙順　こわい！早く逃げましよう。

船乗り一（OFF—ON）これでは旅にどうも間に合いそうもない。困つたなあ。

船主　最後の一とふんばりだ。元気を出してやつて見よう。えへん、えへん。娘さん、水を一ぱい呑ませて下さい。

沈清　はい、はい、どうぞ。

船主　ああ、うまい。あんたの家の水はうまいですね。運の開《ひら》ける家の井戸の水はうまいものですよ。

船乗り二　去年の娘の家は三百石貰つて、それをもとでに、大きな店を開いたつけな。

船乗り三　山のように積み上げた三百石の米を、今年はどこの家の娘が手に入れることやら。

船主　娘さん、ありがとうよ。さあ、もう少し廻つて見よう。(↑—OFF)

和尚（OFF—ON）南無阿弥陀仏、観世音菩薩、南無阿弥陀仏—お施主さん、お早よう。

沈老人　ああ、夢雲寺の和尚さま。

和尚　ずつと念仏はとなえておいでかな？

沈老人　はい、称えております——が、和尚さま—多勢の中には、勧進帖に書いた供養米を期日迄に捧げることのできない人もいるでございましようね？

和尚　万人に一人ぐらいはいるがね、恐ろしい罰を蒙りますよ。私が開法寺にいた時、或る金持の家が、火事のために家運が傾いて、供養米を捧げられなかつた罰で、息子が三人とも、びつこ、せむし、めくらという不具者《かたわもの》になつてしまつたことがあつたつけ。では、また伺います。南無阿弥陀仏、観世音菩薩（—OFF）

沈老人　ああ恐ろしい！恐ろしい！いつたい、わしはどうしたらいいのだろう——清や——清や——おや、さつき、裏の井戸で水を汲んでいたが、どこへ行つたのだろう？　——清や——清や——

（—OFF）
M　短いブリツジ。
船主（よろこび勇んで）よしよし、よく決心してくれた。じやア白米三百石、すぐに夢雲寺に運ばせるよ。船出《ふなで》は十五日だから、その日を忘れちやいけないよ。
沈清　自分で進んで売つたこの身体、船出の日を忘れたりするものですか。
船主　よしよし、じや、十五日の朝、あんたを受け取りにくるからね、待つていておくんなさいよ。
沈清　はい、じや、供養米をきつとたのみますよ。
船主　大丈夫だ、受け合つた。
船乗り一　ふむん、驚いた娘だな。身を売つて供養するんだとよ。
船乗り二　孝行な娘じやアあるが、さて、果して供養で目があくもんだろうか？
船主　金や米を出して目があくもんなら、金持にめくらは一人もいない筈だ。
船乗り三　じや、娘は無駄死ツてわけか？
船主　何の無駄死なもんか。おかげでこつちの航海が安全というわけじやねえか。
M　短いブリツジ。
沈清　お父さん、ただ今。
沈老人　おお、さがしていた。どこへ行つていた？
沈清　お父さん、供養米の都合がつきました。
沈老人　えツ？
沈清　もう今ごろは夢雲寺にはこび込まれたころでしょう。
沈老人　どこで、どうして、手に入れたのだ？
沈清　張さんの奥さまに、養女になるお約束をして、三百石頂戴したのです。
沈老人（よろこんで）ほう！そうかい。それならお前もしあわせになれるし、わしの目もあくというものだ。一つ家に暮せなくなるのは淋しいが、お前のためにもよろこばにやアならんことだ。よかつた！よかつた！で、張さんのお宅へはいつから行くんだね。
沈清　来月の十五日に四人かきの轎《かご》を迎えによこすといつておいででした。
沈老人　日取りもいいわい。丁度わしの目のあく日じやないか。きつと晴着も下さるだろう。お前の美しく着飾つた姿をこの目で見ることができるのだな。
沈清　ご飯を食べたら、お母さんのお墓に、一しよにお参りしましよう。
沈老人　うん、いいことに気がついた。お母さんも、きつとよろこんでくれるだろう。
沈清（こらえられず泣き伏す。）
沈老人　泣くことはない。女というものは大人になれば嫁入りして、父の家を離れるものだ。お前も張さんの家へ、お嫁入りすると思えばいいのだ。
沈清　いいえ、私は——もう、お米の心配をしなくてもいいと思つて、うれしくて泣いているのです。
沈老人　そうか、そうか、お父さんも、うれしさやら悲しさやらで、胸がいつぱいで、何といつていいかわからないよ。
M　よろこびの音楽が、淋しい悲しみの曲にかわる。（—B・G）

沈清（独白）今日お別れして、やがて大海の藻屑になつてしまつたら、お父さんのお世話は誰がしてくれるだろう――生れた時からあの家この家と乳を貰い歩き、育てて下さつたお父さん――今日からは、一人ぼつちで、どんなにお淋しいことだろう――せめてこの着物一枚でも、早く縫い上げて、今年の冬が寒くないように、おさせ申さなくては――

M　短いブリッジ。

E　雞のトキが遠く近く。

沈清（独白）ああ、いよいよ、最後の夜があけた。死ぬのは悲しくはないけれど、お父さんの淋しさを思うと――沈んで行くお月様、上つてくるおてんとう様、どうぞお父さんを守つてあげて下さいまし――

E　犬の吠声（OFF）

船乗り一（ひそめた声で）まだ寝ているらしいな。まさか今日を忘れたんじやねえだろうな。

船主　忘れる筈があるもんか。ほれ、井戸端へ出て来たぞ。

沈清　お父さんがまだ眠つているから、小さい声で話して下さい。

船主　用意はできたかね？

沈清　お父さんに朝ご飯を炊いてあげて、別れの挨拶をする時間を下さい。

船乗り二　まだ話してないのかい？

沈清　隣のおばさんだけには話したけれど、お父さんには、どうしてもいえなくて――

船主　よしよし、待つことにしよう。あまり長くならんようしておくんなさいよ。じや、またあとでな。

M　音楽（―B・G）

隣のおばさん（OFF―ON）清さんや、清さんや、お前とうとう行くのかえ？

沈清　ええ、どうかお父さんをよろしくお願いします。

隣のおばさん　そんなことは、いわれなくたつてするけれど、私の乳で育てたお前が、死にに行くというのに、とめられない貧乏がなさけない。ああ、貧乏ほど悲しいものはない。（泣く。）

沈老人（OFF―寝ぼけて、叫ぶ）だ、だれだ？泣いているのは？――清！清！清はどこにいる？

沈清　誰も泣いてなんかいませんよ。お父さん、何を寝ぼけているの。今、ご飯をつくつているところよ。さあ、できました。たくさん食べて頂戴。さ、アーンと口を開けて。

沈老人（食べながら）おやおや、これは大変なご馳走だ。張さんの家へ行くので、お祝いだな。

沈清　ええ、お父さんと一しよに食べる最後のご飯ですもの。

沈老人　何が最後なものか。ばかなことをいうものでない。これからも時々、行つたり来たりして、一しよに食べることはできるさ。お父さんは今、目の覚める前に、とてもいい夢を見ていたよ。

沈清　まあ、どんな夢？

沈老人　お前がね、キラキラ光る冠をかぶり、五色の花馬車に乗つて、天にのぼつてゆくのだ。わしが、おおい、おおいと呼んでいるのに、お前はどんどんのぼつて行つてしまう――

沈清（こらえきれずに泣き伏す。）

沈老人　清！清！どうした？何を泣くんだ？

沈清　お父さん、すみません、私、お父さんにうそをついていました。
沈老人　なに？うそをついた？いいよ、お前なら、いくらうそをついたつて何でもない。
沈清　張さんとこへ養女に行くといつたのはうそです。実は南の貿易船に三百石で身を売つたのです。
沈老人　えツ、な、なんだと？　そんなことを何でわしに相談せずに、勝手にきめた？わしはこの目を売つてでも、お前を丈夫に育てたいのに、お前の身体を売つて、目をあけようなど何で思うものか！目があいたとて、何がうれしいものか！
船主　時間が来ましたよ。出掛けましょう。
沈老人　貴様が娘を買おうという船乗りか。分別もない娘をだまして、生きながら海に沈めようとする人非人め！
船主　何してる！早く引つ張り出せ！
沈老人　ええい、わしも一しょに殺せ！——清！清！いつちやいけないぞ！
船乗り一　ええい、邪魔するな！
沈清　お父さん、どうか諦めて下さい。どうか末長く、しあわせにおくらし下さい。
沈老人　いやだ、いやだ！清！——清！
沈清（ＯＦＦ）お父さん——おしあわせに——お父さん——さようなら——
Ｅ　舷をうつ波音。太鼓の音、たくさんの櫓《ろ》のきしみ（—Ｂ・Ｇ）
船乗りの合唱　おきや　へーや　えーやーはー
　岩も多けりや
　風も強い
　額《ひたい》は汁の玉だらけ
　おきよちや　おきよちや
　空と海との
　けじめがつかぬ
　おきや　へーや　えーやーはー
　おきよちや　おきよちや
船主（叫ぶ）海が荒れるぞ。早く乗り切れ！
Ｅ　波音高くなり、風も烈しくなる。太鼓と櫓の音が急調になる。雷鳴がはためく。（—Ｂ・Ｇ）
船主　帆をおろせ！
（大声で祈りをあげる）
海の王様！　お求めによつて、当年十五才の乙女を、捧げます。
どうか波風をしずめ、無事航海できまするよう、お守りまいらせ
（沈清に）それ、娘、早く水の中へはいりなさい。
沈清　お父さん、不孝な娘沈清、ただ今海にはいります。どうか阿弥陀様の霊験で、目をあけて下さいまし。
船主　さ、遅れると大変だ。早く、早く。
沈清　船の皆様、無事に航海を終えてくにに帰つたら、杜花洞をたずねて、私の父の目があいたかどうかをたしかめて、次にここを通る時、海に向つてお知らせ下さい。私の魂はきつとここで待つておりますから。
船主　よしよし、そうしてやろう。
沈清　お父さん！おしあわせで！
Ｅ　水に飛び込む音。
Ｍ　エンディング。

（前篇、終り）

近代日本文学における朝鮮像（二）

——研究ノート——

朴 春 日

星の瞳の猛くもなりぬ
稲児なす覇気《きょい》の已むに難くて
八道の野に墓求めにか
帰れ弟夕の鳥の
林の中に没《い》る如帰れ

……………………

これは、つい最近まで忘れられた存在であつた小杉未醒氏の反戦詩であり、西田勝氏によつて発掘、紹介されたものである。ここに掲げたものは、その詩集『陣中詩篇』の中の『帰れ弟』と題する詩の冒頭の一節であるが、この感動的な詩の主題と展開は、われわれに与謝野晶子の美しい有名な反戦詩『君死にたまふことなかれ』を思い出させるであろう。

晶子のそれが発表された（明治37年9月号「明星」）のと同じ年であることも興味深い。

I 日本帝国主義の朝鮮侵出と 鉄幹・秋水・未醒・尚江・啄木

（3） 小杉未醒の反戦詩『帰れ弟』

帰れ弟夕の鳥の
林の中に没《い》る如帰れ
韓の平壌気は醒く
乾ける風に殺気ぞこもる
いかんぞ国の春を蹴立てて
好んで平汐風雨《あらし》を慕ふや
弟汝《いまし》の白き額の
あないたましや日に黒みたり
恋と歌とを語るに澄みし

『陣中詩篇』は、一九〇四年の七月に嵩山房から発行され、晶子の『君死にたまふことなかれ』や大塚楠緒子の『お百度詣』（一九〇五年「太陽」五月号）、蒲原有明の『誰かは心伏せざる』（一九〇五年「春鳥集」）などと同じく、全体的には日露戦争を背景としたものである。しかし、その中の『帰れ弟』は、〈日韓議定書〉（一九〇四年）に露骨に表現された日本帝国主義の公然たる武力侵出をとりあげた数少い作品として、貴重な位置をしめている。

……………………
かの美しき優しきものの
情の絆《きずな》焼いて断ちしは
何が煽《あふ》りし野心の炎ぞ
留めし袂《たもと》を魔や抗わせし
云ふな却つて理《ことわり》めかし
兄をいかにと比べて説くな
汝に教ゆかかる処は
とわに情の呑に追はれし
吾が輩《ともがら》の怨みを吐きつつ
濁りに沈む冷たき塚よ
兄の血の香をなどや羨やむ
疾く其腰の刃を捨てよ
歌の泉の清くも湧けば
弟ながら神の若子よ
玉の器を守りて帰れ
別れの盃挙ぐるも遅し
憂《うれ》いて泣いて待つらむ人に
酷《むご》くも解きし其手を返せ
帰れ弟夕の鳥の
林の中に没る如帰れ

当時、朝鮮には京城だけでも二個師団の日本軍隊が駐屯しており〈日韓議定書〉に反対して蜂起した朝鮮人民を銃撃し、投獄、虐殺することが彼らの大きな任務であつた。

未醒氏は、その彼らに対して「いかんぞ国の呑を蹴立てて」と叱咤し、「疾く其腰の刃を捨てよ」と呼びかけ、「林の中に没る如帰れ」と訴えたのである。――

小杉未醒氏は放庵とも号した。一八八一年に栃木県の日光で生れ洋画を志したが、詩歌もよくし、とくに田岡嶺雲や国木田独歩の影響をうけたといわれる現存の人である。現在われわれの目にふれる作品は『帰れ弟』のほか、『髑髏塔の筆者』、『月と病兵『などであるが、前者は帝政ロシアの献戦画家ヴェレスチャギンとその絵『戦の権化』をモチーフにしたもので、『韓山遼東満洲の空／殺気いよいよ低く圧して」「骨うづだこう荒野に晒《さ》れて／もの言はず只石にも似れど」と愴惨な戦争の情景をリアリスティックに歌いあげたものである。

『月と病兵』は、その一節をあげてみよう。

……………………
彼の鴨緑の中島を
二人並びて進みしが
右に左に乱れとぶ
弾《たま》に驚く砂煙

ただ一声の夕残《なごり》にて
あはれ故園に新妻の
祕めたる夢もそのままに
胸砕かれて倒れにし
親しき友が骨の上
今宵はいかに照らすらむ
ああさはやかなる月の影

……………………

むろん、こうしたやや感性的な姿勢は、反戦思想と資本主義体制そのものをも一貫して否定した幸徳秋水のそれとは異るが、当時の朝鮮問題に対して反戦の立場から行つた最初の文学形象として、その意義は高く評価されねばならないだろう。

(4) 乙巳条約と木下尚江の『朝鮮の復活期』

日露戦争は日本側の勝利に帰した。「犯罪的で破廉恥な戦争」(レーニン)であつたこの戦いは、アメリカ大統領ルーズベルトの斡旋によつて開かれたポーツマス講和会議において日本の勝利を〃認定〃するという茶番劇によつてその幕を閉じたのである。

しかし、朝鮮に対する野望が終つた訳ではない。いな、それは逆に朝鮮支配のための確固たる足場を築いたことを意味した。

なぜならば、＜日韓議定書＞から、＜第一次日韓協約＞(外国人傭聘協定)の締結、そして＜第二次日韓協約＞(乙巳条約)の強圧的な押しつけによつて更にその意図が明白になつたからである。

それは、まさに幸徳秋水が『敬愛なる朝鮮』で暴露したとうりであつた。

乙巳条約の全容は、渡鮮した伊藤博文の手によつて高宗の前にその姿をあらわにした。すなわち、

一、今後韓国の外国にたいする関係、および事務は日本政府が監理指揮すること。

二、韓国政府は今後日本国を仲介として経由しなければ、国際的性質をおびた如何なる条約も約束もしてはならない。

三、日本政府はその代表者として、韓国皇帝の下に統監をおき、各地には理事官を配置して直接指揮する。

四、日本国政府は韓国皇室の安寧と尊厳を維持することを保証する。

その他第四項、全五項からなるものであつた。今、われわれが、この条約の内容に〃強盗的〃という形容詞をつけたとて、それは何ら過言ではないだろう。

しかも、会議は「林立した日本憲兵の銃剣の包囲下」に進行された。学部大臣李完用、内部大臣李址鎔、軍部大臣李根沢、農商工大臣権重顕、そして外部大臣朴斎純らは皆これに賛成した。世に〃乙巳五賊〃というのはこれらの売国奴をさす。

ともあれ、こうして乙巳条約は成立した。この屈辱的な「保護」条約に対する朝鮮人民の反抗は全国各地で行われた。「農民は全国的に暴動を起し、商店街は店舗を閉し、市民は侵略者どもを襲撃した」。

また一方アメリカは、陸軍大臣タフトの声明によつてその意志表示をした。すなわち「日本の重要な任務は、朝鮮の革新である。全世界は後進国民に公平な裁判制度と教育を普及させるために努力し

ている日本の政策を信頼すべきである」と。――

木下尚江の『朝鮮の復活期』は、乙巳条約の締結直後にかかれたものである。これは一九〇七年、昭文堂から刊行された尚江の評論集『飢渇』の中に収められている。尚江はすでに一九〇四年に小説『火の柱』、『良人の自白』を発表し、作家としての地位を築き、一方、反戦運動家としても秋水や堺枯川、田岡嶺雲らとともに精力的な活動をつづけていた。

尚江は、一九〇四年十一月十七日に締結された乙巳条約の本質を素早く見抜いた。そして、乙巳条約の締結を憤って自殺した前外務大臣閔永煥とその母、毒を仰いだ元老趙秉世、などのニュースを聞いて、『見よ、韓国民は自国の滅亡を決して袖天傍観したるにあらざるなり』とのべ、『今後何年の後にか韓国人民が富強の実をそなえ、一国独立の面目を恢復しようと企てるばあいには、かれら三人の殉国の精神は必ず火焔のごとく愛国の志士の胸の底で燃えあがるであろう。かれら三人の血はけつして空しく流されたものではないと、われわれは信じる』とのべた。

そして具体的に条約を分析して、『協約第五条には「日本政府は韓国皇室の安寧と尊厳を維持することを保証する」と言つている。だがしかし韓国皇室の安寧と尊厳とはかならずしも韓国人民の安寧と尊厳ではないのである。見たまえ、韓国人民の不安と貧困とはこれ主として韓国皇室のせいではないか。韓国皇室はじつに富有である。皇室の富有なのに反比例して韓国人民はいかに貧困なることであろう。やがてある日国民が慨然として復活してくるとき、かれらが果して皇帝とどのような関係を保つて活動するだろうか、われわれの予言のかぎりではない』

尚江は、結果的に朝鮮を売つたものは皇帝であるとのべている。堕落腐敗した朝鮮皇室の無力さを批判しているのである。それは正しい。だが、ここには、本質的に社会主義者でありえなかつた尚江の側面がみうけられる。すなわち、尚江自身、乙巳条約の第五条をある程度まで額面どうりうけとつたことであり、それはそのまま日本帝国主義の本質を正しくとらえていなかつたことを意味する。そういつた限界は次の一節によつてもうかがわれる。すなわち『われわれは日本政府が永久に韓国をほろぼそうという野心をもつていないことをしばらく信じたいと思う』と。

ともあれ、尚江は、次のようにその主張を結んだ。

『ああ韓国は亡びてしまつた。そしてさきごろまで韓国の独立を唱えてケンケンガクガクだつた日本の学者批評家志士仁人は、今や自国の滅亡に憤慨する韓国の愛国者を指して「頑冥の徒輩」と嘲弄している。われわれはどうも日本の与論というものの中に偉大な国民らしい同情心を発見することができないのである』と。

幸徳秋水の『敬愛なる朝鮮』をさらに正しく発展させ、深めることができなかつたとはいえ、尚江の『朝鮮の復活期』は、やはり、われわれにとつて忘れることのできない一つの足跡である。

（5）〝日韓合併と石川啄木の『九月の夜の不平』をめぐつて〟

地図の上
朝鮮国にくろぐろと
墨をぬりつつ秋風を聴く　　啄木

一九一〇年八月二十二日、日本の帝国主義者たちは、売国奴李完用をあやつつて〈日韓合併条約〉を締結し、八月二十九日には朝鮮の完全占領を宣言した。そして、それまであつた「統監府」を総督府とかえ、寺内正毅を初代の総督とした。彼は、日本の天皇の直属のもとに、軍事・政治・経済・外交・文化などの一切の権限をにぎる朝鮮支配者としておごそかに君臨した。

わが朝鮮人民の血ぬられた抵抗も、秋水、未醒、尚江、そして日本人民の反戦・平和のたたかいもむなしく、朝鮮はきびしい冬の季節、〃暗黒の歴史〃をむかえた。誰もが口をつぐんだ。こぶしをにぎらなかつた。そうした中で、ちょうど静まつた水面にポツンとおちた小さな水滴の波紋のように輪を描いたのが、啄木のこの歌である。ここでは、かりに「朝鮮国の歌」と名づけよう。

この歌は、〈日韓合併〉の行われた一九一〇年（明治四十三年）十月、若山牧水の主宰した短歌雑誌「創作」に発表されたものである。このほか七首の歌をふくめて『九月の夜の不平』と題されているが、改造社版の「石川啄木全集」（昭和三年刊行）には、ただ『雑詠』となつている。

しかし、問題なのは、この「朝鮮国の歌」のもつ意味である。短歌自体のもつ制約もあるが、この歌だけから性急な結論をひき出すことは避けなければならないだろう。しかも、朝鮮にふれた啄木のほかの短歌や詩や小説が見当らぬ以上、多感な啄木のしゆんかん的な発想にもとずいた一つの断片としてうけとれぬこともない。

しかし、基本的には、この当時の啄木の思想的な背景によつてみるべきだろう。こころみに、『九月の夜の不平』と題された他の作品を列挙してみよう。

何となく顔がさもしき邦人《くにびと》の
　首府の大空を秋の風吹く

つね日頃好みて言ひし革命の
　語をつつしみて秋に入れけり

今思へば彼もまた秋水の
　一味なりしと知るふしもあり

この世よりのがれむと思ふ企《くわだ》てに
　遊蕩の名を与へられしかな

秋の風我等明治の青年の
　危機をかなしむ顔撫でて吹く

時代閉塞の現状を奈如《いか》にせむ
　秋に入りてことに斯く思ふかな

明治四十三年の秋
　わが心ことに真面目になりて悲しも

以上の七首に「朝鮮国の歌」がふくまれているが、ここで明らかなことは、前年、すなわち、一九〇九年六月の日記に、『幸徳秋水等陰謀事件発覚し、予の思想に一大変革ありたり。これよりポツポツ社会主義に関する書籍を聚《あつ》む』（傍点—引用者）とあり、『食うべき詩』（「東京毎日」11）『性急な思想』（「東京毎日」2）から、

＜日韓合併＞の行われた八月には『時代閉塞の現状』を起草してゆくという方向がしめすごとく、社会主義思想の確立をめざした啄木のひたむきな姿勢がうけとれることである。

さらに、朝鮮についての啄木の関心は、「百回通信」の中の『伊藤公の訃』によつて一つの裏づけをすることができるだろう。

「百回通信」は、一九〇九年十月五日から十一月十九日まで、二十八回にわたつて『岩手日報』に連載されたものであり、『伊藤公の訃』は、その十六、七、八回目にあたつている。『伊藤公の訃』とは、いうまでもなく、一九〇九年十月二十六日にハルピン駅頭で朝鮮青年安重根が伊藤博文を射殺した事件のことである。啄木は、それを次のように書いている。

『十月二十六日、天曇る。午後三時を過ぐる霄時、飛報天外より到りて東京の一隅に時ならぬ驚愕を起したり。疑惑の声、驚悼の語、刻一刻に波及して、微雨一過、日漸く暮れんとする頃には「号外」の呼声異常の響を帯びて満都に充ち、人心忽ち騒然、百潮の一時に湧くが如く、老幼貴賤を論ぜず、皆斉しく此国民的凶報に喪心したり。（略）公は二十六日午前九時哈爾賓《ハルビン》ステーションに着し、車を下りて出迎の諸人と歓を交はしつつある間に突如として韓国革命党青年の襲ふ所となり、腹部に二発の短銃丸を受け、後半時間にして車室の一隅に眠れる也。偉大なる政治家の偉大なる心臓――六十有九年の間、寸時の暇もなく新日本の経営と東洋の平和の為に勇しき鼓動を続け来りたる偉大な心臓は、今や忽然として、異域の初雪の朝、其活動を永遠に止めたり』（傍点―引用者）

やや長く引用したが、ここでは、まるでイメージの変つた啄木が存在する。誇大な形容詞と難解な漢文調のひからびた文体は、まるで別人のもののような印象をうける。しかもこの「百回通信」の十八回目には、伊藤博文の葬儀にのぞんで「悼歌」を五首おりこんでいる。

いにしへの彼の外国の大王の如くに
　君のたふれたるかな

しかし、この通信の十七回目には、次のような結びがある。すなわち、『其損害は意外に大なりと雖ども、吾人は韓人の愍むべきを知りて、未だ真に憎むべき所以を知らず。寛大にして情を解する公も亦、吾人と共に韓人の心事を悲しみしならん』と。

さらに、同じ「百回通信」の二十回目には、永井荷風の『新帰朝者の日記』を評しながら、次のようにいい切つている。『夫れ国を愛すると否とは、彼の教育家と共に、机上に云々すべき空問題に非ず。真に愛する能はずんば去るべきのみ。真面目に思想するものにとりては実に死活の問題たり』

すなわち、祖国を真に愛するということは〃死活〃の問題であると啄木は主張している。つまり『韓人の心事』をあわれみ、悲しむという啄木の思想的なうらづけは、この〃愛国思想〃なのである。それは、はつきりと矛盾したものの中で苦悶する啄木のいつわらぬ姿でもある。啄木はここを通り、ここで自己をさらけ出すことによつて『時代閉塞の現状』の世界に凝固した思想に到達するのである。

だから「朝鮮国の歌」は、『伊藤公の訃』を書いた時の朝鮮観から、さらに一歩進めた形でうたわれたものである。

×　×

日本語でかかれた朝鮮に関する文献 ㈡

題名	著者	発行年月	発行所
清韓漫遊余瀝	勝田主計	一九一〇・七	秀英社
朝鮮米の研究	菱本長次	一九三八・九	千倉書房
第一銀行五十年小史	長谷井千代松	一九二六・八	東京印刷K・K
現代の朝鮮	梶川半三郎	一九二七・七	六合館
近代朝鮮史（上・下）	菊池謙譲	一九三七・二	大陸研究所
朝鮮綿業史	朝鮮綿糸布商連合会	一九二九・一〇	同会
韓国併合紀念史	福田東作	一九一一・一〇	大日本実業協会
朝鮮陶器	小山富士夫他	一九三八・四	雄山閣
李朝五百年史	青柳南冥	一九一三・九	朝鮮研究会
大江天也伝記	雑賀博愛	一九二六・一	大江太
征韓論実相	煙山専太郎	一九〇七・九	早大出版部
朝鮮事情	朝鮮総督府	一九四三・三	朝鮮総督府
朝鮮絢教史	浦川和三郎	一九四四・五	全国書房
朝鮮四千年史	青柳南冥	一九一七・一〇	朝鮮研究会
百済観音	浜田青陵	一九二六・五	イデア書院
朝鮮の古代墓制	梅原末治	一九四七・五	座右宝刊行会
朝鮮固有色辞典	北川左人	一九三二・三	ウサギ文庫
朝鮮史のしるべ	朝鮮総督府	一九三六・三	朝鮮総督府
朝鮮併合之裏面	小松緑	一九二〇・九	中外新論社
東拓三十年の足跡	北崎房太郎	一九三八・三	東邦通信社
朝鮮及朝鮮民族	伊藤卯三郎	一九二七・八	朝鮮思想通信社
明治外交史	田保橋潔	一九三四・五	岩波書店
最新韓国実業指針・附渡航案内	岩永重華	一九〇四・八	宝文館
朝鮮革新策	紫山 川崎三郎	一八九四・七	博文館

編集後記

編集者のよろこびは、その編集したものが世の中に送りだされてからの反響にある。なかでもとりわけうれしいのは各地・各方面の読者からのそれである。本誌の一号がでたのは昨年の十一月一日、それからわれわれは確実に隔月の本年一月一日にこの二号を、しかも増頁の六四頁で送りだすわけであるが、すでに一号についてもわれわれは相当の反響をえたことをよろこんでいる。

われわれは本誌を日本読書新聞、その他に広告したのみであったが、それこそ、注文はひつきりなしであつた。日に必ず数通は欠けたことがなく、それは、もう二カ月近くになるこの後記をかいているきようまでつづいている。そしてすでに手にした読者からは、次号はいつでるのかという問合わせや、それにあわせてこまごまとした感想などもたくさん寄せられている。編集者としてのよろこびこれに如くはないわけであるが、われわれがこの号を、前号よりは十六頁ましの六十四頁としえたのも、このように読者の支援があったればこそである。そしてこういう後記をかきうるのも、また編集者のよろこびである。

（K）

鶏林 第二年 第一号
定価六〇円（隔月一日発行）
一九五八年十二月二十五日印刷
一九五九年一月一日発行
編集兼発行人 張斗植
東京都中央区日本橋茅場町二の一〇
印刷所 大成印刷株式会社
東京都墨田区寺島町一の二
発行所 鶏林社
電話（六一一）一四二七

謹賀 1959 新年

朝光産業（株）
社長 朝野光祐
東京都墨田区寺島町一の三
電話（611）三七一一

東京皮革産業
金敏漢
東京都墨田区吾嬬町西七の七〇
電話（68）一八〇四

国際ゴム（株）
社長 朴泰洙
東京都墨田区吾嬬町西八の一七
電話（68）〇九二四

丸登化成工業（株）
金昌玉
東京都墨田区寺島町四の九六
電話（68）七一七一―五

松村商店
金永錫
東京都墨田区隅田町一の一、三三六
電話（68）一〇〇九

平和閣
高元衡
東京都墨田区吾嬬橋二の七
電話（622）三七三七

謹賀 1959 新年

あべ鶴
金教鶴
大阪市阿倍野区阿倍野筋一の八〇
電話（ ）

健康保険
結核予防法 指定医
十全医院
東京都江東区深川一の二三
電話（64）五七八七

西山武彦
東京都足立区千住寿町四〇

金聲寿
横須賀市三春町三の三
電話（横須賀）〇六六七

きく薬局
東京都足立区梅田町九五三
電話（88）一三五七

赤不診療所
姜徹
東京都足立区梅田町
電話（888）〇七六〇

謹賀 1959 新年

李三奎
宇都宮市二条町一二八九
電話（宇都宮）六三二二

一級建築士設計所
有井綜合造型社
東京都中央区銀座西一の七
電話（56）五四五四

庾吉千
東京都台東区金杉一の二八
電話（84）三六一一

碧空
大森将楼
東京都台東区田島町二六
電話（84）六八一八

李萬祚
群馬県太田市一の七六
電話（太田）二四八三

青雲荘
江原年雄
横浜市南区万世町一の一六
電話（8）五〇一〇

鶏林

一九五九年三月一日発行
隔月・一回一日・第二年第二号

3

雙《そう》楹《よう》塚羨道東壁画（表紙）

これは、およそ千四、五百年程まえの高句麗《こうくり》時代の壁画である。周知のように通溝《つうこう》、江西方面（平壌附近）には無数の古墳があり、すばらしい壁画が数多くある。そこには、古代社会における人類の生活感情をよく表わしている。たとえば角抵塚《かくていづか》の壁画とか、遊牧民たちの潑剌たる姿をえがいた舞踊塚の「狩猟図」などがそれである。

この雙楹塚羨道東壁画は、これらの古墳の壁画のなかでも特に傑出した部分で「狩猟図」からみればずつとその手法が洗練され、典雅な趣《おもむき》、云い得ぬ親しみと魅力を感ずる。

下に並ぶ三人の婦人のつつましい美しさは何という魅力に満ちたものであろう。高雅優婉の内に濃厚な人間的生気を蔵し、触れれば生温かき血汐を感ずる。

この三人の佳人の上部には甲冑に身を固めた騎上人物が矛を持しながら疾駆し、その上部には微風にそよぐ鈴鐸の鈴なりに吊り下げられた日覆（幌）をかけた牛車が小童にひかれて歩み、侍女が後からついて行く。微風にそよぐ鈴の日覆を有する牛車自身が何ともいえぬ典雅な古代の夢を物語る。これは白日の暑き中を、貴人の牛車が微風にそよぐ鈴の音を満喫しながらのどかに歩んで行く風景を偲ばしむる。侍女もまた日覆の陰に身を托し、鈴の音を聞きながら……

（「図説・朝鮮美術史」より）

鶏林

3

1959・3

新国家保安法の通過と南朝鮮

李　賛　義

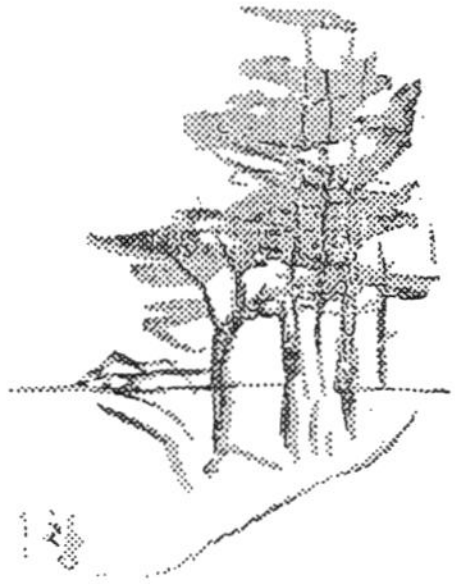

一

韓国国会は、去る一二月二四日、ついに問題の新国家保安法を強行通過させた。

新国家保安法については、韓国民主党をはじめ南朝鮮の各野党、法曹界、言論界、一般市民から、すでにはげしい反対が行われていたが、この保安法をめぐる南朝鮮政情について、日本の各新聞をはじめ「朝鮮民報」「国際タイムス」等の在日朝鮮人系統の新聞でも大きく報道している。昨年一二月二五日の朝日新聞は、これについて次のように報道している。与党—自由党の新国家保安法案の提出にたいし、民主党をはじめ民主革新、労農等の「野党議員らは、同法は言論の自由を圧殺するとの理由で、言論界、文化人たちを主とする大きな世論を背景に、激しい反対運動を展開、八〇人の野党民主党議員らは去る一九日から院内に座りこみを続けていたが、政府与党は二四日午前、国会法九一条（国会内に現行犯がいる場合は警衛または警察官が逮捕したのち議長の命令を要請する。ただし議場内にあつては議長の命令なしに逮捕できない。）の発動により、三〇〇人の警官隊の出動を要請、乱闘のすえ、野党議員を議場外に強制的につれ出させたうえで、与党議員だけで同法修正案および「地方自治法改正案」をわずか五分間で通過させたものである。」

なお在日韓国系の新聞「国際タイムス」も保安法通過のてんまつについて、本国の報道を相当くわしくまとめて報道しているが、当日の模様を概略つぎのように報道している。「この朝、ソウル太平路の街上は交通が遮断され、議事堂の周囲は戦闘帽にカービン銃で武装した警官隊数百名によつて、鼠一匹通さないものものしい警戒網がしかれた」「国会出入の記者まで議事堂出入を禁止」され、あたりは戒厳令のようなただならぬ空気が流れていた。やがて、自由党の緊急総会で、国会本会議の開会を強行し、保安法改正案と地方自治法改正案の同時上程を行うことを決議したことが発表された。間髪をいれず「警衛服」をつけた三百名の壮漢たちが三列縦隊、駈足で議事堂内に乱入し、さらに「警監」「警衛」等幹部の指揮のもとに武装警官隊が議事堂におしいり、一、二、三階の各出入口をひしひしと封鎖した。そのあと、議事堂の内外ではテロ団ともおもわれる人相の青年たちが、まるで獲物をあさるように徘徊しはじめた。この時、自由党議員らは議会へ登院してきたのである。

三〇〇人の「警衛」たちは議場内にはいると、直ちに議長壇へどづと喚声をあげながら、警衛たちを押返えそうとして、たちまち議場は乱闘場裡に一変した。だが乱闘では、国会議員の権威も、雄弁もまつたく無力だつた。多勢に無勢のうえ、じつは、この警衛たちは、二三日頃までに秘密裡にえらばれた慶尚南北道警察部えりぬきの唐手、柔道の猛者ぞろいだつたので、まるで群羊を狩る虎のいきおいで、なぐる、ける、ひきずり廻わす等、議場はたちまち野党議員の血にまみれた。「この売国奴!」「老人に暴行をやめろ!」議事堂は怒号と罵声と悲鳴につつまれた。傷つき倒れた野党議員は、一人ずつ、廊下から地下食堂へほうりこまれ、その入口には警官隊の人垣がきずかれた。野党議員たちはなおも屈せずスクラムをくみ「決死祖国をまもらん」と悲壮な決議をおこない、「愛国歌」と万才をとなえた。

こうして一一時二二分、新国家保安法案は地方自治法案、参議院議員選挙法案、五九年度予算案等とともに、ソウル市内の交通遮断と国会包囲のもとで、三〇〇名の警衛と自由党議員のあふれる議場で通過された。傷つきうめく野党議員ら七八名は、医者の診断で、救急車によりはこびだされ、各病院に分散、入院させられた。

この乱闘で、野党議員は相当勇敢にたたかつた。警衛たちが議場になだれこんだとき、野党議員総指揮の李哲承議員は「死んでも壇上をわたすな!」「俺を殺せ!」と絶叫しながら、率先、身を挺して警衛たちに立ち向つたが、忽ち叩きつけられた。それでもひるまず、他の議員とスクラムをくみ、警衛をおしかえしたが、数人の議員と一緒に四たびもひきずり出された。韓根祖、曹泳圭等の議員はひきずり出され、むちやくちやに蹴りつけられて「アイゴー、この売国奴共め!」と泣き叫んだ。朴順天女史は「この女め」と引きずり廻されながらも、「何故この胸に銃を向けないのか」と絶叫しながら倒れた。最後まで壇上で頑張つていた金応柱議員は、壇上からひき落されて頭をセメント床に打ちつけて気絶した。朴讃鉉議員は頭や顔をなぐられて血まみれになり、昏倒した。鄭成太議員をはじめ一〇余名の議員は、数度にわたりスクラムをくみ座りこみをつづけたが、警衛たちに足蹴にされ踏みつけられて、血まみれになつた。議長席に最後まですわりこんで、暴行されながらも動かなかつた吳喆会議員が、突然大声で、男泣きに泣きだした。議場では、「野党議員の嗚咽がセキをきつたように爆発した。」約五〇分にわたる院内闘争は、悲劇的な終幕をとじた。ついに力つきた野党議員は「大韓民国万才」をさけびながら、つぎつぎと議場からひき出されて行つた。

二

なぜこのような議会史上類例のないフアツシヨ的な暴挙が行われたのか、殊に、保安法反対闘争の中心であつた民主党は、かつて、李承晩自由党とともに「防共」の名のもとに、民衆の政治活動を弾圧した政党で、現在もその基本政策に変化はないのだが、なぜ、このような闘争がおこらねばならなかつたのか、それは与・野党間の権力だつたのか、一概にはいいつくせないものがある。その直接の原因は、韓国系の新聞がのべているように、保安法通過によつて言論・集会の自由がうばわれ、李承晩政府および自由党にたいする野党の政治活動が不可能になり、野党の存在価値は事実上なくなるからである。

しかし、原因はそれだけではない。もちろんこの闘争では、「自由と民主主義を標榜して立つた韓国の政治形態と政治道義」を確立し、「韓国の政治の唯一のよりどころと指称された民主主義」と「言論の自由をまもる」というすばらしい大義名分があり、「世論の支持」があるというところからくる英雄心理や、彼らなりの「崇高な」悲壮感等が相当つよく作用したことも否めない。が、それよりも、民衆の無言の圧力が彼らをして、李承晩専制支配体制への挑戦にふみきらせたことを見落してはならないであろう。

南朝鮮民衆のながい間にわたる反米・反李承晩の根づよい感情を無視しては、もはや民主主義はさておいても、野党は民衆から見限られ、政権から置去りにされる。民衆の与論をつないでゆくことはいわば唯一の活路である。その意味でこの国会闘争は、民主党をはじめとする野党にとつては、容易にあがないえない一つの成果にはちがいなかつた。が、今後の闘争で、民衆をどれだけ彼らの側にひきつけうるか、彼らは運命の岐路に立たされている、といえる。

南朝鮮民衆の反米・反李感情を認識するには、やはり面倒だが、歴史的に遡つてみる必要がある。

解放直後、米軍政は反共政策と朝鮮・中国への進出政策のために重要土地・鉱山の占有をはじめ各種工業、動力資源の支配とアメリカ過剰商品の輸入および各種軍事施設の拡大にその主力をそそいだ。李政権になつてからも、このようなアメリカの対朝鮮政策は一層積極化し、民族産業の破綻と低賃金と労働強化がすすみ、失業者のはんらんがおこつた。財政維持のための重税と強制供出、インフレ政策の結果は国民のうえに転嫁され、物価騰貴により、勤労者の生活はひどい窮乏化に見舞われた。殊に農村では、自作農創設政策が実施されたが、それは名目上のことだけで、従来からの高額地代の取立てや高利貸の浸透により、いわゆる「春窮麦嶺難越」の農民の生活難はひどくなつた。李政権の反共政策は、アメリカを後楯とした政治経済的従属―植民地化政策としてひたすらに推進された。

南朝鮮の単独選挙の下準備に、モスクワ三相会議の支持勢力にたいして大量検挙がおこなわれた。南朝鮮民主主義民族戦線の諸政党社会団体は、ほとんど合法の余地をのこされなかつた。

アメリカ軍政にたいする民衆の抵抗闘争は、四六年一〇月大邱を中心に南朝鮮全域にわたり、二〇〇万人もの大規模な人民抗争となつて爆発した。主食米の確保、賃上げ、首切りに反対した鉄道労働者のゼネストにたいする警察、テロ団等の弾圧に抗議し、植民地反対闘争へと発展、ついにアメリカ空軍、機動部隊の動員による「血の弾圧」によつておさえねばならなかつた。マーク・ゲインは「ニッポン日記」のなかで「我が国旗の下に……この世にそのたぐいを見出し得ぬほど野蛮な警察国家が誕生」したと、その間の事情をのべている。

四八年八月一五日大韓民国が誕生し、李承晩が大統領となつてからも、人民抗争はやまなかつた。「北進統一」を「国是」とする李政権は、朝鮮の「平和統一」を口にしただけでも「反国家罪」で罰せられ、三人の人があつまつて話をしただけでも「無許可集合罪」で罰せられるという、まつたく嘘のような現実がみられるようになつた。

四八年四月、済州島人民の武装蜂起がおこり、四九年三月には山岳地帯を中心にしたパルチザン活動が、ほとんど南朝鮮の全域八道一三一郡のうち八道七八郡に拡がつた。もつともこの闘争は、南朝鮮労働党の指導部に巣くつていた「朴憲永一派」(後に朝鮮民主主義人民共和国で反国家・スパイ分子として処断された）によるトロツキーばりの極左的指導によって、南朝鮮民衆を弾圧の好餌として莫大な犠牲に供せしめる結果となった。

李政権は民衆の抵抗闘争に終止符をうつため、四八年一二月、ついに日本の治安維持法をまねて「国家保安法」を制定し、なお政府の無制限な検閲と統制を目的とした新聞紙法、郵便物取締法等を制定するに至った。この保安法はたった五カ条からなり、最高無期懲役となっていた。この法律は「自由陣営」の一員として「反共」「北進統一」の国是を推進するうえで、その偉力を発揮しはじめた。

また「民心収拾」と「治安確保」という名目で「国民班」がつくられ、警察の査察活動と情報網を強化して国民の一挙一動が監視されるようになった。ひんぱんに「非常警戒」「準非常警戒」「特別非常警戒」が発令され、あまたの人びとが「不良輩」の罪名で拘禁され、甚だしくは、夜間一一時をすぎると「通行時間禁止違反罪」で即決裁判に付される結果となった。

四九年一二月「国家保安法改正法律」が公布されたが、全文は一八条となり、処罰もはるかに苛酷となった。処罰の対象に、李承晩に反対する団体だけでなく、それを支持する反団体加入者までも処罰でき、政府に反対する協議、宣伝、煽動はもちろん、財政的援助およびその約束をした幇助者やその未遂行為までが加えられ、最高刑は死刑、ほかの刑もそれに相応して拡大された。

さらに五〇年四月には、また保安法の処罰規定が改悪されたが、五八年八月五日には、「大韓民国国民会議」で「改正案」がつくられ、国会に提出された。政府・与党としては万一予算案が審議できず、仮予算の処置をとっても、また一二月上旬に開催予定の自由党大会を延長しても、是が非でも通過させる方針であった。こうして昨年一二月一八日、新国家保安法案はついに国会に提出された。

同法案は四二カ条からなり、「国憲に違背し、国家を変乱することを目的とする結社、集団または団体と、その目的とする事項の実現のための活動にたいし適用する刑罰と訴訟手続に関する規定を補整」（第一条）することを目的としており、政権に反対する結社、集団、団体をつくることを犯罪行為として規定し、これにかかわりある者を死刑または無期懲役その他の処刑をもって弾圧できるようになっている（第六条―第八条）。戦時または準戦時の非常事態下でそれらの行為をした場合は、死刑が適用される（第八条二項）。これは、非常事態が日常事化している政情のもとでは、当局はいつでも意のままに最高刑を課し、言論の自由をとりあげ、民主主義的な諸活動の自由を禁止し、すべての野党を武装解除できるものだ。また「国家機密」（第一一〜一四条）の範囲についてみても、「政治、経済、社会、文化、軍事など国家防衛上の利益のために、外国政府と敵に機密として保持することを要する文書、図画、その他の物件、事実または情報」（第四条、圏点は筆者）といったもので、実際適用では、どのようにでも拡張解釈できる。そのうえ、これらの犯行についての被疑事実の発生から臨検、判決にいたる過程については一切の報道が禁止され、これに違反すれば三年以下の懲役と百万円以下の罰金が科せられる（五八年五月三一日、合同通信）。はやくいえば、李政府のやることには一言半句の不平もいえず、いわば国民は、白紙委任状つきで運命を任したようなもので、文字どおり四選をもくろむ李承晩独裁専制の確立―再版「李王朝」の礎石ともなるものである。保安法にたいする野党側の言分について、前掲の朝日新聞の解説では「野党は現行の刑法、国家警備法、海岸警備法および国家保安法の四法でスパイをとらえるに支障はないとし新保安法案はスパイを捕える利点より言論の自由を黙殺し、国民生活を窒息させる害の方が大きいことを強調、野党活動を封鎖し、その他新法案がきめている国家機密の概念の拡大、情報の概念の拡大政府機関への名誉毀損等の項目は《政府および自由党が政権維持の野望上絶対に必要とする心臓部であり、本党が絶対に排撃する中枢部分でもある》とのべている。

李承晩自由党は保安法案を、野党をはじめとする大韓弁護士会、言論人等の猛烈な反対を無視して市、邑、面長の直接選挙制を任命制とすることを骨子とする「地方自治法改正案」といつしよに、来年度に行われる「正・副統領選挙」のために、これを利用すべく、その年内通過を強行しようとしたわけである。こうして政府与党は「屋外集会」を禁止し、ソウル市内の全正・私服警官に待機命令を下した後、ついには新国家保安法に反対する野党系の「屋内集会」までも、武装警官を動員して解散させた。ついで一二月一九日の国会法制司法委員会の予備審議では、国会法による審議手続すらへないで、野党議員の出席が二、三分おくれた機会に乗じ、与党委員だけで以てわずか一分間で原案どおり通過させてしまつた。

地団駄をふんで口惜しがつても後の祭だつた。野党議員は法案防止のために議事堂を占拠、籠城闘争にはいつた。本会議は二三日まで開けず、連日流会となつた。二一日夜には、保安法改悪反対のビラがソウル市内の各所でまかれ、政局は急をつげる状態となつた。ついで、治安当局は二二日「年末年始非常警戒」と「屋外集会および示威禁止」を発令して全国的に武装警官隊を待機させ、警戒体制をとつた。つづいて武装警官隊に議事堂を包囲させ、ソウル市内の主要道路の交通遮断をおこなう等厳戒体制をとり、翌日の午後には三〇〇余名の警官隊が保安法反対の野党派を襲撃し、その幹部一〇余名を逮捕、ついで国会襲撃事件とはなつた。

三

保安法の通過後、与党系新聞をのぞく南朝鮮の各新聞は、一様に紙面の大半をさいて、在来の論調とはうつてかわり、はげしい論調で政府攻撃を展開しはじめた。

「韓国日報」は、二五日の社説では「大韓民国はだれのものか」と題し、院内警衛権の発動をおこなつた李起鵬議長はその地位から退け、二四日の国会決議は当然無効だ、憲法精神をふみにじる自由党議員は総辞職して、国民のまえに謝罪せよとのべている。二四日の「東亜日報」の社説では「われわれの民主主義は今日を最後に終焉をつげた」「民主主義はたたかつて獲得すべきだ」、二七日には「広汎な国民運動をおこし、民主共和国の生命をうばつた自由党の横暴をケン制し、うしなつた自由をふたたび奪いかえすべきだ」等とのべている。民主党系の「京郷新聞」は連日はげしい論調で、野党を代弁する長文の攻撃的な社説をかかげている。その標題だけでも、二五日「国家保安法改正反対国民運動」、以下「保安法反対闘争はこれからだ」「国民は悪法に対して反対する権利がある」……等といつたものである。

一方、外信では、米国務省国連朝鮮統一復興委員会でさえ、「失望」と「憂慮」の意を露骨に表明しており、またアイゼンハウアー大統領は李に書簡をおくつて懸念の意を表せねばならなかつた、とつたえている。乱闘事件はこのような名士だけでなく、テレビをつうじてひろく世界に報道されたので、世界の人びとの与論は今後の李政権に決してさいわいしないであろう。李に同調的であつた流石の比国においてさえ、マニラ・クロニクル紙は韓国政府というフダをつけた人物が、野党というフダをつけた人物を警察としるされた棍棒でなぐつている漫画を掲載し、李承晩大統領は「民主主義ルール」を尊重しなければならない、とおおびらに公言して憚からないすぐれた民主主義のチャンピオンであり擁護者であると皮肉り李への蔑視感をおおつぴらに表明している。李承晩はその前近代的な強情さと、これまで大規模の人民殺戮と弾圧にたびたび示されたような酷烈さとによつて「自由陣営」のたのもしいチャンピオンとして世界的に有名であつたが、いまや国内はもとより、そのたのみとする自由陣営の諸国からさえ不信と失望をかい、見放される不安に見舞われる立場にたつた。

保安法通過後の南朝鮮の政情はまたもや大きく激動しはじめ、青年、学生、市民からは「国民よ起ち上れ」「民主主義をまもれ」等の血書や金品がぞくぞくとよせられてきた。ついで一二月二九日には、民主党、民主革新、労農、儒林等の在野党をはじめ在野法曹界言論界等の各界を連合して「国家保安法反対全国国民大会準備委員会」がひらかれ、各道、郡、面にわたり反独裁国民主権運動をよびかけた。また同会発起委員会では「同胞よ！　青年よ！　あなた方はこれからも今までのように、少数の悲哀に泣きながらも悔なき闘争をつくした野党議員と一部の志ある人びとが、苦難の十字架を背負つて闘い倒れてゆく様を傍観しようとするのであるか。はたまたあなた方も決然と奮起してわれらと共に闘い、また闘い、この累卵の国運を既倒より回生せしめんとする救国の闘争にはせ参じようとするのであるか。同胞よ！　青年よ！　諾否をこたえよ！　そして生か、死か、われらの運命を決しよう」と全国民によびかけた。

ソウル、釜山、大邱、光州、木浦、大田、清州、全州、忠州、順天等の各地では、警戒体制を突破して分散デモや断食闘争がおこなわれ、ビラがまかれ、多数の市民が逮捕されたりしている。

国民主権擁護運動の今後の動向については、国民のながい間にわたつてつちかわれてきた反米、反李のつよい国民感情を見落しては決してただしく理解できない。またこれを無視した国民主権擁護運動の真の成功も考えられないものである。殊に祖国の平和統一をのぞむ人民の抵抗がこれまで以上にたかまるであろうことは一つの必然でもある。民主党をはじめとする野党連合、言論界等が李承晩の独裁専制に反対し、真に国家主権運動を勝利にみちびくためには、一つに彼らがどれだけ民衆の側にたちうるか、という点にかかつている、ということを銘記すべきであろう。

尹　鐘　民

岡山県津山市堺町一六　キング
電話（津山局）一六四七番

朝鮮に於ける地閥と人間の問題

——その歴史的な側面——

朴 宗 根

1 はしがき

他の国と同様、朝鮮でも色々な差別と偏見が見られた。例えば階級・門閥・地閥・嫡庶等で、身分社会と云われた封建社会では特に甚しく、今日でも其の遺制は当面の盲点として問題にされている。

そこで、色々な差別と偏見の中で、地閥の被害者であつた全羅道の人々に焦点をあてて見たい。日本でも、従来「江州泥棒」「伊勢乞食」等と云われていたように、朝鮮でも従来の古い諺によれば、京畿を「丹粧美人」慶尚を「長槍大劔」全羅を「風前揺柳」平安を「泥中犬斗」と云われている。これは都を中心とした誇張的なたとえで、各個人については千差万別である事は云う迄もないが、或程度地方的特徴を出している。従来婚姻、交際、利害関係等で、全羅出身だと敬遠される事がしばしばあると云われる。その理由は「陽奉陰違」で、表裏が一致せず、「ズルカシコイ」者の代名詞が「全羅道人根性」と呼ばれている。即ち朝鮮に於けるユダヤ人として取扱われている。

最近の見方を大別すると二つある。

第一は、伝統的な保存的見方で、従来の「ズルカシコイ」を固執し、警戒する見方で、古いゼネレイションに多い。第二は、非常に進歩的（?）な見方で、従来の伝統的な見方を始めから偏見だときめつける型で、青年と智識層に多く、それだけに同情的である。

以上の様に、第一の伝統的な見方と、第二の同情的な見方は、表面的には対立しているが、共通しているのは、余りにも観念的であるということである。即ち前者は先天的にズル者ときめつける傾向に対し、後者は人間は大低同じく、個人に依るものと反撥しているが、何れにしても、歴史的な社会的諸条件を考慮しない点では極めて一致している。

そこで、私は基本的には、個人差を認め乍らも、従来云われている全羅道人のズルカシコサを一応認め（後で述べるが、今日では全羅道人だけでない）、その原因を、歴史過程の中から若干の問題を提起して見たい。

2　問題の所在

近代以前の封建社会等では、地域の特殊性が社会的に大きな意義を持つのである。

全羅道の特殊性を歴史の中から考察して見ると、先ず朝鮮に於ける大叛乱は全羅・平安道を除いては見る事が出来ない。この事は、全羅・平安に階級的矛盾が最も先鋭化されていた事を物語つている我々は全羅道人の「ズルカシコサ」に目を奪われて、朝鮮史上輝しき「革命的伝統」の大事な面を見落している。全羅人の「革命的伝統」と「ズルカシコサ」は無関係なものではなく、歴史的に形成された一つの両側面である。

結論を先に述べると、全羅道は、これ迄、支配階級の収奪が集中的に行われた所である。過酷な収奪に際し、生命を維持する為に必然的に抵抗せざるを得ない。其の抵抗の消極的な面が「ズルカシコサ」であり、積極的な面が「革命的伝統」となつて現れたのだ。

3　集中的収奪の二要素

そこで全羅道に収奪が集中する二要素を検討して見る事にする。

第一　自然的条件――朝鮮の面積の八割は山であるが、幸か不幸か全羅道は広々とした湖南平野の沃土をひかえ、朝鮮米の大半は全羅道で生産されていたのは何時の時代でも変らなかつた。特に気候と自然的条件に依存する前近代の農業方法では、特にその合度は大きかつただろう。資本主義以前の社会では、農産物が主要な生産物である事から、土地（農産物）を支配する事は、単に土地だけでなく、他の富も包括的に支配する事を意味するものと云われている程であり、又朝鮮は古くから農本国と云われている。此の様な意味で、全羅道の穀倉は国家にとつて重要なドル箱であるから、最高利潤の追求には万全の策を講じていた。都の支配層は全羅農民から徴集した、悪名高い田賦米、還穀米等で胃袋を満たしたばかりでなく暴力的な権力機構の維持費迄まかなつていた。この様な穀倉地帯も全羅農民にとつては決して安住の地でなく、農業の再生産も不可能となり、流浪する者が群をなした一例は、一八一五年全羅観察使の報告の中に、全羅の沿海地方では、天災と誅求に依り、流亡、逃散者が続出して、一面で十戸に満たぬ所があり、沃土が荒土と化したといつている。この様な事は、日本資本主義の侵入過程を見てもうなづける。日本は米の絶対量が不足しているから朝鮮米を必要としたとしばしば云われるが、それは後期で明治時代は多少条件がことなつていたと思われる。朝鮮米は日本の資本主義の形成にとつて重要であつたと思われる。即ち一八九〇年頃迄は、高価な日本米の輸出は日本資本主義の原始蓄積の重要な源泉の一つであり、地主に高米価を保証する一手段であり、それを可能にする為に、安く買いたたいた朝鮮とシャム米を輸入して貧しい労働者に食わせ、資本家の低賃金の一支柱とする二重政策をとつていた。朝鮮については、日本商人が産地迄進出して、貧乏な農民に安い前金を渡して秋に収穫をもちさるやり方で、一八八二年には防穀令事件迄起している。植民地になると日本米の絶対量の不足に依る朝鮮米の必要性と、朝鮮に於ける主な生産物が米である関係で、合併翌年の別表を見てもわかる様に、全国的に見ても、五十結（面積）以上の大土地所有者一四九名のうち、八〇％の一一五名は日本人で、朝鮮人はわづか三四名である。注目すべき点は、日本人の一一五人のうち八五％の八七名が全羅道に集中している事がわかる。此の様な現象は掠奪的な土地調査事業を始めた翌年である。有名な全羅の群山、木浦港の米の輸出は全羅農民の惨状を物語つて余りある。

以上の様に、自然に恵まれた沃土の為に過重な労働と収奪の好対象とされ、苦難に満ちた生活を余議なくされる一因となつた。

第二　人為的条件　A　国家を背景にした地方の誅求

全羅道は（平安道程ではないが）、平安道と共に両班階級の枢府から閉め出されていた、其の理由についても色々と云われているがその一つは、高麗太祖が子孫を戒めた訓要第八条に、公州以南（全羅）は山形地勢みな背逆に走るので人心も背逆に走るから、枢府に登用せぬ様に書いてある。理由がふるつているが、後百済が仲々降伏せずに、手こずらせていたからだと云われている。

もう一つは、一五八九年（宣祖二十二年）全羅で起つた、鄭汝立の大叛乱である。其れ以後、叛逆郷として大官に登用しない説である。高麗時代僧、妙清の乱と、趙位寵の乱後、平安道を叛逆郷として登用しない前例があると云われる。いづれにしても閉め出された事は、平安全羅の人々にとつて耐え難い苦痛であつた。京畿・忠清・慶尚も比較的に平野は広いが、全羅と条件が多少ことなつていたのは、此の三道が両班階級を独占していた事である。

大土地所有者結数（面積）

（道　名）	国籍	100結以上	50結以上	30結以上
京畿道	朝	2	0	9
	日	1	2	3
忠清北道	朝	2	2	17
	日	0	1	0
〃南道	朝	1	8	13
	日	1	3	9
全羅北道	朝	0	7	40
	日	13	40	56
〃南道	朝	2	6	25
	日	7	27	43
慶尚北道	朝	0	0	5
	日	1	1	2
〃南道	朝	1	1	18
	日	2	7	10
黄海道	朝	0	1	7
	日	2	7	12
江原道	朝	0	0	0
	日	0	0	0
平安北道	朝	0	1	13
	日	0	0	0
〃南道	朝	0	0	1
	日	0	0	0
咸鏡北道	朝	0	0	0
	日	0	0	0
〃南道	朝	0	0	1
	日	0	0	0
合計	朝	8	26	149
	日	27	88	135

1911年（合併翌年）9月1日調査
（日本人、東拓会社を含む）

李朝中期以後は豊臣秀吉の侵略で全土が荒廃し、国家の物的基盤である所の土地支配が減少したので、国家財政が乏しくなつた事から官吏に対する支給も充分に行きわたらない事と、他面では両班階級の膨脹により、官職の奪い合いの党争に依り政変が次々と起る。社会では、「守令、其久しき者は、二年、然らざる者数月で過客の如し」（牧民心書）と云われ、短期間中に、長い失職中の負債を清算し、ひと財産残す為には狡猾な胥吏とくんで苛斂誅求を極めた。

此の地方官の長官である監司について丁茶山は「監司論」で「民家へ忍び込んだり、路上で人を殺傷して金品を奪うのは、盗人でなく、唯生活が急迫し妻子を養う為か、良心を失つてした事だろう……本ものの大盗は別にいる。大旗を立てて三千軍士をひきつれ、任地の官庁に到るや胥吏を呼びつけ田賦、還上米の徴収を督促して、物価をつり上げ、商いをさせて暴利をむさぼるので、民は妻子を売り遂にはもろ共に死ぬ惨状である。暴利に目がくらみ、民政の事は眼中にはなく、民が色々訴えると逆に罰金を科し、土豪奸吏の不正はかばう、此の者こそ大盗である。仕末の悪い事にはこそどろと違い誰もあえて捕える事が出来ない、正に大盗である。しかも広大な農荘をかまえ贅沢の限りを尽しても誰も非難出来ない。君子曰く大盗を除かなければ民尽く死ぬと」以上の様に暴露している。

かかる横暴な地方官が任意に誅求したり、金次第で黒が白になる裁判等を行う場合、其地方の名門族党を等閑視して、みだらな事をしたならば、一生を捧に振りがちである。かよわい農民でも、其の同族或いは、背後に両班階級が居る場合は事が面倒になり易い。同族中から両班階級を出す事は、一方では、其の高官を通して、同族から次々と登用される可能性を持ち、他方では同族が名門にされ、同族の居住する地方の農村に於ける、無法な地方官と、特に狡猾な胥吏の横暴を牽制する面がある。此の様に密接な利害関係があるが故に、科挙試験に合格すると同族は勿論の事、姻戚、近隣をあげて祝福するし、又合格する迄、一族をあげて、同族の至願として、物心両面の援助がなされたのである。それは明らかに単なる個人的なものではなく、族党的なものであり、同族の消長のシンボルでもあつた。支配者層では「朋党の争いは飯食の争い」(丁茶山―人材策)と云われる、政権の争奪戦の為に党派を組む必要性があり、下層の農民又、混乱と不安な社会では、誰かに頼らなければならない必要性から、同族共同体が強まり、社会的大きな意味を持つ。其の端的なものは、今でも有名な同族村落と族譜である。族譜は此の党争時代の産物で、同族意識の強さの現れである。

以上の事から全羅・平安道が両班の枢要な地位に登用されない事は単に出世コースを阻まれただけでなく、同地方の農村に於ける、地方官と胥吏の不法な苛斂誅求を野放しに行わせる事と関連する。

以上の様に、高級官吏は国家の政治を行う人材上の見地だけでなく、族党と結ばれ多面的な様相を持つので、登用の公平は、緊急かつ重要な問題なので、実学者の李星湖・丁茶山も、門閥・嫡庶・西北・関北・湖南の差別を撤廃し、人材登用の公平を主張している(通塞議)、が実行されなかつた。

B 大地主の苛酷な収奪――全羅道は農業生産力が高い関係から階級分化も進展していたので、大地主からの収奪も他道より甚しかつた事は一八〇一年(純祖元年)の老論派のク―データによる辛酉邪学事件で、全羅道の康津の農村に十八年間も流配されていた秀れた革命思想家の丁茶山は、全羅農民が他道の農民より悲惨な状態をつぶさに見て訴えている(湖南地方の小作人が王税(国家租税)を負担する習俗を器禁させる建議草案)で「臣は湖南の習俗を見るに国家租税と穀種を皆小作人が負担しているが、此は厳禁すべきである。天地生物の理は公平と一視同仁にあり、豈百夫を労して一人を肥えしむるや、田の主はもと王(国家)と佃夫(農民)二者以外の地主は存在し得ない……地主には一粒の米、半菽も納める道理はない筈……現今京畿・諸道では、収穫の半分を地主に収めると雖も、国家租税と種子は皆地主が負担するので、小作人の手もとには半分よりいくらか多く残る。しかるに湖南の習俗は地主が収穫の半分を徴収して、高い枕で昼寝をしているが、小作人は残りの半分から国家租税と穀種を負担し、左に割き、右を削りて手もとに残るのはほんのわずかである。湖南の小作人が他道より貧乏である原因である。苟くも、此の習俗が良いものならば、何故京畿・諸道に統一して実施しないだろうか? 苟くも京畿・諸道に実施したならば、京畿・諸道の農民は嗷々相呼応して叛乱を興すであろう。湖南の農民が此の様な圧制の状態から脱する事が出来ないのは悲しむべき事である。今早急に此の習俗を厳禁して、京畿・諸道と等しく改革すべきである。その様な改革に、必ず反対者が出で、慣習に従うべきであえて禁止する必要はないと主張するだろうが、苟しくも悪慣習は民を苦しめる事甚しい、之を厳禁し之を改めるは毒蛇・虎狼を打ち払う様なものだ。国家は唯傍観視すべきでない。今湖南の民百戸中地主は五戸にすぎず、自作農は二十五戸、小作人は七十戸、今若し、其の旧慣習を京畿・諸道と同じく改めるならば、即ち七十戸の小作人は大歓迎し、二十五戸の自作農は直接利害関係はないけれども、人道は悪を憎み、大抵富者を忌み、貧者を恤む。唯、喜ばないのはたつた五戸に過ぎざるのみ。此の五戸の為に九十五戸を犠牲にするなら、誰が政府を信頼するでしょうか？……」

以上の様に、全羅農民は、法令に基づいた所の国家に収める租税米と、李朝中期以後の混乱に乗じ私腹をこやす、地方官の苛斂誅求と大地主による収奪等と二重に収奪されていたのである。

4　抵抗の二つの形態

以上の集中的収奪に対する全羅道人の抵抗を検討して見たい。

A　「ズルカシコサ」―消極的抵抗―先にも述べた様に、地方官と大地主に依る無法な収奪に際し、全羅農民は素手で身を守る為の積極的な方法を見出すには、極めて困難な状況により「ズルカシコサ」で其の場を逃れる事は、最も手つとり早い武器であり得た。無法で貪慾な地方官は狡猾な胥吏をけしかけて農民を誅求したのである。其の胥吏はむしろ地方官に輪をかけた様なもので、牧民心書には「民は土を以て田と為すのに、吏は民を以て田と為し、皮膚を剝ぎ髄を槌ちて農事と為し、民から、誅求する事で秋の収穫とする」と述べている様な連中を相手にして其の場をうまく逃れるには、ちよつとやそつとのズルカシコサでは不可能であつただろう。然し彼等を相手にして年々歳々を駆引きしていればいやでもズルカシコクならざるを得なかつたであろう。又党争と政変が連続し、動揺が激しい社会では、色々な収奪制度も朝令暮改も甚しいので、正直者は馬鹿を見て、其の場其の場をうまく逃れる事が最上処世術として身につける事は、長い生活体験から、身を以て体得したものであつたろう。先に述べた全羅道人を比喩する俚諺に「風前揺柳」があり、其の説明に「全羅人は肌ざわりが良く、人をそらさぬ利巧者だが、風に靡くは枝ばかり、幹はどこ吹く風と知らぬ顔」とある。此の様な生活態度は最も現実的であつたであろう。

他道の如く、農民の背後を両班の繋がりによるという淡い希望すら抱かれない為に「ズルカシコサ」は益々徹底化する。これを非難するのは片手落であり、生存権を否定する残酷な非難であると云わざるを得ない。それは、ユダヤ人、かつての中国人等被圧迫民族には普遍に見られ、植民地時代、全朝鮮民族が経験して来た事である。

歴史的な事件を抽象的なモラルの一点で評価するならば、残酷極まる奴隷社会や高利貸資本も否定され、歴史の発展過程に於ける一定の役割と意義が見失われ、正しい見方とは云われない。「ズルカシコサ」が唯一の正しい抵抗と生き方でない事は勿論であり、又あく迄も一時的に回避する事は出来ても抜本的な抵抗でもないし、それは何処迄も消極的な抵抗の役割しかない。それは奴隷としての最上の生き方であつたかも知れないが、奴隷状態から解放される方法にはなり得ない。全羅の「必要悪」を消滅し、人間と人間性の解放は「ズルカシコサ」を支えている「差別と収奪」を除去させる事が根本的である。其の唯一の方法は「ズルカシコサ」でなく、積極的抵抗の「革命的伝統」を受けつぎ発展させる事以外には有り得ない。

B 「革命的伝統」―積極的抵抗―朝鮮史上の大叛乱は、全羅・平安道の独占物であつた。此の革命的伝統も観念的な民族性とか、或いは、全羅・平安人の先天的で抽象なものでもない。先に引用した丁茶山の文をもう一度見ると「（全羅道の地主の無法な収奪を）苟くも京畿・諸道に実施したならば、京畿・諸道の農民は嗷々相呼応して叛乱を興すであろう。全羅農民が此の様な圧制の状態から脱する事の出来ないのは悲しむべき事である」と述べている様に差別と収奪に対する反抗であり、根本的に除去しようとして何度も立上つた事実に外ならない。

先にもふれた一五八九年の鄭汝立の叛乱は、全州に聖人云々と妖言が拡まり、農民の不満を結集させ、全羅から他道に拡がり、長期間わたり李朝政府をゆさぶつた。乱後、叛逆郷として差別したと云う。支配者達は偏狭な差別と無法な収奪を改革する事すら及びもつかず、かえつて、差別と収奪を徹底化させてこらしめ様としたが、それが解決策でなかつたばかりでなく其の事に依つて不満は更に拡大され、より大規模な反抗を招き、崩壊の速度を早めざるを得ない。正に一八九四年甲午農民戦争（東学乱）はそれであつた。

ここで問題にしたいのは、農民叛乱が全羅の特徴という見方から更に全国的な規模で立上つた甲午農民叛乱の中に於ける全羅道の特徴、即ち他道と質量を比較分析して、質的な相違点を一つ述べて見たい。此の叛乱の発端も基本的には何れの道でも農民は生活苦に対するものであるが、発端其のものは、湖南軍は古阜の地方官の不法誅求に対する反抗で発端したのに対し、湖西軍は形式上は東学問題として立上つているが、其の事は一応おき、日清戦争の口実をつくる為に、干渉して来る日本軍に対して再び立上つた所の農民軍に於いて、全琫準の指揮する革命的な湖南軍と、孫秉熙の指揮する消極的な湖西軍について、従来の評価は、前者の革命性は、全琫準の卓越せる指導性と、斗争目標が農民革命であつたのに対して、後者の消極性は、東学の改良主義的孫秉熙の指導性と教祖神冤の目標に、依る相違、即ち指導性と目標の相違に帰結して湖南軍の革命性を高く評価しているが、勿論其の事も重要であり質的な相違であるが、更に叛乱軍の主動力を構成している、農民層に於ける、湖南・湖西・嶺南に於ける、経済的諸条件の分析と、生活体験から来た、階級観の程度差に対する問題が極めて重要だと思われる。其の方面に今後の研究が進展しないと、唯一般論におちいり、具体性が薄れはしないだろうか。湖南軍の特徴は始めから苛斂誅求で蹶起し、農民革命を志向して、東学の問題は重要な意味を持たずに、終始全国の農民軍の中核となつて斗つた所の徹底的な所に充分現れている。

当時、如何に地閥に対する不満が深刻であつたかは、平安道で起つた一八一一年（純組十一年）洪景来叛乱の檄文に「……我関西は箕子の古城で、且つ壇君の旧窟である。壬辰の乱（秀吉の侵略）には功を奏し忠臣も出し学者も出したが、朝廷では西士を糞士として棄てて顧みず、甚しきは、権門勢家の奴婢は西士人を呼ぶに平漢（常漢《サンノム》）の称を以てするは憤怒せざらんとするも能わず……一朝国家緩急の場合には必ず西士人の力に頼るにも拘らず、四百年来西人は朝廷に負う所ありや」と訴えて蹶起を促している。又甲午農民戦争に於ける全州講和の十カ条にも「地閥の打破と人材の登用の公平」が掲げられている。

降つて植民地時代、反帝斗争の一ピークをなす、一九二九年の光州学生事件についても、その発端となつた日・朝学生のいざこざ等は、全国に、無数な程あり乍らも、他道で起り得ず、全羅道の光州で点火され、燎原の火の如く、全国に拡がり、全国的な反日・反帝斗争となり得たのは、勿論民族解放運動であるが、経済的側面として、日本の食糧収奪に於ける、此の時代の特徴を述べると「一九一八年には全国に米騒動が起つたために、食糧基地としての朝鮮の地位が改めて重要視されて来た。此れ迄の様に朝鮮で出来た米を日本へ、だけでなく、日本に必要な米を朝鮮に、作ると云う、計画的な産米増殖が必要となつた。朝鮮は完全に日本の食糧基地となつたが、注目すべきことには、朝鮮の産米が計画通りに増大しなかつたのに反し、対日移出は激増した事である。……米の生産額と対日供給量との増加速度には非常な開きがあり、増殖分より遙かに多量の米を対日供給にふり向けた。したがつて朝鮮の内部における米の消費額は年々減少し、其の不足する食糧は満州からの雑穀によつて補充せざるを得なかつた。満州粟の輸入は一九一二年には僅かに一万五千石に過ぎなかつたが、一九三〇年には百七十二万石に達した。日本の完全な食糧基地となつた朝鮮の人間は、米をへらして粟を食うことによつて日本に米を送つた」と旗田教授が指摘されている様に、二重政策的収奪の露骨化と計画化は特に穀倉地帯の全羅では甚しかつたであろうし、敏感に感ぜられたであろう。田保橋潔氏も「南道易訛は近代朝鮮為政者の嘆きである。全羅は半島中最も天然の恩恵に浴する地方で、従つて人口も調密、人智も開発されている。其反面頗る難治で、動もすれば集団的に為政者に反抗する傾向が強い。南道訛し易きは李氏朝鮮時代のみならず、総督時代を通じて経験した所である」と指摘される根底には収奪を関連させる必要がある。

更に最近迄の智異山のパルチサンの英雄的斗争を見ても、単に険しい山を戦略的に利用するだけならば、他にも険しい山は有り得たが、それと共に、智異山が全羅道の一角に存在し、其の背景に「革命的伝統」を持つ全羅農民の物心両面にわたる、絶えざる支援があればこそ可能であつたと思われる。又朝鮮民衆の間に涙を流し、愛読されている代表的な古典文学「春香伝」（岩波文庫）は身分違いの恋と共に、地方官の貪官汚吏を余す所なく描いているが、其の舞台が全羅道の南原であるものも偶然ではないだろう。

以上の様に、全羅人はぎりぎりの所迄消極的な方法で抵抗するが辛棒の限度が過ぎると、一大決心で積極的な抵抗に転ずる。それだけに徹底的である。

それ等の叛乱はもう一度先に述べた丁茶山の「監司論」を見ると「大盗を除かなければ、民尽く死ぬ」とある様に、死から免かれる為に大盗の除去に立上つた事実に外ならない。当時の腐敗した中央政府は党派の利害で地方官の交替はあつても—貪官汚吏として民の為に除去する事は及びもつかなかつた。合法的で上からの期待が絶望な時は民自身が立上つて除去するより他に方法がない。其の為の民乱は消極的には誅求から自分自身を守る事であり、積極的（客観的）には国をむしばむ貪官汚吏を除去する事であり、愛国的行動であつた。革命とは、単なる抽象的なものでなく、此の意味で、生活と愛国、個人と民族が結びついた具体的なものとなり得た。然し此の様な崇高なる革命も多くの場合、諸制約により敗北せざるを得なかつた。其の敗北の真の悲劇性は、単なる全羅・平安の一部の敗北とし、全朝鮮人民の敗北として受取らない所にあり、全民族が抵抗に対する傍観的態度は植民地化を招き辛酸をなめる事に依つて全羅平安の教訓をかみしめたのである。以上の事から全羅・平安道は歴史上の先覚者であり、推進力でもあり得た。

5　結び

ここで念の為に断つておきたいのは全羅平安道が地獄で、京畿・忠情・慶尚道が天国であつた事を云おうとしているものではない。それはあく迄も相対的で、基本的には階級分化が進展して、それを通して収奪され、農民は何処も最低生活を強いられてそれ程変らないと思われるが、それにも拘らず、観念的には、多少ことなつていたと思われる。即ち今日の宝くじ、競馬等を見ても、客観的に或は確率上からも、当らない事は明瞭であるにも拘らず、それを信ずる事になると買わない人とは、雲泥の差がある様に、袋小路の様な全羅農民は、先にも述べた様に百万分の一の淡い救いをも抱く事が許されない事は人間性の形成にとつて大きく影響したものと思われる。

現在も他道人は全羅人を「ズルカシコイ」と非難するし、又非難する事によつて自己は全羅人でないから潔白な人物であるかの様な態度は甚だ解せない。何故なら今日では全羅人も他道の人と目立たなくなつたからである、それは全羅人の「ズルカシコサ」の消滅過程でなく、逆に他道に於いて「全羅道の二要素」が拡大され「ズルカシコク」なつたからである。即ち日帝に依る植民化は、収奪面では、必然的に、封建的な地域性を否定し、全朝鮮を日本資本主義の食糧供給地と単一市場に形成して、最高利潤を追求すると共に、他方では全朝鮮人は李朝時代の胥吏にあたる下級官吏には採用するとしても高級官吏には及びもつかなかつた。この事は全羅道の条件が全朝鮮に拡大され、全朝鮮が従来の全羅道にされた事である。その様な客観的な変化にも拘らず、相手の全羅人のズルサのみに目を奪われて、自分自身もズルクなつている事に気がつかないとは「知らぬが仏」、此の事の様である。

最後に、かつてのイギリスの上流子弟の学校ではローマ史が必須科目であつたと云われる。それはローマの支配様式が巧妙であつたからイギリスの植民地政策上必要であつたのだろう。其のローマの巧妙なる統治様式とは一口に云えば、ことわざにもある様に「ローマは分割して治める」やり方であつた。此の意味は云う迄もなく、統治地域を色々と分割して、各々利害関係を対立させ、お互いに反目、牽制させ、少くとも連合して中央政府に不満を向けるのを防ぐ点である。其の抑制均衡（check and balance）の上で巧妙に調整したと云われるが、此れはローマだけでなく、洋の東西を問わず、支配者の支配原理である。此の様な視角と高い次元に立つて、もう一度全羅問題をふり返つて見ると、今迄に見えなかつた或るかくされたものが見えて来る様である。即ち、全羅は慶尚を京畿の従者だと云い、他道は平安は荒つぽいとか、全羅はズルイ等と云い合つて反目し合う所が李朝の支配者の狙いであり、其の為に、他の門閥・嫡庶・階級の差別と同時に存在する地閥は正に「地方的、州邦的分裂とそこから必然的に発生する地方的、州邦的な偏狭さ」（エンゲルス）を助長させたのである。我々は地閥の真の意味を歴史的に理解すると共に、祖国の北半部ではすでに地閥の諸条件を除去してしまつた今日、ひとり全羅人だけの問題でなく全民族が、植民地時代身についたサビの様な悲しむべき習性の「ズルカシコサ」を清算すべく努力しなければならない。さもないと意識形態のおくれは容易に取戻せないだろう。

一読書案内一

霜多正次著
「沖縄島」について

久保田正文

霜多正次の「沖縄島」の描いているのは、戦後のアメリカ軍に強く支配されているその島の、サンフランシスコ条約成立のころまでの現実である。

バルザックがつかつたような、多角的なリアリズムの方法で、それが描かれている。作者は、観念的な議論や、主観的な詠歎におちいることを慎重に警戒して、直線的な文体でズバリ、ズバリと書いている。

山城清吉という青年がいる。敗戦のとき、彼は上等兵であつたが、アメリカ軍の包囲のなかを奇蹟的に脱出して、二人の仲間とともに山を逃げ歩いているが、父親の清太郎が熱心にさがし歩いて彼を家につれもどした。

清吉はその後従兄の運天栄徳の口ききでアメリカ軍部隊の労務者として就職した。それは彼に良い経験であつた。個人としてのアメリカ兵のかならずしも憎むべきでない一面とともに軍の意志となると非人的なおしつけになるふしぎさも見た。日本人同志が、アメリカ軍の袖の下で、不正を働く裏面も見た。

敗戦の虚脱状態からすこしずつ立ちなおり始めた青年たちの多くがそうするように、清吉も、郷里の島を見捨てて本土へ脱出しようとする。二千円の船賃をつくり、密航船にのつたが、海上でとらえられてまた送還されてしまう。もう彼は本土へ渡るのをあきらめて町の学校の教師になり同時に沖縄の日本復帰運動へしだいに深く関係してゆくようになる。つまり、清吉の人生が、ようやく腰をすえてイタについてきたわけだ。彼はじぶんの政治意識と、教育についての抱負とを結びつけることができたわけである。それだから、ひところは町の女性たちから「トートーメー(位牌)みたいだ」と言つてこわがられていた清吉に、教師仲間の新垣トヨがこころを寄せるようにもなつていた。

しかし、そういう清吉が、いつまでも教職に就いていることができるほど、アメリカ軍の占領行政はアマくはない。学芸会で生徒に祖国意識を織りこんだ劇を上演させたことがきつかけで、彼は簡単に教職から追われる。遊んでいるわけにはゆかないので、清吉は軍作業をうけもつている土建会社の土工募集に応じて飯場へ入りこんだ。

飯場の作業はそれほど辛くはなかつたが、そこの生活のヒドさは言語に絶していた。それにもまして清吉がこころをつかれたのは、本土から来ているものは土工たちに至るまで島の人間に対して理由のない優越意識をもつていることであつた。飲用水の使用をめぐつて「日本人」と「現地人」との間になぐりあいの争いがおこり、それがきつかけでこの島ではじめてのストライキまで事件は発展した。不払いの賃金の要求と、差別待遇反対がそのスローガンであつた。

ハン・ストにまでたたかつたが、アメリカ軍の介入で、ストライキは破れた。しかし、清吉は人民党のなかへ入つてゆき、柔軟な思考力と、活気ある行動力をもつた働き手となつてゆく。

この作品を、山城清吉のみのものがたりとしてよむことは、正確なよみ方ではない。主要人物ということで言えば、少なくとも清吉のほかに、運天栄徳と平良松介をあげなくてはならぬ。運天栄徳は清吉の従兄であり、清吉を生活的にはいろいろ援助したり支持したりもしている。そもそもが、敗残兵として山をにげ歩いていた清吉をはじめて発見して父親の清太郎に報せたのが栄徳であるし、清吉の本土脱出のとき、いろいろ面倒をみてやったのも彼である。しかし栄徳の思想あるいは生活信条は、清吉とは反対に、商才にたけた典型的なオポチユニストで、彼はアメリカ軍とも、島のボスたちともうまくやつて、ショオバイ繁昌をよろこんでいる。生活力のつよい楽天家で、悪玉というよりは、どこか憎めないユーモラスな男でさえある。

平良松介は、運天栄徳とは対称的に、島の指導的なインテリゲンツイアであり、清吉の教師である。彼は、例のひめゆりの塔事件のとき、女学校の教師であり、生徒たちを充分にまもりとおせなかつたことを、いやしがたいこころのいたみとして、今も教育のしごとに従つている。彼の妻や、彼の子供は、彼がいつまでも島の生活にとぢこめられているのではなく、本土へ渡り新しい生活にはいることを希んでいる。現に、東京都の教育庁に勤めている彼の先輩は、高教師のクチならなんとかなるから上京せよとすすめてきている。彼じしんも「自分たちの要求がなに一ついれられず、逆にふんだりけつたりされている状態では、ときにはすべてを投げだして逃げだしたくなることがよくあつた」けれども、そのためにかえつて逃げだすことはできないのだというふうにかんがえはじめるようになつてゆく。「戦争は、かれの精神も肉体も、この島の土にとけこませてしまつた。かれはすでにそこに骨を埋めてしまつたのも同然だつた。」「平和条約は、この島の運命を永久に救われないものにしたかもしれない。しかしそうだからといつて、ここに九十万の人びとが生きている以上、自分もかれらと運命をともにする以外にない。」と彼はかんがえる。「自分のからだがどんなに醜く、不具であつても、そのことから自分がのがれられないのと同じ」ように、松介の躰は、「この島にしつかりしずりつけられていた」のである。清吉よりは先輩である、中年の平良松介は、清吉とちがつたコースにおいてではあるが、戦争と戦争後の体験を通じて、そこへ出て行くのである。

より若い青年である清吉が、教員会とその指導者である松介の思考と行動の限界を知り「いまはかれをのりこえて、一歩先んずることができるようになつた」と思うところが叙述されている(第八章、二)。けれども、作者は、清吉のそういう一歩先んじた姿をも激励しながら、しかし松介の「限界」をも否定しないで、尊重し、いわば理解のある愛情をもつて肯定しているのであろう。そこが、そうよみとれるように、松介をも清吉をも、作者からおなじ距離をへだてて描かれているところに、この作品の手法としてのリアリズムの強さがあると言えよう。

清吉、栄徳、松介はこの作品の世界を構成する三つの主要な柱であるこの鼎の足のような三人の人物にささえられ、さらに多くの人物と、それらの人物たちによつて織りなされる劇的な事件のいくつかが、しかも活劇ふうにではなく冷静に語られることによつて、沖縄島の歴史的・政治的な性格が、地図のうえで定立されるように、くつきりと描かれている。

(筑摩書房刊・三五〇円)

公ろん・私ろん

二、雑誌「鶏林」について

雑誌「鶏林」（発行所　東京）というのが発行されている。われわれはこの雑誌についてもまた、機関において取扱うとか、同胞に対して勧誘をするとか、配布、読者獲得、財政協力、その他一切しないということを明白にする。

右はわが朝鮮総連の中央宣伝部が一九五九年一月二十一日、各県本部執行委員長、各単一団体委員長宛に発した公文の一部で、本誌「鶏林」についての部分である。

人はこれをよんでどういうふうに思うであろうか？　いつたい、わが朝鮮総連はその盟員であるわれわれのこのような仕事に対してこれを指導するという責任を持つものであると思うが、どうであるか。そうとすれば、これはその指導と責任との完全な放棄ではないか。

かりに本誌がこの公文を発した宣伝部長その他の目ざわりであるとか、気に食わないところがあるとか、またかりに、本誌がその指導を拒否するということであるとしても、わが朝鮮総連はこういう考え方に立つてはならないと思う。かりに間違つたところ、誤つたところがあるとしても、それは、いつそうその指導力をこそ発揮して、「その他一切をしないということを明白にする」のではなく、ますます「一切をする」ということをこそ明白にすべきではないか。

極端な例をあげる。この日本にはいま「在日大韓民国居留民団」というのがある。この団体は周知のようなものである。しかしながら、在日朝鮮人六十万を代表するわが朝鮮総連は、このいわゆる民団に対しても責任を持つものであると思う。もしそうでないとすれば、われわれはどうして祖国を統一することができるか？

ただ排斥し、何事も一切せず拱手傍観し、その指導と責任とを放棄することで、それはいいのであろうか。このへんぺんたる自陣営内の一雑誌に対しても右のような態度をとるものには、こういう論理はとうていわかつてもらえないのかも知れないが、わが朝鮮総連は決してそういう立場をとつてはならないと思うがどうであろうか。（然）

×　×

「朝鮮問題研究」という雑誌がある。これは本誌「鶏林」などとはちがい、れつきとした公の機関であり、公の予算によつて運営されている朝鮮問題研究所がだしている雑誌である。こんどでた第四号は「在日朝鮮人問題特集」であるが、これはこんどの帰国問題にタイミングを合わせたもので、時宜をえた特集であると思う。

しかしながら、これまでのものを全体としてみると、筆者はフシギに思うのであるが、この雑誌はどうしてわが共和国南半部、つまり南朝鮮に対してはこのように関心がうすいのであろうか。まつたくないというわけではないが、あつてもそれはホンの少ししかない。

わが共和国北半部については、われわれはたくさん送られてくる各新聞・雑誌・書籍をつうじてそれを知ることができる。「新しい朝鮮」その他、日本語によつてもこれを読むことができる。これに反し、われわれは南半部については、まつたくカンカン暗いのである。南からでている新聞・雑誌もあるにはあるが、それはまた周知のようなものである。このとき「朝鮮問題研究」こそはこちらにも窓を開いて、われわれにそれに対する指針を与えてくれなくてはならないものと思うが、どうであろうか。もちろん本誌「鶏林」にもその責任の一端を負つてもらわなくてはならない。（総）

私の歩いてきた道（三）

張斗植

私たち親子が、豊橋に住んでいた期間は短かつたような気がする。

父は、やはり飯場頭になるほか道がなかつたのか、どこからか人夫を七、八人かき集めてきて、日本の海軍の兵隊がたくさんいる横須賀の逸見というところに移つていつた。あるいは、横須賀に移る前に、もう一カ所どこかに移つたような気がするが、それがはつきりしない。

――一九二七年四月、私は横須賀へ移ると間もなく、一つ上の九つのとしで一年生として逸見尋常高等小学校へ入学させられた。事実、それは入学したのではなく、入学させられた性質のものであつた。と、いうのは、なに一つの仕度もなく、引越していつたと思つたらちようど新学期で、嫌がる私を無理矢理に姉がひつ張つていつて入れてしまつたのであつた。

このとき、結婚したばかりの姉夫婦も私たちといつしよについてきていて、私の入学手続いつさいを義兄・鄭致模がやつてくれたように思う。

なぜ、私が学校へ入るのを嫌がつたかというと、ただ普通に遊んでいるときでさえ、「やーい、この朝鮮人!」といつていじめられるのに、まして知らぬ土地で、しかも日本の子供が大勢いる学校へゆけば、もつと酷い目に遭うような気がしてならなかつたからであつた。

しかし入つてみて、私は自分の背《せい》がずばぬけて大きいのに、ある一種の安心感をいだいた。また先生が教える一つ一つも、私はとうに姉から教わつて知つているものばかりで、別に怖《お》じける必要はなかつた。かえつて私は、椅子に坐つたままババをこいて泣くヤツがいたので、「こんなチビたち」といつしよに勉強するのが、なんとなく不満であつた。だが、唱歌や遊戯には、「こんなチビたち」には敵わなかつた。どう考えても、図体の大きい自分のやるべきものではないような気がし、羞かしさが先きにたつて、先生が弾くオルガンに合わせる手拍子、足拍子の調子が狂い、それは実に間が抜けていたように思う。

私は、小学校当時に教わつた先生のなかで、いまでもふたりの先生の名前を忘れないでいる。それは、私の恩師ともいうべきひとでのちにのべる伊東敏三郎先生と、この一年生のときの担任女教師丸山先生である。

丸山先生はいつも、ほつそりとした身体に紫地の長い袴をはいた和服姿だつたが、顔は白臘のように白く、冷たい感じのひとで、それが度の強い縁なしの眼鏡をかけていたので、その冷たさがいつそう冴えて、めつたに笑顔をみせない先生であつた。

この先生に、私は特別に扱われた記憶をもたないが、後にも先きにもただ一度、図画の時間に先生が私の後ろにまわつて抱くようにし、私の手をとつて色のつけかたを教えてくれたことが、非常に印象にのこつている。それが私だけにやつてくれたので、なんだか特別に扱われたような気がし、それからの私は先生を慕うようになつた。先生が、私の傍に寄つてくるだけで、私は顔を赤くしてはにかんだりしたことが、まるで昨日のことのように鮮かに思い出され、それとなくくすぐつたい気持にさせられる。

この逸見校に、私は一年生の終りごろまで在校していたように思う。

ちようど山に囲まれた学校のすぐ裏の、石垣の上に私の家があつた。飯場ではあつたが、バラツク建てのそれではなく、二軒つづきの長屋の借家であつた。人夫も十四、五人いただろうか。現場もどこにあつたのかわからなかつたが、昼近くになると誰かが現場から昼飯をとりにきていたので、そう遠いところではなかつたような気がする。

朝、登校するとき、私の近所からは腰に短剣を吊した士官や、腕に赤い階級章をつけた下士官たちが出てきて、いそいそと坂を下りてゆく姿と私はいつもいつしよだつた。下士官たちはたいてい上衣を着ながらあわただしく自分の家を出てきたが、士官たちは家族のものに見送られ、ニコニコ顔で出てくるので、私の幼い眼にはそれがひどく対照的なものに映つた。

すぐ目と鼻の先きが軍港だつた。私の家からは学校の屋根に邪魔されてみえなかつたが、少し上つたところからは港が手にとるようにみえた。港内には各種の型が無数に碇泊していた。

このとき、私はこれらの軍艦をどんな気持で眺めていただろう。恐らく、はじめのうちは、「凄いなあ！」ぐらいに思つたことだろうが、そのうち日本人の子供たちとは異質な眺めかたをしたことは間違いなかつた。

「あの軍艦が、私たちの国を奪つたのに違いない。勝ち誇つたようにあんなところで休んでいる」と、いう気持をいだくようになつて、私はせつなかつた。

しかし、そのころ、子供たちの遊びとして蝋石で落書するのが流行していた。蝋石は駄菓子やで売つていたが、描くものはたいてい日の丸とか、軍艦、飛行機などのいくさに関係のあるものばかりでそれがまた地べたばかりでなく、果ては板塀までに落書するぐあいに熱のこもつた遊びかたであつた。この遊びに私も夢中になつた。なんでもやる以上は日本の子供たちに負けたくないという、単純な気持がそうさせたのかも知れないが、港に碇泊している軍艦と結びつけることはできなかつた。

こういう感受性の強い時期に、誰かが私に、被圧迫民族が「頭を上げて生きるのにはどうしたらいいか」を、一ト言二タ言でもいいから啓示し、私の心に植えつけてくれたなら、私は私なりにそれを吸収し消化して、いまとは違つた、別な生きかたをしていたかも知れない。

正直な話し、私の少年期は不幸な環境だつた。私の周辺はその日の糧をもとめているひとたちばかりで、あすの自分たちの国の運命を語り合うということは皆無だつた。このことが、私にとつて不幸だつたというのである。

自分の国を泥足で踏みこまれ、自分たちはもとめる糧を自由に探しえられないばかりか、下手をすると、「不逞鮮人」と決めつけられた過去の暗い時代に、私たちはまともに眼を向けることができない。自分の国、自分の民族が傷つけられたら、単に眼を蔽うだけではすまされないだろう。とうぜん抵抗があり、その抵抗は限りない大きな誇りであることを私は知つている。私は、その誇りある抵抗の経歴を持たなかつたばかりに、「不逞鮮人」になりえなかつた故に私は私自身を哀れみたい。特にそれが、この軍港横須賀という地で私の半生をおくつてきただけに、その哀れみの度合は強い。

どういうわけか、私たち一家はこの横須賀の土地を離れては、幾度も舞いもどつてきていた。漆原が第一の故郷とすれば、さだめし横須賀は第二の故郷とでもいうべきであろうか。

どこかの工事が終ると、必ず横須賀に引揚げてきていた。それはちようど、船が港を出て根拠地に帰つてくるようなものであつた。

どうしてそうなつたのか、いまよく考えてみると、当時、不景気内閣として噂たかかつた田中内閣時代のころのことだつたと思うが極度にゆき詰つた国内の不景気打開のため大陸侵攻が企てられ、その準備に横須賀の海軍の施設という施設はどんどん拡充されてゆきまた新たに造営、設営されていつた。これらの工事は山を切り崩して海岸を埋立ててゆくのが殆どであつた。

こういつたわけで、横須賀へゆけば必ずなにかの仕事にありつけると、父はそう気安く思つていたのではないだろうか。

もう一つの理由として、叔父が横須賀の地に長く根を張つて住んでいたからであつたろう。それなのに私の父は、なぜ工事が全部終らないのに、一家を纒め他所《よそ》の県の工事場へ移つていつたのか、このことについてはいまだにはつきりしないが、多分、前にものべたように、叔父の張永琨にいつまでも世話になりたくないという気持からではなかつたかと思う。——けつきよく、私たちが豊橋から横須賀に移つてきたのは、この叔父を頼つてきたということになる。

叔父は、例の趙致益といつしよに追浜の鉈切というところで、相変わらず大きく仕事を請負つていた。のちにこの工事場は追浜飛行場になつたが、この辺一帯はどこを向いても小高い山が切り裂かれたようになつているので、誰がつけたのか、「鉈切」とはうまくつけたものだと、のちになつて私は感心した。

とにかく、父は自分の弟に反撥を感じながらも、他所へいってはまた叔父の身辺にもどってくるというぐあいだったのである。

　それにしても、父がいったん段取りにゆくといって出かけると、ながいあいだ音信不通になるのは解しかねた。

　私は逸見校をもう少しで一年を終ろうとするときに、群馬県のほうへ転校していった。見渡すかぎり桑畑ばかりの土地で、そこの堤防工事も半年ぐらいで切りあげることになり、いつものように父はみんなの大きな期待のもとに出かけていったが、一ト月経っても、杳《よう》としてその消息を告げてこなかった。そのうちに母は弟の鶴植を生んだ。女ひとりの母に寝こまれた飯場のなかは、急に火が消えたように陰気になってしまった。

　私は四、五人のこっている人夫の飯炊きから、オムツの洗濯までやり、また母に聞き聞きして、ワカメのおつゆを炊いて母に食べさせ、一日も早く起きてくれるよう願った。ワカメのおつゆというのは産婦につきもので、これは朝鮮《くに》の風習であった。ワカメのおつゆを食べると産後の日経ちがよくなり、体内の悪血を浄化するとのことである。

　私は教わりもしないのに、もっと美味《おい》しくしようと思い、ワカメのおつゆのなかに鮭の缶詰をいれ、それを母に食べさせてやった。それを食べ終った母は寝床のなかから私の頭を撫《な》で、「とってもおいしかった」と、賞《ほ》めてくれるのが、私にはとてもうれしかった。

　いま私には、五人の子供がいるが、妻が産後で寝ていたとき、このことを思い出して同じように、ワカメのおつゆのなかへ鮭の缶詰をいれ、それとなく亡き母のことを偲《しの》んだ。そういう場合、私は堪えがたい寂寥感に襲われるのだった。

　いったい父は、その一生を通じて母や私たち兄弟を心から愛していたことがあっただろうか？私はこのことについて考える余地もなく、「ない」と断言して憚らないが、いま自分がやっていること一つ一つ思いあわせてみると、案外そうでもなかったような気がする。

　親子の性格というものは遺伝するそうだが、ときたま私は父に似た物腰や、態度に気がついて慄然とする。私は無理にも、父のもっていた悪い性格をおし殺さねばならない。この性格は私の代だけでたくさんだ。

　また、父自身にしても、身近の肉親から愛されなかったことは、父にとっても不幸なことであった。可哀想な父でもある。

　父の行方不明は、一再二再ではなかった。

　しかし、父はそういつまでも落ちぶれてばかりはいなかった。父の一生を通じて旭日昇天の時期があった。

　それは、横須賀の大津海軍射的場造営の工事を請負ったのがそれである。同時に、叔父もこの工事に参加していたが、このときばかりは父に歯がたたなかった。

　私の父は先きにものべたように、母に対しては暴君ぶりを発揮したが、他人には愛想がよく、自分の財布を空にしてまでも相手につくしたので、人夫たちに信望があったことは事実だった。このことが一つの人気の的だったのと、もう一つは請負った仕事に利益を薄くみて、人夫たちにそれを更に請負わしたのが当ったらしかった。

　そうなると、人夫たちは現金なもので、常傭の一日分の仕事を五倍も六倍もやり、今度は自分たちだけで働くのが勿体なくなったのか、手紙を出して友達を呼び寄せるようになり、飯場は満員になって隣りに新しく造る騒ぎまでになった。したがって、元請負の組の親方への聞こえもよく、仕事のほうも追加して貰うようになつた。

　すると、父の身体は勘定日ごとに金ピカリしてゆき、指輪、時計眼鏡と増えていつた。

　このとき私は三年生で、浦賀町にぞくする大津尋常高等小学校に通つていた。

　急に父が羽振りがよくなつたので、私まで金使いがあらくなつていつた。それはなにも親から貰つたものでなく、酔つて寝入つている父のポケツトから五十銭銀貨を一枚、ときには二枚、三枚と盗つたものであつた。これが四、五回つづき、盗つた翌日学校をサボリ、日本人の友達と横須賀市内の映画館を観て歩いた。そして、日がくれるまで家へ帰らなかつた。

　当時の五十銭銀貨一枚は、なかなかの大金だつた。映画館の子供入場料が五銭だつたから、だいたいの見当がつくだろうと思う。

　そのうちに父も気がつくようになり、私を折檻したが、私はあくまでシラをきつていいのがれた。

　ところが、その疑いがいつの間に母のほうへおい被つていつていたのだつた。

　ある日、私は学校から帰つて、薄暗い飯場のなかの、私たち親子の部屋をのぞいてみて、なにか不吉の予感に襲われた。そこに、すつかり髪をかき乱した母が、まるで幽鬼のような顔をして坐つているではないか。人夫たちの部屋には誰もいなかつた。いつもなら二、三人休むものがいたのに、その日に限つてみんな仕事に出払つているようだつた。

　私は、母の変つた姿をみてどう口をきつていいのかわからず、オドオドするばかりだつた。また父が無理難題をつけて母を撲つたのか、と思うと父に対する憎しみが先きにたつた。

「城奎、おまえお父さんのお金を盗つたのか？」

と、母の口からはじめて弱々しく洩れた。城奎は私の幼名である。母はいつも私に話しかけるときは朝鮮語だつた。

　私は、「はつ」とした。私は自分の耳を疑つた。

「ねえ、まさかおまえ……」

　その語調は強く尾をひいて、私の耳へ飛びこんできた。

もう、すべては疑ぐる必要はなかつた。「ああ、母は私の身代りになつたのだ。母は私が盗つたことを知つている。それをかくしていたために父に撲られたのに違いない」と、そうわかつてみると、急に私の眼から涙がにじみ出た。

　私は青く腫れあがつた母の顔を、まともにみることができなかつた。私は頭を深く、深く垂れ、洟《はな》も涙もいつしよくたにして、だらしなく顔をこすりながら母に詫びた。

　私には、生れながらにして盗癖があるのではないだろうか？　朝鮮にいたとき、祖父の厳格なしつけにいたたまれず、祖母のタンスの抽出しから、五十銭銀貨を盗み出して、外祖母のところへ逃げ帰つた私、いままた父のポケツトからおなじことを繰りかえすのは、盗癖のためではないだろうか？　のちに私は、本屋から本を盗み出そうとして酷い目に遭つたことを思い浮べ、罪の意識は違つていても、犯行の目的は似たようなものだと、自覚しないわけにはいかなかつた。しかしその後、私は母に、「もう絶対に盗みをしない」と、誓つていながら盗みを止めていなかつた。してみると、私には盗癖があるようだ。

　――ともかく、母は基督教信者《エスチエンイ》としての信条から、法事のご馳走に絶対手を出さなかつたので親戚のものから嫌われ、誰ひとり相談相手になつてくれるものがいなかつた。しかも、わが子まで自分を裏切つたことを知つた母は、どんなに悲しく、淋しかつたであろう。どうしてあのとき、私は父にほんとうのことをいつて許しを乞わなかつたのだろうか。そしたら母はこんな目に遭わなくてもすんだのに。――ところが、母が父に撲られたのは、盗まれた金のことばかりではなかつた。

そのころ人夫たちのあいだに噂にのぼるほど浮名のたつた父の女道楽を、母はとうとう腹に据えかねて、逆に父に喰つてかかつたからであつた。

少し景気がよくなると、父は女遊びをする性癖をもつていたらしく、口数の少いかわりによく笑うが、それもおおきく口を開けて笑うのではなく、笑い声をたてない、微笑むといつたもので、鼻の下に髭を蓄えていても笑うとおひとよしの顔になり、水商売のおんなたちからはだいぶもてていたように聞いている。

このように、内にいるときの父と、外の父とまるで違う両面の父を、どつちが本物の父だか、注意深くみつめるようになり、やがてそれが父の非情からくるものだと気がつき、私の胸のうちは煮えかえるような、鬱々した反抗心が加速度的に溜つていつた。―このように、父は飯場頭として立派に成功していながら、毎晩のように友達二、三人と料理屋にいり浸つたため、儲けたものも身につかず、工事が終るころになると父の羽振りも落陽に似ていつた。それで工事がすつかり終るころには、父の身につけていた金ピカはなに一つのこつていなかつた。

叔父のほうは、根が堅い人間だけに万事ソツがなく、近くの山崎の大きな埋立工事を請負つて、大津の射的場造営工事と両方を受もつていた。

このように父と、叔父の処生術は、月とスツポンほどの違いがあり、私の父は一つの工事が終ると遠いほうまで足をのばして仕事を探し歩いた。それで、せつかく儲けた金も汽車賃にみな使つてしまうのだつた。大勢の人夫を連れて新しい工事場へのりこんでゆく場合などは、特に借金までして汽車賃をみんな父が自弁した。

〝奢るものは心つねに貧し〟とか、〝驕るものひさしからず〟との諺があるが、そのことを父は地でいつたのではあるまい。きのうまで頤でひとを使つていた父が、いつの間にか打つて変つたように一行商人に落ちぶれ果てて、機織《はたお》りの町・足利市の片隅の長屋に私たちは住むようになつた。末弟の洪植が生れ、親子五人ぐらしだつた。

私が四年生になつたばかりの一九三〇年のときである。

父はどうしたのか、このときばかりは人夫をひとりも連れておらず、どこからか飴やの道具を買つてきて、白い土蔵つくりの家のたくさんある足利市内をあつち、こつちと子供たちを相手に行商して歩いていた。

その行商というのは、子供がおおぜい遊んでいるところを選び、そこに腰を下ろして飴やの道具を拡げ、コンロに炭火をおこす。火がおきると、水飴とザラメを半々にし、牛乳わかしのような把手のついた鍋にいれ、ドロドロになるまで煮たてる。そして大きな銅板の上にいくつもおかれた、大人の親指ほどの瓢箪の容器にいれ、固まつた頃合いをみてその容器をはずして一つ一銭で売るのだつた。瓢箪の形をうまくとつたものには、別に用意されてある掌ぐらいの厚みのある魚の形や、自動車の形をした飴を渡すことになつていた。だが、それはなかなかうまくとれるものではなかつた。子供たちは嘗《な》めなめしたり、あるいは自分の家から針をもつてきて突つついてみたりしてやるが、どうしてもくびれたところとか、小豆ぐらいの口のところにヒビがはいつて折れてしまう。しかし決してとれないものではなかつた。私は学校帰りの途、父の商売しているところに出会うと、その傍へいつて子供たちの目の前で、とりかたの実演をしてみせてやつた。要するに一つのコツであつたが、私も十のうち二枚ぐらい失敗することがあつた。

　そうすると、私が手伝つたときは売上げがあつたとみえて、私が朝学校へ出かけようとすると、きょうはどこそこにいるからこい、と笑顔一つみせずボソツと父はいうのだつた。ときには、私は聞き違えたのではないかと思つて、もう一度ききかえすことがあつたが父は二度と口を開かなかつた。そういう場合は、学校へいつても授業に身がはいらず、どこで父は商売をしているのだろうと、そればかり思いつづけた。学校がひけると、私は肩かけの鞄を小脇にかかえ、それらしいところへ一目散にかけていつた。それが第六感どおりうまくゆけばいいが、そうでない場合は足利市内を半ぶんかけずりまわるようなことがあつた。

　私は本格的に勉強をしはじめたのは、だいたい横須賀へ引揚げていつてからの五年生ころのことだつたと思う。それまでは出来、不出来の差が甚だしくパツとしない存在だつた。ただ、習字のほうはどこの学校へいつても、いつも甲上ばかり貰つて教室の掲示板に貼りだされた。

　この足利南尋常高等小学校——と思うが、この学校へ転校してきて驚いたことは、私が四番目のおおきさに落ちたことだつた。

　私はほうぼうの学校をずいぶん転々としたが、それまで私よりおおきい同級生に出会つたことはなかつたし、体操の時間はいつも先頭だつた。それが、この学校へきて後列の二番にたつようになつてなんとなく戸惑つたような感じを覚え、その反面たすかつたような気もした。

　私はみなより一つ年上であり、その上どこへいつても身体が一番おおきいということがしばしば目立ち、いいことは当然のように思え、悪いことは一ばん私が悪くいわれてきたのであつた。私はまずここへきて、この緊張感というべきものをかなぐり捨てることができたことを、なによりもうれしく思つた。

　同級生のなかに、中谷範明という、すごくできる生徒がいて、彼が級で一番おおきく、級長をしていた。私は彼と仲良しになり、彼の家へ二、三度遊びにいつたことがある。家族のひとたちは私を温かい目で迎えてくれたことを、私はいまでも忘れない。

　その家は、そのころにしては珍しい、お伽噺の絵の本にある赤いスレート屋根のいわゆる文化住宅だつた。小じんまりした庭があり、あたり一帯はみどりしたたつてなんとなくのどかで、愉しそうな家庭だということが、私の眼でも一見してそれとわかつた。

　その後、私は他所の学校へ移つても、この中谷君とはそうとうながく文通しあつた。

　いま彼に出合うことができたら、どんなにうれしく思うか知れない。

　父は当てものの飴やを三月ぐらいやつただろうか。

ある日、どこへゆくとも告げず、飴やの道具を家においたまま、一ト月経つても二タ月経つても帰つてこなかつた。

そのあいだ、私は父に代つて学校から帰ると、鞄を放りだして飴やの道具をもちだし、町なかへでていつた。

はじめのうちはおなじ学校の生徒や、同級生が通ると羞ずかしかつたが、それも日が経つにつれて馴れつこになつた。愛嬌もなく、憮然として坐つたままの父より、私のほうが商売上手だつたと思うが、なにしろ僅かの時間でかせぐのだから、一家の糊口を凌ぐにはなかなかであつた。

父が出たきり、二タ月も連絡してこないことは、なんぼ無頓着な父でもいままでにその例がなかつた。さすがの母も心配になつたらしく、ついに意を決し、すぐ下の弟鶴植を私に預け、母は末弟の洪植を背にして父を探しに出かけていつた。

それは、秋も深まり、肌身に寒さを感ずる季節のころだつた。

俄かに一家の主人に納つた私は、私の鞄を弟の肩にかけさせ、私は飴やの道具をもつていつしよに学校へゆくようになつた。授業中弟が廊下をかけずりまわつたり、またほかの教室へはいつてゆくのには、私はまつたく参つた。

学校が終ると、その足で商売に出かけたが、雨に降られたときは弟とふたり映画館にはいつて愉しんだ。

あの街角、この街角といつたぐあいに、幼いふたりの飴やの姿がいま思いだされて、頰笑ましい風情となつて私の眼に映つてくる。

そのうち友達も同情して、弟の遊び相手になつてくれたり、遠くから足を運んでわざわざ私の飴を買いにきてくれるものも出てきた。

両親におき去られた小さいふたりの兄弟が、細々と生活を営むのも、けつこう愉しいものがあつた。

私は幼いときから、両親に別れてくらしたので、別に淋しいとか悲しいとかの感情は少しも湧いてこなかつたが、弟だけはいつも夜中に起きあがつて、「オンマ、オンマ（かあちゃん、かあちゃん）」と、泣きつづけていた。私は弟をあやすのにどんなに、難儀をしたかわからない。

それでいて翌朝、弟はケロリとして、学校へゆくころになるといつの間に私の鞄を肩にして表にたつていた。

母は、このとき真つすぐ横須賀へ足を向けたらしかつた。

そのころ姉夫婦は、逸見の鹿島神社の前にあつた「在日朝鮮労働総同盟横須賀支部」と看板が出ている、その事務所の留守番として住みこんでいた。

――けつきよく、父は横須賀にたち寄つていなかつた。母は先ず叔父のところへいつてそのことをたしかめ途方にくれたが、そのかわり叔父は、姉夫婦が逸見にいることを教えてくれたそうである。

母が出ていつてから十日ぐらい経つたであろうか。

とつぜん、義兄・鄭致模が、私たち兄弟の前に現われ、私たちを迎えにきた。それはよろこばなければならないことだつたが、私はなんとなくこの町から去つてゆくのが惜しく、この迎えをよろこぶというより渋々うけたのだつた。

いざ横須賀へひき移るとき、義兄が「大家のところへ案内しろ」と、いうので案内したところ、腰の曲つた山羊髯の爺さんから立退料をせしめたのには驚いた。私は、それまで相当たまつている家賃を払つてくれるものとばかり思つていた。それがこうなつたので、義兄が悪いことをしているようにみえ、私は顔を真つ赤にしたばかりでなく、足がふるえたことを思い出す。

　私は、再び一年のとき学んだ逸見校に帰つてきた。そして、またクラスで一ばんおおきい生徒になつた。

　一年生のときの「こんなチビたち」は、もうチビではなくなり、私の背とそうかわらないほどおおきくなつていた。

　「おーい、張君あそぼう」といつて、私の傍へかけ寄つてくる顔をみたら、「ああ、こいつは、むかしババをこいて泣いていたヤツだつけ」と、思い出したりした。

　何年ぶりかに会つた私を、みんなは大歓迎してくれたが、田舎廻りをしてきた私のことばにはいつの間にか方言がまじり、「……やろう」というのを、「やんべえ」というので、みんなは面白おかしそうに笑つたりした。それでついには、「……べえ」語が流行りだし、私は閉口したものである。それでも彼らは、私を自分たちの味方にしようとして騒いでいた。というのは、そのころ学校がはじまる前とか、休み時間にドツヂボールをやるのが流行り、広い校庭は各クラス毎にその遊びで賑やかだつた。この遊びでは私は一方の御大で、私の毬を受けとめる友達はおなじクラスのなかにひとりもいなかつた。かりに受けとめたにしても、その友達は毬を抱えて後ろにひつくりかえるのが関の山だつた。したがつて、私を自分たちの味方にひきいれることは、はじめからその勝負は勝つことを意味していた。

　このころから私は、立川文庫を古本屋から借りてきて、学校の勉強をそつちのけにし、寝床のなかで夜晩くまで読み耽つた。猿飛佐助などの真田十勇士をはじめ、山中鹿之助、後藤又兵衛、田宮坊太郎、戸田白雲斉、塚原卜伝、宮本武蔵というふうに、古本屋の棚にあるものを無差別に一日二、三冊ずつ読んでいつた。家のものはそれがどんな本であろうと、読んでいさえすれば私が勉強しているものだと思い、このほうの監視をぜんぜん怠つていた。

　私はこれらの本を借りて読む金を、母からも姉からも貰えなかつたので、紙メンコ遊びをして勝つたメンコを売り、これをそのほうに充当した。

　なぜ、私はこんな本に夢中になつたかというと、私たちの住んでいる周囲の貧しさが、現実にどうにもならないのにひき比べ、荒唐無稽のようなこれらの本を読んでいると、自分たちにない世界、つまり自分がその本の主人公になつたような錯覚に捉われ、肉躍り血が湧くのだつた。

　しかしその結果、これがどんな悪影響を私にもたらしたかを考えると、慄然とする。

　それまで私は、自分が朝鮮人だということを意識のなかにはつきりともつていて、別に羞かしがつたり、そのことをかくそうとしたことは一度もなかつた。―それが立川文庫を読むようになつてできるだけ朝鮮人だという意識からは背を向けるようになつていつた。朝鮮服の母といつしよに電車にのるときなどは、先ず母を座席に坐らせ、自分はずうつと離れたところにたつているとふうであつた。

　一度、学校へ弁当をもつていつて酷い目に遭つたことがある。

　――それまで静かに弁当を食べていた私の隣りにいた、岡崎という子が、とつぜんしじまを破るように、「臭い？」と一と声叫び、鼻をクンクンとうごめかしながら私の弁当をのぞきこんできた。そして、「ああ臭い…」ともう一ト声をたて、空いているほうの席へ移つていつた。みんなは一斉に私のほうを振りむき、「ニンニクだ、ニンニクだ」と囁きあつていた。私は顔をあげることができず、耳たぶが熱くなり、両頬が紅潮してゆくのを感じた。私は伏せた視線を自分の弁当箱に吸いつけた。どうしたのか、それまでいれたことのない真つ赤な白菜漬が弁当の隅のほうにいれてあつた。それがだんだんおおきくなり、弁当箱いつぱいになつて私の眼に拡大されてきた。

それにしてもおかしかつた。はじめ弁当を開けるとき気がついている筈だのに、それに気がつかなかつたことは迂濶だつた。

このことがあつて以来、私は絶対に学校へ弁当をもつてゆかなかつた。学校の正門の入口は石段になつていたが、その石段を下りるとすぐパン屋があつて、みんなが昼飯のフランスパンとか、アンパン、ジャムパン、クリームパンなどを買いに行列しているのを、私は泥棒猫のような横眼で見流し、唾をのみこみながら姉の家へ飯を食べにいつた。

父はその後、三月ほどしてから私たちを迎えにきたが、私はもう学校を変わるのが嫌だつたので、無理に頼んでトンネル一つ向うの吉倉に、飯場をかまえていた叔父のところへ子守りを条件で預けられ、そこから学校へ通つても私は弁当をもつてゆかず昼ヌキだつた。——こういつたわけで、立川文庫からくる日本人的感覚が芽生え、それだけに悲しみも深くなつていつた。

しかし私は、そのままの姿勢で小校を出るなり中学、大学へといつていたなら、私という人間は途てつもない人間となつていたかも知れない。

幸い、私の家は貧しく、私は学校を出るとすぐ飯場という朝鮮人社会に飛びこんでゆき、土工となつて働きながら、除々にではあつたが、朝鮮人としての意識をとりもどすことができた。私の家が貧しかつたことは、私にとつてはむしろ救いでもあつたわけだ。まつたく人生とはこんなものであろうか。

こう書いてくると、なんだか嫌な記憶ばかりでやたらに述懐めくが、私たちの幼い時代が現実にそうだつたし、なんとも複雑な少年期の感傷にくるまれてくるのも致しかたのないことだろう。

姉の住んでいた、と同時に私もそこから学校へ通つていた「在日朝鮮労働総同盟横須賀支部」の看板が出ているその事務所には、半ズボンにネクタイをしめた大人たちがしよつちゆう出入りしていた。門構えのある二階家でその門には、逞しい挙骨の絵入りのポスターが貼つてあつて、「パンを与へろ!」の文字が、いやでもおうでもここを訪ずれるひとの眼にはいつた。

そこに出入りするひとたちには、当時、私はぜんぜん関心をもたなかつた。ところがそれらのなかには金天海や、金斗鎔などもいたことを、私は戦後になつて知つた。——ある大会に出たとき、演壇の後ろに控えているひとびとのなかに、「どこかでみたことのあるようなひとたちだなア」と思つたら、それが二十年まえにみた顔で、そのひとたちがそれであつた。すると私は急に身内のひきしまるのを感じ、「ああ、あのひとたちがそうだつたのか」と、私はなにか損をしたような気持をいだかされたものである。

私は、このときのことはそうあまり記憶にないが、そのとき兄の夏植が東京から訪ねてきて、一週間ばかり滞在したことがあつた。私には朝鮮で別れたきりはじめて会う兄である。兄は東京のガラス工場で働きながら大学の夜間部に通つているとのことだつたが、身体はすつかり弱り、既に胸を侵かされ骨と皮ばかりになつていた。母が一生けんめい父の眼を盗み、へそくりを溜めて送つていたその甲斐もなく、こうして身体をこわして帰つてきた兄の変りはてた姿をみた私は、子供心にも不憫を感じ、私までが無性に悲しくなつた。

ある日、その兄を、叔父が訪ねてきて誰もいない二階の事務所へ招じあげた。私は階下の六畳の部屋の真ん中に腹這いになつて立川文庫を読んでいた。蒸し暑い日のことで、部屋の戸は全部開け放しだつた。

しばらくコトリとも音がなかつた二階から、とつぜん叔父の怒鳴る声がきこえ、声がしなくなつたと思つたら今度は地震がきたように天井がメリメリと鳴り、電燈が揺れだした。私はびつくりし、二階へ飛びあがつていつた。叔父は床の間にたててあつた組合旗の、剣のついた旗竿を横手に構えながら兄を追いまわしていた。兄は向いあわして並んでいる机の囲りを逃げまわつている。チヨビ髭を生やした叔父の顔は、単に威嚇するだけの顔でなく、「イヌムジヤシク、ジキンダ！（こいつ殺してやる！）」と怒鳴つて、いまにも躍りかかるようにして、ほんとうに兄を殺さんばかりの剣幕だつた。私はそれをみて胆をつぶし、わあツと泣きわめきながら、「どうか兄を許してやつて下さい。サムチヨン、サムチヨン！（叔父さん叔父さん！）」と、いつて叔父にすがりついた。そして、その手を叔父がもつている旗竿のほうへ移し、叔父を身動きができないように、私はあるつたけの力を奮いしぼつて握つた。そのあいだに、早く兄が逃げてくれれば……と、私は命がけでそれを念じた。それが兄に通じたのか、ちよつと兄の体が動いた瞬間、私の身体はひとたまりもなくもんどり打つて転つた。しかし私は夢我夢中だつた。転つたと思つたら私の身体は起きあがつていて、兄の前にたち塞つた。と同時に、叔父の旗竿が一ト突きされていた。そこはちようど階段の降り口で、兄はそこまで逃げかかつていた。私は「あつ」と叫ぶと同時に、腰のあたりに疼痛を憶えた。そして頭から血がサツとひいていくようでめまいがし足を踏みはずして階段を転つていつた。

私が気がついたときは、腰に繃帯を巻かれ病室のベツドの上に寝かされていた。兄は心配顔をして私の顔をのぞきこんでいた。私は兄の無事な顔をみて、ニコツと笑い、兄もまた白い歯並みをみせて私に笑いかえしてくれた。幸い旗竿の剣尖きはそう鋭くなかつたので、私の傷は軽くすんだが、それでも五針縫い、いまでもその傷痕が私の腰にアリアリとのこつている。夕方、外出していた母や姉が驚いて跳んできたが、私は無理してその日のうちに退院した。私は誰が払つてくれるのかわからない治療代のことで、頭のなかはいつぱいだつた。……このときほど、私は自分の家が貧しいことを悲しんだことはない。私の家が金持だつたら、叔父なんかに兄は折檻されなくてもすんだし、母も親戚のものから冷たくみられなくてすんだかも知れないと思つた。そうして私はどんなことがあつても、きつと金持になつて叔父を見返してやるんだと、ひとり心のなかで叫ぶように誓つた。

それにしても、なぜ兄が叔父からあんな目に遭つたのかわからなかつたが、その後、私の傷もすつかり治つて姉から聞いたところによると、なんでも兄が事務所に出入りしているひとに、叔父は薄情だとか、あんなひとは叔父じやないとかいつたのがもとらしかつた。それが叔父の耳にはいり、叔父はそれを聞き質すため、あのような騒ぎになつたようだつた。

叔父はとうとう私の見舞に一度もきてくれなかつた。私はかえつてそのほうが気持の上でらくだつた。——それにしても、それから二タ月ほどして父が帰つてき、私たち一家が新しい工事場へ移つてゆく際、よく私をひき取つてくれたものだと、私はいま感心している。しかしそれは、考えてみると、叔父は私に傷を負わしたという良心の苛責からの処置ではなかつただろうか。いずれにしても私は大きな呼吸をすることもできず、過ごさなければならなかつた。

金史良の登場と私

趙　奎　錫

先夜、僕は金達寿とぶらぶら新宿の雑沓を歩いていた。ひとに招待されての帰りみちだつたが、何かものたりず人懐しい時刻だつた。――こんなときは張斗植をひつぱりだすに限る！　早速舗道の公衆電話で向島へかけると、あいにく彼は手がふさがつていた。彼の店の従業員の何人かが休んだため、自から陣頭指揮をしている最中らしい。せつなさそうに「いま出たくても出られねえンだ。」という。そこで金達寿と僕は、彼の仕事が終る頃まで、どこかで時間を潰すことにした。さて、どこがよかろう、というとき、達寿が、

「ムカシ、金史良がオレのところへよこした葉書にネ、新宿で臓肉《トンチャン》をサカナに痛飲したと書いてあつたけど、当時の新宿のどこにそんなところがあつたんだろうと気にしていたんだが、最近、それと覚しきあたりが判つたよ、いつてみるかネ。」

全く初耳だつた。と、同時に、それだけで、ふと金史良が眼前によみがえつてくるような錯覚にとらわれたのは、僕の感傷だつたのだろうか。僕は、いまさらながら、僕の胸腔ふかく蔵いこまれている金史良というひとりの作家の強烈な映像に、自から驚ろく思いである。

そのくせ、僕は、金史良という作家については、その作品を通して以外は、殆んど、なにも知らないのだ。これは、戦後知つたことだが、当時、横須賀にいた金達寿はじめ、文学をやる若い人々の一群は、濁酒を酌みながら、金史良と親しく往来していたというのだが、僕には、そんな晴れぱれしい記憶はない。――無理もない話である。金史良にしてみれば、酒の味も知らなければ、莨すらのめぬいじけた少年を相手に、談笑などと、思いもよらなかつたことであろう。

しかし、僕に対する態度は、いま考えればおどろく程真摯なものだつた。

僕が、金史良と会つたのは一九四一年の五月から、十二月彼が検挙されて、鎌倉警察署に留置されている間、一度特高室で会つたのが最後であり、回数にして十回に満たない短期間であつた。

だいたい彼自身の日本における作家活動自体が「高い光芒を放つて飛び去つた流星」（保高徳蔵）のような印象だつた。

一九三七年東大在学時代、その処女作「土城廊」を同人誌「堤防」に発表しているとはいうものの、いわゆる文壇にデビューしたのは

三九年二月号の「文芸首都」に発表された「光の中に」が芥川賞の候補作になり、これが翌四〇年「文芸春秋」三月号に転載されてからであるから、その奔放な活動は、このときから彼が朝鮮へ脱出するまでの期間の丸二年ぐらいのものである。（金達寿「在日朝鮮人作家と作品」「文学」一九五九年二月号に拠る）

この二年ぐらいの間に、つぎつぎと精力的に作品を発表、「光の中に」（小山書店版）「故郷」（甲鳥書林）と二冊の短篇集をだしているが、当時の僕には、それは〃流星〃というよりも〃彗星〃とよんだ方がふさわしいかがやきであつた。

そのようなことはあり得ぬことであろうけれども、もしも、彼が祖国へ帰ることなく、日本にとどまつていたならば、金史良という作家は、どのような変貌をとげていただろうか——というより僅か半才にして、自意識に悩み、自虐にゆがめられていた少年に、抵抗のありかたを示し次元の可能性をおぼろげながらも信ぜしめるほどの影響を与えたこの作家が、どのような、世界を展開しただろうか。彼の在日中の諸作品にはそのような未解決の命題が含まれていると解釈するのは僕ひとりだけであろうか。

「光の中に」を、むさぼり読んだ僕は、山田春雄という子供が彼にそそぐ主人公の愛情に惹かれゆくように、この眩しいような存在である作者に会いたかつた。けれども——こわかつた。相手が、いまをときめく新進作家だからということではなかつた。いや、それもあつたろう。しかし、根本的には、日本人ともつかぬ朝鮮人ともつかぬ僕を、相手はどんなまなざしでみるだろうか。憐憫だろうか。軽蔑だろうか。死ぬほどイヤな憐憫や侮蔑を、月本人どころか、こんどは、血の繋がりを持つ、未知とは云え、このひとから受けたらおれはどうなるのだ。僕の発想は、とめどもなく、くりひろげられあげくのはて奈落に落ちたような絶望感におそわれる。——なんのことはない、これは山田春雄の姿勢そのものではないか。だからこそ会いたいんだ。僕は「光の中に」を暗記するほど読みかえすだけだつた。ためらいはつづいた。

間もなく僕は決定的なショツクを受けねばならなかつた。

そのころ、僕は、五反田と蒲田をつなぐ池上線（東急）の雪ケ谷という駅ちかくの、森に囲まれた素人家へ、下宿していた。蒲田の軍需工場へ勤めている工員のおかみさんが内職にやつている素人下宿だつたが、下宿人は僕のほかに、主人と同じ工場へ通つている若い見習工の二人だけだつた。

僕は、自分が朝鮮人だということは隠していた。何事にせよ、隠すということほど、神経を消耗することはないが、僕は日常の起居にまで気を配り、めだたぬ隠花植物のようにひつそり暮し、一年あまりをそこで過してきたのだつた。僕は千葉県生れの学生ということになつていた。勿論——日本名である。

僕の神経はいじけにいじけ、肉親が商用などで上京し、僕に会いにくるというと、僕はあわてて、実家へ電報を打ち、途方もない方角ちがいの駅で落ち合うといつたありさまだつた。

おかみさんは、三十をすこしでたばかりの頤のつけ根が、うなじへ出つぱり唇をへの字に結ぶくせのあるきつい貌をしていたが、見かけに似合わず、親切だつた。月に一度の生理周期がくると、気がたつものか、六つと五つの年児の息子を、なんの理由もなく、その尻が青くなるほど額に青筋たてて殴り続け、子供をサイレンのように泣かすのがタマにキズだつたが、それとても、僕がとめに入るとおかみさんは至極上機嫌でぴたりとやめるのだつた。

僕は、この下宿を確保し続けるために、人眼にたたぬ腐心を続けた。時折千葉の家へ帰り、東京へ戻つてくるとき、僕はわざわざ泥のついた芋諸をお土産に持参し、これは実家で獲れたものですが――と云うと、彼女はおおげさに相恰くづして喜んだ。僕は千葉の〃農家〃の生れだといつておいてあるからだ。朝鮮人農家などというのは当時、殆んどありツこないから、農家といえば日本人にきまつている。泥だらけの芋諸は実家で獲れたどころか、近所の百姓家から泥つきを条件に買い求めたものだ。

既に何回かの経験の結果が僕をして、あくまでもこの下宿を確保せしめようとした。下宿料が他に比べ二割方やすいし、環境がよいということが気にいつたばかりでなく、朝鮮人ということをさとられずに済むには、なんとしても〃信用〃が肝心である。その信用を積むには、二カ月や三カ月では不可能である。年月という実績がつけばつくほど、信用は増し、それにつれて、こちらの目的にかなつてくるというものだ。

が、これだけ惨胆たる思いをしているにもかかわらず、僕は、またここを追いだされることになつた。

ある日、早朝、僕はまだ眠つていたのだが、近くの調布警察署特高係がやつてきた。

入口の襖が激しくひかれた音に、ぼんやり眼をさました僕は上半身を寝床から起したままだしぬけに、冷水を浴びたように、蒼くなつた。

見知らぬ私服の男が二人、僕の枕もとへつつたつている。入口の敷居のところでおかみさんがおづおづのぞきこんでいる。

これが「特高」というものか、僕は、抑えきれぬ動悸で息苦しいまま黙つていた。その間、彼等は、僕の机、書棚などをひつくりかえし、ノートや日記類を紙袋にいれていた。彼等に襲われる理由が判らなかつた警察に連行された。僕は、別に取調べもなくそのまま留置場にほうりこまれた。二日目の昼、僕は主任の部屋につれていかれた。それは、普通の調室ではなく、主任自身の部屋のようだつた。机の上の一輪ざしに白い菊が生けてあつた。机をへだてて向かいに坐つている主任は五分刈りの両鬢に胡麻塩をうかせた血色のよい男であつたが、ものもいわないのは柔和な微笑を始終口辺に浮べていた。けれども微笑がやむと、その口もとはかえつて神経質な鋭どさを見せた。

彼は真直ぐ僕をみつめたまましばらくの間、ペンを持つた右手の中指で机の表面を、静かに拍子をつけるようにコツ…コツ…たたいていたが、その射るような凝視に耐え切れず、僕がうつむくと柔らかい一種の抑揚のある口調で、はじめは、住所、氏名、経歴、環境などひと通り訊いたのち、さりげなく思いたしたかのように、

「……きみはどうしてここへ連れて来られたか知つているだろうね!?」

「――いいえ!」僕は強くかぶりをふると、彼は、ふたたび机の表をコツコツたたきはじめる。そして、また、ポツンと云つた。

「……きみは和歌をやつているそうだね。」

「………!?」恐怖と緊張のあまり、うわずつて、ろくに声も出なくなつている僕ではあつたが、主任の思いがけぬ質問に拍子抜けした恰好で、呆然としていると、彼は眼の前の分厚いフアイルをあけ

て、薄つぺらな雑誌をとりだし、頁を繰つて、
「ここに、きみの歌が出ているが、この歌の意味を説明して貰いたいんだよ。けつしてどうこうというわけではないんだから、正直にきみの感想をきかして貰いたいんだ。――きみは、何も悪いことをしたわけじやないんだからな……」あいかわらず微笑をうかべたままだ。
下宿から連行され、留置場に放りこまれた瞬間から、僕は、どうして、検挙（?）されたのか、懸命に思いめぐらしていたのだが、思いあたるふしはなかつた。下宿で本籍を詐称していたということぐらいがうしろめたいことだが、それくらいのことでひつぱられるとは、如何に僕が、無知な十七才の少年とはいえ、考えられない。――全然理由がわからぬだけにそれはかえつて無気味なのだ。だが短歌が、いつたいなんの関係があるというのだろう？
「きみのこの歌だよ――」
主任は僕の作つた十首余りの歌をずつとよみあげた。
『ゆくりなく吾のひと日を武蔵野の御祖《みをや》の
　　遺跡にわれは来にけり』
『いにしえ、はこの地この郷《さと》高麗《こま》びと
　　がいゆき交《か》いたる野辺地にあらむ』
『祖国なくこの武蔵野に移りこし御祖の
　　こころ思ほゆるかも』
その頃、僕は短歌作りに夢中になつていた頃でもあつた。この日本独特の定型詩は、その発想法といい韻律といい、日本というものに同化してきた僕にとつて最も端的に、そして純粋に情緒的感動を与えるものだつた。
そして、自からも教授の主宰する結社W社に参加、その機関誌であるW誌に毎月、下手糞な作品を寄せていた。主任が、とりあげたこの作品は、二三カ月前、亡命帰化人たちの遺蹟である武蔵野の高麗神社に遊んだとき書いた連作であつた。
「――この場合のね、「御祖」という意味はどういう意味だね」
「それは、その……祖先という意味です。」
「祖先…ね、では、この「祖国なく」という意味は、この祖国はどこを指すのかね。」
「勿論…」といいかけて、僕は、ぐつと声をのんだ。主任の訊問の内容の重大さが、このときになつて、ようやく摑みとれたのだ。とたんに僕は、全身が熱くなつた。もはや恐怖感などは微塵もなかつた。それより、身を揉みたくなる屈辱感に僕の躰はかすかな痙攣《けいれん》すらおこしていた。――朝鮮人は歌を作つても疑われるのか！　歌や詩の世界にまで、日本人は日本人であり朝鮮人は朝鮮人でなければならぬというのか！　青く燃えあがる怒りが涙となつて流れるのをみて、主任は、どう解釈したものか、
「いいんだよ、いいんだよ。きみの気持はわかつているんだよ。……しかしね。疑えば疑えるんだよ、こういう歌は……。われわれ日本人の祖先は、決つてるじやないか。それが祖国がないだの、御《み》祖《をや》が関東に移つて来ただのなどといえば、誰だつておかしいと思うじやないか。歴史は歴史だとしてもね、こういう言葉遣いはいけないことぐらいきみだつてわきまえているだろうが……え……しかしきみは、ふだんは真面目な学生のようだし……今後はま、気をつけることだね。」
彼は、僕の態度からは「不逞鮮人」の面影を見出すことは出来な

かつたらしく、ちよつと僕をなだめるようにさとして、袖の抽斗から黒刷りの罫紙をとりだし、上申書を書けと命じた。生れてこのかた、書いたこともないものである。主任の指図通り、——日本書紀の記事からはじまつて、高麗神社の歴史と由来をのべこの場合の用語は決して、不敬不逞の意図を以て、用いたものではないが、結果において、そのような誤解を招いたことは明らかな過失であることを認め、以後は、自重し、ふたたびこのようなことはいたしません——という代物《しろもの》を書き終え、拇印を押したのち、漸く僕は釈放されたのだつた。釈放手続を待つ間、僕は、固く心に決めたことがある。それは、宿願でありながら、ためらつていた金史良訪問を絶対に決行することだつた。もはや僕の脳裡に「光の中に」の「南《なん》先生」のイメージがぴつたり作家金史良に密着して、僕のこころをとめどもなくゆさぶり、僕は「山田春雄」のように訴えたいのだつた。

——ときに、僕は、とうとう下宿をお払箱になつた。朝鮮人であることがばれた上に警察の御厄介になるような僕に、おかみさんは警察から帰つてきたその日から、口をへの字に結んだまま口をきかなかつた。そして、子供が、僕の部屋へ遊びに来ようとすると、子供の尻を摑えてまたもや、サイレンを鳴らすようにひつぱだき続けるのである。僕は、自分からお払箱を願い出たのだつた。

新らしい下宿先をみつけて引越して落着くと、僕はただちに敬虔な祈りに似た気持で金史良に手紙を書いた。長文であつた。返事がくるまで僕は、いちにち、ふつか飯も食えなかつた。会つてくれないであろう。最悪の場合を予想しながら、自分のたかぶりを抑えていた。

葉書に細字でびつしりつまつた返事を受けとつたとき、そしてその内容は、あたかも「光の中に」と同じニュアンスに溢れたものだつた。そして、待つているから、いつでも来いというのだつた！

「朝鮮総督府の役人が、僕に創氏改名しろというんです。なんどもしつこくすすめるんで、じやしようと云つてやつたら、とても喜びましてね、そして、何んてするというから金《きん》・史《し》・良《りょう》を、金史《かねし》・良《りょう》とするといつてやつたんですよ。そしたら役人ども、あつ気にとられて、黙つて帰つてゆきましたよ。」

何度目かの訪問のとき、そういつて、金さんは磊落に、低い笑い声をたてた。僕はかたずをのんできいていた。三文字の朝鮮名を捨てようとしない金さんのきびしさ——抵抗というものがこんなにもこころよい充実した感じを与え、何か解き放たれた、おおらかな喜びを得られるということを僕は、このときはじめて知つた。

金史良の作品を貫ぬく特質が限界ぎりぎりの抵抗であり、それが基調であつた（金達寿）としても、その強いられた低姿勢の裡にひそめられたものは人間に対する激しい情熱であつたと、僕はいまにして思うのである。もとより、文学とはそういうものであろうけれども、金史良の人と作品の評価が、ややもすれば、何か、かたむき勝ちにとられてはいなかつたろうか。打ちひしがれて窮貧の中に喘ぐ火田民の中に入りさえすれば、自分は気持だけでも軽くなると考えるのだつた。自分がそれで、いざ彼等をどうすることが出来るというのでもない。ただ自分もその中の一人だと考える時、もう自分は救われるのだと思い「これが感傷のエゴイズムだろうか」（草深し）と考える朴仁植や日本人と称する無頼の亭主に、つかい古したボロ切れの様にあつかわれたあげく、斬られて半死半生のめにあう朝鮮の女（山田沓雄の母）について「彼女の方では、又もしかすれば、自分が日本人と結婚していることを一種の誇りと思つて、この逆境に生きてゆくせめてもの慰めとしているのかも知れない。」けれども「私は寧ろあの半兵衛（亭主）に向つて彼女が激しい陰悪をもつていることを期待し、そして同じ郷国から出て来た者として義憤の悦びに酔いたかつた。だが私は見事に肩すかしを喰わされたではないか。」と肩すかしを肯定する「南《なん》先生」の呟きのなかに、抵抗以前の人間への対決を求める金史良のすがたを僕は思うのである。これを当時の環境が作用した「微妙な抵抗」の強弱の差——表現の方法上の問題にすぎないとかたづけられるだろうか。いや——あるいは金達寿が説くように、それは、もしかしたらそうであつたかも知れない。

　しかし、僕が、金史良から受けたものは、——受けとれたものは僕に関する限りは、そんな風に考えたいのだ。これまた、日本人かぶれのしていた僕のかなしい習性がさせる業だろうか。

　高鳴る腕をおさえ、途中でもし誰かに声をかけられたならば、わけのわからぬ大声を発したかも知れぬ極度の興奮によろめくような足どりで、新緑の若葉に彩どられた鎌倉扇ケ谷の米新亭に着いた僕は、金さんの部屋に招じられ、キチンと膝を揃えて、対座した。金さんが書きかけていた原稿をわきへかたづけ精悍な全体の風貌に反し、貌の割に小さな眼に好意のこもつたあたたかい表情を僕に向けたとき、僕は何もいえず、うつむいて、ポトポト涙を落した。

　そんな僕を、何くれとなく、いたわりながら、

「九十九里浜つていいところだそうですね。こんど、いちどぜひ連れていつて頂けませんか……。」僕が九十九里浜で育つたということを金さんは僕の手紙で覚えていてくれたのだつた。

「平壌《いなか》から雉子の肉を送つてくれましてね。それで晩飯でも食べましよう」暮色がせまつていた。夕食の支度を待つ間、金さんは僕を戸外の散歩に誘つた。立ちあがりぎわ、金さんは、僕が東京から持つてきた、金さんの第一創作集「光の中に」をみとめると、「ちよつと、貸してごらんなさい」

　ペンをとると、僕の見ている前で扉で書き署名した。

　　人生百に満たず
　　常に千載の憂を懐く

　そして、黙つて僕に渡した。それを読んで、僕の瞼うちにふたたび涙が溢れだした。金さんは、ちよつとあわてたように、「さ、ゆきましよう」と僕の肩を軽くたたいた。

　それは、「南先生」が山田沓雄を、上野公園へ連れだしたときはちようど、こんな風ではなかつたのかしら？　そのときの山田沓雄のこころは、あたかもいまの自分とおなじだつたのではなかろうか——僕はそんなことを夢をみるように考えていた。

　あれから、二十年——経つた。

ルポ・朝鮮史研究会

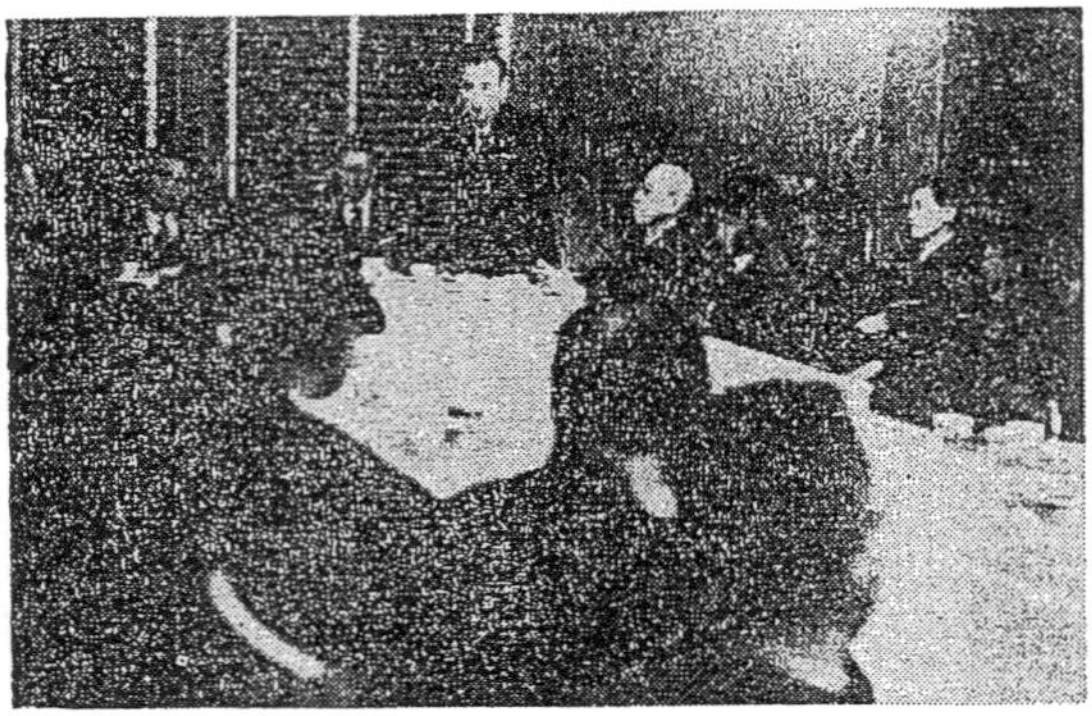

（写真説明　挨拶をする旗田巍氏、右へ青山公亮、一人おいて山辺健太郎、左へ田中直吉、末松保和の諸氏）

ここ数年来、朝鮮の歴史に対する研究が非常にさかんになつてきた。

祖国における数多の諸成果はさておき、ここ日本においても在日朝鮮人の手による「朝鮮の歴史」「現代朝鮮の歴史」「朝鮮」等の著書があいついで出版され、これらを中心にまた活潑な論議がなされてきた。

このような動きのなかで、去る一月三一日東京、お茶の水の明治大学大学院において、朝鮮史研究家五〇余名が集り「朝鮮史研究会」というのが結成された。

「朝鮮史研究会」は、正しくは日本の歴史学研究会・東洋史部会の朝鮮史研究会であるとのことであり、またこの会の世話人である学習院大学末松保和、法政大学田中直吉、都立大学旗田巍の諸教授をはじめ、明大の青山公亮教授、東大の幼方直吉教授、山辺健太郎氏等の顔ぶれからみてもわかるように、日本人学者たちが中心になつており、まだまだ未開拓な分野と未解決な問題が山積されている今日の朝鮮史学界において、このような動きはいろいろな意味から画期的なことであるといえるだろう。

「近来、日本人のあいだでは新しい朝鮮への関心とならんで、朝鮮の歴史への関心が深くなつています。また、朝鮮人のなかでは、祖国の真実の歴史を知ろうとする人が各方面にあらわれています。これは朝鮮史研究の発展にとつて、まことに喜ばしいことであります。

いまや朝鮮史研究は、反省と発展の新しい時期にさしかかつているといえましよう。しかし現状においては、日本の学界と朝鮮の学界とが絶縁に近い状態にあるだけではなく、日本における研究者相互の間にも連絡の乏しいうらみがあります。このさい、朝鮮史研究者が連絡を密にし協力して研究を進めるならば、研究の成果は一層あがり、時代の要請にこたえることができると思います」――とその趣旨を説明している。

聞くところによれば、現在、朝鮮史学界の動向は大まかにいつて三つにわけることが出来るという。即ち、共和国科学院を中心とする北鮮の学界の動向と、ソウル大学を中心とする南鮮の学界の動向、そして日本における日本人学者たちの動向がそれである。そしてこれらの動きがまたそれぞれの方向に、相互関聯なく発展しつつあるという。たとえば、過去における植民地主義、御用学者たちによつて歪められた歴史を是正し、正しい人民の歴史を人民の手によつて創りだそうとする科学院の方向は、その基本的な点において最も正しいが、しかし「日本とか、あるいは他の学界における研究成果などに注意を傾ける余裕がいまのところ充分にはないのではなかろうか」といつており、また、いわゆる韓国においては、その方法上においてのたちおくれは勿論のこと、神秘主義・国粋主義によつてすべての歴史が叙述され、李承晩反動政治の完全な御用学問となりきつておりほんのわずかの良心的な学者たちによる文献学的実証史学が、それも古い殻から抜けきれずにおるというのが現状だという。一方、朝鮮史の研究においてはかなりに進んでいるという日本の学界においても、まだ従来の研究スタイルから完全に抜けきれないというわさがあり、したがって、問題意識においても傍観者的意識を脱皮できずにいるということである。

この研究会の発足にあたつて旗田氏は「現在、朝鮮史に関する研究はどこでもたいへんにさかんになつていますが、ことに在日朝鮮人の歴史学徒たちの熱心さには非常にうたれるものがあります。……朝鮮史の研究者たちが集つて、このような研究組織をつくるという試みは、実はこれが始めてなのですが、これからはこの研究会を中心に、日本と朝鮮とのつながりをつねにたもち、組織的な連繋でもつて研究成果の交流をしてゆきたい」といつており、学問の交流、国際的な連帯なしには急速なテムポで発達する現代に即応出来なくなつたといつている。そしてこの研究会のこれからの当面の課題について末松氏は、「朝鮮史に関する資料は、そのほとんどが日本と朝鮮とに両分されており、したがつて資料の交換なしには少くとも朝鮮史に関する限りは完全な研究はありえない。ことにこのたびの戦火で朝鮮にあつた貴重な文献等がいまどうなつているか非常に気づかわれるが、これからはお互いに資料の交換を活潑におこなうと同時に、理論上の問題、意見の交換等に於ても積極的に交流して行きたい」といつていた。

ともあれ、朝鮮史学界における日本と朝鮮との断層はかなりはげしいらしい。例えば、古代・中世の部における時代区分についてみても両者の見解は非常に違つており、近代・現代においてはなおさらだという。

朝鮮経済史の研究者である裵秉斗氏は、この研究会の今後の課題と展望について、「日朝両国におけるこれまでの諸成果を、こういう場を通じてお互にどのように汲みとりそれを今後如何に発展させて行くかがこれからの最も大きな課題であるといえるでしよう。そして、日に日に輝かしい成果を収めつつある祖国の歴史学の諸成果を国際的規模において紹介し、そこで得たものを祖国に伝える、いわば両学界を結ぶ橋渡的な役割――この役割こそ在日朝鮮人学徒であるわれわれが果さなければならない大きな任務であるといえるでしよう」と説明してくれた。

旗田氏は、「朝鮮史研究会」の基本的なありかたについて、「それぞれの立場とか、イデオロギーを超越して、だれでも気軽に参加できるような共通な場を設けたいというのが念願」だそうである。参席者のある若い研究者は、「祖国が両断されている今日、学問上においても日に日にその溝が深くなりつつあるのです。日本の学者たちが中心になつているこの研究会を場にして、南と北の学界を結ぶ媒介的な役割をある程度でも果してくれることを願い、期待しております」といつていた。記者はなる程と思つたいつ頃であつたか「朝鮮がきびしい状態におかれているために朝鮮の人々の言葉はとかく烈しくなる傾向があり、それはやむをえないのであるが、それをきく日本人はとまどいをする感じをもつ」といつた旗田氏の言葉が思いだされ、氏の朝鮮に対するこまやかな愛情が身にしみ入るようで、なんとなく心あたたまるような思いがした。

予想以上の参会者で一ぱいになつた会場は終始和気あいあいとした雰囲気のなかで進められていた。

ともかく、この研究会に対するわれわれの期待は大きい。特に各大学の大学院、研究室にまなんでいる若い学徒たちに対する期待は大きい。まさに朝鮮史研究は「反省と発展」の新しい段階にきている。なにごとにもこだわることなく、若い個性を存分に発揮してもらいたいものである。

（編集部尹記）

読者の声

本誌の刊行が、予想以上の反響を呼んでいることは、本社に殺到する読者からの手紙を見れば一番よくわかる。

〃困難な条件下の御発刊に敬意を表し〃(中野区S氏、ほか)〃むさぼるように読んだ〃(神奈川県Kさん)という人が少くなく、一様に〃在日朝鮮人の新しい発言の場が出来た〃(大阪U氏、ほか)としてよろこんでくれ、〃朝鮮の真の解放にペンを以て闘われんことを期待〃(秋田M氏)する日本人もある。〃創刊号に骨董価値が出るほどの発展・永続を祈る〃(奈良県Rさん)ほどの関心を示されると、自ら責任の重大さを痛感せざるを得ない。

こうした投書家は東北、関東、関西、九州の各地に亘つており、使用された便箋や封筒から推してその職場も新聞社、出版社、銀行、学校、組合、療養所等々と、まことに多岐に亘つている。そうかと思うと〃交換〃を希望して送つた本誌を見ながら、更に個人として二重購読を申込んで来た世田谷のI氏の如き方もある。仮令抄録しても、それらのすべてを掲載することは不可能なので、こゝにはその最も代表的なものの要点だけを転載させて載く。(姜)

▼**大村益夫**(都立大生)「…中央公論二月号で見ました。…一日本人として、私も朝鮮問題を考えてみたいと思い、こゝ半年来朝鮮語も学んでおります……」

▼**粕田浩志**(国立宇都宮療養所内)「…日本読書新聞で見たのですが別に購読しようとは思いませんでした。ところが金達寿さんの〃日録〃の十月三十日に、第二次「民主朝鮮」ともいうべき「鶏林」創刊号、この日でき上る(云々)とあるのを読んで、僕も、日本に住んでおられる朝鮮の人たちをどれだけ理解しているだろうかと自問し、はずかしい限りですが殆んど知らないことに気がついたので、ぜひ鶏林を読んでみようと決心しました。……」

▼**朴璟**(水戸)「日本で生れて日本で育つた私には、朝鮮人の生活は間接的にはわかつても、直接にハツキリとはわからないのです。ところがそれが「鶏林」を読むとわかるような気がするのです。過去において私の祖先や同胞がどんなに圧迫され苦労して来たか!……まわりの日本人にも、一人でも多く読んでもらい度いと思い、努力致します。」

▼×××(特に秘す)「私は日本に生れ、日本の軍国教育を受けて育つた大正十五年生れの日本化された朝鮮人で、おはずかしい次第ですが祖国の言葉も知らず、祖国観念もない者です。神国日本の必勝を信じていたのにあの敗戦、それに続いたあの混乱……私は虚脱からヤケになり、ヤクザの生活に入つて遂に刑務所入り……更生して働きはじめたのも束の間で、たちまち結核にやられて現在入院中です。勉強し度いと思いますので「鶏林」をお送り下さい……」

▲**吉田慎**(姫路市)「……非常に充実した内容に敬服しています。少しも早く月刊になることを期待します。……問題も多いようですが、陰乍ら私共も協力し度いと思います。」

▼**大場一雄**(岡山県)「……私は六才の時に渡日し、一度も帰国したことのない男なので、張斗値の〃私の歩いてきた道〃には観愛感を抱かずにはおれません。多くの同胞が歩いて来た苦難の途に流された血と涙が、よく書かれているように思います。こゝの療養所には千七百名も患者がいて、うち二百余名が同胞です。所内に公立の高校分校もあり、同胞が十余名在学していますので「鶏林」の読書会を結成したいと考えています。……」

▲李錦玉（都下田無町）「…「民主朝鮮」がとたえましてからはや八年になりますかしら？ ページをめくるにつれて、当時のことなど思いおこしてなつかしさで胸が一ぱいになりました。まだ学生だつた私が、書店で偶然手にした同誌への感激やおどろきはいつまでも忘れることができません。いわば、それまでの暗中模索の中からのがれ得たのは、「民主朝鮮」によつてでした。再びここに「鶏林」によつて、若い人々の心に自民族の誇と正しい自覚が芽ぶくことと思います。……」

▲大橋一夫（銀行員）「私はあなた方の故郷で生れ、十四才まで育ちました。まだ子供だつたとはいえ、私もまだワンサおしかけて行つた日本人と共に負い目と責任とを持つているのです。あなた方に対する近親感は……あなた方の営みが永続し、第百号までも愛読できるような発展を遙かにお祈りします。」

▲横畑義久（岡山県）「私の生れて育つた町の対岸は新義州でした。税関の関係で安東（中国の東北、むかしの満州――編集者註）より安いものがあるとき、同級生といつしよによく買物に出かけたりしたのです。学校でのあの軍事教練の演習の時でもよくひつぱられて行つたり、また、凍つた鴨緑江をスケートで行つたり来たりしたものです。ですから、「日本のなかの朝鮮人」で趙奎錫氏が、「日本の風土に培われて育つたのだ」という気持が少しはわかります。ただ私達の場合は、支配者の立場しての朝鮮であり、満州であつたわけですが……」

××××（特に秘す）「私はいまから約九年程前に、犯すべからざる法を犯し、いまは囹圄の身で日々を送つているものです。……先日、たまたま中央公論の二月号で貴誌を知り、一朝鮮人として（実にはずかしい朝鮮人ですが）とび上るほどでした。くだらない自分でも何かと救いの道を見いだしたいと思つています。どうか御教示御指導を願います。……」

▲斉藤吉信（三鷹市）「私は、数名の仲間と文学同人誌を出しつつ文学研究などをやつている者ですが、昨年、金達寿氏の〃朝鮮〃（岩波）を読んで、非常に強い衝激《ショック》を覚えさせられました。それは、私が日本人として生れ、生活している現在に対し、はげしい民族的慚愧の念を抱かせるものでした。

二トン午の発動機船で僅か十時間走れば渡れる玄海灘の向うに、あなた方の祖国があります。朝鮮があるのです。そういう隣国関係にありながら、日本人のほとんどが、インテリゲンツアも含めて、朝鮮の歴史、民族の発生、日本と朝鮮との文化交流の歴史等、表皮的認識以外には知つていなかつたということ、何か大きな反省を呼ぶものでした。

日本人の朝鮮に対する無智は、かつて日本の軍国主義者たちの朝鮮侵略をどれほど容易にさせたことでしょう。このようなことを私は前述の「朝鮮」および「鶏林」一・二号を読みながらつくづくと感じました。

それ以後私は、朝鮮関係の資料や文献を読みつつ、朝鮮に関する小説も書いてみたいと思つておりました。それで貴誌創刊と同時に購読しましたが、非常に有益でありましたことを改めて申し上げます。構想中の小説のテーマを、在日朝鮮人の帰国問題に採りましたので、二号の巻頭論文は特に興味深く読みました。

貴誌の読者層が、どういう方面に伸びていますのか存じませんが、より多くの日本人に読まれますよう祈ります。

× × ×

象牙のパイプ

尹世重

尹学準 訳

今年でちょうど四十になつた倉庫係長・許同志は、最近ますます上機嫌になり、自分の職務に対する栄誉感もいつもより高かつた。それもそのはず、朝鮮労働党中央委員会、四月全員会議の文献が出てほぼ一年にもなるが、この倉庫からはこれという事故一つなかつたからである。保管不注意による自然消耗とか紛失、ことに盗難のようなことは絶対といつてよいほど根絶されたし、いくら入庫日数が古くなつても、いつもピカピカしてきちんと整頓され、保管されていた。

許同志は、このような成果を、表面的には保管、出庫に従事する若い人たちの熱意——つまり、四月全員会議の文献を研究、摂取する過程で、かれらの自覚性が高まり、責任感が強化され、国家財産を自分のもののように愛護する精神が急激に高揚されたからだといつているが、しかし内心ではひそかにこう考えていた。——これはなんといつても、事業に対するおれの腕前だ。若い連中を正しくみちびき、彼等を常に教育させ、すべての制度と規律とを立派にうち立てたからにほかならない——と。

じじつ彼は、毎朝おこなう朝会の時、ツルツルした禿頭をしじゆうなでながら、四月全員会議の文献から国家財産愛護に関する条文のみを引き出し、十五分ずつ解説するということを一度も欠かしたことがなかつた。そのためかどうかは知らないが、ともかく、一年まえ彼がこの倉庫係長として赴任してくるまえまでに、ときたまあつた数量減耗とか紛失、または盗難のような事故が一度もおこらなかつたのである。

　許同志はどこへ行つてもこのことを大の自慢にしていた。国家の貴重な財産を保管する事業に事故一つなく、すべてをきちんとやつてのける人つて、はたしてどの位いるだろうか？　支配人とか工場の党委員長がこのような自分の業績をどの程度認めているのだろうか？まだよく知らないでいるのではないだろうか？彼は、行政会議とか党会議があるたびに、自分の発言する機会ばかりをねらつていた。そして、ときたまそのような機会にめぐりあうと、まずなにはともあれ自分の職場の自慢話しからはじめるのであつた。時には、自分のそのはなしに夢中のあまり、はじめに予定した話をすつかりわすれてしまい、そのまますわつてしまうことさえたびたびあつた。

　このような許同志に、最近また一つの至極うれしい、愉快な出来事があつた。少々色のあせた小ざつぱりとした背広のポケツトに、ちよつとでも暇があるとそつと手を差しこんでは、彼を上機嫌にさせてくれるその物体を愛撫するのである。感触だけでもご満悦のその物体というのは、ほかでもない、あの象牙のパイプである。なめらかでどつしりとしたそのパイプは、手一パイに握つてもなおあふれでるような大きな象牙のパイプ！

　彼はパイプとか、ケース、ライター等の所持品を、いまだかつてもつたことがなかつた。しかしそのようなものに対する趣味と、それらを持つてみたいという意欲は人一倍強かつた。多分彼のそのような趣味はどうやら解放前の生活環境からきたようであつた。彼は一時金儲けをしてみようと思いたち方々へ出歩いたことがあつた。その時の彼の考えでは、人間とはまずなによりも身だしなみが大事で、他人《ひと》の目をみはらせるような金時計とまではゆかないにしてもパイプとか煙草のケース位は、人前に出してもそうはずかしくないものを持つ必要がある—と、他人様と接触するたびに痛感していた。それが、解放になつてからは彼の生活にも変化がおきた。虚栄心は影をひそめた。彼は、やはり自分には商売よりも事務の仕事の方が一ばん柄にあうといちはやく気がつき、その方の仕事をさがして落着いたのであつた。身体は丈夫そうにみえたがいつも胃がわるく、それでなやんでいた。職場を何度か変えるということはあつたが、今日まで事務員として忠実に国家に奉仕してきた。ところが、意外にも象牙のパイプが自分の手に入つてきたのである。やや黄味をおびていて、異様なツヤを放つているこの象牙のパイプはまるで顔も映るようであつた。そればかりでなく、象牙特有のあの繊細で均衡のとれた、底から浮きあがるような美しい紋！　これは珍品である。それは、このパイプを贈つてくれた金属、附属出庫係員朴九の説明をまつまでもなく、まさに珍品だつた。これがもし十四、五年も前であつたなら、どんなにすばらしいものであつただろう。そして、どんなに自分の気品を高めたであろう。しかし、今でも決してその価値がなくなつたわけではない。係長に象牙のパイプ——とはうつてつけのものではないか。

　許同志はある時、中央からきた幹部の一人がくわえていた象牙のパイプを、何度も何度も盗み見したことがあつた。その時そのパイプはなんと高貴なものに見えたことか——しかしこのパイプは、どこから見てもそんなシロモノとは比較にならないほど立派なものである。

『こんな貴重なものがこのおれの手に入るとは！』

許同志は考えただけでもとび上るほどのうれしさであつた。しかし彼は、係長の威信のみを考え、やたらにみせびらかすということはしなかつた。特に、会議とか大衆の集る場所などでは決してくわえることも、見せびらかすこともしないのである。というのは、もし上役がみて欲しがりでもしたら、それこそ大変である。自分の体面を維持するためには、やらないわけにもいかないし、だからといつてオイソレとやるわけにもなおさらいかない。

そこで彼は、他人にはいつさいみせないことにした。それで、ひとり自分の席にいる時とか、家にいる時に使用するほかは、もつぱらポケツトのなかで愛撫することで満足していた。（若いのになんと奇特な人であることよ）許同志はパイプがかわいいと思えば思うほど、それを自分にくれた朴九がかわいくてたまらなかつた。ところで、その当の朴九はといえば、彼はちぢれ毛である上に、立派な歯並をしているにもかかわらず二本の金歯を入れており、それをひと前にみせびらかしたがる変なくせの持ち主である。

というのは、他人と話をする時、変に口を片方に寄せたり、その金歯をむきだしてはわざと笑つてみせるという具合である。彼が初めて倉庫係員としてやつてきた時、許同志もあまりよくは思わなかつた。ところがだんだん接して行くうちに、若い人としてはまれにみる人柄であると思いはじめた。というのは、まず態度が非常に謙虚で、愛想がよい。それになによりも年長者や上役を敬うことをよくこころえているということである。一度は子供の誕生日、もう一度は母親の誕生日だといつては特別に自分だけを二度も招待して、いたりつくせりのもてなしをしてくれたのもそれである。彼は近来まれにみるご馳走に、実に久しぶりに舌づつみを打つたのであつた。そればかりではなく、朴九はまた非常な人情家であり、他人の面倒をまめにみてやることにおいても格別であつた。ところで彼とつきあつてみると、彼にはもう一つよいところがある。というのは老いも若きももつているあの物欲、——他人のものよりも自分のものをより大切にするというのに、彼はそれとは全然違つているのであつた。

たとえば、このパイプの件についてみてもそうである。

ある日、許同志が事務室へ入ると、朴九の机の上に黄色い光沢《つや》を放つている立派なパイプが、これみよがしに置いてあつた。

『ほう！　これはめずらしい。だれのですか？』許同志は目をまるくして聞いた。

『僕のです』

朴九はあわてたように腰を上げながら答えた。

『うむ！　たいしたものだ！　ちよつとみせて下さい』

許同志は、自分の席についてから、しみじみとその貴重なパイプを翫味しはじめた。彼は、いつか中央からきたあの幹部のパイプを想い出し、ほのぼのとしたものを連想しながら、口にくわえては撫でまわすということをいつまでもくりかえすのであつた。そこへ朴九がしずかに近寄つてきて、

『係長同志、もし要るようでしたらポケツトへおさめておいて下さいよ』

このことばは、許同志をとびあがらせるのに充分であつた。

『いや、これを、このわたしにくれるというんですか？』

『ええ、よろしかつたらどうぞ』

『ああ、こんな貴重なものを、このわたしにくれるというんですか？』

『ええ、僕たちはまだ若いですから、パイプなんておよそ似合いませんよ』

朴九にしても象牙のパイプがどれほど貴重なものであるか、そのパイプが、中国にいた自分の従兄がもち帰つてきてくれたもので、どれほど高価なものだということ位は彼だつて知らないはずがない。しかし、彼は自分の上役であるというので、それを惜しげもなくくれたのだ。なんと気前のよい人であろうか！　彼はいままでにこれほど気持よく、上役を尊敬することを心得ている人は初めてであると思つた。

許同志は、このパイプの件があつてからは、朴九がますます気に入つた。仕事についてもしくじるということはないが、かりにそういうことがあるとしても、追究も叱責もしたくなかつた。許同志は他の係員がもし外出でもしようとすれば、いちいち聞きただし、約束の時間を三十分でもおくれると、それこそ理由を徹底的に糺問するのであるが、朴九の場合は、公私を問わず、ただちに承諾するというまでになつてしまつた。一度は、部会議の席上で一人の同志が朴九のあまりにも頻繁な外出と、そのために起る業務上の支障を指摘して強く批判した。この時、係長はカツとなつて額に青筋をたてたが、すぐに表情をかえるとさりげない風をよそおい、こう答えた。

『まあ、外出も一つの仕事であるからやむをえないでしょう』

それつきり、その同志は口をつぐんでしまつた。

倉庫は誰がみてもすべてがきちんとなつているし、事故などはなおさら、――ポケツトには象牙のパイプはあるし、朴九のような立派な青年が自分の下で働いているということなど、なにからなにまで彼をよろこばし、上機嫌にさせているのであつた。

許同志が上機嫌であればあるほど、朴九はまた朴九なりに愉快でならなかつた。二度にわたる丁重なもてなしからはじまり、特に、象牙のパイプのききめはてきめんであつた。朴九はこの機会に、倉庫からもちだしたものはいつたん穴うめをしておかなければならない。そうしておいてからまた――、と考えるのであつた。一度味を覚えればなかなかやめられないというのが人間の常である。彼は戦争前までは、商売をしていた母親といつしよに市場に住んでいた。金使いの味も充分に知つていたし、また金を工面する術もたくみであつた。係長だけ目をつむつていてくれればそれでいい。石の上に草がはえることはあつても、これがばれるという心配はない、と。

ある日の夕方のことであつた。許同志は夕飯をすましてから、もう一度事務室へいつてみた。事故はないか、警備員、宿直員たちの手ぬかりはないだろうか、ということを見てまわるのが彼の目的であつた。その夜も倉庫の内外を一とまわりしてから、自分の部屋へ戻つた。例のパイプをとりだし、うまそうに一服しているところへしずかにノツクをして入つてきたのは、意外にも朴九であつた。

『どうしたんですか、朴ドンム（同志）』

許同志は大きな目をいつそう大きくしながら、朴九に聞いた。入つてきた朴九があまりにも元気がなく、心配そうな様子であつたからである。

ややたつてから朴九は、鶏の糞のような大粒の涙をポロポロとながしながらこう話した。

『箱の中に入つているベアリングの数が、あれ程不足しているとは全然気がつきませんでした。よく封がされており、入庫する時数をたしかめるということはいままでなかつたので、そのまま入れておいたのです。ところが今日、出庫のさい調べたらほとんど全部が不足しているんです』


ことのしだいは、こうである。朴九は良心の苛責と、この事件をあまりにもきびしく考えすぎたあげく、涙までながしたもののようである。許同志は一瞬頭を一撃されたように、目先きがまつ暗になつた。だが、泣いている朴九が先ずかわいそうになつた。

『うむ！　そうですか。しかしこうなつた以上は、泣いていてもしようがないじやありませんか。まあ落ちつきなさい。――ところで箱はよく調べてみましたか？　誰か手をつけたような跡はありませんでしたか？』


この言葉をきいた朴九は、とたんに眼を光らせた。

『はい、それがその、こじあけたような跡がありました』

『こん畜生め！　間違いなくあいつらの仕業だ！』


許同志は、朴九を信用しきつていたために、この事故は輸送の途中で起きたものと即座に断定したのだつた。許同志は、輸送労働者たちの所行が考えれば考えるほど、腹が立つてならなかつた。ただちに交通省に対して抗議文でもたたきつけたかつたが、しかし、じつとこらえた。

翌日、許同志は朴九をしずかに別室によんだ。今になつてさわいでみてもことをあらだてるばかりでどうなるものでもない。かえつて、いままでの名誉ある倉庫経営に傷がつくばかりである。そこで彼は、不足している分に対する適当な処置を指示したのち、この事件に対しては固く口止めをさせてから、――これくらいのことがなんだと、かえつて朴九をなぐさめ、はげました。


ことがこのようにうまくまとまると、部屋から出た朴九は、

『しめたッ！』と、拳をふつてパチッと指を鳴らした。（さて――こんどはどういう手を使おうか）

彼は係長に贈る次の品物を、あれこれと考えた。

（万年筆はもつているし、時計はチト高価過ぎる。ライター？）


それからしばらくたつて、許同志の手には真つ白い金属製の光沢を放つライターが握られ、象牙のパイプのたばこにパッと景気よく火をつけた。許同志はうれしさのあまり、不精髯の唇をほころばせて、笑いがとまらぬようであつた。

『まつたく朴ドンムは幸せものだ！…そんな立派な従兄をもつて』


許同志はニヤニヤ笑つている朴九にこういいながら、手にしているライターをしきりと愛撫しているうちに、とうとうこらえきれなくなつて、豪快な笑いを爆発させた。

『わっはは……』


ところが不思議なことである。記憶がうすれようとする時分になると、またもや数量不足の事件がおきた。そうなると、そのつど許同志は後始末に汗をながしながらも、どうしてまたこのような不祥事件が、こともあろうにあの純真で、誠実で、まじめな朴九に限つて起こるのだろうか、と、かえつて朴九に対して何かすまないような気さえした。

『朴ドンム、事業をしていくためには、いろいろなこともあるものだ。問題はこのような事によつて気を落したり失望をしてはいけない。これを教訓にこれからよく注意して、二度とこのようなことが

ないようにしなければならない。勇気をもちなさい！　わかりますか？』許同志は、そのつど、コンコンと説き聞かせた。

朴九は係長の言葉に感激して、そのつどまた、例の涙をながすのであつた。

それから幾日かたつたある日、突然、企業所の指導部から検閲部員たちがどやどやとやつてきた。

許同志はひどく自尊心を傷つけられたようで、たいへん不機嫌であつた。それで検閲員たちを前にして、しきりと皮肉つた。

『いつたい何のための検閲ですかね？　倉庫にこれつぽちの間違いでもありますか？　それも一人でなく三人もやつてきて――、こういうことは労力の浪費になりませんかね？』

検閲員の一人が、とぼけたようにいつた。

『さあ、どうでしょうかね。僕たちはただ上部から命じられて来ただけですから……』

ところが、許同志のこのような気勢は、それから一日もたたぬうちに一八〇度急転廻した。

朴九が昨日の午後、検察所に引つぱられて行つたこと、朴九の入庫・出庫の帳簿に偽りがあつたことが暴露されるや、許同志は検閲員たちを前にして、朴九の鶏の糞のような大粒の涙ではなしに、彼はしかしその鶏の糞のような大粒の汗を、禿げ上つた額からだらだらと流して、身動きもできずじつと坐つていたのであつた。

『朴九は、ベアリング、メタル、ペンチ、スパナ等、いままで判明したものだけでも数十件に達しております』

検閲員たちからこうきかされるたびに、許同志は激しい身ぶるいにおそわれるのをどうしようもなかつた。

いつも愉快で上機嫌であつた倉庫係長・許同志の夢が、メチャメチャに壊される日がついにきた。

幹部部の部屋から出てくる許同志の顔はまつさおになつており、足どりはわなわなふるえていた。眼の前はまつ黒でなにもみえない。土木現場へ配置が決つた幹部部の辞令状は、あせばんでいる彼の掌中でくしやくしやになつていた。

それから何時間かのちに、許同志は下水工事の現場、泥沼のなかに両足を突つ込んで、鍬の柄を握つたまま石のように立つていた。煽動員と監督が自分に向つてなにか叫んでいるようであつたが、しかしなにも耳には入らなかつた。

どうしたことか急に許同志は、フラフラッとまるで失神でもした人のように泥沼からはい上つてきた。彼は、人のいない所へ鍬をもつたまま歩いて行つた。

しばらくして彼は、あんなにも大切にしていた黄色い象牙のパイプと真つ白な金属性の光沢を発散するライターを石の上に置き、鍬をふり上げて力いつぱい叩きつけた。

『きさまのためにこのおれの眼がくらんだのだ――』

彼はいまいましげに、独りごとをつぶやいた。瞬間、彼の眼には自分の鍬でぶんなぐられて倒れた朴九の顔が、無惨にもつぶされた象牙のパイプの上に二重うつしになつて見えた。

『こん畜生め！』

彼は憎悪に満ちた声で、もう一度叫んだ。それから彼は、くずれるように地べたにくずおれた。

『サカサに読んだのだ！　四月全員会議の文献をサカサに……』

髪の毛の何本も残つていないつるつるした禿頭を、午後の強いひざしがさんさんと照らしていた。

（朝鮮作家同盟中央委員会機関誌「朝鮮文学」一九五六年八月号）

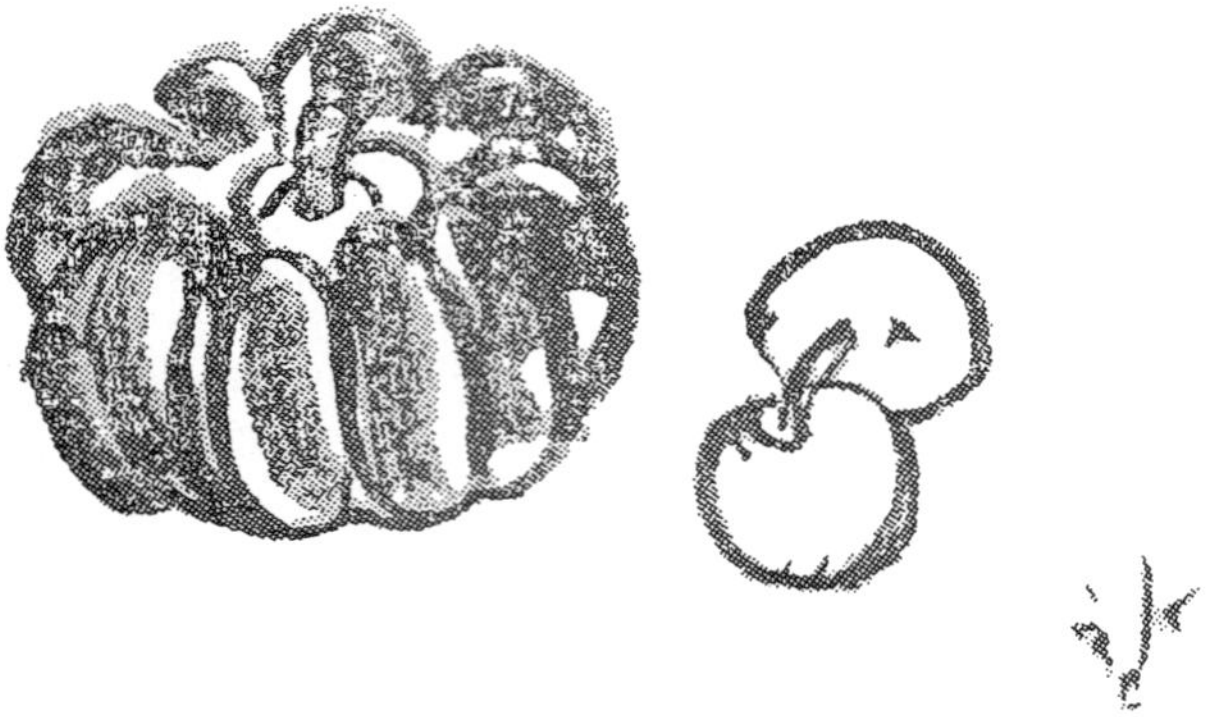

ラジオ・ドラマ

沈清伝（後編）

（朝鮮古譚より）

村山知義

人物

沈清
沈学圭
玉珍夫人　沈清の母
竜王
王
女官　一、二
かに　竜宮の門番
たい　竜宮の侍従
竜宮の侍女たち（コーラス）
魚たち（コーラス）
子供たち（コーラス）
居酒屋の主人
飴屋の子供
雑貨屋
盲人　一、二、三、四、五、六、七
彭徳母　沈老人の後妻
盲の父
その子（男）
下役
禁衛軍の司令官
盲人たち　多勢

M　竜宮を現わす音楽。

侍女たちのコーラス　海の底の魚の国は
　天下泰平の国
　いさかい、あらそいのない国
　富も貧しさもなく
　夏も冬もなく
　千年万年泰平の国。（――B・G）

かに　竜宮の門番かにが申し上げます。朝鮮南方の海に落ちた沈清さまをいかがお供して、王宮の御門にまいりました。

たい　侍従《じじゅう》のたいが竜王さまに申し上げます。沈清少女が御門に到着したそうでございます。

竜王　大事なお客さまだ。丁寧にご案内いたせ。

M　法螺貝などのはいつた音楽りようりようと起る。
侍女たちのコーラス　人間世界にまれな孝女
身を殺して　孝をなし
落ちて竜宮にきたる
いざ迎えて　厚くもてなさむ。
竜王　天の神様から、今日、たぐいまれな孝女沈清が海の中に落ちてくる筈だから、竜宮にお迎えしろとのご命令があつたので、あなたをここへお連れした次第です。どうぞおくつろぎ下さい。
沈清　私のようなつまらぬ娘を、おもてなし下さつて、何とお礼の申し上げようもございません。
竜王　天の神様の仰せによれば、天から玉珍《ぎょくちん》夫人がおりて来て、あなたにお目にかかるということです。
沈清　玉珍夫人というのは、どういう方なのでございましょうか？
竜王　ほかでもない、あなたの生みのお母さまです。
沈清　え？　私のお母さま？
たい　玉珍夫人のおでましです。
M　美しい音楽。（──B・G）
竜王　私たちは席をはずしますから、お母さまにお会いなさい。
玉珍夫人（せわしげに）娘は、娘はどこにいる？──おお、沈清！
あなたは私を知らないだろうが、私はあなたのお母さんなのだよ
沈清　お母さま！
玉珍夫人　あなたを生んで七日目に、目の見えないお父さまにあなたをあずけて、死に別れたが、私はいつもあなたのことばかり思つていたが、こうして十五年めにとうとう会うことができて、こんなにうれしいことはありません。
沈清　私もどんなにお母さまにお会いしたかつたでしよう。お父さんとの二人の暮しは本当に楽しかつたけれど、お母さまがもしいて下さつたら、と思わなかつた日はありません。
玉珍夫人　私は今、天の神様の所でお台所をあずかつて、忙しい日を送つているが、お父さまとあなたのことが頭から離れたことがありません。
ぼら　昇天のお時間でございます。
玉珍夫人　時間だから、今日はお別れしますが、天の神様があなたの孝行に感じて、特別にもう一度、人間世界に返して上げるとの仰せです。どうかお母さまの分と二人分、お父さまのお世話をして上げて下さい。では、さようなら。
沈清　お母さま──
玉珍夫人（─OFF）さようなら。
M　玉珍夫人昇天の音楽
竜王　少女沈清を人間世界に送り返す事の用意をしなさい。送り返す場所は、南の国から帰る商人たちが、王様に捧げる仙人の花の中だからな、急がないと間に合わないぞ。
M　美しい鈴のたくさんついた車が曳き出される音
魚たちのコーラス　さあ行こう
沈少女の国
朝鮮の国へ。
長白山そびえたち
大同江、田をうるおす
人の心も美しく
栄え行く国

朝鮮の国へ。（―OFF）

M　短いブリッジ

女官一　今夜はお月さまが美しく輝いております。庭をご散歩遊ばしませんか。

王　庭を散歩して何を見るのだ？　妃《きさき》がなくなつて三年の間、何を見てもわしの心はなぐさまぬ。どんなに月が輝こうと、わびしいこの世の眺めを染め変えることはできない。

女官一　南の貿易船の商人たちが献上した珍しい仙人の花が、お池に浮んでおります。

王　仙人の花？　それはどういう花だ？

女官一　南の海の上に浮びただよつていた不思議な花、根もなく、枝もなく、たつた一つの蕾がふくらんでいるのだと申します。

王　信じがたい話ではあるが、商人たちがわざわざうそをつくとも思われない。案内しなさい。

女官一　あの、お池の真ん中に、ポツカリ浮んでいる大きな蕾、あれが仙人の花でございます。

王　ふむむ、美事なものだ。あれが開いたら、どんなに立派な花となろう。世には不思議なこともあるもの。やがて花開くまで、大事にいたせ。今夜はいきをひそめ、ソツとして置いてやろう。思わぬ楽しみができた。商人たちには厚く礼をいうがよいぞ。さあ、あちらに行つて眠るとしよう。

M　夜更けの音楽。やがて、蕾がふくらみ、花が開き始める音楽

沈清　おや、ここは見慣れない所だ。杜花洞へ帰していただけるものと思つていたのに、ここはいつたいどこなのだろう？　見たこともない美しいお庭だが、私が帰りたいのは故郷《ふるさと》のお父さんのところ。羽根さえあれば、飛んで行くものを。

王（OFF）なに？仙人の花が開いたと？

女官（OFF）はい、只今開いて、中から美しい少女が現れました。

王（OFF―ON）何とも不思議なことがあるもの。早くその少女を見たいものだ――おう、何という美しい乙女！――私はこの国の国王で、ここは宮殿の中庭ですが、あなたはいつたいどこのどなたでしょうか？　また、どうしてこの花の中にかくれておいでになつたのですか？

沈清　はい、私は黄州の杜花園という小さな村に住む沈学圭《ちんがくけい》と申す者の一人娘でございます。母は私を生んですぐみまかり、父は盲《めし》いて難儀しておりましたところ、和尚様に、米三百石を捧げれば目をあけてやるといわれ、家が貧しくてほかにてだてがないので私の身を船乗りに売り、南の海に飛び込みましたが、竜王さまのおなさけで、人の世に帰して頂きました。しかし王宮のお庭にお邪魔しようとは、思いも寄りませんでした。

王　おう、そのような孝女が、選《え》りに選《え》つて私の庭に帰されたというのは、何という有難いことだろう。私にできることなら、何なりとかなえて進ぜるゆえ、遠慮せずにいうてくれ。

沈清　竜宮の一日は人の世の一年に当るとのこと。私が家を出てから、はや一年はたつたものと思われます。独り残した父がどうして暮しているか、目があいたかどうか、早くお会いしたいと、それがただ一つのお願いです。

王　いかにも尤もな願いだ。夜が明けたらすぐに役人に命じて、しらべさせるから、まず充分に休息するがいい。

M　ブリッジ

E　蟬のかしましい啼声にO・L
子供たちのコーラス
多勢　どこまで来たの？
1　まだまだ遠い。
多勢　どこまで来たの？
1　一本橋まで来たよ
　一本足で飛びな。
多勢　どこまで来たの？
1　峠の道に来たよ
　そろりそろり這いな。
多勢　どこまで来たの？
1　やつとこさつとこ着いた。
1　木の蔭で休みな。
多勢　どこまで来たの？
1　地獄の一丁目
　闘だ！　蛇《じゃ》だ！　逃げろ！
E　わーツと子供たちが逃げたとたんに、誰かが味噌がめにぶつかつて、割つてしまう。
居酒屋の主人　誰だ？　ひとのうちの味噌がめにブツかつてこわしたのは。
子供たち　わーツ（—OFF）
居酒屋の主人　やーい、こわした味噌がめの代を弁証しろーツ！
盲人一　何？　味噌がめ代だと？　通りすがりの盲《めくら》を不意につかまえて味噌がめ代を弁証しろとはどういうわけだ？
居酒屋の主人　なあに、あんたにいつたんじやない。悪たれ小僧どもにいつたんですよ。
盲人一　そんならそうと初めから、どこの誰に怒つてるんだとことわつてから怒ればいいんだ。私やめくらだからね、藪から棒に怒鳴られれば、私が怒鳴られてるのかと思うじやないか。
居酒屋の主人　いやんなつちやうなあ。これで二タ月というもの、この街道を通るのは盲ばかりだ。商売にやならず、一々とんちきなことばつかりだ。
雑貨屋（OFF—ON）ええ、小間物屋だ、小間物屋だ。
針に冠に足袋に扇子だ。
櫛に煙管に糸に紙だ。
京の小間物、安いぞ、安いぞ！
何でもかんでも揃つた小間物屋だ。
盲人二　いくら揃つているといつても、われわれ盲のほしがる目だけはないだろう？
小間物屋　なくてどうする。虫目鏡があるわい。
盲人二　この野郎、盲をからかうのか？　店を叩きつぶすぞ。
小間物屋　これこれ、杖を振り廻すのはやめてくれ。わしが悪かつたから、どんどん通つてくれ——やれやれ、あぶないところだつた。おや、また盲が来た。いつたいあんたたちはどこへ行くんですかい？
盲人三　私たちは、都で催される盲《めくら》園遊会へ行くところです。
盲人四　郡長さんからちやんとお名ざしで、旅費までもらつて都へ行く所ですわい。
小間物屋　さあ、いよいよ話がわからなくなつて来たぞ。いつたい全国盲園遊会とは何ですね？

盲人三　あんたまだ知らないんですか？　今度王様がお妃様をお迎えになつたので、そのお祝いに全国の盲を集めて園遊会をなさるのですよ。

小間物屋　ああ、そのお妃様の噂なら聞いたことがある。何でも、不思議な花の中から生れたお方だということじやないか？

盲人四　そうそう、そのお妃様のたつてのお望みで、全国の盲が一人残らず王宮に召し出されたのさ。

E　めくらのガヤガヤ（OFF—ON）

盲人五　あなたはどこからおいでですか？

盲人六　私は江界楚山《こうかいそざん》の山奥から参りました。

盲人五　それはそれは、遠路ご苦労さまです。私たちは黄海道から参りました。

盲人七　黄海道ですつて？　私は鳳山《ほうざん》から参りました。遠い所からご苦労さまです。

盲人六　旅は道ずれ、もう都は遠くない。ご一しよに参りましよう。

M　歩いて行くことを現わす短い音楽。

沈老人（独白）（OFF—ON）娘が身を殺して捧げた三百石、約束の日を過ぎても目はあかず、和尚さまに詰め寄つてもただ信心が足らぬからだとばかり——勧進の三百石のほかに、船乗りが私にといつて置いて行つてくれたお金を大事にして、食いつないでいるうちに、彭徳母《ほうとくぼ》という女がさも親切そうに振舞つて、私の家に泊り込み、とうとう後妻のようなことになつてしまつた。ところがこの女が大変な女で、だらしがなくて、おしやべりで、今では自分の気の弱さをくやむばかり。旅にも一しよについて来たが行く先々でもんちやくを起し、精も根《こん》も尽き果てた——ああ、暑い、暑い、扇子を出してくれないか。

彭徳母　扇子だつて？——ああ、あれはさつき流れで顔を洗つたとき、忘れて来ちまつたわよ。

沈老人　じや手拭をかしてくれ。

彭　手拭？——手拭もその時、木の枝に干して、忘れてきちまつたわ。あんたが早く早くとせき立てるから、こんなことになるんだわ。

沈老人　もう都も近い。こんなによごれた着物で、まさか王宮の園遊会には出られまい。ともかく布を買つて、着物を作らなくちやなるまい。お金はいくらぐらい残つているのかね？

彭　お金？　お金なんかもう残つちやいないわよ。

飴売りの子供（鋏の音をさせながらうたう。）
飴を買いな、太くて安い飴
人参の粉、ゴマの粉、みんなはいつているおいしい飴。
おばさん、おばさん、袋からお金が顔を出してるよ。
早くお買いな、安い飴。

彭　飴を一つおくれ。

沈老人　おや、お前、お金持つてるのか？

彭　これが最後のお金さ。もうもう私や、盲の世話して、こんな貧乏旅をするのはご免だ。これで家へ帰りますよ。

沈老人　え？　帰る？

彭　これからは乞食をしなけりや、京まで行けやしない。私や、これで失礼します。

沈老人　おれを置いてきぼりにするのか？

彭　私の知つたことじやありませんよ。せいぜい気をつけて行きなさいよ。
盲の父（OFF―ON）おいおい、そんなにいそがなくていいんだよ。そんなにいそぐと、足にマメができるよ。
子　いいんだよ。マメなんかできやしないよ。そら、ここに石がある。気をつけて。
盲の父　目の見えない。お父さんのために、お前の小さな足に、八百里も歩かせて、本当に苦労させるなあ。
子　苦労なんかしないよ。おかげで京見物ができるんだもん。うれしくてしようがないんだよ（――OFF）
沈老人（独白）あああ、あれは親子らしいな、うらやましいことだなあ。それにつけても、あの清が、もし生きていてくれたら、どんなに私を大切に扱つてくれるだろう――何もかもわしが馬鹿だつたからだ。それにしても、阿弥陀様をエサにかつぎ出して、弱い者をだますとは、憎んでも憎みたりない奴だ。あんな奴に大きな罰を当てないでのさばらせて置くとしたら、阿弥陀様なんてものも、怪しいものだわい。――あああ、あのおひきずりの彭徳母がいなくなつたので、やつとサバサバしたが、金は一文もなし、知つた人は一人もいない。死んであの世へ行けば、賢こかつた妻にも会え、孝行だつた清にも会える。いつそ流れに身を投げて死んでしまおうか――
M　ブリッジ
下役　禁衛軍の司令官、お召しによつて参上いたしました。
女官一　禁衛軍の司令官参上したか？
司令官　おん前に控えております。
女官一　王妃さまからのご命令である。よくうけたまわれ。さきの世にもためしのなかつた全国盲人宴遊会も、今日がいよいよ最後の日だ。禁衛軍は京の町々辻々、小さな露路裏にいたるまで、くまなく馳せめぐり、また、京へ通じるすべての街道の入口を見張り、一人の盲人も洩れることなく、宴会に参加するよう、触れあるきなさい。
司令官　かしこまりました。
女官一　三月《みつき》と十日《とうか》続けて来たこの宴会の最後の日じや。一層心をつけ力をふるい起して勤めなさい。
司令官　かしこまりました。
M　ブリッジ
女官二　午前中参内のとどけをした盲人の名前を読みあげますから間違いなく返事をなさい。目は全く見えないが、うらないができない可《か》盲人。
可　はーい。
女官二　借家《しゃくや》ぐらしだが、暮しに困らない安盲人。
安　はーい。
女官二　経文もよく読め、鐘《かね》もよくつく経《きょう》盲人。
経　はーい。
女官二　あいてるようだが、実は全く見えない全盲人。
唐　はーい。
女官二　一杯の酒も呑めないくせに、肴はよくつまむ食《しょく》盲人。
朱　はーい。
女官二　女に生れたのが口惜しいという男《なん》盲人。
南　はーい。
女官二　声のよい響《きょう》盲人。

牧　はーい。

女官二　弁舌さわやかな弁《びん》盲人。

辺　はーい。

女官二　名字《みょうじ》だけな立派な王盲人。

王　はーい。

（だんだんＯＦＦになる。）

女官二　本日午前中参内のとどけのあつた盲人の点呼、終りました。

女官一　みなさんを宴会場にご案内し、充分にのみくいして頂いた上、衣服、路銀を差し上げて、お帰しするように。

女官二　はい――皆さん、私について、宴会場へおいで下さい。

盲人たち（口々に）　ありがとうございます。かたじけのう存じます。（―ＯＦＦ）

沈清　こうしてたかどの上から、目を皿のようにして見張つているが、お父さんのお姿はとうとう見えない。王様の有難い思召しでさきのためしもない全国盲人大会を開いて頂いて、きつとお会いできると楽しみにしたのも、空頼みに終るのか――老病で寝たつきりでおいでなのか――道中、何かわざわいにお会いなされたのか――黄海の知事の報告書には、行方《ゆきかた》知れずとあつたというが、ひよつとすると、不孝娘の死を悲しんで、自段なさつたのではあるまいか――それともまた、阿弥陀様の霊験で、目がおあきになり、盲人の中にはいらないので、宴会においでにならないのだろうか？

女官一　でも、午後の部がまだ残つております。どうぞ、お気を落さずに、お待ち下さいませ。さ、一と先ず、内殿におはいりなさいませ。

Ｍ　ブリッジ

女官二（忙がしげに）只今、午後の部の名前のとどけをとつておりましたら、沈という名字の盲人がおりましたので、お伝えいたします。

女官一　うむ、沈という名前の盲人こそ、王妃さまがおさがしなされる当の人だ。ただちにその盲人をお連れしなさい。

女官二　でも、着物はよごれ、破れ、見るかげもない乞食でございます。

女官一　ふむむ、それでは違うかも知れない。だが、万一ということもある。ともかくお連れしなさい。

女官二　かしこまりました。

Ｍ　短いブリッジ

沈老人　どうして私だけ、内殿《ないでん》にお連れなさるのでございますか？

女官二　どういうわけだか知らないが、ともかく王妃様のおいいつけなのです。

沈老人　ううむ、そうか、わかつた。この宴会を開いたのは、私を探し出して、打首《うちくび》にするつもりなのだ。私が馬鹿で、坊主の言葉にだまされて、孝女の命を売つたことがきつとお耳にはいつたのだ。仕方がない、みんな自分の馬鹿から出たことだ。いさぎよく覚悟しよう。

女官二　沈盲人を連れて参りました。

女官一　王妃様のおいいつけである。住所、姓名、妻子のあるなしを申し上げなさい。

沈老人　はいはい、どうせ死ぬ覚悟しているのですから、包みかくさず申し上げます。私の名前は沈学圭、二十で盲人になり、四十で妻を失い、沈清という娘をやつと育ててまいりました。所がその娘が十五になつた時、私の目を開けるために三百石のお米をお寺に供養しようとして、南の船乗りに身を売り、海に沈んでしまいました。娘を売つて殺してしまつた大悪党、その上、目もあかない愚かな父、さあ、どうぞ早く打首にして下さい。

沈清　あツ、お父さん！――お父さん！

沈老人　えツ？　お父さんだと？

沈清　お父さん、海に沈んだ沈清が生き返つて、今ここにいるのですよ。

沈老人　何だと？　耳までどうかしてしまつた。変なことが聞えてくる。

沈清　お父さんの耳はちやんとしているのですよ。天の神様と、竜王さまのお慈悲で、人間世界に生き返つたのです。

女官一　そして王妃さまになられたのです。

沈老人　王、王妃さまだと？　とんでもない！　ああ、もう、からかうのはやめて下さい！　さあ、早く殺して下さい。

沈清　お父さん、たつた一年のあまりのうちに、自分の娘の声もわからないほど、年をおとりになつたのですか？　さあ、よく耳をすまして、私の声を聞いて下さい。ここにいるのは清ですよ。お父さんが十五年、手塩にかけて育てて下さつた清ですよ。

沈老人　――おう、声をきけば、確かに清の声だ。

沈清　おわかりですか？　さあ、今度は手にさわつて下さい。これが、私の手ですよ。お父さんの肩を揉み、腰をさすつた私の手ですよ。

沈老人　だが、この手はすべすべしていて、前のように荒れていない――

沈清　竜宮と王様のご殿で暮しているうちに、こんな手になつたのです。さあ、今度は、私の顔にさわつて下さい。これが清の顔ですよ。

沈老人　そうだ！　これは清の鼻だ！　清の目だ！　ああ、娘は生き返つたのだ！――夢ではないな？　本当なのだな？――清よ、清よ。お前の顔が、今、私の目の前にあるのだな。見たいなあ、見たいなあ、お前の顔を！

M　突然、天上から烈しい音楽が聞え、とたんに老人の目があく。

沈清　あツ、お父さんの目があきました！

沈老人　何？　わしの目があいたと？――そうだ、見える、見える――何と美しい世の中だろう――そして、これは？――この、美しい人は？――

沈清　私があなたの娘の清ですよ。

沈老人　おう、お前が娘？――声は聞きなれていたが、初めて見る娘の顔――ああ、お前が娘の清なのか――

沈清　そうですよ。私が娘の清ですよ。

沈老人　生きている、お前はたしかに生きているのだな？

沈清　ええ、生きていますよ。さあ、抱いて下さい。ね、たしかに生きているでしよう？

沈老人　そうだ。たしかに生きている。夢ではない。たしかに生きている。

M　よろこびの音楽（―B・G）

王　盲人の目があくとは、古来まれな目出たいことだ。このように目出たいことが、この宮中に起り、それが妃の父親の身の上に起つたのは、わが身にとつてまことにありがたいことだ。国中でお祝をすることにしよう。杜花洞の人たちには年貢雑役を許し、沈老人は宮中にとどめて、みんなにあがめさせよう。また二人をだまして米を奪つた夢雲寺の坊主はからめとつて、きつと窮命しよう。

盲人たち（つなみのように、無数の盲人たちのどよめきが押し寄せてくる。）（OFF—ON）目があいたと？

盲の目が、盲の目が、あいたと？

何とめでたいことだ！

何とうれしい知らせだ！

わしたちの目も、いつかはあくかも知れないぞ。

そうだ、いつかはあくかも知れない。

目があいたと？

目があいたと？

（「目があいたと？」「目があいたと？」という声々が、かさなり、高まつた時——）

M　烈しい太鼓の一打とともに——

（「あツ、あいた！」「あいた！」「わしの目があいた！」「わしの目もあいた！」「目があいた！」「目があいた！」という驚きとよろこびの声となり、笑い声、歓呼の声の絶頂に——

M　エンディング。

近代日本文学における朝鮮像（三）

——研究ノート——

朴春日

内容

Ⅱ日本帝国主義の朝鮮統治と漱石・虚子・伝治・伊之助

（1）夏目漱石の『満韓ところどころ』をめぐつて

一九一〇年八月二十二日、≪日韓合併≫条約を締結した日本は、初代総督として寺内正毅を任命し、天皇直属のもとに朝鮮の軍事・政治・経済・文化の全権をにぎつた。

『帝国の版図は海を越え東亜の大陸に及び、あらたに一千万以上の人口を加えたるが故に、朝鮮の改善を図るは帝国の安寧と東洋平和の実を獲得せんとする所以にして、その成敗は、したがつて国威の消長に影響するものなり』（一九一〇年十月一日、寺内総督の「施政方針」）とうたつた彼等は、誰にはばかることもなく今や公然として朝鮮の経済的な基盤である土地の強奪のための土地調査事業をはじめとして、産業・交通・逓信・貿易・金融等の各部面で野蛮的な掠奪を開始しはじめた。

従来のほそぼそとした自給自足の農村では、土地を奪われて行くために〃日雇い農民〃が激増し、山間にはいつて原始的な掠奪農法をいとなむ火田民や子女の売買まで行うという悲惨な転落の状態をうみだした。都市では悪質な金融業者や周旋業者がはびこり、飽くなき搾取と収奪をほしいままにした。

蒼い空にはヨー
星も多いがネー

百姓の借金は
尚更多いんだアー
アーリラン　アーリラン
アーラーリヨ　アーリラン
コゲロ　ノムカンダ

（伊藤永之介「万宝山」より）

朝鮮人の涙多いかずかずの悲しい別離の物語は、祖国を奪われた炎のような憎しみをひそめて、北は満州へ、東は日本へといった流浪の歴史をつくり出して行くのである。

こうした時期、つまり《日韓併合》を境にこれと前後して朝鮮を訪れた二人の日本文学者がいる。一人は文豪夏目漱石であり、一人は俳人高浜虚子である。ともに日本の近代文学史上に輝やかしい足跡をしるした文学者であることは論をまたない。

漱石といえば、私はすぐ『我輩は猫である』（一九〇五年）の鋭い社会風刺や一種独特な皮肉やユーモアを思い出すし、『坊つちやん』（一九〇六年）の勇ましいたたかいをほうふつさせる。また、あの『智に働けば角《かど》が立つ。情に棹《さお》させば流される。意地を通せば窮屈だ。兎角《とかく》に人の世は住みにくい。住みにくさが高じると、安い所へ引き越したくなる。どこへ越しても住みにくいと悟った時、詩が生れて画が出来る』という有名な『草枕』（一九〇六年）の画家の芸術論を思い出すが、こうした資本主義社会の俗悪さに対する漱石の批判的な姿勢は、私に肯定的なものとしてのイメージを形づくってきたはずだつた。しかし、比較的目にふれない『満韓ところどころ』（一九〇九年）を一読すると、このイメージはもろくも崩れ去ってしまう。いや、崩れ去るというより消しとんでしまうといった方が正確かもしれない。私が過度に感じすぎるためだろうか。

もつとも、福沢諭吉のような人が、日清戦争の十年近くも前から『脱亜論』という小論で「朝鮮人民のために其国の滅亡を賀す」とか「朝鮮は日本の藩屏なり」とのべたといわれるから、ありうべきことなのかもしれないが、しかし、この二つの側面を黙過することは許されないだろう。——

漱石は一九〇九年（明治四十二年）九月二日、友人中村是公満鉄総裁の招きで日本を出発し、大連や旅順、奉天などをたずね、朝鮮を通つて十月十七日に帰国している。そして同じ月の二十一日から十二月三十一日まで「朝日新聞」その旅行記『満韓ところどころ』を発表した。漱石が四十三才の時である。

すでに『我輩は猫である』をはじめ『坊つちやん』『虞美人草』『坑夫』『三四郎』などを発表した漱石は、文字どうり文豪の名に恥じない作家的地位をきずいていたのであるが、そうした漱石が満洲と朝鮮を旅して次のように感じるのである。

『河岸の上には人が沢山並《なら》んでいる。けれども其の大部分は支那のクーリーで、一人見ても汚らしいが、二人寄ると猶《なほ》見苦しい。斯《か》う沢山塊《かたま》ると更に不体裁である』大連に着いた漱石はまずこう感じる。汚ないのは事実であろうから仕方がないとしても、鉄嶺丸から陸へ上つた漱石が馬車を見て、其の昔日露戦争の当時露助が大連を引上げる際に、此の儘日本人に引渡すのは残念だと云うので、御叮嚀に穴を掘つて土の中に埋めて行つたのを、チャンが土の臭いを嗅いで歩いて、とうとう嗅ぎ当てて、一つ掘つては鳴動させ……（傍点－朴）という形で書かれてくると、「汚らしい」ということは、もはや単に客観的事実としての「汚らし」さではなくて、その事実をとらえる漱石の思想的な立場と密接にかかわりあつてくる。なぜならロシア人を〈露助〉と呼び、中国人を〈チャンコロ〉と呼び、朝鮮人を〈センジン〉または〈ハントオジン〉と呼んだものがどのような歴史につながつて行つたかは周知のとうりだからである。

　ともあれ、この「汚ない」という言葉は、『満韓ところどころ』の中で、おびただしいほど使われている。『皿小鉢から箸茶碗に至る迄汚ない事甚だしい。卓に着いている男に至つては尚更汚なかつた』という訳であるが、「土人」が出るかと思えば「馬賊」まで登場する。また満洲の豚も漱石の目には「怪物」としてしか映らない。そのほかには『いくら綺麗好きの日本人が掃除をしたつて、依然として臭い』という宿屋の臭気がある。こう事実の部分的なとらえ方の積み重ねは『御者は勿論チャンチャンで、油に埃の食い込んだ弁髪を振り立てながら、時々満洲の声を出す』という漱石の「高等遊民」的な主観に凝固する。しかも、それは、次の叙述を見ると更にはつきりとした形をとる。

『人力は日本人の発明したものであるけれども、引子《ひきこ》が支那人もしくは朝鮮人である間は決して油断しては不可《いけ》ない。彼等はどうせ他《ひと》の拵《こしら》へたものだといふ料簡で、毫も人力に対して尊敬を払はない引き方をする。

　海城といふ処で高麗《こま》の故跡を見に行つた時なぞは尻が蒲団の上に落ち着く暇がない程揺れた。一尺ばかり跳ね上げられた事は、一丁の間に一度は必ずあつた。仕舞いに朝鮮人の頭をこきんと張付けて遣《や》りたくなつた位残酷に取扱はれた。

　奉天の道路は海城程凸凹に出来上つていないから、無暗《むやみ》に車の上で踊りをおどる苦痛はないが、其の引き方の如何にも無技巧で、ただ見境なく走《か》けさえすれば車夫の能事畢《をは》ると心得ている点に至つては、全く朝鮮流である』と。

　いうまでもなく、ここには、日本帝国主義の大陸侵略政策に対するヒトカケラの批判も反撥も存在していない。文字どおり、豚のように悲惨な生活をいとなむ中国と朝鮮の民衆――それらに対するいくばくかの同情（王サマガ、乞食ヲアワレム同情デアツテモヨイ）もうかがえない。中国と朝鮮の民衆が、何故、このように人間以下の生活に営々としなければならないのか、という素朴な疑問すらもここには存在しないのだ。

　ここにあるものは、ただ、日本という支配民族の一員としての誇りと自信にみちた〃蔑視〃の眼だけである。中国と朝鮮という被支配民族も存在しない。あるものは、チャンチャンや大地を嗅ぎまわる犬だけである。そしてその臭気や汚ならしさだけである。

　つまり、資本主義社会の俗悪さや倫理感を、「江戸ッ子」的な正義感や潔癖さなどで批判しえても、帝国主義の惨忍な本体をとらえることができなかつた漱石の限界が、はつきりと浮びあがつてくる。

　それは、こののち、漱石が『門』（一九一〇年）『行人』（一九一二年）『道草』（一九一五年）『心』（一九二四年』と書いてゆく方向によつても、うらづけられるだろう。

　漱石の近代的知性は、当時の日本の政治の本質や、外部にむかつてとぎすまされるのではなくて、人間の内部、つまり、エゴイズムにむかつて刺さり、どうにもならない人間のみにくさの壁を幾重にもつくつてゆくのである。

　この『満韓ところどころ』は、そういう道すじへの、一つの分岐点ともいえる作品ではないだろうか。

（2）高浜虚子の『朝鮮』について

余は内地に在《あ》る間は我国民といふものは一民族として世界の多くの人間から切り離して考へようともしなかつた。従つて海外の発展といふ事に就いても深い考慮を費した事もなく、陸海軍人の赫々たる功名に就ても世の多くの人の如く酔はされなかつた。

其《そ》れが足一度海峡を渡つて朝鮮の土地を踏んでからは、全く矛盾した二個の考えが絶えず起つた。

其の一は此の衰亡の国民を憫《あはれ》む心であつて、路傍の石に腰掛けて煙管をくはへてゐるソクラテスのやうな老人は何故に他国人に征服されねばならぬかと憫れに思つた。

其の二は斯く一方に被征服者を憫み乍らも、同時に此の発展力の偉大なる国民を嘆美する心持で、流石に日本人は偉い、と初めて此為す有る民族の上に、自己も其の民族の一員としての抑え難き誇りを感ずるのであつた。（傍点―朴）

釜山から京城へ行く途中の山間の小さな駅で高浜虚子は率直にこう感じる。この「全く矛盾した二個の考」は、虚子の小説『朝鮮』の全篇を流れていく。――

高浜虚子は三度も朝鮮の土を踏んでいる。はじめが一九一一年（明治四十四年）で≪日韓併合≫の直後である。この時の見聞を土台に小説化したのが『朝鮮』であるが、これは同じ年に「大阪毎日新聞」と「東京日日新聞」に連載されたものである。二度目は一九二四年（大正十三年）で、三度目は一九四一年（昭和十六年）である。

小説『朝鮮』について虚子はこうのべている。『その後、朝鮮に遊びまして「朝鮮」といふ小説を書いた事があるのでありますが、これも、片々たる事実は実際に見聞した事を書いたのでありますけれども、その中に出てくる人物は、大概架空のものでありまして、いはば、私自身が種々な人間になつて言動したといつても良いものであります』（「俳句の五十年」虚子）

俳人虚子が俳句をすてて一時的にも写生文や小説に専念したのは一九〇八年前後からであるが、その動機は虚子自身が親交のあつた漱石に小説を書くことをすすめたことなどから、やがて『我輩は猫である』が生れて漱石の文名が高くなり、『私も、漱石に勧めて文章を書かしておきながら、漱石の為に却つて刺戟されて、長いものを書いてみる気になつた』「俳句五十年」というところにあるらしい。こうして虚子は『大内旅館』『俳諧師』『朝鮮』『柿二つ』などを書いた訳である。

『「あれが朝鮮人だよ。」といふと、青い顔をした妻は唯「まあ」と言つて眺めていた』釜山に着いた「余等夫婦」は『背の高い白衣』の朝鮮人を見てこう語り合う。そしてこの駅でまず第一に目撃するのは、日本人商人の荷物を運ぶ多くの朝鮮人の子供であつた。

『男は財布から五銭銅貨を出して与へた。朝鮮人の子供は、其れでは規定の賃金に足りないといふやうな顔付をして五銭銅貨を載せられた手を突出した儘で引込めやうとしなかつた。商売人は其の手を払い避けるやうにして、「あつちへ行け、あつちへ行け」と言つた。朝鮮人の子供は、「足りません」と日本語で言つた。――略――其の時男は蟇口《がまぐち》を開けて見せて、さつき遣つた五銭銅貨のほかもう他に何も無いといふ事を知らせて又手を振つた。同胞人の此の賤しむべき挙動を余は自分の事のやうに恥かしく感じた』――

こうして「余等夫婦」が京城に到着してからは、さまざまな日本人や朝鮮人がこの物語に登場する。妙な政治的暗躍をつづける浪人の石橋剛三、それをとりまく女達、また歯を『拷問の為にすつかり抜き取られてしまつた』「志士」の洪元善、伊藤博文を射殺した安重根の写真をアルバムの「劈頭第一」にかざつている妓生の素淡など……

ある日、「余」と石橋と洪の三人は夜遅くなつてから素淡の家を訪れる。出て来た素淡は『上衣《チョゴリ》も裳《チマ》も悉く真白で、其れが月の光を受けて我等を見上げた姿が、さきの初月の家同様穢い朝鮮家屋を背景にして殊に艶に美しく見へた』。ところが、先客の朝鮮人が、驚いたことには四、五人もいて、素淡の家を出てしまう。三人はここで遅くまで遊ぶが、「余」の疑問と後悔の念は消えない。

『彼の素淡の門から出た多勢の朝鮮人はあれは何であつたのだろう。——略——折角先に遊びに来ていた彼等は余等の為に去つたのであつた。余は其れに対して決して勝利を誇らうといふやうな念慮を起すことが出来なかつた。寧ろ人の花園に足を踏み入れたやうな心持で無用な行為であつた事を後悔した。

彼等朝鮮人は彼等朝鮮人として各々愉快な自己の天地を作らしめよ。日本人が横合から其の中に足を踏み入れる事は何んとなく不愉快なことにも考へられた』（傍点—朴）と。

こうした立場は、もう一つの矛盾した立場と微妙に入りこみながら物語は波瀾もなく単調に進められて行く。しかし、朝鮮が『何故に他国人に征服されねばならぬか』、また朝鮮人に『愉快な自己の天地を作らしめよ』という反問や主張は、漱石の『満韓ところどころ』には毫も見当らなかつたものである。それは一方が紀行文で一方が小説であるという差から生れてくるものでは決してない。作家としての漱石と虚子の違いである。

近代俳句の創始者としての正岡子規に多くを学んだ漱石と虚子のそれぞれ異つた二つの面であるということが出来よう。虚子の言葉をかりれば、それは一層はつきりとした形になる。

すなわち、『子規の魂はやはり私を支配してゐるといつてもいいと考へるのであります。漱石の影響はそれほど大きなものはないのでありますが、しかしやはり私にとつては、二人の先輩として子規と漱石を見てをつたといふ事が偽りのない告白であるといつてもいいと思います。

それは、世の中で有名になつて以後の漱石ではなくつて、それ以前の漱石であるといつていいと思います。——略——世の中で持て囃されるやうになつた漱石ではなくつて、失意といふ程ではなくつても、世の中に余りチヤホヤいはれなかつた時分の漱石の方が沈んだ、しかしながら重々しい影響を私に与へてをつたかと考へるのであります。』（「俳句五十年」）

ともあれ、漱石の『満韓ところどころ』と虚子の『朝鮮』は多くのことをわれわれに語つてくれる。虚子のいう『全く矛盾した二個の考えも、結果的には頂点まで押し上げられ爆発することなく終つた。つまり一方の考えが人道主義的な立場からの「同情」の線を越えなかつたからであろう。

(3) 黒島伝治の壁小説『狐』について

黒島伝治というプロレタリア作家の存在をわれわれはよく知らないままに過していた。しかし、一九四九年九月の「新日本文学」が黒島伝治特集を行なつてからその手がかりをつかみ、『渦巻ける烏の群』『武装せる市街』などが岩波文庫や青木文庫で紹介されるにおよんで、ほぼ、その輪郭をつかむことが出来たのである。

伝治のカベ小説『狐』は、一九五六年九月の「新日本文学」に紹介されたものであるが、それまでは人の目にふれることがなかつた作品で、詩人壺井繁治が「過日、わたしはある必要から彼の古い手紙類を整理していたら、その中から未発表のこの作品が現われた」ということで日の目を見ることが出来たものである。「カベ小説」というのは「壁新聞」などと同じく、ある特定のカンパニアと結びつけて、工場や学校の壁にはりつけて、直接大衆に訴え、読んでもらうことを目的に書かれるものである。したがつて極く短かい形式のものが、スローガン式に書かれる訳であるが、この『狐』という作品は、日本帝国主義の朝鮮侵略を直接とりあげ、これを攻撃し、憎悪したものであり、われわれにとつては貴重な位置をしめる作品である。ここにその全文をあげてみよう。

これは、題は『狐』となつているが、詳しく云へばせん公と高麗吉《こまきち》と狐のやうな継母との話である。

セン公と高麗吉とは、生れた家を追ひ出された。祖父の代から耕し馴れた田畑を取り上げられた。仕方なく、空つぽの胃腑をかかえてずた袋一ツをかついで零下二十四度の棘《とげ》のやうに寒い満洲をさして流れて行つた。二人は兄弟であつた。親爺はあつた。産みの母親はなかつた。継母が連れ子をして闖入してきた。継母は東方の島から先夫の子供をつれて、わざわざセン公と高麗吉とが住んでゐる半島をさして渡つてきた。

継母は、もう、三人も夫を持つた女である。さういふ女があるものだが、一度彼女の腕に抱かれると男は撫順の苦力のやうに搾りつくされて痩せ細り死んでしまふ。男の稼ぎや、男の土地や、男の家は、そツくりそのまゝ彼女の懐に這入つた。彼女は、三人の男を喰つてたらふく腹をこやしてゐた。だが、この狐は、まだ喰ひ足りないといふのだ。そして半島へやつてきた。

継母は立派な桐の函に這入つた沢山の土産ものをもつてきた。連れ子は、家に這入るなり、わがままに振るまつた。大事にしている高麗吉の新《さら》の木靴を取つた。それを足に突つかけて戸外で石を蹴つた。高麗吉は、感情を抑へて惜しげに見入つてゐた。連れ子はかまはず石を蹴る。ツマ先に傷がつく。高麗吉はとうとうツと立ち上つた。彼は近づくと横面を殴りとばして木靴を足から引つたくつた。連れ子は尻餅をついて泣きだした。

これが最初の喧嘩だつた。それから喧嘩が始まつた。連れ子は剣を持つて斬りかかつた。セン公には棒しかなかつた。棒でも、二人に一人では棒の方が強かつた。と、連れ子は装填した拳銃を出してねらつた。セン公は危機一発で撃たれさうになつた。その時、高麗吉がうしろから脱兎のやうに連れ子の腕にとびついて拳銃を叩き落した。そして大地に打ちすえた。

「こらツ！　何をするんだ。不逞な奴め！」不意に、どこからともなく、警官と憲兵とが現はれてきた。

「こちらは正当防衛だ！」

「何にツ！　俺れは暴動トリシマリだ！」

継母のために痩せ細つて行く親爺は、喧嘩を黙つて見てゐた。二人の若者が縛られ、こづきまはされ、鼻血を流して倒れてゐても悲しげに黙つて見てゐた。連れ子は、警官も憲兵も自分の味方だと知ると一層傍若無人になつた。

高麗吉の熊の毛皮を無断で東方の島へ送つてやつた。寝る場所も、暖い布団も連れ子に占領せられた。ある晩、二人はオンドルの上から冷たい戸外に追ひ出された。そこには、凍つた満洲の空から追はれてくる吹雪が横なでに吹きまくつてゐた。連れ子は、あとの扉をぴしやりと内から閉めた。

「この家は、俺れらの家じやなかつたかな！」高麗吉は、吹雪に吹きまくられながら呟いた。

「勿論だ。俺たちの拵へた家だ。あんなどこの馬の骨やら分りもしない奴に占領せられるつて法があるか！」セン公が云つた。二人は扉を破つて押入つた。継母も連れ子もずたずたに引裂いてやらうと思つた。が、またすぐ、警官と、憲兵がやつてきた。

「チヨンガーをふん縛れ！」「牢に叩きこめ！」「しらべるこたない、追放しろ！」こうして、二人は家から追ひ出された。

「くそツ！　ナラズ者、親でも兄弟でもないワ、さつさと失せやがれ！」継母と連れ子は去つて行く二人を、憎々しげに唾をひつかけて送り、鼻に皺をよせて顔をしかめた。

「くそツ！　ナラズ者！　不逞セン人！」

……セン公と高麗吉とは、半島を去つた。言葉の分らぬ隣の国へ行つて、そこで地主に土地を借りて水田を作つた。暮しはどこへ行つても、何年、年が経つても、ラクになるどころではなかつた。

六月に、万宝山事件がおこつた。

その時、そこら附近と半島で真ツ先に騒ぎ立てたのは、二人をふん縛り、牢屋に叩き込まうとした警官と、憲兵と、継母と連れ子であつた。

「チヤンコロめ、俺れンちの子供の土地を取上げやうとはケシカラン！　兵タイを繰り出せ！　片づけちまえ！」もはや半島を喰つちまつて腹をデブデブにふとらした狐は、口をとがらしてうそぶいた。

「セン公、あいつは俺れの兄弟だぞ。よく働く奴だ。兄弟のためにチヤンコロをやツつけろ！」義兄を追ひ出した連れ子は平気でかう叫んだ。

それを聞き知つたセン公は憎悪で顔が歪んでしまつた。

（原文のまま）

この作品が意図するものは明白である。明白であるために公式的な匂いも消せないかもしれない。全体の構成にしても、描写にしても、なまのままでムキだしになつたところが多い。しかしそれだけに、日本帝国主義に対する伝治の激しい怒りが実感としてここに叩きつけられている。

狐。帝国主義とは元来、実に惨忍コウカツな狐そのものなのである。それはレーニンが評したように〃未曽有の野蛮な弾圧とアジア的拷問に最新式発明の技術を加味した体系〃であつたといえよう。そして、伝治がこういつた本質をしつかりととらえていたからこそ、枚数の少い「カベ小説」の中でもそれを暴露し憎悪し、一篇の小説にまとめることができたのである。

この作品が「カベ小説」としての本来の目的を果したかどうか、それは知るよしもないが、しかし、職場や工場の壁にこの小説をはりつけて労働者に読ませることを念頭におき、書きなぐつた伝治の姿が目に浮ぶようである。

黒島伝治は一八九八年十二月に香川県小豆郡苗羽村に生れ、百姓、漁夫、醤油工場の職工などをしたりして貧苦と闘い文学を志した。

一九一九年には働きながら早稲田大学の予科で学んだ。しかし、同年の暮れには兵隊にとられ、一九二一年には、ロシア革命への武力干渉として出兵していたシベリアに派遣され、肺病のため翌年の四月には日本に送還された。その後除隊となつて帰郷したが、軍隊生活を書いた『軍隊日記』（一九二〇年十一月二十日から一九二三年七月九日まで）にも次のような部分が見られる。

『第二中隊と、第十中隊とが朝鮮の守備に行く。剣に刃をつけて一装の軍服をきて。

背嚢も靴も一装のものを着けて。彼地へ行けば歩哨に立つても実包をこめている。夜間近づく者は、三回誰れかと呼んで答えないと射撃していい。

△うるおいのない。暖かみのない。男ばかりの暮し！』（一九二〇年三月二十五日付）。

また『二カ年の自分を捨て、軍隊に入るまでには、自分の心は一の大きな試練を経た。現在の日本の制度を呪つた。日本の国民たることを、お断りしたくなつた。併し、どうしても仕方がないのを知つた。あきらめるまでは苦しい』という悲惨な絶望を吐露したものもある。

帰郷後は闘病生活の中から小学校以来の親友壺井繁治の援助をうけて『電報』『窃む女』『二銭銅貨』（原題は『銅貨二銭』である）『豚群』などと次々と発表してプロレタリア作家としての位置を築き、一九四三年十月十七日、持病の肺患でこの世を去つた。

『祖父も百姓だつた。その祖父も、その前の祖父も百姓だつたらしい。その間、時には、田畑を売つたこともあり、また買つたこともあるやうだ。家を焼かれてひどく困つたこともあるしい。山を殆んど皆な売つてしまつたこともある。（略）

親爺は、十三才の時から一人前に働いて、一生を働き通して来た。学問もなければ、頭もない。が、それでも、百姓の生活が現在のままではどうしても楽にならないことを知つてゐる。経験から知つてゐるのだらう。自作農は、直接地主から搾取されることはない。併し誰れかから間接に搾取されてゐる。（略）親爺も、僕達と同じやうなことを考へてゐる。だから、僕が、社会主義の話をしてきかせると、非常に嬉しがつてきいてゐる。』（「小豆島にて」文芸戦線――一九二七年一月）

伝治自身がこう回想しているように、骨のずいまでしみこんだ農民の苦しみは、そのまま、土地を奪うもの、農民を搾取するものに対するにくしみ、すなわち日本国民と朝鮮人民の共通の敵を意識する方向へと結びつけられている。共通の敵、つまり、それが『腹をデブデブにふくらした狐』なのである。伝治は、それを自己の体験とその思想から、これを憎悪し、これを攻撃した。むろん、さきにも述べたように、この狐という作品は当時の日本のプロレタリア文学がもつていた一種の公式的観念的傾向と無関係ではない。むしろ多分にそうした偏向をふくんでいるが、それは私にとつて二義的な問題であるといえよう。

ともあれわれわれ朝鮮人にとつては、記憶すべき作品である。

最後に、黒島伝治がどんな風貌をもつた人間であつたかを知つていただくために、彼自身の『自画像』をかかげてみよう。

『なかなか取ツつきの悪い男である。ムツツリしとつて、物事に冷淡で、陰鬱で、不愉快な奴だ。熱情なんど、どこに持つて居るかそんなけぶらひも見えん。そのくせ、勝手な時には、なかなかの感情家であるのだ。なんでもないことにプンプンおこりだす。なんにでも不平を持つ。かと思ふと、おこつて然るべき時に、おこらず、だまつてにやけこんで居る。』

編集後記

この号から「読者の声」欄をもうけた。われわれとしてははじめはこういう欄のことは考えなかつたのであるが、連日のようによせられる読者からの手紙をみているうちに、どうしてもこの欄をもうけないわけにはゆかなかつた。本号ではほかにも原稿があふれて二頁しかとれなかつたが、次号からはもつと頁をふやしたいと思つている。

読者からの手紙にはまつたく胸を突かれるものもあり、「そんじよそこらの論文なんかよりもこの方がずつとおもしろい。何しろ、中身が生きているからね」などとわれわれは話合つている。どうぞ今後ともたくさんの手紙をよせて下さい。

いわゆる新国家保安法の通過をめぐる南朝鮮の現状を李賛義さんに紹介してもらつたが、このためのたたかいは決しておわつたわけではない、それはむしろ今後にある。「私の歩いてきた道」「日本文学における朝鮮像」の二つの連載もようやく好調となつてきた。この二つの連載物についてはすでにそれぞれの出版社から出版の申入れがあり、連載がおわるとともに本となつて出版されることになつている。

連載がはじまるのとほとんど同時に出版のはなしがもち込まれるというのもメズラしいが、これもまた、こういう雑誌をだすもののよろこびである。

鶏林 第二年 第二号
定価六〇円（隔月一日発行）
一九五九年二月二十五日印刷
一九五九年三月一日発行
編集兼発行人 張斗植
東京都中央区日本橋茅場町二の一〇
印刷所 大成印刷株式会社
東京都墨田区寺島町一の二
発行所 鶏林社
電話（六一一）一四二七

祝　発　展

大成商会
金京俊
舞鶴市三条通朝日角
電話（東）一二三六

株式会社 オール丹波
代表取締役社長 金田大吉
営業所 亀岡電話局前 電二九五甲
八木町庁舎前 電二七七
園部宮町 電一二七乙

丸金大和商会
金東基
営業所 福知山市中央通り
電話 四〇六九
自宅 福知山市北本町七ノ二
電話 三三八二

㊇丸八林業
金宗宇
舞鶴市字森町三
電話（東）一四一五

姜太休
京都府福知山市駅前
電話 二九六二

朝鮮料理 大新亭
朴忠機
京都市右京区西院三蔵町三一
電話（84）三六五四

大興金属KK
代表取締役社長 金正門
京都市南区東九条御霊町四〇
電話（5）六一四五

松原友禅燕工場
朴在善
京都市中京区壬生相合町三一
電話（84）三七九八

日向大教会
中村優三郎
京都市南区八条源町四二
電話（5）四八四二

鶏林
一九五九年三月一日発行　第二年第二号（隔月一回一日発行）
定価六〇円（送料八円）

鶏林

一九五九年六月一日発行
隔月一回・第二年第三号

4

彩篋《さいきょう》塚出土　木馬（表紙）

楽浪時代（前一〇八〜三一三）のものである。木馬は類のあるものであるが、この彩篋塚出の木馬ほど見事なものはない。

主室の東壁に副葬されてあつた六つの木馬のうち、最も形の整のつたもので、その材はどろの木を用い、四肢、胴、頸、頭等を別々に作り、枘と枘孔との仕組でこれ等を寄せ合せて体軀を構成し、表面には、泥絵具のようなものが塗つてあつたようであるが、今はその痕跡を認めるに過ぎない。

これは、三世紀も終りに近いものと見え、手法は洗練され尖鋭的なものを感じさせる。全の洗練された芸術の終局を示すといつてもよいほど詮じ詰められたものであり、これより進歩すれば廃頽へ赴くより外方法がないと思われる程、それ程完成されたものである。手法の精練、表現の簡潔、形象の妙を穿つて余りありというべく、その鋭角的な感覚は見るものの肺腑を突き、生動する神韻は見るものの心霊の機微に触れる。これが本当の彫刻というものであろう。

（「図説・朝鮮美術史」より）

鶏林

4

1959・6

わが家の帰国

――在日朝鮮人の帰国によせて――

金達寿

在日朝鮮人の帰国のことについては、私はかなりのことを、かなりの新聞や雑誌にかいた。それらの新聞や雑誌にもとめられてかいたのであるが、自分からすすんでかいたものもある。なかにはこの文章で、ひどく不愉快な思いをしたこともある。それは「日本」である。この雑誌は私のその原稿を勝手にきりすてたり、勝手に字句をなおしたりしてだした。あるばあい標題をかえたり、中見出しをつけたりするのは編集部の自由かも知れないが、その内容の字句までを勝手にかえたりするのは明らかに越権で、許せないことであると私は思う。たとえばこの雑誌は、私が「朝鮮」とかいたのを「北鮮」となおしたりしている。当然、私はこれについて抗議したが、大見出しで報ぜられた新聞記事の訂正のようなもので、すべてはあとのマツリであつた。

ところで、私はこれらの新聞や雑誌に在日朝鮮人の帰国のことについていろいろとかいたが、私自身、自分の一家はどうするのかということについては、いままでかいてはいない。まるきり、全然かいていないというわけではない。たとえば私は、読売新聞にかいている一文のなかでは次のようにかいている。「兄のところではいま、ある高等技術学校へいつている次男がとりあえず帰るということになつているが、この子は日本で生れて育ち『朝鮮』といつても、それがどういうところであるか、まだみたこともない」うんぬん、と。

そこで、私はこのことをここでもう少しくわしくかこうと思うのであるが、まず、この兄の次男、つまり私の甥のことからかきすすめることにしよう。――甥の名は英明といい、今年で二十才になる。彼は、かりにこんどの集団帰国のことがなかつたとしても、すでに、彼だけはいまいつている学校の卒業とともに祖国・朝鮮民主主義人民共和国へ帰るということになつていた。はたして彼一人だけで帰れるかどうかは別として、彼は早くからその決意を明らかにし、わが家でもまた、それをそれとして考えていた。

ところがこのわが家にはしばらくすると、また異変がおこつた。こんどの帰国運動がおこると間もなく、私の兄の一家は全部がこの帰国の決意をしたのである。そして兄は、朝鮮総連に、その帰国申請をまとめてだした。もちろん私にもそれについての相談があつたが、私としてもそれに異議のあろうはずはない。まさしく、わが家の大異変である。

私はいまわが家といつたが、これは、いまではそれぞれが住む「家」としてはいくつかにわかれている。私たちの故郷は慶尚南道昌原郡内西面虎溪里というところであるが、ここにあるときは一つであつたものがやがて二つに（父と伯父）にわかれ、これがまた相次いで日本へ渡つてからは、その子たちによつてさらに四つにわかれた。つまり、私たち二人の兄弟と従兄弟二人と——。他家へ嫁いだ妹はこれに含まない。

こうかくといまごろいささか時代めくが、便宜上かくまでである。そして従兄弟の上はいまは死んでおらず、下がいま東京にいるが、これもきくところによると帰国申請をしたというから、わが一家は、とりあえず、いまのところ私をのぞいては、全部が帰国をすることになつたわけである。

思えば、長い時日がたつたものである。私たちの一家が故郷の家をたたんで日本へ渡つたのは、たしか一九二五年（従兄たちはもつとさき）のことであつた。——私はいまでも、その日のことをハツキリとおぼえている。左手に中里の駅がみえる、村の前を走つている新作路のポプラがすつかり黄葉して、それが木枯しとなつて吹きつけるある寒い朝のことであつた。死んだ父を中心とした母、兄、妹の私の一家は村の人々に見送られて、その新作路を駅の方へと向つて歩いていつた。

当時五才であつた私は、これもいまは死んでいない中兄と祖母とともに、それら見送りの村の人々のなかに立つていた。生れてまだいくつにもならない妹は兄に背負われて何やらむずかつていたようであり、母は泣きながら何度もこちらをふりかえつた。どうしたものか、のこされた私と祖母とは、それを駅まで見送つていくことをしなかつた（中兄は駅までいつたと思う）。

そうして私自身はこれにおくれること五年、一九三〇年に日本へ渡つてきたのであるが、この私にしても、すでにもう三十年の月日がたとうとしている。いわゆる本家であつた従兄たちの方をも含めて、私たちの一家がどうしてこうもごつそりそろつて日本へ渡つてきたかについては、いずれ私は別にくわしくかくつもりであるが、いまは、一種の感慨の方がさきに立つのはやむをえないことであろう。

私と兄とは、いまは東京と横須賀とにわかれて住んでいる。そして一人の妹も横須賀にいるが、兄のところは四人の子供と母とを加えて七人の家族であり、私は一人の子とで三人家族である。それぞれたいした生活をしていないことは、いうまでもない。

が、どちらかというと、兄の方が私よりはましな暮しをしている。兄はさいきんある事業に失敗しているが、しかし、兄は横須賀に四反歩の田地を自分のものとしてもつており、さいきんブームを巻きおこした日本の皇太子とおなじ年に生れたものではあるが、彼の方はひつそりと誰にも知られずに生れた長男も、いまは成長して働いている。何とかその日を食いつないでいくのには、そんなに困るというようなことはない。少なくとも、他の多くの困つている人たちにくらべれば、自家に電話をもつているということだけでも、大したことといわなければならない。

しかしながら、この兄の一家も、こんどは帰国の申請をした。それにはいろいろな動機があり、さきほどの次男を含む子供たちの将来のこともその一つである。が、それよりもなおいつそう強いそれは、「もはやわれわれは祖国へ帰りたい」「帰らねばならぬ」というそれであろう。このような希求自身についてもわれわれはまたそこにいろいろな動機をもとめることができるのであるが、そこで、私は兄にこんなことをいつた。

「帰つたら、あなたはどこかうんと奥地の炭鉱へでも配置してもらうんですね。そしてマツクロになつて働くんです」もちろん笑いながらのはなしではあつたが、しかし私は、決して冗談だけでいつたのではなかつた。それにたいして兄も、「おい、おどかすなよ」といつて笑つたが、「うむ、そうだな。そうじやなきやいかんな」としんみりした顔になつた。兄の次男、甥がやつてきたときは、私はもつと真剣にはつきりといつた。

「お前は気象台で働きたいそうだが、しかし、平壌とかそんな中央のハナヤカなところを望んでいくとしたらまちがいだぞ」——ところがこの甥の返事は、私のそれよりもなおいつそうはつきりとしていた。

「いや、ぼくはどこか地方の辺地へいきたいと思つているんです。ぼくはまだ朝鮮語もよく知らないんですから、そういうところで一生けんめいやりたいと思つているんです」

「うむ」私は、この甥のことばに大きくうなずいた。それきり何もいわなかつた。彼には何もいわなかつたが、私はこのことを、本誌でなじみの趙奎錫に話した。

イツパイ飲みながらの席であつたが、趙はこのはなしをきくと、ポロポロと涙をながしながら、彼も「うん、うん」と何度もうなずいた。私も何となく、目がしらが熱くなつてきた。いわゆるおなじ二世である趙奎錫の気持ちもまた、私にはよくわかる気がしたからである。

さて、そこでこんどはこの私自身のことであるが、私はいまのところ、まだ帰国の申請はしていない。なぜしていないか。いずれは私も兄たちのあとを追つて故国へ帰るであろうが、私はまだ、日本でしなければならない仕事がのこつているからである。私のこの仕事について、人はどうみるかは知らないが、私はこれを必要なことだと思つている。

私はいま、いうならば作家といわれるものであるが、私のこの仕事は、いわばこの日本でおこつたものであり、そしてこの日本でにその発想の根源がある。私は、自分が作家というものを志した動機といつたものについて、あるところでこういうふうにかいている。

「私は朝鮮人の生活をかきたいと思つた。そしてこれを人々に知らせ、訴えたい。とくに、われわれ朝鮮人についてはいろいろな感じや考え（それはほとんどがまちがつたもの）をもつていることを知つている、日本人に向つてこれを知らせたい、知らせなくてはならないと思つた」つまり、日本人の朝鮮人にたいする認識に働きかけること、これが私の仕事である。……

それであるから、私は作家といわれるものであるとしても、それはこの日本にあるあいだだけのことである。私の作品が日本文学であるか何であるか、それはどちらでもよい。私はまた、前記の文章のところでつづけてこうもかいている。「私はこの日本で自己を主張する権利をもつている。こういう目にあつた、こうであつたと百回も千回もいう権利がある。それが日本人のためにもなるとわかつたからには、なおさらのことである」

私は、在日朝鮮人作家ではあるとしても、朝鮮の作家ではない。それであるからまた、私は朝鮮へ帰るとしても、当然のことではあるが、一人の作家として帰るつもりなどは毛頭ない。これについても私はすでに数年まえどこかにかいているが、私は帰国をするときは、一人の労働者として帰りたいと思つている。私の作家としての仕事はこの日本でおしまいであり、また、そうしたいものと考えている。

私は、ある友人からこういう質問を受けたことがある。「君はなぜ、朝鮮作家同盟に加盟しなかつたのか」と。理由はかんたんであるが、二つある。一つは、私はまだわが国語である朝鮮語を充分に自分のものにすることができずにおり、この国語による作品活動はほとんどしていないので、まず、その資格がないからである。しかしながら、実は、私にも作家同盟加盟のための申請書は送られてきた。が、私はその申請書に記入をして送りかえさなかつた。つまり、申請をしなかつたのである。

それはいまもいつたように、私にはその資格がなかつたと思われたからであるが、二つは、さきにのべたような理由からである。理由としてはむしろこちらの方にウエイトがかかつているが、そして何度もいうようであるが、私は作家として故国へ帰りたいとは思つていないからである。一人の労働者として帰りたいと思つており、私の作家としての生活はこの日本でおしまいにしたいと考えているからである。

だが、こういうことは、将来あるかも知れない。たとえば、私は帰国をすれば労働者としてある工場(とは限らない。農業協同組合でもいい)に配置されるだろう。となれば、もちろん私は一生けんめい働くつもりであるが、もし、その工場か協同組合かに文学サークルがあるとすれば、私はそうして働くかたわら、むかしとつたキネヅカとやらで、あるいはそれに首をさし入れることになるかも知れない。

そうして三年四年、あるいは五年六年、そのうちには国語・ことばもすつかり自分のものとなり、またぞろ、ではおれも一つというわけで、小説なんかをかきだすかも知れない。しかしそれはあくまでも「かも知れない」という仮定のことであつて、私は、帰国するときはあくまでも一人の労働者として帰り、そして労働者として生活したいと考えている。

原稿募集

本誌は広く全国のみなさんからの原稿を募集します。論文小説・記録(三十枚まで)その他何でもかまいませんが、原稿は原則として返戻しませんから、応募のときは必ず写しをとつて下さい。とり扱いについては、編集委員会に一任して下さい。

鶏林編集部

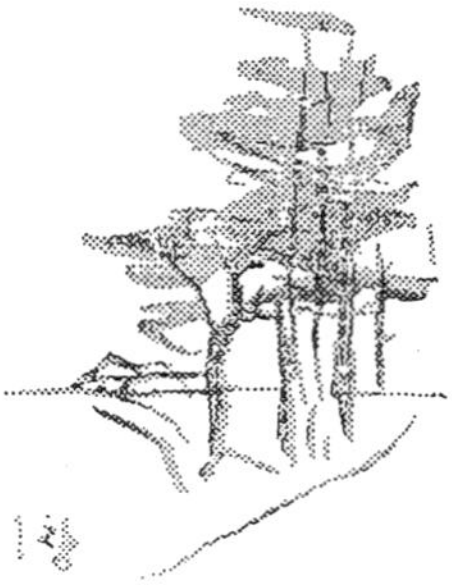

被圧迫者の文学

——ヒューズ作品集の教えるもの——

尹学準

ロープを　引つぱれ！
おい、高あく　引つぱれ！
白人たちを　生かし
黒人の男の子を　死なせろ。
引つぱれ、みんな《ボーイズ》、
血なまぐさい　叫びを　あげて。
黒人の男の子を　きりきり舞いさせよ
白人たちが　死ぬ　あいだ。

白人たちが　死ぬ　？
どういう　ことだい——
白人たちが　死ぬ　？

その　黒人の男の子の
動かなくなつた　屍が
云つている、——
ボク　ジヤナイ

これは、アメリカの黒人作家ラングストン・ヒューズの作品集「ある金曜日の朝」（木島始訳・飯塚書店刊）のなかに収めてある詩〈私刑のうた〉である。

この詩がいつ頃の作品であるかは私は知らないが、訳者の「解説」によると、「最初の詩集『ものういブルース』（一九二四）から一番あたらしい『実現延期の夢のモンタージュ』（一九五一）までの七冊のうち、おりにふれて訳しておいたもののなかから選んだ」ものであるから、少くとも一九五一年以前に書かれた作品であることにはまちがいない。

しかも、ここにうたわれているような事件が、自称、民主主義のチャンピオンであるとうそぶいているアメリカにおいて、いまなお然と行われているということ、この事実をわすれてはならない。

つい最近、「朝日新聞」(五月三日付)に次のような記事が載つている。

白人女性を犯した黒人を
刑務所からさらい私刑
米南部の騒ぎ、アイクも重視

という見出しであるが、その事件とは、南米のミシシッピー州南部のポプラービルという人口三千足らずの小さな町で、今年の二月、白人の婦人を犯したという疑いで刑務所に収容されていたパーカーという黒人を、四月四日の夜半過ぎ、覆面をした九人の白人が自動車で押し込み、どこかへ連れ去つたということである。それから四日後の同じ新聞に「死体でみつかる」——連れ去られた黒人——という記事が三面に小さく載つていた。

〔ボガルーサ(米ルイジアナ州)五日発＝ＡＰ〕白人の婦人を犯した疑いで刑務所に収容中の黒人が、乱入した覆面の暴徒に連れ去られた事件は全米中で大問題になつていたが、この黒人マック・Ｃ・パーカー(二三)の死体が四日、ルイジアナ州ボガルーサ近くのパール川の中で発見された。

パーカーは二十五人の容疑者の面通しで、被害者から〃声は違うが、間違いない〃と指摘されたため逮捕され、刑務所で裁判を待つていたが犯行を否定し続けていた。暴徒に連れ去られる時も〃オレがやつたんじやない！〃と叫んでいたという。」

「白人女性を犯した黒人」と見出しは書いているが、もちろん裁判の前で、あくまで容疑に過ぎず、しかも二十五人の容疑者のなかから被害者の面通しで〃声は違うが……〃云々にいたつては、もはやまつたくはなしの余地がない。しかもそれが刑務所で——だ。

白人たちの有色人種に対するこのような差別《ジム・クロウ》、虐待は、われわれもまたうんざりするほどみてきている。ここ日本においてはあのジラード事件や、走つている電車に向つて発砲し、一人息子の命を奪うという事件。これなどはともかくとして、われわれの祖国・南半部におけるかれらのさまざまな蛮行、金泉駅構内における中学生の射殺事件。少年を木箱の中に釘づけにして、あげくのはてはヘリコプターで山中にほうりなげるというやりかた。道ゆく婦人たちをいたずら半分に打ち殺したり、——尊い人命をかれらはまるで虫けらかなにかのようにしか思つていない。

連日のように新聞をにぎわすこのような事件は、数かぎりなく、いまなお続いている。

ヒューズ作品集に、一貫してつらぬかれているのは、いうまでもなくこのような非人間的な差別《ジム・クロウ》に対する闘いである。しかし、これは、この種の闘いによくありがちな跳ね上つた態度、絶叫的なスローガンの羅列といつたようなものでは決してなく、現実の生活にしつかりと密着し、常に高い基調でもつてうたわれているのである。それが強い説得力をつくりだしている。

ヒューズのはじめての短篇といわれる「恥しらずのコーラ」という作品は、ある小さな町の中流家庭(スチューデヴァント家)の女中をしている「くろんぼ《ニガー》」のことを書いている。彼女は実に誠実で、よく働く。

「コーラ、明日の晩のメアリーの誕生日用ケーキを三つお焼き。コーラ、おまえね、わたしの買つた石けんでローヴァーを湯に入れておくれ。コーラ、おばあちゃんにジェリーをすこしもつていつて、それであの乾葡萄のパイをちよつとでも口にいれてもらつてはだめですよ。——コーラ、わたしの靴下にアイロンをかけておくれ。コーラ、こつちへおいで……コーラ、お置き……コーラ……コーラ……コーラ！　コーラ！

そしてコーラは答えるのであつた、『はい《イエス》、奥様《マム》』」——というぐあいである。

しかしこのようなひかえめなコーラにさえ一度は恋人がいた。その男というのは他国《よそ》から流れて来た白人であり、コーラにとつてはそれが「彼女が欲しいと思つたおぼえのある始めで終りの男」であつた。コーラはやがて身籠つた。もちろんその男は去つた。

「コーラは、子供という事実をまえにして、つつましく恥ずるところがなかつた。メルトンには噂をたてる黒人たちはいなかつたし、白人たちが何と云おうと彼女は気にしなかつた。かれらは別の世界にいたのだ。もちろんのこと、彼女はジョーと結婚することを期待しなかつたし、また、かれを引き止めるということも同じだつた。かれも、その別の世界のひとだつた。」

結局そのこどもは死んでしまつたが、ちようど同じ時期に、ステューヴァント夫人にもジェシーという娘が生れ、コーラが乳をやり自分の子のように可愛いがつて育てた。

ジェシーは、といえば、他の姉妹たちより器量も頭脳も劣るというので家中からきらわれた。そうなればなるほどコーラとジェシーはお互いに愛しあつたが、やがて高校を卒業する頃、町のアイス・クリーム屋をやつているギリシャ人の息子の子をはらむが、「家名を汚した」というのでカンカンになつている。しかしコーラは一生懸命である。

「欲しい子をつくるのは困つたことじゃありません。わたしもつくりました」「おだまり、コーラ」「はい奥様……でもわたしひとりつくりました」「静かにおし、と云つてるんだよ」「はい、奥様。」

コーラの必死の努力にもかかわらず、人知れずに流産させてしまつた。そのために可愛いいジェシーもまもなく死んでしまつた。

葬式の日である。町じゆうの紳士叔女たちが集まり、おごそかな式がはじまつた。隅つこでじつとそれをみつめていたコーラは、とうとう我慢しきれずに棺の方へ走りよつて叫んだ。「やつら、あんたを殺したんだよ！」「みんなあんたにきれいな説教してるけんど、何も云つちやいないんだよ。みんなあんたに歌うたつてるけんど……」彼女は黒衣の女たちに長い指をつきつけて云つた、「このひとたちがあんたを殺したんだよ、ね。あんたとあんたの子供を殺したんだよ」と……

恥を知らないコーラが、恥しらずの偽善者たち（白人たち）を思いつきりののしつた。

コーラの激しい憤りを、これほど巧みに、しかもおだやかな外貌で切実に訴えているのを私はまだ見ない。それは、圧迫者（敵）に対する限りないにくしみとともに、ある一種の憐憫さをも感じさせた。

数字の観念にうとい僕にとつては、千三百万のアメリカ黒人が、その国の全人口においてどの位のパーセンテージにあたるか、また、在日六〇万の朝鮮人が日本のそれにどれ程の比率になるか知らない。いうまでもなく、在日朝鮮人とアメリカにおける黒人とは、基本的にはその位置を異にしている。それはまず、黒人たちにとつては自分たちの祖国はあくまでもそのアメリカにほかならず、在日朝鮮人はあくまでも在日する外国人である。（そしてまた、これは他の外国に在住する外国人とももちろんその位置を異にしているが）

しかし、このことをのぞけば、他の面ではあまりにも共通している。特に、一九三三年ヒューズの見た在日朝鮮人はそうである。彼は「日本追放記」のなかで、在日朝鮮人に対する新聞記事の取扱いかたについて、憤慨してこう述べている。

「日本人も朝鮮人もともに有色人種であつたが、じぶんじしんのものでない集団を傷けたり辱めたりする技術として人種を用いるさいには、皮膚の色は何の相異ももたらさないということが、わたしにははつきりわかつた。日本において、アジア人たちが朝鮮人たちにそうしていた。アメリカにおいて、白人たちが黒人たちにそうしていた。上海では、日本人たちは、中国人のクーリーをひつぱたく点で白人の植民地ふうな大王たちよりすばやかつた。一黒人としてわたしはそのころ世界をへめぐつてきたのだが、ただ有色人の国である日本でだけ、わたしは警察の訊問に従えさせられ、故国へかえつて、二度ともどつてくるな、と云われた。」——と、

ここで彼はきつぱりといつている。差別《ジム・クロウ》は皮膚の相違からくるのではなく、まさしく帝国主義の悪から来ている、と。そして在日朝鮮人のことを自分自身のことと結びつけて考えているということは、金達寿もいつているように「ラングストン・ヒューズがここに書かれた朝鮮人とおなじような被圧迫者であつたから」（「新日本文学」六月号）にほかならない。

アメリカにおいて差別《ジム・クロウ》に対する闘いは、当然なことながら決して容易なことではない。雑誌社では原稿はボイコットされ、黒人作家であるということだけで「一生涯をつうじてブラック・リスト」にのせられ、黒人の著者による一冊の本すらも入れられない図書館があり、「こつそりと以外には——黒人の新聞や雑誌が売られない町」があり、「計画されていた詩の委員会」がヒューズが参加するからといつて「全国会議」に詩の委員会を作らないというありさまである。（「黒人作家の位置」—一九五七年全国作家劇作家会議でのスピーチ）

そして彼はこう叫んでいる。

このメリーゴーラウンドには／どこに黒んぼの仕切りがあるの、／ね、乗りたいんだけど？　／わたしの　もといた　南部では／白いひと　と　黒いひと　と／ならんで　坐れないんだわ。／むこうの　南部の　汽車にはね／むこうの　南部の　汽車にはね／黒んぼの　車が　あるんだわ。／バスには　わたしたち　後にのせられるの——／でも　メリーゴーラウンドに／後なんて　ありやしない。／馬は　どこに　あるの／黒い　子　のために　？

私は、われわれの文学の当面の問題が基本的にどうあるべきか、どうあらねばならないかを、このラングストン・ヒューズによつてもう一度考えてみたいと思う。祖国の文学を、南半部のわれわれの肉親のことを、そこで闘つているわれわれの良心的な文学者たちのことを、そして、在日朝鮮人の文学のことを——。

その場合、康敏星がいつているように、「安易な『ノスタルジー』——それは、一方では古風な、ひよわな抒情を、他方では観念的・スローガン的性格を生む——を内部から破砕してゆくこと」と同時に、二世（半日本人《パンチョクパリ》）の問題をも「意識的に取り組んでゆくこと」が必要であり、朝鮮のプロレタリア文学・文学運動、「在日朝鮮文学・文学運動の精力的・持続的な再検討」（『プルシ』三号編集ノート）がなされなければならない。そしてこれはなによりも急務の一つであると、私も思う。

わがふるさと・済州島

金泰生

詩人・犀星はふるさとを遠きにありておもうものと、うたつた。ふるさとを出てからすでに三十年、そのかんついにいちども島の土をふむきかいをもちえなかつたぼくもまた、遠きにありてふるさとを恋う人間のひとりであるようだ。ぼくがふるさとにふれてなにかを語ろうとすれば、とうぜんそれはしらぬことあまりに多きふるさとについてである。

かつてぼくにも二どほどは郷里にかえるきかいらしきものが訪ずれたことがあつた。いちどはあの太平洋戦争のおわりごろに、静岡で徴兵けんさなるものをうけさせられたときであつた。〃けんさ〃をこうじつにどうにかして帰郷をじつげんさせたかつたが、あれこれのじじようでこれはダメにおわつた。

いまひとつは、八・一五のすぐあと母かたのおじが片瀬江の島から二十トンあまりのちつぽけな機帆船をしたてて、玄海をわたつていつたときだ。このときばかりは解放された母国の風光にまみえたいぼくの決意もしんけんだつた。ところでいざ出帆の時刻のまぎわになつてはじめて船には朝鮮近海の海図もなければ、そなえつけのコンパスすらないことにきづいたのである。狼狽した船主のおじはそれらを入手させるべくぼくを三浦三崎港にはしらせ、船はとりあえず伊豆の下田港にむかつていつた。

その翌日の夕刻、伊東から貨物トラックに便乗して天城をこえ、下田にたどりついてみると船つき場のどこにも目あての船はみえない。矢のように帰国をいそぐ乗船客たちをせいしかねて、船はコンパスも海図もないメクラの航海にのりだしたものとおもわれた。つぎの予定寄航地は紀州の勝浦港である。

ぼくは陸路を大阪に出て紀伊半島を迂かいし、勝浦の湾にのぞんだ宿屋で暴風にのたうつ海をみつめながら不安な三日をすごした。三崎港の沖合でちいさな鰹船をあやつつていたにすぎないまるで航海には経験のないあの船長、焼玉エンジンにかけては石巻港のNO・1と自称はしていても機関士の免状すらもないあの若い機関長。それに海図もコンパスもない航海である。船の末路が目にみえるようであつた。

こうしてぼくは片瀬を出てから一週間をついやして下関港にまで船を追い、ついに消息もつかめずに疲労こんぱいして帰郷をだんねんするほかはなかつた。

下関をひきあげる前夜、もち金をつかいはたしたぼくは投宿した商人宿のうすぐらい電燈の下で、しわをおびた海図を丹念にひろげて、いつまでも瞳をこらしていたものだつた。

下関港から釜山にいたる直線コースはざつと一〇〇浬。時速十ノットの船であればわずか十時間の航程にすぎない。それにくらべてわがふるさと・済州島は釜山からさえなお西南方に一〇〇浬になんなんとする航程をもつ環海の孤島である。このときほどふるさとというものの遠さをしみじみと想つたことはない。それは空間的な距りの遠さをいうのではない。ふるさとを知ることのあまりに少いぼくの心との遠さなのである。

済州島は木浦のやや西南方八十八浬の海中によこたわる大きな火山島である。面積およそ一、八六〇平方キロ、そのほとんどが火山岩からなり、東西・七三キロ、南北・四一キロ、楕円形の外廓をもつている。手つとりばやくいえば、伊豆半島をつつめてナマコ形の大きさにしたほどの島とおもえばよい。八・一五の翌年、全羅南道から分離されて道制がひかれ、行政区域を南北済州郡とし、一邑・十二面がおかれ、人口はやく二十七万、木浦からの定期船の経由地である楸子島をふくめて日本流にいえば一つの県をなしているわけだ。

済州島をかたるばあい島の中央にそびえたつ漢拏山《はるらさん》（一、九五〇メートル）を逸することはできないだろう。長くゆるやかな裾野をじよじよに集約したその雄大な山容や、ことに冬季その頂きに皓こうたる白冠をよそおう秀姿は、端麗神にせまる、といにしえの文章家をたんそくせしめずにはおかなかつた。火山の種類とその数においても済州島は世界にほこりうるものとされている。主峯の山腹から裾野にかけて三〇〇余の小さな円錐火山が瘤起するさまはあたかも蜂の巣をおもわせるものがある。

済州島出身の作家・金石範は『看守朴書房』のなかで「済州三多として、女多石多風多の三つをあげているが、女多の方はさておくとしても、石ころの多さと季節風のはげしさは幼い日のぼくの記憶にもいちじるしくのこつている。さらにつけくわえれば蛇も多い。夏の日ざかり、トンボとりに倦んで山ぐみの実をつまもうと手をのばしたかん木のしげみに、三尺もあろうかという青大将がつたかつらのようにからみついていたまげたことなどはざらであつた。思うに蛇も日に灼けた岩肌の熱気をきらつて木影にいこつていたもののようである。最も足りなくて不自由をかこつのは飲み水だつた。

ぼくの生れた大静は、往時、済州城内と旌義とならんで郡守の居所でもあつたところらしいがそのごの繁栄の中心はおなじ面の島の南西の海岸にある摹瑟浦にうつつてしまつた観がある。この摹瑟浦は旧日本軍・大村連隊のあつたところで平坦地の乏しい島のなかでは珍らしく宏大な軍用飛行場も設営されていた。八・一五以後、旧日本軍がてつたいしたあとの兵舎をつかつて中学校の授業がおこなわれていたらしい。そのごさらに韓国警備隊とよばれていた李承晩の軍隊がわりこんできて旧兵営内に軍隊と中学校が割拠していたときくがそれいごのじじようはつまびらかにしない。たぶんあのくにのならわしとしてはそこを追いだされたのは中学校の方であるはずだろう。

済州島は古来難治のところとされている。しばしば民乱をおこした歴史ももつているが、わがふるさとびとの性質はいつぱんに慓悍と称してよいと思う。

一九四八年五月十五日、南朝鮮の単独選挙にあらがつてたちあがつたかれらのたたかいはせいれつをきわめたものであつた。ちなみにぼくの生れた洞にはぼくとおなじ世代の従兄弟たちだけでも大ざつぱにかぞえて二十五人はくだらずに住んでいたはずである。それがその親兄弟たちをふくめて完全に抹殺されている。部落が焼きはらわれてしまつたことはいうまでもない。マーク・ゲインは李承晩を評してブルボン王朝派と書いたが、わがふるさとびとのうえを吹きあれた殺りくのあらしはむしろ中世的な暗さと兇暴さにいろどられていたというほかない。

ぼくはいつかそれらのふるさとびとの雄々しさについても書きたいと思つている。

サークル紹介

「青丘」(名古屋)サークルのこと

金 哲 央

「青丘」などという文学サークルは「鶏林」の読者には、あまりなじみがなかろうかと思う。編集部より「わがサークルを語る」とでもして書かないかと依頼のあつたのを幸い、一応の自己紹介をしておきたい。

名古屋市を中心とする地域の文学グループで一九五五年二月以来「青丘」というガリ版の雑誌を断続的に五号だしている。一九五四年、東京で在日朝鮮人文化団体連合会が結成されるのと前後して名古屋地方にも東海朝鮮人文化協会が成立し、その中心サークルの一つとして「青丘」は出発したのである。以後ある程度性格の変化をとげながら、地域性に守られた形で存続している。勿論我々朝鮮人で雑誌を出そうという動きは名古屋在住の学生や教師の間に前々からあつて、それが東海文協の結成によつて形を与えられることになつたのだ。「青丘」は「鶏林」同様朝鮮の雅名。

当時の我々の立場、方向を明らかにするには創刊号の「巻頭言」を少し長いがそのまま引用するのがよいかと思う。

> 我々の出発、そうして、その最初の一足、それが日本文でなされた。我々は、おおむね日本語に於てその生長期をもち、現在、日本語の影響の下に生活している。このことが苦しみである場合がある。しかも、半人間だと云われながらも、民族の誇りを貫き、一朝鮮人として、祖国の復興に何らかの、小さな力を合わせようと念願している。我々は、我々が朝鮮人であることを、日本語による文章でたしかめたかつたのである。勿論、我々には祖国が要請しているような「新しい人間」になりえていない。従つて我々は、この「青丘」でもつて、大衆を指導し、文化的水準を高めようなどという大それた企てをもつていない。日本語によつて、ではあるけれども、文学を通じ何物かを表現したいとう「願い」を持つている。それは我々日本に育つた者たちの共通のものであると信ずる。我々はこの基盤の上に立つている。従つて、この日本語での発表形式は本来過渡的なものであると考えられたい。
>
> だが一面、これは又、日朝両民族の友好の橋渡しとなれば甚だ「喜び」であるとも思つている。まだまだ日朝両民族の心の交流は乏しく、もろもろの事態も又それをさ

サークル紹介

またげている。両民族の友好的な交流と共存共栄はますます必要であることが痛感される。

いずれにせよ、これらの作品は、脱ぎ捨てられた我々のカラであり、又新しい人間像を求めての、我々のモサクである。我々はまず主として、過去を含みこんだ「現在」の定着から始めよう。この場所で自己批判が起り、自ら鍛えられて、変革されることを望むものである。いやすでに我々は東海文協における乏しい活動により、それを感じているのであるが。

そして又、この「青丘」が、広く人々の心の交流の広場となることを望んでいる。我々は、李ラインを持たないものである。

我々は四年前のこれらの言葉を、それはそれとして微笑して認めてやりたい。「現在」という新しい地点に立つて強がりの論評を私としてはしたくないのだ。しかし、これに対する読者からの親身な批評は現在でもお願いしたい。そのためにも「青丘」の歩みを記しておきたい。問題は我々日本に生れ育つた朝鮮人にとつて、日本語に代表される日本文化の持つ意味について——だ。

「青丘」を批評してくれた朝鮮人団体の殆んどすべての人は、我々は全然母国語の教育を受けてないことを無視して「国語で書かれていないから文学じゃないし、意味もない」などと批判してくれた。しかしやはり我々としては、このような全面的否定を快く受け入れることはできなかつた。これに較べ日本の読者の批評はそれぞれ色合の差はあれ、かなり好意的であつた。ある人は、先の巻頭言の「我々は、我々が朝鮮人であることを、日本語による文章でたしかめたかつたのである。」『(前略) とあるのを読んで、胸がうづいた。私は……かつてあなた方をふみにじり、そして今も他人の手先となつてふみにじつている……国民のはしくれである。……でも私たちは私たちの国語=日本語をうばわれていない。「我々は我々が日本人であることを米語によつて確かめたかつたのである。」と言わなくてもよい。その点は幸福な私たちである。それだけに「日本語によつてではあるけれども」と言わなければならぬあなた方の悲しみはよく分る……』(三号三六頁) と書き送つてくれた。有難く思うと同時に、何か耐えがたいような恥かしさを感ずるのである。そうなんです。「青丘」は疎外された我々が、こういう肩身の狭い道をすり抜けて一朝鮮人として再生するための、ある必死の方法だつたのです。だから先ず「青丘」はあたり前のことながら何よりもサークル自身のための物であり、働きかける対象と、強い主張を失つて或る程度「泣虫小僧」的なメソメソした物となつたことを反省せねばなるまい。

初めの計画として季刊の形を取り、月に一度会合して、読書会、批評会を持つ予定であつた。会合の方はルーズな形であれ何とか続いているし、サークル内で強められた友情はお互いの生きる支えともなつているのだが、問題は雑誌を出す費用であつた。仲間の半分が失業状態又は学生であり、職についている者も決して豊かとは言えない。会合の度毎に頭が痛むのである。このため定期的な発行が不可能となり、段々と遅れ、第五号を出してすでに一年以上を経過してしまつた。現在今迄の借金をぼつぼつ月賦で払つている状況である。事務的にも未熟であつた。会費と時間をキチンとするのはサークル運営の鉄則である。又横の連繫も充分意識的になされなかつた。我々にはつきりした民族的な自信に基づく主体性の確立が不充分であつたために、活溌な相互批判と平等互恵の関係が発展しなかつたのではなかつたかと思う。

サークルだから……という「しろうと意識」で自らを甘やかし、お互いに厳しい批判を遠慮して、作品の質的な向上を第一とせず、生活上の悩みや感想を断片的に記録する安易な方法、自分の慰めのための雑誌であつて、毛沢東の文芸講話に見られる、はつきりと働きかける対象と描く方法についての理論的な討議が弱く、それを仲間で克服できなかつたこと。奉仕する熱意とそのために良い作品を作るという良い意味の野心の欠如。――これらのことが漠然と意識され始めたのは第三号の編集を終つてからだつたか、後記に「前進的な文学理論の学習」が提起された。

四号になつてこの方向が強化された。これはこの数カ月前、金達寿、許南麒両先輩を迎え、新日本文学会や地元のサークル「沓の会」、日朝協会などと協同してこの「朝鮮文学を語る会」によつて激励を受けている。丸山静氏の司会で、自作「玄海灘」の成立を語り、「朝鮮冬物語」とネクラーソフの影響について語る両氏、我々はこの日を決して忘れまい。この号から祖国の文学に眼を向け始め、戦後のアンソロジーからの飜訳や千世峯の「戦う村の人々」などの飜訳（但し英語からの重訳）をのせ始めた。

しかし八・一五特集として出した五号（一九五七年八月）は痛烈に我々の弱点を暴露した。祖国の発展は決してそのまま我々在日朝鮮人のものでないこと。戦後数年の熱狂後の沈潜、所謂日本の相対的安定期の社会にあつて生きる方向の探索……これらの性格が、この民族的祝日を記念する特集にも目立つていた。我々を取りまく生活環境に忠実で、あまり景気のよいことを書かなかつたといつて、「青丘」はケシカランと批評する人もいたようである。我々はいつもそういう影のような批判に悩まされて来た。我々の歩みはのろいかも知れないが、祖国の歴史に自分を合流させたいと強く望んでいる。正面からの厳しいしかも温い批評がほしい。影に向つて自己批判などコッケイだ。

色々我々の弱点や欠陥ばかり挙げて来たが、終りに微弱ながら青丘に作品を書き残した人を記しておきたい。「立秋」その他いくつかの短篇を書いた朴秀鴻は、現在一大長篇執筆中。「断層」「旗」などを書いた河泳彩。「小さな駅」などの詩を金竜沢。書評で卞宰洙。映画評、飜訳などを金哲央。その他息の長い詩を金樹嶺、現在歴史小説を書き続けている朴喆淳など。又事務の面で青丘を支えた李叔子等々。又蛇足ながら今度の共和国創建十周年記念作品コンクールに小説で卞宰洙、詩で金竜沢が賞をえていることもつけ足しておこうか。

青丘休刊一年半、我々は一応これまでを第一期の習作時代として、帰国するまではと、再び第二次の「青丘」の発行を準備している。

バックナンバー

第二年　第一号

回覧雑誌のころ

金達寿

前年の五月に朝鮮・京城へ帰つて一年近くをくらした私が、そこからまたさらにこの日本へ戻つてきたのは、一九四四年二月のことであつた。一九四四年というとあの太平洋戦争の終る前年のことで、ガダルカナルの「転進」以来、ようやく日本の敗色が濃厚となつてきたころである。

どちらかというと、朝鮮よりもこの日本の方がまだしも「自由」であつた。当時、私は横須賀に住んでいて、ここでも憲兵と特高警察の目から逃れてくらすことはできなかつたけれども、京城の下宿では、何かの物音で目をさましてみると、枕元に憲兵が土足のままで立つていたりしたが、ここではまだそういうことはなかつた。そこで私は京城日報社から逃げだし、さらにまた、そのままでいた神奈川新聞社へ復社をした。

京城から戻つて間もなく、私は東京で、李殷直から金聖珉という男を紹介された。金聖珉は、それまでに単行本を二冊ほどだしている、いわば在日朝鮮人作家で、横光利一の門に出入りしているとのことであつた。そこで私たちはしぜん誰いうとなく、戦後に備えて大いに勉強をしなくてはならないということになり、私といつしよに横須賀にいる張斗植を加えた四人で、回覧雑誌をやろうじやないかということになつた。誌名は朝鮮の雅名である「鶏林」とした。

しぜん、年輩もかなりうえであつた金聖珉が、これのリーダー格となつた。しかしあとから知つたのであるが、この金聖珉という男はヒドイ芸術至上主義者で、したがつて政治的には現状維持、いわゆる「内鮮一体」論者であつた。間もなくよんだ二冊の本も、これも実にヒドイものであつた。

私はようやく二十代の半ばに達したところで、まだ若かつた。しかも今日の青年とはちがい、「真実」というものからはほとんど目かくしをされて、育つてきたのであつた。ハズカシイはなしであるが、プロレタリア文学も、江口渙の名も知らなかつた。しかしながら私は朝鮮・京城から戻つたばかりであつた。そのキビシイ現実のなかで、私はようやく「朝鮮人」としての自分をとりもどしたばかりなのであつた。

そこで私と金聖珉とはことごとくの点において対立し、衝突しないわけにはゆかなかつた。当時、私たちは月に一度ないし二度、東京の李殷直の家か横須賀の私のところで、回覧雑誌「鶏林」に綴じ込んだそれぞれの作品を中心に、合評をおこなうというかたちで討論をしたが、それは必ず夜を徹して二日にわたり、三日にわたることも珍しくはなかつた。あるときは空襲警報下にそれをつづけていて警防団にどなられ、危く警察へ引つ立てられそうになつたこともある。

いわば私たちの議論はやむところを知らなかつたわけであるが、たとえば私はこの「鶏林」に、戦後すぐ「民主朝鮮」という雑誌に連載して処女出版した長編「後裔の街」のはじめの部分をかいてだした。これは日本で育つた「半日本人」の朝鮮人インテリが朝鮮・京城へ帰り、その現実のなかで「朝鮮人」としての自己に目ざめるという過程を中心に、日本が太平洋戦争に突入するまで（以後のことは「玄海灘」でかいた）の京城における朝鮮人インテリ青年たちの生活と抵抗とを描いたものであるが、これを金聖珉は「怒号の文学」と評した。

するとこんどは、この「怒号の文学」ということをめぐつて議論がフットウする。こんなふうで、それは当然のこととして、ただ、「文学」ということのみにとどまらず、われわれとしてはそれはまたどうしても、当時おかれていたわれわれの朝鮮というものの位置と、朝鮮人はどうあるべきかというところへおよばないわけにはゆかなかつた。そしてそれはまた「鶏林」の合評の席上だけでは足りず、わかれてからも私と金聖珉とはさかんに長い手紙をやりとりすることで、その議論をつづけた。

私はこのころの彼の手紙をいまもとつておいてあるが、こうした手紙のために、私はついに警察の特高へ呼びだされた。手紙が検閲されていたからであるが、私はこのとき神奈川新聞の記者ということでなかつたら、まちがいなく放り込まれたところであつた。

いま考えてみると、いわば私は少し「ハネ上り」気味であつたのであるが、しかし、間もなくきた戦争の終結がこれをすべて解決した。――張斗植、李殷直はいまもなおこちらにいるが、金聖珉は朝鮮へ帰つて、南朝鮮で映画監督になつている。そしてもつとも反共的な映画をつくつているのが、彼だとのことである。

（「文芸山脈」五号より）

公ろん・私ろん

五月十八日に開かれて二十三日幕をおろした第三回ソヴエト作家大会は、いろいろな意味で画期的なものであつたようだ。追つて詳報がくると思うが、最終日におこなわれたというフルシチョフ首相の演説もおもしろかつた。フルシチョフはそのなかで作家を、軍隊編成上の「砲兵」に見立てているがこれなども「なるほど」と思わせるものがある。

大会の中心的な主題は「芸術性」と「思想性」との統一ということにあつたらしい。古くして新しい問題だ。作品の「現代性」ということも大いに論議の的となつたようである。それにともなつてまた、作品評価の問題、組織上の問題なども大いに論ぜられたらしい。たとえば、会期中「文学新聞」に発表されたパフストフスキーの論文などがそれの代表的なもの。パフストフスキーはかいているという。

「この大会は、われわれの時代に偉大な文学を生みだし得る唯一の要素、創作上の自由で大胆な視野を保証してくれるものだろうか。それともせせこましい後見人のような態度で作家たちを監視し、叱りつけることに終始するのだろうか。……自分に不愉快な真実を述べたからというだけで、祖国と人民に献身しているのだが、偽善を排し、そうして献身の独占もその報酬も強いて求めないというだけで、友人を敵呼ばわりするのは今度こそ終いにしようではないか」

どうも、他山の石にしては、少し耳が痛すぎる。問題は、ソヴエトにもこういうことがあるのかということより、われわれの周囲にこういうことはないかということである。また、こんなこともいわれたようである。

「ショーロフ氏やマルシャーク氏がそのすぐれた模範によつて、それぞれの専門分野で少くない真実を生みだしてきていることをみんなが見習うべきだ。自分のなすべきことをタナに上げて、文学全体を指導し方向づける責任を引受けようといつた人間が少なくないのはどうしたことか。たとえ数は少なくとも、めいめいが自分の専門分野で傑作を書くことがこのさい何よりも決定的に重要なことである」

何を、あたりまえのことを――、というなかれ。これもまた、ソヴエトにもこんなことがあるのかということよりも、われわれの周囲にこういうことはないかということの方が重要である。どうです、みなさんわれわれの周囲にはこういうことはありませんかね？

なければ幸いであるが、ついでにいえばこの「公ろん・私ろん」という欄はこういう「自分に不愉快な真実を述べ」るというのでキラわれている。ある男は、自分から進んで「おれが書こう」といつて、紋切り型のタイしたこともない論文を本誌に寄せておきながら、同号のこの欄をみるや否やあわてふためいてどこかに「自己批判」をかいたという。もつともこれについては、本誌編集部にも責任はある。これについて大阪のある読者から手紙がきた。

「『鶏林』三号に原稿を寄せた×××という男が、自分は『鶏林』という雑誌の性格も知らず、ただ金やその他の個人的なつき合いのある彼らに原稿を依頼されたので書いてしまつたが、この点、自分は充分反省しているといつてどこかのご機嫌をうかがつているそうですが、こんな破廉恥な骨なし男もさることながら、こんな男に原稿を書かせたというのは『鶏林』の黒星だと思います」

まさにそのとおり、彼には創刊号から寄贈をしていて、あらかじめ『鶏林』の性格を知らせておいたのもムダであつた。どだいこういう男は、自分の目ではそれをみることはできはしなかつたのだから。(宋陀)

―読書案内―

中野重治全集

西野辰吉

中野重治全集が筑摩書房から刊行されて、配本がはじまつている。ぼくがこの全集の紹介を書くことをたのまれたのは、四月十日なのだが、その朝は天気がよかつたが、新聞を手にとつて読む気もおこらない、妙な日だつた。というのは、当日、皇太子が結婚することになつていて、新聞の紙面がつまらん記事で埋まつているだろうということが、予想されたからだつた。

　この天皇家（第二次大戦後も王制ののこつていたアラブ諸国の王も、なになに王家といつて、姓があつたのではないかとおもわれるが、この日本の天皇家には姓がない）の私事は、警職法、安保条約改定、地方選挙などをそれぞれ一幕にもつ、帝国主義復活を主題とする多彩なドラマの一場として、カネタイコではやしたてられながら演出された。全集の紹介を目的にしてこの文章を書きだしたぼくは、これいじよう皇太子の結婚にふれたくないが、しかしぼくの紹介しなければならぬ中野重治が、この問題をめぐつて日本人の帝国主義の感覚を照らしだした、するどいエッセイを書いていることを紹介しないわけにいかない。

「私の疑いは、最近の皇太子いいなずけ決定のさわぎで大きくなつている」

「新日本文学」三月号「わが疑い(二)」のなかで、中野はこんなふうに書いている。

「天皇の『地位』は、つまり天皇が天皇でありえるかえぬかは、主権者としての日本国民の総意にかかつている」

「憲法そのものには皇太子のコの字も書いていない。皇后も憲法に規定がない。それだから、天皇以外は、皇后も皇太子も憲法に規定されない存在であり、その解釈上、『世襲』にかかわつてやつと存在することができるものとなつている。『腹は借りもの』という規定との差別が、もしそれがあるとすれば学問上あきらかにされなければならぬわけである。私は目出たがつている人々の心持ち、心理、空気を必ずしも疑わない。しかしそのまじめさ、誠意を疑う」

「皇太子妃は皇太子との関係でだけ考えられる。皇太子は天皇との関係だけで、しかし『世襲』という点でだけ考えられる。天皇は憲法第四条で『この憲法の定める国事に関する行為のみを行い、国政に関する権能を有しない』。もし天皇が政治に関する行動をしたならば、それは直接の憲法侵犯となる。武部六蔵の死に、岸政府の勲一等瑞宝章にひきつづいて『御供物料として金一封を贈つた』ことは、明らかな、特に日本と中国との現在の関係のなかでもつとも露骨な特定の政治行動だつた。天皇に親愛感をもつている人々が、それ故皇太子妃平民決定によろこんでいる人々が、一年もたたぬ前天皇のこの行動があつたとき、せめてはらはらでもしたか私は疑つている」

「皇太子妃決定のどんちゃん騒ぎには、そこにどれだけ盲目な愛情（皇室へのという自己欺瞞にかくれた自分自身の現状にたいする愛情）が集中しているにしろ暗鬱な未来がはらまれている」

　前後を省略して引用したが、じつはぼくは現在『新日本文学』に連載ちゆうであるこのエッセイが、全集のなかに収録されることになつているのかどうか、知つていない。しかし、さいしよの配本である「第一巻詩・小説(1)」のなかの、ひじようにすぐれた詩「雨の降る品川駅」と、このエッセイはふかいつながりがある。

君らは雨にぬれて君を逐《お》う日本天皇をおもい出す
君らは雨にぬれて　髯《ひげ》　眼鏡《めがね》　猫背《ねこぜ》の彼をおもい出す

「辛《しん》よ　さようなら　金よ　さようなら　君らは雨の降る品川駅から乗車する」ではじまる、故国へかえる朝鮮人をうたつたこの抒情詩のなかで、国の独立をうばわれたものと日本帝国主義の最高責任者との関係が、するどいイメージとしてとりだされている。小説「鉄の話」でも、日本人民と天皇の問題をあつかつている。「鉄の話」の末尾の「そして俺は首を間違えるわけに行かぬ。縄を誰の首にかけるか?縄を奴と奴の眷族にかけろ!」の奴は天皇だ。

戦後も「五勺の酒」「その身につきまとう」など、天皇の問題を主題、題材にあつかつた作品がいくつかあるが、全集というかたちで文学業績がまとめられてみると、主調音のように中野のしごとをつらぬいているのは、日本帝国主義との対決ではないだろうかと、ぼくはおもう。中野の詩や小説について、方法論として批判をもつものも、中野のように文学のしごとのうえで日本帝国主義に対決してきた文学者を、ほかにみいだすことができないということを、みとめないわけにいかないだろう。

すぐれた文学をもつているということは、むろん民族の誇りである。しかし、ぼくら日本人は日本帝国主義との関係で、世界の人民に誇りえる文学作品と作家を、どれだけもつているかということを考えると、そういう意味で誇りえる文学者の第一人者として、中野重治をおもいうかべないわけにいかない。

そして中野重治全集との関係で、日本文学というものを考えてみると、帝国主義との関係でしらべてみなければならぬというひとつの視角がでてくる」。日本の作家の想像力の質が、いつたいに帝国主義との関係で弱いという問題もでてくる。そしてそのことは日本人の感覚、情緒の問題でもあるのだが、それはいまも、アメリカ帝国主義との関係、中国や朝鮮との関係で、帝国主義にやしなわれたものが根ぶかくのこつていることに気づかない、感覚の鈍磨としてあらわれている。中野が「わが疑い」でえぐりだしているのは、その問題である。とにかく、ぼくは世界の人民に誇りえる日本の文学として、中野重治全集を紹介できることはうれしい。

（筑摩書房刊・第一巻　四八〇円）

—読書案内—

人民公社

—世紀の実験—

河　道　英

昨年の八月中旬、中国の河南省の信陽地区に、一社八、〇〇〇戸規模の二〇八の公社が実現して以来「人民公社」化が急速に進展している。

この年の八月二十九日、中国共産党中央委員会は「農村において人民公社を設立する問題についての決議」を行うに至り、それを契機にこの聞きなれない「人民公社」という言葉が世界の新聞や雑誌に登場して来た。このまさしくアジアの「妖怪」の出現は「東風を圧倒する」時代の産物であり、それは東側の全人民、世界の全人民には新しい励ましと希望を西側の反動勢力には暗い恐怖と絶望をあたえた。この西側の反動勢力の暗い恐怖と絶望はたちまち誹謗と歪曲に変じ「人民公社」は、或いは「強制労働収容所」だとか、或いは新しい「奴隷制」であるとか、或いはまた、「世界共産化」のための「軍事組織」だとか盛んに云いふらし、中傷している。しかし、反動勢力がいくら中傷し、歪曲しても現実にある「人民公社」の運動は着々と進行しており、新しい歴史的展望を開こうとしている。

本年の一月ソ連共産党第二一回大会の二日目に、中国共産党代表団の団長周恩来首相は人民公社について「中国の農村が集団所有制から全人民的所有制へ移行し、中国が社会主義から共産主義へ移行する最良の形態である」と述べ、その歴史的性格を明かにした。

このことは、特に東南アジアの「後進諸国」の経済に大きな教訓と示唆を与え、社会主義建設の中国的形態として、理論的にも実験的にも重要な歴史的意義をもつ「人民公社」について、その実体すら充分に理解されていないと云うのが現状の様である。この点で、多くの人々からの要望に応え、出来得る限り平易に、しかも、正しく「人民公社」を理解するてがかりとして出版されたのが本書である。

本書は、中国共産主義青年団北京市委員会の論文「共産主義とは何か、どのようにして共産主義を迎えるのか」（第一部）と、広東人民出版社刊の「人民公社問答」（第二部）の二つを訳出したもので、更に附録として「農村において人民公社を設立する問題についての決議」（中国共産党中央委、五八・八・二九）と「人民公社のいくつかの問題についての決議」（同五八・一二・一〇）をのせている。

第一部では、社会主義から共産主義への移行の問題が、人民公社運動の経験を土台に具体的に、しかもわかりやすく説かれている。ここでは先ず、人民公社の基本的特徴として「一つには、大きく、二つには、公共的だということ」（一六頁）を上げ、大きいということは規模が大きいというだけでなく、工業農業・商業・文化教育・民兵が五位一体となり、郷（林）と公社が一つに合併して経済・政治・軍事・文化がたがいに結びつけた社会の基礎組織をなしているということであり、公共的だということは、生産手段私有制をなくしてゆくことであり、また、家庭労働の集団化・社会化を実現すること、さらに公社の実施している半供給制は共産主義的分配制度に一歩一歩近づいてゆくものであると説明している。

人民公社の過程のなかで、「社会生産物が非常に豊富になり、全人民の共産主義的な政治的自覚と、道徳的品性が大いにたかまり、全人民の間に教育がゆきわたり、教育程度が高くなり、そうして社会主義の時期にはまだ残らざるをえなかつたふるい社会からのなごりである労働者と農民のちがい、都市と農村のちがいや、頭脳労働と肉体労働のちがいが、みんなだんだんとなくなり」その時は、『各人はその能力に応じて働き、必要に応じてうけとる』という共産主義の時代に入ることになろう。」（一五七頁）

われわれは今日まで、共産主義社会の実現というものは、ほど遠い未来のことであると考えていた。ところが、現に中国においては、それが着々と進行している。まさしく「世紀の実験」であるが、そのあらましと展望については本書がおのずから明確な回答を出している。

第二部では、人民公社についての十五の疑問に答えたもので、われわれがとかく誤解しがちな問題、あるいはマス・コミ、商業ジャナリズム等が歪曲して報導しがちな問題についてやさしく解答を与えている。

若干の内容の紹介でおわつたが人民公社の実体を理解するうえでの好適な入門書であるばかりでなく、共産主義理論を知るうえでも欠くことの出来ない良書であるといえよう。

（篠原則省・上野稔共訳・理論社刊二三〇円）

私の歩いてきた道（四）

張斗植

たしか、軍港の山々が紅葉して木の葉の散る秋のことだつたと思うが、私の両親は私を叔父の許に預けてどこかの工事場へ移つてゆき、再び私は両親に別れて暮すことになつた。しかし、多少もの心ついた私は、幼いときに受けた悲しい別れかたと違い、今度の場合は自分から望んでそうしたのだつた。引越す度に学校を替えていた私の苦い経験から、もうそれ以上替えたくなかつたのである。もつとも、それも近くに叔父が住んでいたので、その実現の可能性が強いと信じていたからでもあつたであろう。たしかに私にとつて、学びつづけた学校にそのまま留ることができたことは、大きな喜びであつた。

が、当座のあいだはそう思つたものの、やはり肉親から離れて暮すことの淋しさは蔽いかくすことはできなかつた。

かつて一度も笑顔でもつて私に話しかけてくれたことのない叔父の家から、私は学校へ通つたが、本一つ並べる机とてなく、寝るのも三十何人といた人夫たちの蒲団の脇に足を突つこんでは、毎晩のように寝床を替えていつた。

学校から帰ると直ぐ二つになる従弟の子守りをさせられ、陽がとつぷり暮れるまでその従弟は私の背から離れることはなかつた。遊び盛りでひと一倍動きのはげしかつた私にとつて、従弟は邪魔で邪魔でならなかつた。小使銭を一銭も貰えなかつた私は、友達からメンコを四、五枚貰つてそれをもとでにメンコ遊びをし、勝つて売つては小使銭にあてた。ついには持ちきれなくなつて木箱をつくり、縁の下に匿くすほどのメンコ持ちになつたが、遊びのさいちゆうよく従弟が泣き出すので、私はその度に邪険に従弟の脚をツねつて泣きだまらせようとした。しかし、従弟は泣きやむどころか、かえつて思いつきり脚を突つぱり泣き声を高くさせていつた。私は慌ててメンコ遊びをやめ、泣き声を聞きつけて叔母が飛んできはしないかとはらはらし、それとなく眼をくばりながら一所懸命にあやしたてた。

　メンコ遊びをしなくても、片手で本を読んでいると、この従弟は意地の悪いことにつむじを曲げるのだつた。とにかく、両手でお尻をちやんと受けてやらないと温和しくならないのである。

　いま、その長男の従弟は横須賀に住んでいて、時おり私のところへ訪ねてくることがある。その時、私も大きい方だが、私より大きくなつた従弟の身体から私はある一種の威圧を受けるのを感じ、どうもその頃のことを思つてはさばさばした気持になれないでいる。

　その頃といえば、叔父の家に「泰平《テェペイン》」という人夫がいた。そう背丈が大きくはないが、肩巾の広いがつちりした体格の持主で、いつも洟水を垂らし何をいわれてもニタニタしていた。角刈の頭にタオルでねぢり鉢巻をしていて、めつたにそれを外したことがなかつた。「泰平」の仕事は現場へ昼飯を届けたり、工事場に散らかつている薪をかき集め、それを支機《チゲ》に一ぱい背負つて帰つてくると、飯場の前の道路の真んなかに投げ出して薪割で割るのが役目だつた。時には切れッぱしが飛んで向いの日本人の家の窓ガラスを破り、平謝りに謝ることもあつた。人夫というより、飯場の雑役夫といつたほうが至当かも知れない。

　みんなが「泰平《ダニペイン》」というので、それが本名だと思つていたらそうではなく、彼の挙動からつけられたものであることを私はずうつと後になつて知つた。勘定のとき、一人前に貰うのではなく、みんな支払つた後に呼び出され、叔父からいくらかの小使銭を貰つては喜んでいた。そうして、どこへいつてくるのか必ずその晩は帰つてはこず、翌朝早く帰つてきた。そしていつものニタニタ顔をもつと綻ばし元気がよかつた。

「おーい泰平イ、妻家《ゼエカ》へいつてきたか」

「うん、いつてきた」

　こう仲間からひやかされるが、彼は恥かし気もなく簡単にうなずくのだつた。妻家というのは、勿論妻の実家のことを指すのだが、彼に妻がある筈がなく、この場合海軍の兵隊相手に出来た安浦三丁目の女郎買いのことを意味していた。

　この泰平という男は、なんとなく憎めないところがあり、それだけに殺風景な飯場にいなくてはならない貴重な存在だつた。たんに憎めないということだけではなく、雑務の多い飯場にあつて非常に便利な男だつたのである。その意味で、その後半年ほどして泰平はほかの飯場へ移つていつた（と、いうより引きぬかれたといつたほうがいいかも知れない）が、彼のいなくなつた飯場は急に笑いがなくなり、日に日に暗なつていくようだつた。まるでそれは、みんなの笑いをそつくり泰平が持つていつてしまつたのではないかと思われるくらいだつた。事実、叔母などはなにかする度に、「泰平ィがいたら……」とグチをこぼし、それが昂まると、「ひとがあんなに親切にしてやつたのに、あの恩知らず奴が！」と悪口雑言するのだつた。要するに、自分に都合が悪いと相手を憎みたくなるずるい人間感情をそのまま露呈する叔母だつたのである。

私は五年生になつたばかりだつた。泰平がいなくなると彼が受持つていた薪割仕事が私の方にまわつてきて、それが済むと子守りという順になつた。薪割は幼い私にとつて荷が重すぎた。そうなると子守りの方がずうつと楽だということがわかり、しかも子守りしながら自分の好きな遊びができるので、このほうがどんなにいいか知れなかつた。といつて、別に待遇をよくしたのではない。従弟が途中泣き出すと、脚をツねることには変りはなかつた。

したがつて私は、学校から帰つてくると軒下に山と積まれた薪にうんざりし、もう割らない前にヘコたれてしまつたが、なんとかして子守りだけでその日をゴマ化そうという気持が強く支配し、子供心にもああでもないこうでもないといろいろ策をたて、それを実行すると案外それが成功した。

たとえば、炊事場で忙がしそうに立廻つている叔母の虚をつくことがそれだつた。

私は学校から帰つて鞄を投り出すと、叔母の方へいつて、

「スンモ(叔母さん)、かんちやんかして、おんぶするから」

と、いうと叔母は、

「ああそうかえ、ありがとうよ」と、たすかつたような表情でいい、背中の従弟をスルスルと下ろして私に背負わせる。私は私で内心しめたと思い、叔母の気持の変らないうちに早く飛び出したいから急きたてる。そうして私は外へ出ると、もう陽が暮れるまで飯場へは近づかなかつた。

ところが、叔母が腰かけて従弟に乳を呑ましているときにそういうと、「それよりもお前、薪を割つておくれ」と素気なく、如何にも私の帰つてくるのを待つていたかのようにいわれるとバツが悪く、がつかりしてしまつた。

ある日、それは日曜日の朝のことだつた。みんな仕事に出払つたと思つてひとりゆつくり寝ていると、誰かが蒲団のなかに入つてきた。誰だと思つて、私は眠むけ眼をうすくあけて振り向いてみたら、名前は忘れたが叔父と同じようにチョビ髭を生やした相当年配のひとで、たぶん下に木のつく名前のひとだつたと思うが、それがはつきりと思い出せない。勘定のとき賭博をしてよく勝つのを憶えている。仕事のほうはよく休むひとだつた。そのひとが、私を抱くようにして、

「城奎、けようは学校へゆかないのか」

と、いつた。私はこのようにして抱かれたことがなく、朝鮮《くに》から渡つてきた当初、父にさえ抱かれるのを嫌つていた私は、肩でその手を外ずそうともがき、面倒臭くなつて蒲団に深く潜りながら、

「うん、きようは日曜だよ」

と、邪険にいい、早くこの爺ィめ、向うへいつてくれないかと思い、息苦しくなつた。すると、彼は自分のポケットを探つていたと思つたら、今度は私の手を取り、冷い金属性のものを私の掌に握らせた。私はすぐお金だと直感し、暗い蒲団のなかで縁に爪をたててみた。ギザギザだつた。大きさからいつて五十銭銀貨だということがすぐわかつた。私はびつくりして蒲団から顔を出し、

「おじさん、これくれるの!?」

と、私は喜びのあまり声をたてた。すると、彼は「シッ」といつたかと思うとどうしたのか、起きあがつて炊事場のほうへいつてしまつた。私はその後ろ姿を見送つていたが、蒲団の山に邪魔されて

見えなくなつたので、私は再び五十銭銀貨をみつめ、それを力強く握りしめた。一銭の小使いも貰えなかつた私にとつて五十銭は大金で、瞬間、彼が神様、いや神様でなければその使徒のように思えた。このお金さえあれば欲しい欲しいと思つていた参考書の全科が買えるという喜びで、急に私の眼の前にあかるい光が射してきたようだつた。彼はすぐ帰つてきた。そしてまた私の蒲団のなかに入つてき、

「いいかね、それをあげるからいうことをよく聞くんだよ」

と、いいながら起きあがろうとする私を制し、自分も寝込んできた。私はいい子になれの意味をいつているのだと思い、「うん」と小さくうなづいた。

「さあ、そのズボン下を脱ぎな、いいか、誰にもいうんじやないよ」

私は彼のいう通りにした。五十銭貰つた手前、彼のいう通りにしてやらなければ悪いと思つた。私はパンツを買つて貰えなかつたので、ズボン下を脱ぐと裸だつた。

すると、どうしたのか、彼も蒲団のなかでもじもじしてズボンを脱ぎ、パンツを脱いで裸になるではないか。私は耳を澄まし、異様な眼でその動作をみつめていたが、ともかく私の手には五十銭銀貨が固く握られていて、私はそれをはなしたくなかつた。

彼が、私にむこう向けというので私が向いた途端、何かしら珍らしいことが起きることを察知し、厳粛な、荘重な気持で息を殺して待ち構えた。そのうち私の肛門に何かネバネバしたものが塗られた。それが二、三回往復され、私はその度に尻をピクつかせた。みみずが這うように薄気持が悪い。その本体が彼の唾だということを知つた。するとだんだん私の身体が硬直してゆき、私の両手はいつの間にか組まれ、不愉快な気持を蔽いかくすことができなくなつてきた。

今度は、擂粉木《すりこぎ》でも当てられたような感じを受けた。それがだんだんと押しこんでくる。私は「はつ」とした。と同時に私は「アイゴー」と叫ぶなりがばつと跳ね起きた。飛び起きてもなお私の肛門は火花が出るような痛みがつづいた。

「こんなものいらない！」

私は握りしめていた五十銭銀貨を、口をあけてぽかんとしている彼の顔を目がけて叩きつけ、そそくさとズボン下と服を抱え、裸のまま炊事場のほうへ飛んでいつた。

急に私は、無性に母が恋しくなり、私の眼から熱い涙がしたたり落ちてきた。

その年（一九三一年）梅雨あけごろに、私の両親は戻つてきた。人夫はひとりも連れてこず、そのころできたばかりの湘南逸見駅の近くにどうやら一軒借りることができて、生れたばかりの妹文玉をいれ、久し振りに親子水入らずに暮すようになつた。

したがつて私は、逸見校から沢山《さわやま》尋常小学校に籍を移したのだが、いま考えてみると、どうしてこの学校に転校したのかわからない。というのは、私の家の位置がちようどこの両校の真んなかあたりで、どちらへ通つても同じ距離ぐらいだつた。あれほど学校を替えたくないと思つていたのになぜ替えたのか、とにかくこの間の事情がわからない。たぶん、いまでいう学区制の関係からそうなつたとは思うが、そうだとすればその後市内を二度引越しているのに、私はこの学校を卒業するまで替えていないのである。結果からいうと、私はこのほうがよかつた。その学校に伊東敏三郎という良き先生を得たことによつて私の向学の眼が開き、またいろいろの意味で

この伊東先生はそれまで私自身が持つていた劣等感めいたものに気を使つて、精神的に大いに励ましてくれた。

伊東先生の家は葉山御用邸の近くの木古庭というところで、代々村長をつとめた豪族の出だとのことだつた。先生はどちらかというと、日本人ばなれした、ちよつとみた眼には二世かと思われるほど鼻が高くて長身のひとだつた。鼻下髭を蓄えているところなどそつくりで、私ははじめ西洋人かと思つたほどである。

私はこの学校に転校するとき、市役所から特別貧困児童として保護を受ける身だつたが、月々支給される学用品を伊東先生は決して皆のいる前では出さなかつた。授業がすみ、ほかの子が皆帰つたあとに渡してくれたので、同級生たちは私が保護児童だとは誰一人気づくものはなかつた。私は先生のこの気の配り方にどんなに感激したか知れない。その意味でも、大いに勉強して先生に応えなければならないと心に誓つた。

当時のこの学校の環境をちよつと説明すると、前の逸見校は高等科を併設してある関係か、生徒の柄が悪く、先生の質もあまりいいとは思われなかつた。

一方の沢山校は高等科がないので生徒の数も少く、ここの生徒は私のような極く一部のものを除いては海軍の将校の子弟が大半を占め、後は海軍工廠に勤めているといつたように割合に生活にゆとりのある子弟ばかりだつた。毎年上級学校への進学率も市内で一ばん高く、生徒自体がなんとなく優越感をもつているような感じを私は受けた。

私がこの学校へ転校して間もなく、前の逸見校で同級だつた中村竜夫という生徒も私の後を追うように転校してきた。彼はあの太平洋戦争に駆逐艦の艦長として勇名をはせ、壮烈な戦死を遂げた二階級特進の勇士である。

だが、このときは紅顔の少年で、彼の行手にそのような運命が横たわつているとは予想だにせず、あらゆる意味で私の好敵手であつたし、好対象でもあつた。もつとも一番の成績は渡部岸郎という子が確保して揺がなかつたが、あとの二、三番を私はいつも彼と争つた。

海軍大佐の三男坊の中村の服装は、海軍の士官が着るのと同じように、金ボタンなしの服に折目のついた半ズボン、靴下、皮靴といつたようにきちんとした坊ちやん型。私は小倉服に、しかもその服が小さくてシャツの袖がはみ出るし、靴下をはかないので継ぎだらけのズボン下がだらりとしていた恰好はどう贔負目にみても田舎者。体操のときでも何かのボール投げをするにも彼は私の敵に廻るのだつた。それはお互い意識的にそうなつたのではなく、自然そういう破目になつてしまうのだつた。実際お互い味方として彼と組んでやつたのは、六年生になつて野球選手のときだけだつたのである。

私の父は、足利でやつていた当てもの飴屋の道具を担いであちらこちらの縁日を目当てに商いをしていたが、とうていそれだけでは親子五人の糊口をしのぐのには大変だつた。私はとうに（沢山校に入るとすぐ）新聞配達をやつて月々六、七円の給料をとつて家に入れていたが、それも焼石に水だつた。

当時、世の中はますます不景気が深刻化し、親子自殺、辻強盗が毎日の新聞を賑わしていた世相だつたので、私たち親子はそこまで決意しなかつたのが不思議なくらいである。

尋常四年生のときには金解禁で不景気の口火をつけた浜口首相が

東京駅頭で狙撃されて倒れたかと思うと、その翌年には満洲で日華事変が起り、街々は日の丸と軍歌で色めき、一路日本は軍国調に突入してゆく時代だつたので、親子心中のような新聞記事は路傍の石のように隅のほうへ小さく扱われていたときでもあつたのである。

こんな境遇のなかで、私は少しもいじけることなく振舞うことができたのは、あの伊東先生の慈愛のお蔭だといわなければならない。

私の六年生のはじめごろ、東京で苦学していた兄・昌植が家に帰つてきた。兄は病身をおして、頑張りつづけたが、授業料を滞納したため早大の夜間部から退学処分になり、みるかげもなく痩せ衰えた身体を漸く家へ運んできたようにみえた。

すると、父はいつものように失踪し、私が卒業してもなお帰つてこなかつた。むしろそのほうがよかつたかも知れない。一日中むつつりとして、言葉一つかけるのでなく妻子をただ睨みつけて用を足していた父だつたので、家のなかはいつも暗雲低迷して息づまる思いだつた。その父がいなくなると、我が家に春の季節が訪れてきたように活気づき、手首も足もひどく痩せ細つた兄を中心にみんな働くようになつた。私は新聞配達、兄は飴や、母は幼い弟たちの手を借りて袋張りをするという按梅に誰に気兼ねすることもなく、一家をあげて生活を支えていつたので、日本の一ばん不景気のどん底にあつて私たちはどうやら飢餓の線を脱することができた。

そうなると、それまでおぼろげながらも希望をつないでいた中学進学がはつきりとできるような気がし、それとなくいい出す機会を私は狙つていた。

私はその頃、野球選手（捕手）としてチームの中心になっていた。私の強肩と強打は市内の各小学校にその名前が知られ、私の学校の下級生などは私が通ると「張さんだ、張さんだ」と囁きあう声を私はよく背にうけるほどだつたのである。

それまで沢山校は勉強のほうはよくできても、運動のほうはあまりパッとしなかつた。ところがその年の夏の全国少年軟式野球大会の横須賀地区予選大会に私たちのチームは各校をつぎつぎと倒し、ついに優勝戦に進出するという学校はじまつて以来の椿事をおこした。しかし優勝戦当日、校長先生をはじめ、学校あげて応援してくれたが、相手校の鶴久保校に僅差で惜敗し、私たちは肩を抱きあつて口惜しい涙を流したことをいまでもハツキリ憶えている。なかでも一ばんよく泣いたのは、サードを守つていた中村孝で、彼はのちに陸士に入つた子だつた。

私は中学に入つて、球児の憧れの的だつた甲子園の土を踏みたいというのが望みだつたが、このことはおおつぴらに母にも兄にもいえなかつた。いつかきつといい出そうと思つているうちに、学校で上の学校へゆくものは手をあげろというので、手をあげてしまつてから、こんどこそはどうしても兄にも母にも告げなければならないと思つた。

「僕、中学に入りたいんです。自分で働いてどんな苦労でも我慢して、きつとやつてゆきますから……」と、兄に真剣に訴えた。

しばらく兄は辛そうに顔をそむけていたが、やがて私の顔を凝つとみつめ、

「うん、お前がそれほど思つているなら、そうしたらいいだろう」

と、いつてくれた。が、その音声は苦しい息からでた言葉だつた。私ははじめからできない相談を兄におしてつけたようで済まない気持になり、喜ぶどころかかえつて暗い気持につき落された。

《読者の声》

北海道から

金　正

「鶏林」一、二号とも一気に読んでしまいました。こみ上げて来る共感をどうしようもなく、久しぶりにささやかながら幸福感を味あわせてもらいました。長い間自分の中で陰気にくすぶり続けている朝鮮および朝鮮人の問題に一つの展望が開けた思いで、同時に今までそういう機会を積極的に求めなかつた自分を悔いる気持で一杯です。

ぼくは今二十五才ですので、執筆している方達より一まわり乃至二まわり下の世代に属するわけですが、それだけに一層日本人であることを余儀なくされていると言えましょう。父は大正八年頃日本に来て以来ずつと日本に住んでいます。町ではもう古顔の一人で人々にいささか信頼される存在でもありましたが（というのは貧乏であつたということでもありますが）、四年前から結核で病床にあります。多くの人がそうであつたように、父も肉体労働によつて生きて来ました。多少人の上に立つようにもなりましたが、終始自ら労働する人間であることに変りありませんでした。父は日本人と結婚したためか（その母は終戦の翌年になくなりました。父のために言えば、その結婚は母の方が一方的に積極的であつたらしいのです）あるいは生来の無口のためか、ぼくたちに自分の国について殆んど何も語ることはありませんでした。今日まで ぼくは、朝鮮について全く無知であつたとしかいえません。並の日本人と少しも変りなくぼくたちは育てられ、同じように日本の公立学校で教育を受けました。しかし自分の中の朝鮮について全く鈍感でありえたわけではありません。それには少しばかり神経が細過ぎました。そのことについての自意識はずいぶん幼いころから目覚めていました。それは貧しさとも不可分の理くつなしの劣等感で、貧しさとも不可分のものでした。直接には殆んど侮辱を受けたり差別を受けたりしたことがないだけに、一層その劣等意識は発散する機会を失つて、もやしのように青白く育つてしまいました。朝鮮および朝鮮人に対する激しい嫌悪は、むろんそれの裏返しに過ぎません。戦時中あるいは戦後しばらくの間、自分をとりまいていた朝鮮人の生活はたしかに嫌悪すべきものに満ちておりました。しかし歪みのない目で見たら自ら別の理解の仕方もあつたでしょうし、そこから社会的なものへの目も開かれたことでしょう。そういうことのわかる年令になつても、ぼくは自分の中の朝鮮をただ忘れようと一生懸命でした。この逃避的な態度がどれほど自分の生き方を毒しているか、今になつてもぼくはそういう態度から逃れられないでいる始末です。

人並みに勉強したいと思い、親の経済力を無視して大学へ入りました。ちようど白鳥事件の起つた年です。学生運動もまだいくぶんかは血なまぐさい匂いをもつていた頃です。一年間はうす汚れたセンチメンタリズムに浸つておれたおめでたい学生でした。古い伝統をもつた寮生活なんて全く奇妙なものです。二年目になつて寮にちよつとした革新運動があり、自分も関係者の一人になりました。それで外部の運動にも多少は参加することになりましたが、記憶している主なものは例の「選挙権闘争」です。それも寮の委員としての義務感と、何か行動に参加せずにはいられない素朴な欲求からで、特別進んだ行動意識をもつていたわけではありません。むしろ仲間たちの乱暴な、あるいは単純過ぎる議論に絶えず疑いをもたずにはいられなかつたしゆんじゆん型の典型でした。当時ぼくたちのグループは十人余りでしたが、経済のぼくと史学の男をのぞいてあとは皆理科系で、理論的にそう深く勉強していたとは言えませんが、皆善意のある人間たちで好ましい結びつきをもつていました。後に党員になつた者もいく人かいましたが、今は卒業してそれぞれ職についていることでしよう。ただ忘れられないのはその中に朝鮮人であるK君がいたことで、彼も日本姓をもつていたので、それを知つたのは知り合つてからかなり後のことでした。彼のことは知つても自分のことは彼に知られず、結局そのことについて何の話合いもないまま、ぼくたちは別れてしまいました。親のすねがかじれなくなつて、他愛なくぼくが大学をやめてしまつたからでした。身体も悪くしてしまいました。先に望みがあるならそれでも無理に復学したでしようが、職のことを考えると大学を出ることにすつかり懐疑的になつていました。片親云々という御時世に朝鮮籍では絶望でした。

　誰かの文中にもありましたが、今は高等ルンペンに準ずる生活です。ただし「貧乏ひまだらけ」というわけにも行きません。自分も食い、弟妹も食わせなければなりませんから。

　ぼくのような生い立ちの者にとつては、日本人であること以外にどうしようもないのに完全に日本人でありえないし、朝鮮人であることはさらに難しいというわけで、考えるたびにいつもジレンマに陥つてしまいます。「ニツポンジン」も「チヨウセンジン」もぼくにはタブーで、今に至るまでこの言葉を平気で口にすることは出来ない始末です。どちらにしても、どこか心にひつかかるものがあるのです。民族的な差別ということは一番切実な問題なのですが、その不当を非難することがあまりに正当であるが故にかえつて大声で叫ぶ気になれません。何か虚しい気がします。国籍とか何とか、所詮は一片の形式でしかないものが人間の一生を左右することの馬鹿馬鹿しさ、ヨーロツパ人に対する卑屈さの裏返しをアジア人にすることによつて満足する日本人の醜悪さ、腹が立つより人間の愚かさ、哀れさを感じてしまうのです。そういう感慨めいたものが問題意識を弱めてしまうことを決して建設的だとは思いませんが、具体的にどういう方向が正しいのかはつきりとはつかめないのです。

　自分の問題を語り合える者もなく、近頃はそういう自分が何だか不安で、無能に鞭打ちながら中途半端になつてしまつた経済の勉強などを始めています。朝鮮に関する本も大いに読みたいと思つています。金達寿とか許南麒とか金史良とか名前だけはすでに知つている人たちの作品も読みたいと思います。

「鶏林」を読んでしまつてから、病床にある父のところへ持つて行きました。こういうものは読みなれていないので読むかどうかはわかりませんが、何か反応があればと楽しみにしています。今年五十六才の父は、日本に来てから特に惨な思いはしなかつたようですが、息子たちが学校を出ても高等ルンペンたらざるをえない現実には「腹が立つて仕方がない。人のしなくていい苦労をする」といささか興奮の面持です。父にとつてそういうことがどうにものみこめないらしいのです。父自身別に日本人に対して劣等感をもつたわけでなく、差別感もたずただ当り前に日本で生きて来たわけですし、それで何の不都合もなかつたのですから。父は平凡な人間ですが、温和で、酒を好んで決して乱れることのないこの父を通しての朝鮮だけは終始ぼくにあるなつかしさを感じさせてくれます。日本がもう少しましな国になるまで父を死なせたくないというのが、今のぼくの願いです。

しかし現実は、今年高等学校を出る弟を高等ルンペンにする前に療養所へ送らなければならない有様です。貧困と疾病の典型的な悪循環です。

これを書いているときちようど李少年の検事求刑のニュースを聞きました。暗たんたる気持です。弟と顔見合せてあのショツキングな事件を聞いたときの様子を思い出します。都会生活の重圧に押潰されてしまつた気もします。彼の家庭環境が、ぼくの知る限りでも必ずしも例外的にひどいとは言えないからです。悲しいかな彼と類似の境遇をさがし出すのはそう困難ではありません。彼の場合も、もし東京という場所でなかつたらあるいはあんな極端なことにならなかつたのではないかという気がします。問題は彼のような場合が再生産されることです。全国に彼のような例がかなりあるのではないかと思います。彼らの生甲斐を何とかつなぎとめる名案はないものでしょうか。

長々と自分のことを書いてしまいました。「鶏林」に対する感想をどうしてもこういう形でしか書けなかつたのです。三号が出ましたらお送り下さい。編集の方々および執筆の方々の御健闘をお祈りします。

追伸

誌面についてのおねがいですが、勉強不足でぼくらには読めない漢字が再三出て来ますので、なるべくカナをふつて下さるように。

一日も早く〝月刊誌〟に（京都）

許　影　俊

三号、非常におもしろく読みました。まず手にしたとたん、表紙が非常にスマートになつたこと――題字を書きかえたこともよかつたのですが、それにもまして高句麗時代のものといわれる壁画にすばらしい魅力と新鮮さを感じました。

ともあれ、われわれ在日朝鮮人の唯一の大衆的文化誌である「鶏林」の発展のために、（残念ながら「民主朝鮮」廃刊以来、この種の雑誌をまだ見ません）二、三苦情や感想をいわせていただきます。

まず誤植がかなりあるということです。従来からいわゆる進歩的な出版物には誤植が多いということで有名ですが、このような些細なことから乗りこえて行かねば、われわれの運動は一歩も前進しないと思います。

編集内容について、基本的にはまつたく賛成です。ただ、若い世帯の意欲的な論文、創作等を大いに期待しております。多少荒けずりなものでもどしどし発表して、一日も早く月刊にしてほしいのです。勿論いろいろと困難な条件があると思いますが……。

毎号のルポは非常に興味深く読んでおります。特に二号の〝学生と子供たち〟のような記事をどしどし紹介して下さい。東大生のセッツルはその後どうなつておりますか。三号の〝公ろん・私ろん〟を読んでまつたくふんまんやりきれないのです。（中略）さまざまな困難を乗りこえ、克服して、一日も早く〝月刊誌〟となれることを遙かに祈つております。

ルポ・帰国する〝日本人妻〟たち

おひる過ぎ頃から、どんよりとした空模様が、夕方からは本降りとなつてきた。「総連」中野支部の人に案内された記者は、ドロンコの道を歩きながら「夫の国・子供の国」へ行く〝日本人妻〟たちの講習会の風景をあれこれと頭のなかで描いてみた。

「こんなに雨が降るのに集まるでしょうか」という私の言葉に対して、「そうですね…」という彼の返事も、なにか心細い感じがしてならなかつた。

夜の七時から始まるというその会場（といつても普通の家の八畳間であるが）にたどりついたのは、定刻より五分ほど前であつたが、私の想像はみごとにくつがえされ、ほとんどのメンバーがそろつて先日のおさらいに余念がない。

「イマハ春デス。春ガスギルト、夏ガキマス夏ガスギルト……」という意味の朝鮮語を、あぶなつかしい発音でありながらも、一生懸命にくりかえしている彼女らの目つきは、文字どうり真剣そのものであつた。

一度も行つたことのないその朝鮮、風俗も習慣も言語もちがう未知の国へ行こうとする彼女らは、生活に追われながらも寸暇をさいては、せめて朝鮮語でも――との真最中である。

お膳をはさんで集つている生徒たちのなかには、赤ん坊をおぶつている婦人もおれば、あばれる子供をあやつりながらノートをしている婦人もおり、二人の中学生を含めて、現在学習に参加しているのは一三人だという。

そもそも〝日本人妻〟という言葉が話題にのぼり始めたのは、在日朝鮮人の帰国運動が大きくクローズ・アップされてからであるが法務省の調べでも二万近くあり、いわゆる〝内縁関係〟を含めると相当数にのぼるらしい。現在、ここ中野区内でも六〇余世帯になるという。

学習が始まるまえにいろいろと話を聞くつもりで行つた記者は、一時間と三〇分を隣りの部屋で待たされるのを余儀なくされた。そこには、当家の主人である林旦鳳氏が、子供たちのおもりをしていた。

この学習会が発足したそもそものきっかけは、ここ中野においても帰国のことが人々の口にのぼりはじめた去年の暮のことである。金二百円也をもちよつて一五、六組の夫婦たちが、メズラシク一堂に集つて茶話会を開いた。それまでは近所づきあいもあまりしなかつたのが、一晩ですつかりうちとけあい、いろいろと話しあつた末この学習会――ということになつたのだという。

帰国の決心はしたものの、彼女たちの心は複雑である。たとえばある人の場合、近所に住んでいる民団のおかみさんが最近韓国へ行つてきて、韓国にいる〝日本人妻〟たちが受けているはげしい蔑視、いかにつめたい眼でみられているかということを話して、「北鮮へ行つてもきつとそうだから……」というたぐいのことを会うたびに聞かされるという。社会体制が違い、共和国では絶対にそういうことはないということを、夫からも他人からも聞き、また読みもしているが、やはり心の奥底にはいいしれぬ不安があるらしい。

しかし、だからといつて彼女たちの安住の地ははたしてどこだろうか。自分の国であるこの日本においての民族的な差別・偏見をいやというほどなめさせられてきた彼女たちである。ある婦人などは、両親や親戚、友人たちの激しい反対を押し切つていまの主人と結ばれたが、朝鮮人と結婚しているというので、いまだにつきあいもたたれ、近所の日本人たちからも白眼視されており、なんともいたたまれないという。

勉強が終つてからいろいろと話しあつた。帰国するということがきまつた現在、やはり一番の不安は言葉だという。そして勉強をしてみて一様にいうことは「むずかしい」とのこと、特に発音がどうもうまくゆかない。それでも第一船に乗りこむまでは、会話というところまではいかないにしても、せめて字を読めるようになることと、他人の話をある程度でも聞きとれるようになれたら……といつている。

先生である鄭然銃氏は、

「なにしろ彼女たちの熱心さには、まつたく頭がさがります。第一ここにはいわゆるコリアン・タイムはありません。いつも定刻きちんと始まります。学習がある日は時間が気になつてしようがないですよ。それに皆さんが熱心に勉強して下さるのでスピードも早いし、教える方も非常に楽しい。学校の生徒たちに比べてとても楽です」といつていた。

教科書を見せてもらつた。鉛筆でこまごまといつぱいに書きこんである共和国の人民学校（小学校）一年生の国語の本である。すでに半分以上ならつている。

ある婦人は、

「いままでは、うちにくる朝鮮の新聞とか、子供たちの教科書が部屋にちらばっていても、全然無関心であつたのが、勉強をはじめてからはそれらをひろい読みしたり、子供たちが学校から帰るとつかまえては教えてもらつたりしていますわ」

「とんだ豆センセイですね」といつてみんな笑つたが、彼女たちはいかにも幸福そうな、希望に満ちた明るい笑い声であつた。

「学習がある日は、なんだかそわそわして落ち着かないですよ。主人が仕事から早く帰つてくれれば子守でもしてもらえるんですが、二人もつれてこなければならないんですからね。でも家へ帰ると「アボチ」「オモ二」とあたしたちがならつたのをけつこうまねをするんですよ」と、隣りの奥さんが口をはさんだ。

「どうして帰国する気になりましたか」という記者の問に対して、佐藤真佐子さんは、

「住みなれた国であるし、父母兄弟も居るこの国から、わざわざ未知の国へは行きたくないのです。出来ることならこのまま日本におりたいのですが、ここでは第一職がないし、たべていかれない。それに子供たちの将来のためにやはり行かなければならないと思いました」といつていた。

「日本のようなこういう社会はもうコリゴリだわ。共和国は失業者つてないらしいから、帰つたらなんでもやります。あたしにもどういう職があたえられるか胸がわくわくして……たのしみです」夫から帰国の相談をもちかけられたときは、ずいぶん考えもし、なやみもしたという小川歌子さんは、心ははやくも北半部にはしつている。〃行くなら一日も早く第一船で〃というのが彼女たちの唯一ののぞみであるという。そして毎日の新聞記事に注意し、いまかいまかとその日をまちうけている。

〃第二の祖国へ帰ろう！〃夫のため、子供のため、そして自分のために〃真の朝鮮人になりきろう〃という彼女たちのひたむきな姿に、記者は胸底が熱くなつてきた。同時に、日本政府の非人道的な態度に、ことさら強い怒りがこみあがつてくるのをどうしようもなかつた。

（編集部　尹記）

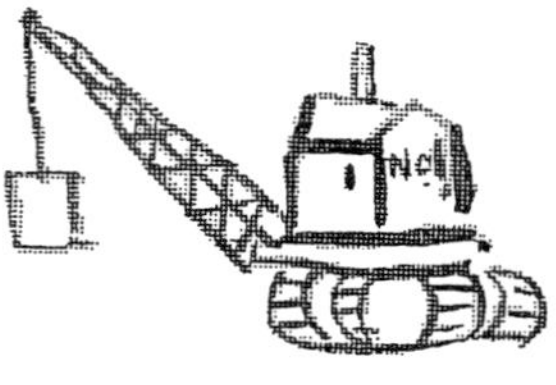

詩

その男に

黄寅秀

その男に
むづかしい質問を突きつけても無駄だ。
眞面目で深刻な話に一言の返事もしないと言つて怒つてみたとて
無駄なことだ。
思いやりのある眞面目な話には
いちいち答えてきたので
もつていた言葉を浪費しつくしてしまつたんだ。
他人の言うことなら　どんなことでも
眞*にうけて　その度に　はぐらかされるのが常識であつたので
彼は耳なんて必要でなくなつたんだ。
笑つていればよかつたのだ。
場所と時をかまわず　黄色い歯をむきだして
笑つてさえいれば事はなかつたし
そんなとき　には　間違いなく
クレーンみたいに大きくて丈夫な両掌のなかには　きまつて
皺くちやな一円札とバラ銭がすこし握られていたのだ。

同じ道を　毎朝　毎夜
死ぬまで通いつめていればよかつたのだ。
家族のもの以外は、それも雑巾みたいな女房のほかは
彼の出てゆくのも　彼の帰つてくるのも見たものはない
そんな直線的な変哲もない運動を繰返していればよかつたのだ。
世界は一本の道にほかならなかつた。
彼の歩いてゆく両脇には
家々の列もなかつたし

風景もなかつたし
仰いだことがないから
空があつたのか　なかつたのか　そんなことの記憶すらない。
ただ　ごろごろと　自分の肩に食いこむ石よりも重い米櫃《こめびつ》みたい
な
餓鬼どもが　足まといに転がつているだけだつたから
待ち構えていたように重荷を積んで滑り込む船すらも
頭の中のどつか片隅にこびりついている
玄海灘の一夜を思わせる暇すらあろう筈がない。
ボールみたいに膨れあがつた両肩の瘤のなかには
憎しみみたいな膿が充満し
メスが通らぬといつて医者《シエンシエイ》は腹をたてた。
面倒くさいから
そのまま石を乗せ続けていたら
破れて石にまで血が染まつた。
検査役は大事な石を汚したと言つて
皮のスリツパで嫌という程彼の頬つぺたを殴りとばした。
そんなときには例によつて　時を置かず
満面に笑いを浮べてみたら
今度は生意気だとばかり尻を蹴上げられた
笑いが足りなかつたと痛いほど顔を歪めてみたら
涙が流れた。

医者《シエンシエイ》は死ぬと言つた。
死ぬとはどういう意味だろう。
考えついたこともなかつた　その言葉が秘密みたいに嬉しくて
毎日通いつめたら
助かるだろうと言われた。
瘤の上には芝生みたいに毛が生えた。

………。

夜、
一家　総がかりで
電灯にかざしながら、シヤツに群がつた虱を噛みつぶす
団欒のひととき
妙なところに毛が生えているというので
子供たちがひつぱつてはしやぎだした。
誘いこまれて　つい
笑つてはならない笑いを笑つてしまつた。
二〇年ぶりの腹蔵のない笑い。

近頃は笑うことがふえた。
はじめての、そして、これが最後の
ひとからひとへと　波紋のように広がつてゆく　しらせは、
忘れていた彼の哄笑に似ている。

孤鶴

卞宰洙

（一）

孤鶴（こかく）という言葉は殆んど用いられないのであろうか、岩波書店版の「広辞苑」にさえ、この言葉は収められていない。言葉の性質から云つて、この言葉は広く用いられないほうがぴつたりしているような気もする。私はこの〃孤鶴〃という言葉が、その響きまでも好きである。どこで、どうして覚えたのかも記憶している。勿論、その字義は、はつきりと覚えている。覚えているばかりでなく、自分で空想した特別の意味を、私はこの言葉に持たせているのである。そしてこの言葉は、私の恩師の面影と、不思議なほど自然につながつてくる。

一九四六年の春、私は特にその学校が好きだつたわけではないが、名古屋市のT商業学校へ入学した。この学校は歴史の古い私立の中学校で野球の強い学校だつた。私が入学した当時はまだ学制改革が行われる前であり、旧制の商業学校だつた。日本の教育制度から云えば、私は旧制度中等学校最後の入学生であり、新制中学最初の卒業生ということになる。

一九四六年と云えば、戦争の終つた翌年である。名古屋市の大半は焼土と化していた。T商業は、市の中心部にあつたにも拘わらず戦災の直接的被害からはかろうじて免がれていた。それでも、戦時中の空白によつて、学生数は少なく、荒廃した校舎は、学校と呼べるようなものではなかつた。大部分の窓はガラスがなく、杉板や、セルロイドに似た薄い膜のようなもので間に合せに張られていた。壁はいたるところくずれたままで、天井板もとりはずされてなかつた。机も古ぼけたものであり、教室の出入口の扉は、開閉《あけたて》が容易でなかつた。広い運動場の偶々には、防空壕が無残にその跡を止めていた。そこだけが全焼した体育館の焼け跡には、赤錆びた鉄骨が、手のつけられないままに放置されてあつた。教師たちの服装も、カーキ色が目立つていた。ただ、学校のぐるりに並んでいる背の高いポプラや公孫樹の背さだけが、殺風景な学校を柔らかくつつんでいて、うるおいがあつた。物資は何もかもが不足していた。食糧の不足は特にひどいもので、雑炊をどんぶりに入れて弁当がわりにもつて来るのが普通だつた。時には、弁当を持参することが出来ない生徒が多勢いたために、午後は授業が中止されたりした。教科書も名ばかりのもので、ワラ半紙に印刷された薄つぺらなパンフレットみたいなものだつた。それでも私にしてみれば、それまでの疎開先の田舎で、草むしりや開墾作業、防空壕掘りだけに明け暮れた、小学校生活のみじめさに較べて、都会の中学校で学べるよろこびは大きいものだつた。そのときの、私の名前は、西村顕好（にしむら、あきよし）という、日本名だつた。そして明らかに私は朝鮮人であることをかくそうとしていたのである。

入学後間もなく、私は学校に一風変つた先生がいることに気がついた。最初はその先生が、いつも着物、羽織と袴という和服姿であるのに興味を覚えたにすぎなかつた。カーキ色の兵隊服と詰襟の国民服が、教師たちの普通の服装であつた中で、この和服姿は異様なものであり、それには一種の風格があるように思われた。「何んの先生だろう？」私は廊下や運動場で時折見かけるこの先生について、よく自問した。だが、直接教室で教えを受けるまでは、それ以上の関心ももたず、多分習字の先生だろう、と自分で勝手に思い込んでいた。

物象、博物、といつたような授業や、始めて学ぶ英語の面白さ等で、一年の一学期はまたたく間に過ぎてしまつた。私は一生懸命勉強した甲斐があつて、一学期の成績には、自分でも満足した。

九月になつた。慣例に従つて二学期の始業式が行われ、かたどおりの訓話の後に、教師の異動が発表された。校長先生が、退職した教師の氏名を発表し、新任の教師を紹介した。（これは後から分つたのだが、退職した教師が意外に多く、しかも退職の挨拶もなしに学校を去つたのは、公職追放令にひつかかつたためであつた）生徒たちはざわめいた。私たちのクラスで日本語（「国語」と呼ばれている科目だが）と漢文を教えていた教師も、退職者のうちに含まれていた。このことで私は内心ほつとした。この教師は、全くの無能教師で、落人（おちうど）と読むべきところを、らくじんと読み、しかも〃崖から落ちて負傷した人〃という傑作な訳をするような有様だつた。どうして、こんな馬鹿気た教師が居たのか、今考えても不思議な気がするくらいである。私は、それまでに少年講談や、評判講談全集、はては菊池寛や三角寛、吉川英治等の大衆小説を沢山読んでいたので、漢字を読むことにかけては自信があつた。だから私はこの教師が大嫌いであり、軽蔑していたのである。

式が済むと、私たちは校内の大掃除をやつた。掃除をするといつても、それは掃除のしようがないような雑然さと汚さだつたので、自然、掃除のやりかたも粗雑だつた。私は教室内を受けもつた。私が手拭で鼻と口を覆い、ほこりつぽい教室内でほうきを使つていたとき、突然、廊下から「コラッ！」という怒声が聞えて来た。思わずそちらをみると、いたずら盛りの連中が、バケツに一杯の水を廊下にザーッと流し、その上を雑巾を足で踏んでこすつていたのだつた。こうした掃除法は、私たちがよく用いるものだつた。先程の怒声は、運わるくちようどそこを通りかかつた、例の羽織、袴の先生が発したのだつた。連中は先生の前で神妙に頭を下げて畏つていた。「どうなるのだろう？」私は教室の中からことのなり行きを見守つていた。先生は、目をいからせて、

「足で拭くとは何事だ、手でやれ、手で。無精者め！」と、どなりつけた。そして今度は教室の方へ、ふりむきざまに「何をぼんやり見ている、さつさとやらんか、たわけ！」と、私たちにも一喝くれて、そのままさつさと行つてしまつた。日頃から物を大切に扱えと、うるさいほど注意されていた私たちだつた。廊下に水を流したりすれば、ただでさえ老朽している床下が、湿気のために増々痛むことは明らかで、その罪は、ただでは許されまい、私はこう考えていたのだ。私は先生の叱嘖の淡白さに感嘆し、名古屋の地方弁そのままの言葉使いに驚いた。だが、更に驚くべきことが次の日に起つたのである。

退屈な簿記の時間が済んだ。私は次の時間が、日本語の時間なので、新らしい先生がどんな人であろうかと、興味を抱き、期待していた。始業のベルが鳴つた。ベルと云つてもそれは手でぶら下げてチリン、チリンと鳴らす、すこぶる牧歌的なものであつた。と、そのチリン、チリンという音が鳴り止むか止まないかのうちに、ガタピシ、と入口の扉を開けて先生が入つて来た。私は思わず目をみはつた。古ぼけたずつくの鞄と、チョークの入つた小箱、出席簿を手に持つたその先生は、例の羽織、袴を着用した先生だつた。教壇のすぐ前に座つていた私は、まざまざと先生の顔を拝した。

眼が炯々と輝いている。頭は白髪が目だつ五分刈で、鼻下の威厳ある髭と対照的である。鼻は、こころもちだがいわゆる鷲鼻で、眉毛は毛虫のように太い。額に刻み込まれたしわは、その額の広さと奇妙につり合つていた。遠くから見たときよりは痩せていた。和服姿であるため、あごの下から、殆んど鎖骨のあたりまで見える細い首に隆起した喉仏が、大きすぎるように思われた。教室内は静まり返えつた。先生は、ジロリとひとわたり教室を見渡してから、おもむろに口を開いた。

「今日から、わしが国語と漢文を担当する。まずわしの名前を覚えておけ」

先生は、まだ使つていない真新らしいチョークをとり出して、黒板に『田崎久吾』と、驚くような大きな文字で、一劃一劃きちんと区切りをつけて書いた。書き終ると、くるりとふり返り、いきなり私の方を指さして「おい、これを読んでみよ」と云つた。私は先生の鋭い気迫に圧倒されて反射的に立ち上り、「たさききゅうご」と読んだ。先生は、

「それでいい。だが、どうして、たさき、と濁音なしに読んだのだ」とき返した。

私は自分でもどうしてそう読んだのか分らなかつた。たざき、と読むのが普通なのに、たさきと読んでしまつたことが、まちがつて

いたのだろうか、と考えてあわてた。だが先生は、私の当惑にはおかまいなしに、またチョークで、田崎久吾という大きな文字の横へこれもまた大きな平仮名で「たさききゅうご」と、ふり仮名をつけた。

「みんなで読んでみろ」

先生は教壇を下りて、プールが眼下に見える窓際の方へ歩きながら、こう云つた。私たちは声をそろえて、

「たさききゅうご」と、大きな声で読んだ。

「よし。では授業を始める。今日は、わしが本を朗読してやる」

先生は、表紙がぼろぼろになつた古い本をずつくの鞄からとり出した。その本を右手に持ち、左手を帯の間にはさんで先生は、窓際に立つた。開け放たれた窓のむこうに、ポプラが数本、きれいに並んでいた。その梢のあたりには恰好のよい雲がぽつかりと浮んでいた。先生は、

「『画の悲しみ』という短篇だ」と、前置きしてから、立つたままの姿勢で読み始めた。さつきのような荒い声ではなかつた。それは、私たちに読んで聞かせている、というよりは自分で小説の朗読を楽しんでいるような感じだつた。低い調子で、淡々と読んでいる様子には、何故か寂寥がただよつていた。私は、その朗読に魅せられた。「自分は思わず泣いた」という小説の末尾で、私は目がぼうつとかすんだ。これは私の感傷の涙だつたのだろう、私はこの涙を忘れない。

教室を出ようとしていた先生の後を追い、私は今の作品の作者を教えて下さい、と先生に頼んだ。先生は、「ふん」と云つただけで、チョークをとり、黒板に「国木田独歩」と書き、ふり仮名までつけてくれた。それ以上は、何も云わず職員室へ帰つてしまつた。

(二)

古本屋で見つけて来た改造社版「現代日本文学全集」のうちの「国木田独歩集」で、私は「画の悲しみ」を再読した。

家から歩いて三十分ほどのところにある山崎川の岸辺で、先生の朗読口調を真似て音読してみたりした。本のとびらにある独歩の写真が、田崎先生の風貌とよく似ていることも手伝つて、私は独歩に夢中になつた。「馬上の友」「少年の悲哀」等は、特に好きだつた。それまで、講談と大衆小説の面白さに夢中だつた私は、ここで始めて悲哀や感傷を味わつたのである。

田崎先生の授業は、全く独得のものだつた。先生は、薄つぺらな教科書は面白くない、と問題にせず、もつぱら小説を朗読されたり、書取り(それも小説の作品解題というかたちで)をやらせたりした。就中、啄木の歌や牧水の歌を朗々と詠じ、それをノートさせ、更にその評釈をも同じくノートさせる、という授業は、私にはこの上なく楽しかつた。私は先生の授業から、啄木をも愛した。やはり改造社版の「石川啄木集」を買い込んで、夢中になつた。特に短歌が好きだつた。簿記だとか、物象とかの、きらいな課目の時間に、教師の目を盗んで、ノートに啄木の歌を書き写したりもした。私は次第に、いわゆる文学少年になつて行つた。それも極めて日本人的な少年に。

一年はまたたく間に過ぎた。私の小さな本箱には、詩集や小説の類がぽつぽつ並び始めていた。歌や詩の抒情的な雰囲気に、少年の感傷にひたりながら、私は田崎先生への敬慕を日増しにつのらせて

行つた。だが、初めは、先生の脱俗したような風格と、狷介な気質に畏怖を感じていた私は、一定の距離をへだてて、先生の授業を受けていただけだつた。それに先生は、生徒の名前を殆んど覚えていなかつた。顔だけは覚えているようだつたが、名前は強いて覚えようともしなかつた。しかし、私は偶然のきつかけから、先生にはつきりと名前を覚えられた。それは、私にとつては大きなよろこびであると同時に、不安でもあり、そして苦痛にもなつてしまつた。

先生は、授業中に、時折難問を提出して、私たちをちぢみ上らせた。或るとき、「やまとことのは、もろこしのうた」と、板書して「これに漢字を当ててみよ」と、どなるように云つた。手を挙げた者は一人も居なかつた。沈黙がしばらく続いた。一番前に坐つていた私は、先生がどんな顔をしているのだろう、とおずおずその顔を見上げた。瞬間、私の眼はピタリと先生の視線に捉えられてしまつた。先生は無言で私にチョークを持つた手をさし延べた。私は機械的に黒板に向つた。「和歌、唐詩」と書き終えて、先生の顔を見ずに自分の席に着いた。顔を上げることが出来なかつた。すると先生は、つかつかと私の前に来て、いきなりきいた。

「あんたは何んという名前だ」

「西村顕好です」と、私は、胸に痛みを感じながら、自分の日本名を云つた。

「うむ、西村か。なかなかえらい。これでまちがいではないが、「和歌」の「和」の字を「倭」と書けたら一層よかつた」

先生は満足気にこう云うと、出席簿を見ながら、

「ふむ、あきよし、というのは、名前にしては珍らしい字を当てたな、何か意味があるのか」と、私の顔を見ながらたずねた。私はぎくりとした。顔が熱くなるのを感じた。私は咄嗟に「別に意味はありません」と、答えてしまつた。答えた後に感じたこころの疼きは、ながく消え去ることがなかつた。

こうして私は、田崎先生にはつきりと名前を憶えられた。それは確かにうれしい事にはちがいなかつたが、大きな不安が伴つて来たのだ。先生はその後、事あるたびに「西村、これを読んでみよ」だとか「西村あんたなら出来るだろう」と、私を名ざして、質問したり、難問を解かせたりした。そのために私は、一生懸命勉強した。先生の期待を裏切つてはいけない、という気持が、私を駆りたてた。試験のときなどは、どうしてもいい成績をとらねばならなくなり、またそれが当り前でなければならないというつらい立場へ、私は陥入つた。だがそれよりも一層苦しい事が他にあつた。それは誰にうち明けることも出来ない苦悩だつた。しかも全く滑稽な、というよりは、全然いわれのない原因から来る苦悩であつた。そしてこの苦しみは、二年生の夏休に宿題として出された作文が、田崎先生の目にとまつた事から頂点に達した。私はこの宿題の作文で、生意気にも文学書に熱中する少年の空想について書いたのだつた。

その日は、第一時間目の授業が英語だつた。授業が始まつて間もなく、突然田崎先生が教室に入つて来た。先生は、英語の教師に「ちよつと西村君をおかりしたいんだが」と、云つた。英語の教師は「ああどうぞ」と簡単に承諾した。先生は私の方を見て、

「西村君、ちよつと職員室まで来てちよう」と云い残して、教室を出た。私は何が起つたんだろう、といぶかつた。しかも先生の表情には、やや緊張の気色が見られ、その上私を「君《くん》づけ」で呼んだではないか。田崎先生が、生徒に「君」をつけて呼んだ事はこれま

でに一度もなかつた。怒ると年の若い教師なんかも恐れていた田崎先生である。私は胸をどきどきさせながら職員室へ入つた。職員室には、田崎先生の外に、三、四人の教師が居ただけだつた。私は先生の机の前まで行き、黙つて頭を下げた。

「あんた、これ自分一人で書いたのか」

先生は、私の作文を示しながらこうきいた。私はその意味がすぐには分らなかつた。つまり誰かに書いてもらつたのではないだろうな、という意味であることが分らなかつた。

「はい、自分の空想を書いたのですが――」

「うむ。誰にも手伝つて貰わなかつたんだな。それで安心した」

と云つてから先生は、まじまじと私の顔を見つめた。私は目のやり場がなかつた。

「これは傑作だ。わしは十五年以上教師をやつているが、こんな作文を読んだのは始めてだ。あんたの文章はもう大人の文章だ。それに国語の使いかたが実に巧い」

先生は、私の作文の一節をその場で朗読し始めた。私はその先生の大形な態度に、日頃の先生らしくない、と思つたほどである。それにもまして「国語の使いかたが――」という言葉が、ぐさり、と突き刺つた。

私は自分が朝鮮人である事を、どうしてかくそうとしているのか分らない事もなかつた。だがそれは論理以前の問題でもあつた。何故かそうしなければ、日本人から蔑視されるにちがいない、と思い込んでいた。小学校の頃には、自分が朝鮮人であるために、大きくなつて憧れ（それは確かに憧れだつた）の予科練に入隊出来ないのではないかと、真面目に心配していたような子供だつた。日本軍の大勝利には手を打つてよろこんだりもした。そのくせ小学校では、自分が朝鮮人であるのに、朝鮮人、という言葉を口にする子供を片つぱしからなぐつた。小学校では、近所の子供たちが皆んな同じ学校へ通つているので、かくすにもかくしようがなかつたから、誰もが、私が朝鮮人である事を知つていた。田舎へ疎開してからも同じだつた。田舎の子供は、都会の疎開児童を随分いじめた。私は疎開児童で、その上朝鮮人だつたので、腕白坊主にとつては恰好の喧嘩相手だつた。私も負けてはいなかつた。都会の子とちがつて、田舎には腕力の強い子が多かつた。もともと子供の喧嘩はすこぶるたあいのない原因から起るのが普通である。激しいつかみ合いにも、無邪気さがあるものだ。だが、私の喧嘩はちがつていた。それは自分が劣等視されている朝鮮人である事、それに対する侮蔑的な言辞や行為が許せなかつた事、ここに私の喧嘩のすべての原因があつた。喧嘩はかなり強い方だつたが、それにもまして私の徹底した喧嘩ぶりが相手を恐れさせた。それというのも、喧嘩の原因が、単なる子供のそれとはちがつていたからである。私は、自分より大きな、腕力の強い子供と争つても負けなかつた。どんなにひどく殴られても、組み伏せられても降参しない執念のようなものがしまいには相手を参らせてしまうのだつた。だが、喧嘩に勝つても淋しさ、悲しさは決して消えなかつた。何故自分は朝鮮人だろう、という考えが絶えず私のこころの中でうごめいていた。私は、少数の友達を除いては、日本人が嫌いだつた。そしてまた朝鮮人をも嫌いだつた。にも拘わらず、日本人でない事を悲しく思つた。こうした矛盾した考えが、私の小さな胸で交錯し、何かにつけて私を苦るしめた。朝鮮人でありながら、日本人として教育され、朝鮮人としての誇りをもてない自分のみじめさ、それがどのような歴史を経てそうなったか、小学生の私には知る由もなかつた。私の周囲には、誰一人私に朝鮮と日本の関係や朝鮮歴史について語つてくれる人が居なかつた。そして今の大人達が、その頃朝鮮人としてどんな事を考えていたかも知らなかつた。戦争が終つて、いち早く名古屋へ帰り、私を朝鮮人であると知らない生徒だけの居る中学校へ入つたとき、朝鮮人である事をかくしているという事が私の悲しい処世術だつた。この処世術は、自分のにがい体験から生まれたものだつたが、やはり不愉快であり、今度は情けない自分を自分でいじめるような結果を生じて来つつあつた。田崎先生に名前をきかれて「西村顕好」と答えたときに感じた疼き、そして今また同じ田崎先生から「国語が――」と、ほめられて痛みを覚えたのも、みんな私が朝鮮人である事をかくそうともがいているところにその原因があつたのだ。

　私のこんな想念に頓着しないで、先生はしきりに感心しながらその作文を朗読した。終ると、机のひき出しから原稿紙をとり出し、そこへ作文を書き写すように、と云われた。私はその場で書くのが固苦しく、ペンが巧くすべらなかつた。書きながら、私は田崎先生にほめられたよろこびと、日本人になりすましているつらさとが混淆して複雑な気持だつた。書いている私の頭の上で、「今度、わしが放送局へ行つたら、あんたのこの作文を読むが、いいか?」ときいた。田崎先生は、しばしば放送局で、放送していた。私は顔をあげて、黙つてコックリをした。

「よし、ではそうしよう。あんたには、わしも教え甲斐がある。あんたがしつかり勉強してくれたら、わしもうれしいというものだ」

左の肩に置かれた先生の手の温みを感じながら、私は職員室を出た。尊敬する先生にほめられてうれしいはずの私だつたが、こころはうつろで、淋しかつた。

（三）

　田崎先生から、特別の関心を持たれれば持たれるほど、私は憂鬱になり不安がつのつた。田崎先生が「あんたは文学に志すべき生徒だ」と、私に本を貸してくれたりしても、それは「西村顕好」に対しての言動であり「趙顕好」に対してではないのだ、こういう考えが私を憂鬱にした。期待に添えるよう勉強しようとしても、この意識が邪魔になつた。「田崎先生は、私が朝鮮人である事をほんとうに知つて居られないのだろうか?」この疑問は私を苦しめた。

　入学当時に提出した誓約書その他の書類には、勿論本籍地は朝鮮と記入した。だから担任教師や、庶務課では、私が朝鮮人である事は明らかに分つていた。だが、田崎先生は担任ではなかつた。「分つているだろうか、それとも御存知ないのだろうか?」私の疑問には答えが出なかつた。答えの出ないままに、私は田崎先生と言葉を交わす度にこの疑問をくり返えしていた。私は自分の内部にたぎる民族の血に忠実になれなかつた。歪められた形ではあつたが、私にも民族の意識が徐々に目を覚まし始めたのは事実だつた。

　雨の日だつた。土砂降りのため、教室には雨もりがあつた。それでも田崎先生は第一時間目を、時間通りに始めた。遅刻者が四人ほどあつた。五人目の遅刻者が入つて来たとき、先生はその生徒を叱つた。

「おまえは中央線か」

「いいえ、ぼくは日本人です」

クラス内でどつと笑声がうずまいた。私は、はつとして顔を伏せてしまつた。それは言葉のききちがいから生じた珍答だつた。中央線というのは、学校の近くにその駅の一つがある、長野――名古屋間の国鉄中央線のことである。通学にこの中央線を利用する名古屋郊外の生徒が、私たちのクラスにも八人ほどいた。中央線は時々汽車が遅れ、遅刻者も多かつた。この日も豪雨のために汽車が遅れ、遅刻した者はみんな中央線利用者だつた。業を煮やした先生が、いきなり「中央線か」ときいたのをさつきの生徒は「朝鮮」とききちがえたのだつた。或はおどけて故意にそう云つたのかも知れなかつた。

「何がおかしい、たわけ！」

先生は笑つているクラスに向つて怒つた。

「先生、このクラスには朝鮮人なんか一人も居りません」誰かが剽軽な口ぶりで云つたが、そこには明らかに朝鮮人への侮蔑があつた。また、どつと笑声が起つた。私は身をふるわせて、その生徒を怒鳴りつけようと思つた。だが出来なかつた。私は身を切られるようなおもいで、歯を喰いしばり、意気地なし、とこころの中で自分を叱つた。それ以上どうしようもなかつた。

「馬鹿！　つまらん事を云うな！」

先生は、びつくりするほど大きな声で叱りつけた。その剣幕に驚いたクラスは、水を打つたように静まり返えつた。雨の降る音が、一段とはげしくなり、私の心臓が、それと調子を合せるように、早く打つていた。

その翌日、私は田崎先生に呼ばれた。授業後の職員室は閑散としていた。職員室の入口に立つて、私は田崎先生の机の方を見た。先生の姿はなかつた。私は頭をめぐらして先生の姿を求めた。窓際に先生の後姿が見えた。先生は微動だにしないで、じつと窓外の風景を眺めて居られた。運動場の左手の向う側に、ポプラや公孫樹の間から中央線の線路が見える。かなり高い土手の上を走つている線路は、秋の日射しを浴びてところどころ光つていた。痩軀を和服でつつんだ、長身の先生の姿は、私に鶴を思わせた。明星華かなりし時代の青年歌人として活躍した、先生の昔日の面影を、私はその後姿からおもい描いた。群れを離れた鶴が一羽地上に落ちた、これは先生が、芭蕉の辞世を評釈したときの言葉だつた。今は江戸文学者、郷土史家として地味な仕事に精進して居られる先生が、自分自身を想いながらあのときそう評釈したのではなかろうか、私はふと、こんな考えに捉らわれた。しばらくためらつた後に、私は背後から声をかけた。

「田崎先生」

先生は、静かに私を手招きされた。

「西村、あんたこれを読んだことあるか」

こう云つて先生は一冊の本を私に指し示された。私はそれを手にとつてみた。「破戒」という大きな字が私の目に映つた。

「いいえ、まだ読んでいません」

「そうか、そんならこれをあんたにあげよう。用はそれだけだ」

私は言葉が出なかつた。ただていねいに頭を下げてから改めて先生の顔を見た。先生は、じつと私を見ていたが、やはり無言で私の肩に手を置いた。

藤村の「破戒」を読んだ私の衝撃は大きかつた。瀬川丑松の苦悩が人ごとに思えなかつた。そこに描かれている部落民の悲惨さも、人間的な生活を求める丑松の自覚も、すべてそのまま私自身の問題のように思われた。死に際しての父の戒を破つて、自分が部落民である事を叫ぶ丑松の強さに打たれた。しかも、この本を田崎先生が私に贈つてくれたのだ。私は、雨の日の教室の出来事を回想した。「先生は知つて居られたのだ、何もかも。先生のあの剣幕も、僕の立場を考えていたからだつた——!」私は先生の配慮に泣いた。涙はとめどなく流れた。田崎先生が、始めから私を朝鮮人だと知つていたという事は、「破戒」を読み終つたときの衝撃より大きなそれを私に与えた。先生が、この本を私にくれた気持、それも一言の説明もなしに渡してくれた気持、それを考えて私は恥ずかしくなつた。私が一生懸命かくそうとしていた行為が、滑稽におもえた。正しく喜劇だつた。あの耐え難い苦悩は霧が晴れるように、なくなつて来た。だが一方、それまでの自分の卑屈さが、今度は自分に許されなくなつていた。「先生は、それとなく私に、民族としての誇りを持つよう教えてくれたのだ。きつとそうにちがいない。」私は自分と同じ朝鮮人からではなく、日本人である田崎先生に、民族的自覚をうながされたのだつた。私は自分を欺き先生を欺むいていた卑屈な少年だつた。その私に、先生は人間としての生き方を教示してくれたのだつた。

　この事があつた以後、教室での先生の授業が、より一層愉しいものになつた。先生は「破戒」を読んだか、とも聞かなかつた。何事もなかつたように以前通り私と先生とは教室で顔を合せ、私は熱心に授業をきいた。私のこころはもう憂鬱ではなかつた。

　忘れる事の出来ないのは、田崎先生が中日文化賞の第一回受賞者に選ばれた日の、私のよろこびだつた。C新聞社が、中部地方の文化功労者に授与するこの文化賞を、先生は始め辞退されたが、校内こぞつての推めを断り切れず、受領する事に決めた。新聞社での受賞式の後、学校でも生徒会主催で、先生の授賞を祝賀する事になつていた。私は、その日の祝賀文を、書かされる破目になつた。選ばれたよろこびと不安が私をつつんだ。私は、三日間かかつて書いた。私は先生の教えに応えるのはこうしたときだ、と考えて、推敲に推敲を重ねてようやくそれを書き上げたのだつた。

　校内祝賀会の日、生徒会長の読む祝辞を聞きながら、私はこみ上げて来る涙を抑えていた。それでも、講堂の壇上に、威儀を正して坐つて居る田崎先生の顔が、ぼうつとかすんで見えた。

× ×

　田崎久吾先生は、今でも名古屋のT高等学校で教鞭をとつて居られる。明星派華やかなりし時代〃楓水〃と号し「夢を描く」という歌集を上梓して歌壇に話題をまいたかつての青年歌人田崎先生、啄木と文通した事もあり、若山牧水とは親友であつた田崎久吾先生。江戸文学者であり、浮世絵の蒐集家でもある先生は、あのポプラと公孫樹に囲まれた学校で、飄々と、群を離れた鶴のように孤高を持して居られるのだろう。

——一九五九・四・四——

お詫び

第三号、三三ページ上段のなかの短歌を次のように訂正します。

『いにしえは、この地この郷《さと》高麗《こま》びとが
いゆき交《か》いたる野辺地にあらむ』

『祖国なくこの武蔵野に移りこし
御祖のこころ思ほゆるかも』

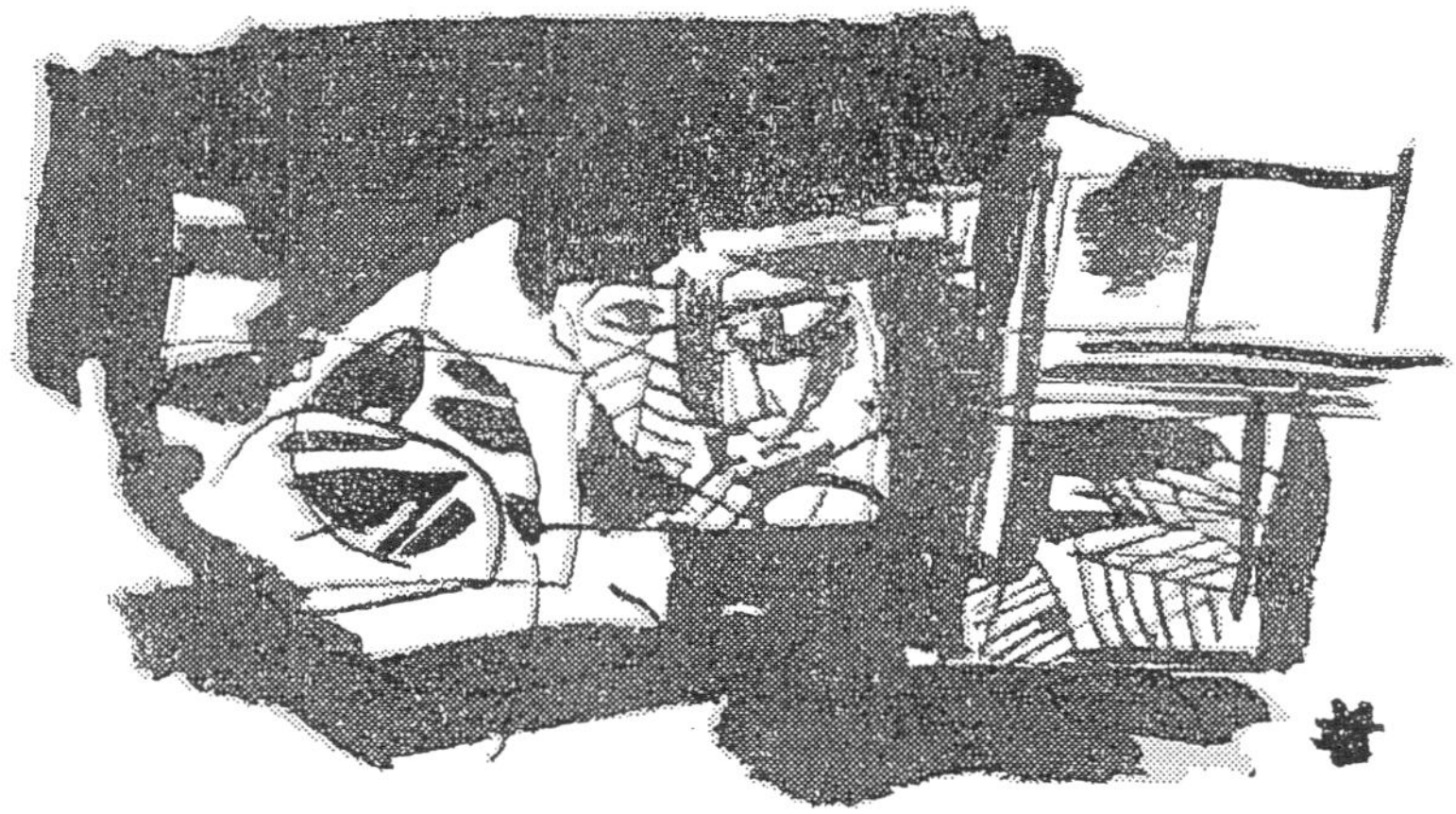

青蛙

金松

金棟日 訳

金松は、現在南朝鮮にいる作家である。この作品は、南朝鮮で出されている文芸雑誌『文学芸術』一九五六年六月号に載つたもので、共和国作家同盟で高く評価され、作家同盟の機関誌『朝鮮文学』一九五七年六月号に転載されたものの飜訳である。（訳　者）

いつ頃であつたろうか。桜の花が咲きそうなうららかな天気が幾日かつづいたが、その日だけは、重苦しい雲がおおいかぶさつていた。陽ざしはなかなかこの家の窓に微笑を投げかけてくれそうもなかつた。

あたらしい段階の試練に向つてすすもうとするこの日の朝――。

「お父さん、これけずつて……」

買つてきたばかりの鉛筆五本を、父の前にさしだした。赤、青、黄といろとりどりの真新しい鉛筆であつた。おかしなことである。燕子《イョンジャ》が父親に鉛筆をけずつてくれというのは、この六年間はじめてのことだつた。

「なぜおれにけずれというのだ」

と、いぶかしそうな目で娘をみあげる父親に、燕子は剃刀の刃の鉛筆けずりまでをそえてさしだすのだつた。

「はやくけずつてちようだい……」

彼は、吸いかけのたばこを二、三回ふかすと、「フウン……」とそれを受けとつた。

思えば、小学校にあがる頃に一度けずつてやつたことがあつた。その頃の燕子の顔は、こぶしぐらいだつたが、六年の年月が経つた今は、開いた手のひらのようにぐつと大きくなつたことをいまさら感じさせた。その姿はちようど新芽がすくすくと育ち、花の蕾をふくらませようとするそれに似ていた。

しかし、燕子の目は変らなかつた。まるい雛の目玉を連想させる茶目つぽい目つきで、ねだるのだつた。

「フウン……ことさらおとうさんにけずれとは……」

「そうよ、おとうさんがけずつてくれたら運があるもん」

「へえ？……」

彼の手は緊張したように震えた。合格するかしないかはどうしても自分の手にかかつているように思えた。息を殺し、緊張して、娘が合格することを心のなかで祈りながら、五本の鉛筆をけずつてさしだした。

「さあ、この鉛筆で無事試験にとおらなくちや。落ちついて、一本がへつたらほかのを使つて……」

「先生もそんな注意をしてくれたのよ」

と、いいながら、さも満足したように紫色のセルロイドの筆箱にしまつた。そこには、三角定規、コンパス、けしゴム等がはいつていた。それをもつて受験にいく燕子が、敵陣に向う兵士のように思えてならなかつた。


台所ではコトコトとまないたをたたく音や、煮たり、油でいためる音も聞えた。母親が弁当をつくつているようだ。油のにおいと、魚の焼くにおいが部屋いつぱいに拡がつてきた。いままでこの家から嗅いたことのないそんなにおいが家中に拡がると、父親の鼻はひくひくとなり、思わず唾をゴツクリとのんだ。しかし、時間が遅れるのになにをぐずぐずしているのかと催促する神経がそれに先だつたのは事実だつた。

「ヨボ、準備はどうなつた？　定刻よりはやめにいつて待つた方がよくはないかね」

彼は台所よりの戸をあけてどなつた。

「ハイハイ、できましたよ。あまりワイワイいわないで下さいな。こどもが受験にいくというのに、おとながそんなにせかしちやどうなります」

と、いそがしそうに弁当を包んで台所から出た。

燕子の母は、それぐらいの弁当をつくるのにもどれ程の心をこめたかわからない。

裕福な家庭なら、普通の弁当にすぎないものだが、彼らにしてみれば貧しい暮しのなかで、苦しいやりくりでつくられたものだつた。吐気をもよおすような貧苦のなかからでも、天と地と、そしてこのくににだけはいつも感謝する精神を忘れない彼らであつた。

愛国ということ、反逆ということがなんであるかを、考えたこともなかつた。

逆境と貧苦、不幸と哀しみにもだえながらも、このくにに活きていることだけは限りなくありがたいことであると常に思つていた。

誠実に生き、善良に思考することだけが国民としての道理であり、唯一の目標であると信じた。小学校の校長先生が生従にむかつて訓示する言葉のように、国を愛すれば愛国者であり、国を誹謗すればそれは反逆である、とだけしか知らない。

誰かが、大統領は国父であり、愛国者であり、先駆者だ——と云えば、無条件にそうだと首肯するのだつた。即ち、愛族の政策とは李承晩大統領の領導下で動くその道だと信じ、生きてきた。

われわれが、貧しい暮しのなかで苦しむのは、戦争を経たためであり、外国で援助してくれた数々の物資は、そつくりそのまま復興建設に使われているものだと信じてきた。厳しい貧苦と血のにじむような苦痛に耐えながら、その日、その日を生きていかなければならない。彼は、社会を論難し、教育を誹謗するそんなことが生活になんの足しになるものかと、雑音には目をとじ、耳をふさぎ、燕子の教育にだけは力を注いできたのであつた。幸いに燕子は、優秀な成績で、六年の学業を卒え、ソウルでも一流のうちにはいる××女子中学を志願した。

燕子の母は、弁当をかかえ燕子と連れだつて試験場の正門をくぐつた。門の前には、タクシー、高級車、ジープ等が往来の道を埋めていた。ひき続き燕子とおなじ年頃の女の子たちが自動車から降りた。親たちはその子たちを、ちようど結婚式場に導かれる新婦のように手をとり校門をくぐつていつた。

自分の足で歩いてきた子はあまり見あたらないだけでなく、服装の着飾りも華やかだつた。

校庭には、受験生よりも父兄の方が多かつた。受験場を取りまいてひしめき合つている父兄たちの方が、受験にきたかのような感じだつた。

彼女は、燕子の手をとり受験場の隅でぶるぶる震えていた。受験にきた燕子よりも、母親の胸の方がよけいおどおどしていた。燕子は別に緊張しているようすもなく、

「お母さん寒い？　もういいからお帰えりよ……」

と、いつた。

「寒くはないけど震えてきて……おまえも落着いてね……」

「心配しないでよ、あたいよりもできない子たちがどれほど来ていると思う？　わたしのクラスの仙珠《スンジュ》という子は、三十番でも自信があると威張つていたもん、大丈夫よ」

「仙珠つて？　あのなにかの政党の幹部の娘のことかい？　その子は先生も反対して二流か三流の学校を志望しなさいといつたのじやなかつたの？」

「でも、その子のお母さんが、担任先生を強引にくどき落して願書を無理やりに出さしたのよ。それでほかの子たちもおかしいと、皆笑つちやつたの」

「五番、六番ならまだ知らないが、三十番だと安心できないね。それに、このあいだの大統領と、文教部長官の声明で、権勢とか金で入学させたら処罰するといつていたし、今年はたぶん、裏門というのはないだろうにね」

「担任先生もそんなことを話しながら、仙珠となん名かの子はすべるだろうといつていたわ。そして、わたしたちのクラスの優等生六名はきつと、最高点で合格すると断言してたわよ」

「だから燕子は、心配ないということなのかい……でも落着いて書くんだよ、サルも木から落ちるというからね」

しばらくたつて鐘が鳴つた。

子供たちは試験場にはいり、父兄たちだけが運動場にのこつた。燕子の母もその場に呆然と立つて、燕子のはいつた教室を探した。

母親は燕子の受験番号と教室の方向を見定め、それが二階の三番目の教室であることがわかつた。その教室に向つて、両手をあわし、わが子のために一心に祈りを続けた。

どうかうまくゆくようにと、真心をこめた祈りであつた。

一時間、二時間と終るまでも、そこから離れず、燕子の教室だけみつめて、その場に凍りついたように突立つていた。どんよりした空模様は、ついに雪雨《みぞれ》にかわり、激しく吹きつけてきたが、あたらしい芽をまもり、のばそうとする、母親の心は変りなくいつまでもそこを離れようとしなかつた。

仙珠の母親が、雨傘をさして寄つて来たのも知らなかつた。燕子の母の細い顔、弱々しい身体に比べ、仙珠の母はでつぷりとしていた。つやつやしい身体に、洋丹チマをまとつていて、肉感的な迫力を存分に発散させ、その顔には、権勢と金力の油が充満し、いかにも生にたいする自負と余裕がみなぎつているかのようであつた。

しばらくたつて彼女は、

「まあ、びしよぬれですわね、このなかにはいられたら……」

と、いいながら雨傘《かさ》を、燕子の母の方へ寄せた。

「よろしいんです、古着ですもの……」

燕子の母は辞退はしたものの、じつはただ一着しかない外出服であつた。

「お宅の燕子は心配ないでしようよ、いつも二、三番で優等生だつたから」

さも羨しそうな語調で話したあと、

「一時間めの算数試験は、ずいぶんむつかしい問題ですつて。なんでも中学二年の教科書に出ているものを選んだんですつてねえ…」

訊きも頼みもしない話を引張り出した。

燕子の母も、試験問題が掲示されたのをみて、ずいぶん難しい問題であると考えた。いくら自信がある子でも、習つていない問題だと出来るはずがないと不しぎに思つた。

「どうしてそんな難しい問題を出したんでしよう、教科書中心にするといつていたのに……」

燕子の母の不満そうな話に

「でも、間違つても大したことはないんですつて、せいぜい三点しかくれないらしいんですよ」

と、さももつたいぶる語調で(わたしは、もうとうに知つている)というふうな喋りかたであつた。燕子の母は目をみはつた。点数にたいする疑惑よりも、どうしてそういうことまでも知つているのだろうかという疑念がさきに立つたためである。

「そんな難解な問題を、そのくらいの点数しか与えないということはありえないでしようよ。たぶんそれは、なにかのまちがいじやありません?」

燕子の母は、その一問題のために燕子とそのほかの実力のある子たちが、若しや、落ちる口実になりはしないだろうかと、不吉な予感がしてならなかつた。しかし仙珠の母は、絶対にそうでないということを確証でもするように、

「いまさつき、この学校の庶務主任に会つて聞いたら、三点しかならないからとはつきりいいましたのよ。そのくらいのことならそうたいして問題になりませんものね」

さも親切そうに話しながらも、政党幹部の御婦人でありますぞと、手ぶり身ぶり威張りちらすのだつた。

燕子の母としては、庶務主任と親しいと自慢をしている仙珠の母が、知つたかぶりをしてあ あだ、こうだと喋つていることがどことなくいやらしくてならなかつた。

大統領のことばにより裏門はなくなつたはずの今日、庶務主任と親密な間柄だからといつて、いわゆるサバサバができる訳がないことはあきらかである。実力のある子たちだけが公明正大なコースで合格することが、唯一のみちではないか。

不快でならなかつた。一度、皮肉つてやりたかつた。仙珠の母は小学校の母の会でも、金と地位をハナにかけて威張るのだつた。各自の生活状態にてらし母の会会費を決めるんだとか、漬物シーズンとか、クリスマスだからといいふらしながら、なにか不純な運動費のように根拠もない金を集めることで、毎日学校へ出入していた。そのたびに、燕子の母は、片隅で頭をたれ、話もろくすつぽできなかつた。仙珠の母が五千圜《ホアン》出せば、ようやく五百圜ぐらい出して、まるで罪人のように恐る恐る尻込みをしたりした。実のところ、五百圜といえばその金も生活費のなかで苦しいやりくりをしては、誠心誠意納めるものだつた。

そのとき、仙珠が「お母さん」と、呼びながら真先に走つて来た。仙珠の母は娘を迎えると、

「うまくできた？」

と、聞いた。仙珠はかなしみと失望の語調で、

「むつかしくつて、ぜんぶ間違つたような気がする……」

いまにも泣きだしそうな顔をして頭を下げた。娘のようすをみた母親は、燕子の母にギョロリと横目を流して、

「この子つたら、いいんだよそのくらいのこと、どうにかなるさ…」

と、なにも心配することないといつたようなそぶりをしてみせながら、そうそうにその場を離れて校門を出るなり、自動車のなかに身をかくしてしまつた。しばらくして燕子が出てきた。母親は走りより娘の手をにぎり笑いをみせながら、

「ごくろうさま……そのなにかの定理から出た算数問題は、おまえも解けなかつたろうね？」

と、母はまずそれを聞いた。燕子は雛の目玉のようなまるい目玉をくりくりさせながら、ちいさい子どものように頭を左右にふつてみせた。

「おかあちやん、そのもんだい先生が一度かんたんに教えてくれたのよ、これから中学にはいれば習うんだからと、いいながら……ちよつとむつかしいけど」

こうこう解けばできると説明までちやんとつける燕子をながめながら、母親はうれしくてたまらなかつた。その問題が解けたということが、どれ程ありがたかつたことか、飛んで舞いあがりたい気持だつた。

「ほんとによかつたわね。その問題だけ解いたらもう心配はいらないわ。それじやおひるを食べて、担任先生のところにいかなくちや。あしたの試験にたいする注意もあるだろうからね」

「ウン、試験が終つたらすぐ学校に集れとおつしやつたのよ」

母子は軽いあしどりで校門を出て、自動車の群をかきわけるようにして帰つた。

次の日の試験も無事百パーセントの成果をあげたように思えた。燕子の母は燕子が××女子中学の学生になつてしまつたかのような気持で、その日は校門のあちこちをうきうきと歩きまわつた。校門のよこの守衛室ものぞいてみた。娘が校門を出入りするとき、恐い目つきでにらめられはしないかと、守衛の面相もみたりした。講堂、音楽室、教員室などあちこちをのぞきながら、燕子と結びつけてはいろいろ想像してみたりもした。それからまた、娘が入学すれば自分がしなければならないことも考えた。

（まず入学金を納めなければ、次に制服も、また教科書とか靴、鞄も買つてあげなければ）（そうするには最低六万圜《ホワン》は要る。今は準備されていないが、お父さんにどこかで都合させればなんとかなるだろう。いやもう会社の社長さまに前借していただけるよう、頼んでおいたといつたつけ……わたしつてどうしてこうよけいな心配ばかりしているんだろう……）

最後に、運動場で実技の試験が始まつた。みるからに骨つぷしのたくましい体育先生が先頭に立つて、体育試験を指図した。ボールを投げることである。子どもたちは順番にボールをラインの向うに投げた。ラインは三つに区切られ、始めのラインまでが何点、突破したら何点、二番目のラインを越すと一二点、三番目のラインを突破したら一五点――このように点数が決められていた。子どもたちは力いつぱい投げるのだが、初めのラインにもとどかない子どもが半数以上であつた。

燕子の順番となつた。お母さんは全神経を集中させ息を殺した。一番目のラインにもとどかなかつたらどうしよう――筆記試験にだけ重点をおいて準備してきたため、燕子の顔色はよくなかつた。ボールを投げるとか、とびまわつて遊ぶひまもなかつた。勉強にだけ主力を注いだことが後悔された。燕子は右手にボールをもち、ラインの前に立つた。二度手を振つてから、三度目にボールを投げるポーズにはいつた。

お母さんは手に汗をにぎつた。燕子の手から離れたボールは、高く抛物線をえがいて飛んだ。二番目も軽く突破して三番目のライン近くに落ちた。三番目のラインを突破できなかつたのが惜しかつた。でも一番目のラインにもとどかない子どもたちが多いのをみると、燕子のどこにそのような力があつたのかと、ふしぎでならなかつた。

次に仙珠がボールをもつた。投げるポーズがよくないと思つたが、やはり一番目のラインにもとどかなかつた。そばでみていた仙珠の母がひとり舌を鳴らして、

「できそこない娘奴！」――と云つた。

すべては終つたのだ。幼いつぼみたちの未来にたいする運命も、すべてが決定されたのである。

合格者発表の日――父兄と受験生たちが、わつと校庭になだれこんだ。息をきらして走つて来たひと、ジープでかけつけたひと、彼等は一斉に二階の壁を見上げた。白い紙に墨汁で書かれた受験番号が、総選挙のときの掲示板のそれに似ている。数千の目が番号を追つて光る。そのなかには燕子の母娘もまじつていた。しばらく重苦しい沈黙が続いた。とすぐ群衆はゆれ、校庭は混乱の修羅場と化した。喜悲の波が大きくゆれた。一方から笑い声が聞えるかと思うと、一方では泣き声がおこる。仙珠の母娘もそこにいた。ほかのひとたちのように喜ぶようすもなく、また別段落胆したかのような表

情でもない。背のびをして番号表をみ上げては、あたりのひとたちの顔を探つたりしていた。たしかに誰かを探しているような目つきだつた。さつと娘仙珠の腰を突いた。そして手を口にしてころげるような笑声を発した。落第生たちの表情が、仙珠母娘にはおかしく見えたのだつた。成功した者の鼻笑、燕子母娘の足は、その場でいまにでも崩れてしまいそうに力がぬけてしまつた。頭をたたかれたようにガーンと響くのが、あたりはいつぺんにまつ暗くなつてしまつた。（信じられないことだ。落ちるとは……番号を見まちがえたのではないだろうか？　燕子の番号がぬけてるとは、なんということだ。）

フラフラと校門を出た。落第生の母と悟られはしないかと、下を向いて逃げるように駈けだした。

（地獄とはほかでもない、まさにこの瞬間が地獄である。信じられぬことを信じなければならないこの現実が地獄でなくてなんであろう。）

燕子の母は、ひつこんだ目に黒い幕でも降ろされたような、よく見えない目をこすりながら燕子をさがした。そばで一緒に掲示をみていたがいつのまにかいなくなつてしまつたのだつた。自動車が道路いつぱいおいてあるなかをさがしてみた。合格した子たちのうれしくてはしやぐ一団が校門を出るだけで、燕子はみえなかつた。しばらくフラフラと歩いているうちに、まさか、と立ちどまつた。なにからなにまで合格したはずの燕子のまじめな性格と実力だつたではないか——やつぱり見間違いではなかつただろうか、燕子はよくみた訳なのにと思いながら、うしろをふり向いてしばらくさがした。ジープのうしろにちいさく俯いている娘を発見した。燕子はシクシク声を出して泣いていた。ついに母親もかなしみがこみあがり

「燕子……こんなことになるとは……どうしたことだろう！、どうしたらよいだろう！　どこに訴えるところもなく……」

泣き声まじりで泣きくずれていたが、急に母親は燕子の手をにぎりしめて、

「燕子、学校へでもいつてみよう。はずかしいけど担任先生に事情を話してみよう……」

母娘は涙でくちやくちやになつた顔で先生を訪ねていつた。先生も頭をかきながらどうした訳だか知らないといいながらくやしがつた。燕子のような優等生が落ちたということは学校の威信にかかわることだともいつた。

担任先生は燕子に問題をまちがいはしなかつたかと聞いた。錯覚をおこして、できる問題もまちがつて書く場合もあるからだつた。燕子は首を横にふつた。

次の日、担任先生は××女子中学の入試問題をもつてきて、燕子にだけテストをやらせてみた。いくら、からくつけてみても二七八点にはなつた。二四三点までが合格点だというのだから、実技試験の一〇点をたせば二八〇点にはなりそうであつた。

やはりわからないことだと、先生も深刻な表情をしていた。そのときはいつて来た校長先生も、すでに燕子のことを聞いていたと見え、ひじように残念がつていた。燕子のクラスで一三名が志望したのだが、優等生二人が落ちて十一名が合格したのだから、成績がよくなかつた二人の子の合格は意外のことだといつた。不思議なこともあるものだ。成績のよい子が落ち、そうでない子が合格したのだから、いつたいこれはどうしたということだろう。

まちがいなく落ちると思っていた二人の子というのは、ひとりは××女子中学の庶務主任の娘であり、もうひとりの子は某政党の幹部の娘であった。学校では望みがないからよしなさいとすすめたが、聞かず入試を受けたところ、見事合格してしまった。運とはこういうときにいうものなのだろうか。とにかくわからないことである。担任先生は失望するには及ばないから二次試験でも受けるようすすめた。

燕子はあたまから拒絶した。最初にたてた目標をうしない、いますぐ別の目標にかえて受験したくはないようすだった。二次試験を受けるそのこと自体が自尊心を損ねることだと思うのだろう。最後までつっぱねた。

燕子は家にかえると、それっきり部屋にとじこもり、幼心ながら社会を悲しみ人間を憎んだ。このような娘の心境を察する母親は、ただぼうぜんと落着かない毎日を、娘とともに罪でも犯した罪人のように過した。

燕子の父もこれまた、いたたまれなくヤケ酒をあおるだけ、ときどきひとりごとをいいながら、

「ほんとうに運がわるい、あんな幼いのまでが悪魔の手にひっかかるとは」

と、彼は深いためいきをついたりした。今日まで、彼の口からは聞いたこともない不平である。

「世のなかって不公平だらけだ。金がなければ、権力でもなくっちや。ところがおれには権力も金もありやしない。これじや娘を救うみちなんかありっこない！」

これまであれほどまじめに、善良な生き方をしようともがき努力してきた彼も、重苦しく被ってきた覆面をぬぎすてて叫ぶのだった。

このような暗い毎日が幾日か続いたある日、父は会社から帰るなり母親に向って、「優等生が落ちるとはなんということだ！　学校に行って試験答案を調べてみて補欠にでも入れなくちや、きっとなにかあるにちがいない、会社で聞いたことだが、それくらいの権利行使はできる筈だといっていた」

「そうね、それが思うとおりになりますかしら？　今年は絶対補欠はとらないとのことだったし……」

「今日聞いたことだが、去年もある田舎から来た優等生が落ちて、試験の答案を調べさせてみたところが、採点にとんでもないまちがいがあって大さわぎをしたらしい。どうせ負けたってもともとだから……」

なにか妙案でも考え出したかのように妻をかりたてた。それを聞いていた母親も、なるほどと勇気が湧いてきた。

翌日、朝早く学校を訪ねて、校長に面会をもとめたが、会議中だからとあっさり断られてしまった。校門の外で二時間ばかりうろついたのち、もう一度行ってみた。今度はまた、会議が終って家に帰ってしまったという。

母親の心はさらに落着かず、タクシーを拾って校長官舎を訪ねた。門はかたく閉ざされていた。三十分ちかく門をたたいたり、呼んだりしているうちに、やっと玄関から女中が現れた。

「校長先生はまだお帰りになっていませんが、御用なら学校へ行って下さい」

芝居のセリフでも暗誦するかのような口ぶりであっさり断られてしまった。またしてもだめである。学校では帰ったといい、女中に

もまた……。

バタンと玄関の戸を閉めて、なかへ消えていく女中のうしろ姿をながめながら、母親は、もしかしたら門前で会えるのではないだろうかという期待と焦燥で、なん時間かその辺をうろつき、ついに待ちきれず、くたくたになった身体を引きずって帰ってきた。疲れが全身をおそってきたが、頭の中はあれやこれやの考えでなかなかねつかれなかった。燕子は一日中、ふとんを被ったまま悲嘆にくれていた。母親は自分の力で、どうにかして娘の運命を打開することに必死であった。

翌朝、朝飯も食べずにまた学校へ行った。結着はどうなろうと、どうしても会って談判をする決心で行ったが、校長はやはり不在中とのこと、燕子の母のあまりにもの強行さにたえかね、校監と庶務主任が校長代理として出て来た。

校監は庶務主任よりは気品があるように見えた。禿げあがった額と、真白い肌はどことなく貴人のような印象をあたえた。庶務主任は一見して、いやらしい感じのする、偽善者的で卑しい目つきをした人であった。金目に明るい人であることを感じさせてあまりある印象であった。

燕子の母は鄭重に頭をさげ、

「何度もお邪魔して申訳ありません、燕子の成績にたいしては庶務主任もよく御存知の筈だと思います。その娘《こ》の学校でも意外のことだと、校長先生はじめ皆様驚いていました。その娘の将来のためにも、御考慮願うつもりで参りましたのです。校監先生、なんとかならないものでしょうか？」

燕子の母は懇切に哀願した。しかし、校監は同情するような表情をみせながらも、どことなく冷い態度であった。

庶務主任は、なにか監視でもしているような態度で、だまって座っているだけだった。

「どうしてそのようなことになったのか、ほんとうにわかりません。うちの娘は、四年生の時からこの学校志望でした。自信をもっていたのがこのような結果になったのだから、どうした訳でしょうか？ 目先が真暗で、どうしたらよいかわかりません。かわいそうな子供の将来のためにも、どうか、どうかお願いします」

彼女は、子供のためならどのような卑屈にも耐えなければならなかった。彼等の足元に膝まづいて仏さまでも拝むようになんかいも頭を下げることも辞さない覚悟であった。

校監は一言で、

「今年は補欠もとらず、方法がありません」

さもうるさそうであるという態度であった。

「よくわかります。大統領のおことばもありますし、でも定員をみな募集しなかったというから、ひとつその席をどうかお願ひします。成績もよいことだし、そのところをどうかお願いします」

「特別扱いというのはできません。今年は特に公正を期したつもりですから」

どうもよく通じなかった。公正を期したというその言葉が、なんとなくそらぞらしく聞えたし、不満でならなかった。彼女は、娘の学力にたいし、担任先生と共に自信をもっていたのである。

「それでは先生、うちの娘の総点は何点だったでしょうか？」

校監はしばらくノートをめくりながら、

「受験番号は何番でした？」

「一一七一番でした」

彼は返事のかわりにノートをめくり、うなづきながら口元に冷笑までたたえながら、

「二二六点ですがね、だいぶ遠いですよ」

「？………」

彼女は自分の耳を疑つた。聞き返した。校監はもういつぺんはつきりと「二二六点」と強くくり返した。どうじに彼女の顔は、みるみるうちに蒼ざめ、なにも言えなくなつてしまつた。

しばらくして、蒼ざめた顔を赤らめ、

「二二六点？」と、うわ言のようにつぶやいた。

常識以下のことである。三三〇点が満点で、二四三点が合格ラインの点数だとすると、それはたいへんなへだたりである。絶望である。しかし担任先生のテストからしても、二八八点ではなかつたか。二四三点にもならないとはいつたいどういうことだろう。信じられないことである。

「わたしはその点数を信じることができません。試験答案をみせて下さい」

彼女は校監と庶務主任の顔をにらみつけた。二人とも無誠意な表情から困つたというような表情にかわつた。

「それは絶対に見せられません」

と校監が首をよこにふつた。

「なぜです？ 公開する方針ではなかつたのですか？ 去年にしても採点の誤りがあつて、追加発表をしたことがあつたんじやないですか？」

「今年はおおくの先生方が何回も目をとおしたのだから間違いありません」

「何人の方がごらんになりましたでしようか？」

「四人が順に目をとおしたのです」

「でも、父兄が要求したら公開するのがあたりまえではないですか。いま、うちに帰つてこどもを連れてきますから、どうしても見せていただきます。担任先生もみたがつていましたから……」

「なりません。威信上絶対に見せないことに決定しましたから…」

「間違いを正すためにも公開することが民主的であり、公正を期することではないでしようか」

燕子の母は語調を強めてつめ寄つた。校監は返答もせず、すつと座を立つて出てしまつた。燕子の母はさらに庶務主任にみせてくれるようにとつめよつた。庶務主任は、答案紙をいれてある箱の鍵を校長が保管している、といいながら逃げてしまつた。彼等の態度は少しも変らず、一貫して拒否的であつた。

ついに、敗北の苦杯をなめた燕子の母は、うちに帰つて深い思案にくれた。絶対に公開できないという理由がどこにあるだろう？ 学校の威信？ 誤りをかくそうとするその威信こそが虚偽ではないだろうか？ 魔術使が黒い布のなかで手品をして、観衆の目をごまかすようなことと、どこがちがうだろうか。偽りをかくすためには絶対に手品の種をあかせられないことは明白だ。

ふと、前日路上でぐう然に会つた女学校時代の同窓生の言葉が浮んできた。そんな落第はたしかにほかの番号といれかえられたにちがいない——補欠生募集がないかわりに、答案紙を知らぬ間にいれかえるという不正の方法——もしその同窓生がいつてくれなかつたら想像も及ばなかつただろう。全く卑れつな方法だ。彼女の夫は中

学校の教員であつた。

なるほど、そういえば思いあたるふしがないでもない。発表があつたあの日、仙珠の母の態度にはなにか不審なところがあつた。彼女は自分の娘が合格したその瞬間、特に成績もよくないというのにそれ程喜ぶという気色もみせなかつただけでなく、燕子の母娘が悲痛な思いにくれていた時、娘の仙珠と顔を合せて、ざまあみやがれ、といわんばかりの冷笑をあびせたこととか、また、燕子が自分の番号がみあたらず、失望のあまりその場にくずれてしまつたとき、仙珠があたりかまわずゲラゲラ笑いころげたあの時の様子——彼女たちのあの日の態度にはたしかになにか不純なものが含まれていたような感じだつた。

鉛筆で書かれた答案紙の番号を消し、ほかの応中の番号に書き替えることもやりかねないという関係者の陰謀と、ある政党の幹部の奥さんのとつたあの不純な態度にはどこか一脈通じる所があつた。

燕子の番号が一一七一番で、仙珠は一一七三番であつた。番号が最も近いということにも、権力と金力という毒素が殺人作用をする——やりそうなことである。

不純な陰謀——勢道の横行——黄金の乱舞——幼ない芽をふみにじつてしまう残忍性——泥沼のなかで泳ぐ神聖な学問——どこに真理があるというのか？　手あたり次第、なにもかもぶちこわしてしまいたい激しい憤りで全身が震えるのをどうすることもできなかつた。そして、あたり構わずあたりちらすのだつた。

部屋の片隅で、ふとんを被り小さくなつている燕子に向つても爆発した。

「この餓鬼め！　なんという運だ！　こんなきたない泥沼にはめられるとは……いつそふたりで死んじまおう……」彼女は、燕子にしがみついたまま、部屋のなかを何回もグルグルまわつたが、ついに二人とも抱き合つたまま泣きくずれてしまつた。津波のようにおしよせてくる悲しみにこらえきれず、髪の毛をかきむしりながら泣いている燕子の頭に、自分の頭をこすりつけながら大声をあげて思いきり泣いた。

そばで、この母娘のありさまをみていた父親も、激しいいかりが爆発しようとするのを必死にこらえていたが、沈痛な声で妻にいつた。

「運がなかつたのは燕子だけじやない。おまえも、おれも、そして善良なすべてのひとたちの全部がおなじなのだ！」

荒れ模様の天気が幾日か続いたのち、とり乱していた燕子の母もどうにか立ちなおるようになつてきたある日曜日。

夫にどこかぶらつと遊びにでも行かないかとせがんだ。かわいそうな燕子のために慰めの外出もよいだろうと、余裕のないくらしのなかからでも、たまには一日ぐらい一家三人そろつてでかけることも悪くないだろうということで、そろつて昌慶苑にでかけた。

いつのまにか桜も満開であつた。たくさんの人が、色とりどりの華やかな服装で、広い古宮にあふれていた。彼等は花のトンネルを通りながらくちぐちに驚嘆の声を連発していた。

燕子も両親と手をつなぎ、とんだりはねたりして、このうえもなく嬉しいようだつた。

「ママ、ほら、あれごらんよ！　花がくずれ落ちそうだわ、あんなに咲いて……」

うれしそうにちいさい胸を前に張つて、感嘆詞を連発した。親娘は花の色で反射されて桃色にひかる顔に微笑をたたえながら植物園の方へ行つた。たくさんの人たちも列をなして歩いていつた。ちょうどお祭りの行列にも似て、みなうきうきした気持だつた。

蓮池の方へ行こうとするとき、どこからか燕子を呼ぶ声がした。燕子は立止つてあたりを見まわした。向側の行列のなかから、手を振りながら一人の子がこちらの方へかけてきた。仙珠であつた。

仙珠は嬉しそうに燕子の手を握つたが、燕子はだまつて仙珠の顔をみあげるだけだつた。燕子の母は、真先に仙珠の制服に目をやりさらに燕子が着ている制服でないセータをふりかえつてみた。

「燕子、あなたどこへ入学したの？」

「…………」

「二次試験受けた？」

燕子は返事のかわりに頭を左右にふつた。そして仙珠の制服を羨しそうにながめた。きつとつけられると思つていたバッチも目につけた。仙珠は燕子の心の内をすばやくよみとつたのか、得々として

「うちの学校でね、最近補欠生を募集しているんだけど、もう二十名はいつたのよ。あと五名ぐらいまだ残つているつて、うちのお母さんがいつてたわ」

「そう？」

燕子の目は輝いた。

「それで、どうしたらはいれるつて？」

燕子は自尊心もなにも考える間もなく、いそいで聞き返した。仙珠はなにがおかしいのかホホ……と声をだして笑つてから、耳元になにかささやいた。それに聞き入つていた燕子は、

「まあ！」

と驚きながら、いままでの表情とはうつてかわり、さびしそうな目つきになつてしまつた。仙珠は、もうこれ以上興味なんかない、といつたような顔つきで、

「じや、さよなら……」と手をふつてみせながら、友達の方へとんで行つた。その子たちはなにやら燕子に向つて指したり、おしやべりをしたりしていたが、ゲラゲラ笑いながら行列の方へと消えて行つた。

燕子はうつむいたまま、くちびるをかみしめ、こみあがる悲しみをこらえていたが、とうとう泣き出してしまつた。お父さんとお母さんは、ただぼうぜんとした。

「燕子、あの子になにを聞かされたの？　泣いたりなんかして…」

母は聞いた。

燕子は泣声まじりで、

「背景《バック》がよいか、さもなければあの金……五万圜《ホアン》さえあればいままでも入れるつて……、お母さん、あたいにはそのどつちもないでしょう？」

「まあ——あきれて……」それだけいつたがのどがつまつて口をつぐんでしまつた。父は、

「餓鬼め！　なんといういいかただ！」

と、つばを吐き捨てて、

「不純な家庭では、教えられることもそのようなことだけか！」と顔を真赤にし顔面の神経を震えさせるのだつた。せつかく親子三人楽しい一日をと思つたが、なにもかもめちやくちやになつてしまつた。

「燕子、そんなことを考えることはないよ……おれたちはなあ、生

れもつてきた天性で生きればいいんだ」と、たしなめるようにして、燕子の手をとつて行列のあとにならんだ。

植物園まできた。まだ、燕子は沈うつな表情をしていた。お父さんは、燕子の肩をやさしくたたきながら温室のなかを指した。

「きれいな花だろう？　実にきれいだ！」

色とりどりの花がガラスごしのなかで満開していた。燕子は、お父さんの指すところを覗いた。しばらくみとれているうちに、いつのまにかあのことはわすれたのか、感嘆詞を連発した。花をみていると子どもも大人も心が、温い花にとつて変るようである。暗くて不純な世のなかでは誰しもが沈うつにならざるをえないのである。いまの燕子には新鮮な雰囲気のみが必要なのだ。

燕子は、温室のなかのあちこちを覗きこんでいるうちに、ハハハ……と白い歯をのぞかせながら笑いころげた。なぜ笑つているのかと燕子の母ものぞいてみた。

――高い椰子の木、ひろいはつ葉をした芭蕉、グラジオラス、牡丹、バラ、蘭――そういうものをみて笑つているようではなかつた。燕子が指す片隅の方に目をやつた。

ガラス器がそこにあつた。なにものかがそのなかからはいでようと四つんばいになつて、さかんに手足を動かしている。腹は赤く、背と頭の色が青いやつが、器のなかから外にとび出そうとしているのだつた。水面にはいあがつては沈み、沈んでははいあがる。

執拗に浮いては沈み、そとにはいでようと全力をつくしている。苦しい試練を克服しようとあがくもの――それはガラス器のなかに入れられている青蛙であつた。燕子は、それをながめながら、ハハハと笑つていたが、ポツツリ

「おかあさん、かわいそうね！」と、

さみしくつぶやくのだつた。

近代日本文学における朝鮮像（四）

――研究ノート――

朴　春　日

II　日本帝国主義の朝鮮統治と漱石・虚子・伝治・伊之助

（4）　中西伊之助の『赭土に芽ぐむもの』とその周辺

1

土人の金基鎬《きんきこう》は、この部落でも可なり立派な門構の家から、ひよろ長い軀を屈めながら出て来た。落葉した楊柳《やなぎ》が、その家の厚い瓦の上に枝垂れかかつてゐた。

痘痕《あばた》のある、骨つぽい彼の顔に、汚ならしい天神髯の伸びてゐるのが、いかにも寂しい。けれど、日光に焼け爛れた顔や、その手先の銅色の皮膚を見ると、彼がここの土人に有り勝ちなる遊惰民の部類に属してゐないことだけは判る。木綿の白い上衣《ちよくり》と袴《ぱあちい》だけは、それでも新しかつた。其眼がよく光つた。

そこはC植民地の冬であつた――。東方のNと云ふある強国の――。

中西伊之助の長篇『赭土に芽ぐむもの』は、こういつた書き出しではじまる。さいしよの「土人」という表現にはちよつと驚く。念のためと思つて武田祐吉・久松潜一編の国語辞典を引いてみると、

【土人】①その土地に生れ、住んでいる人。土着の人。②未開地で原始的生活をいとなむ土着民。――となつている。

どうでもいいことのようであるが、やはり私には気になる。つまり私たちが幼い時に使つた「土人」ということばは、②の解釈をさらに拡大して「黒んぼ」になり軽蔑の意味をこめたからである。たしかに語感というものは怖しい。

私たちは「朝鮮人」であり、いわせてみれば「半島人」でもいい

のだが、こめられた語感と語感のうらづけを現実に痛く感じていた過去がある以上、妙にすつきりしないものにとらわれるのだ。が、この『赭土に芽ぐむもの』の中では、「土人」ということばがなんのためらいもなく一貫して最後まで使われている。いわく、「土人の家」、「土人の青年」、「土人の女」など——。

しかし、角度をかえてみると、作者の意識的な用い方が浮んでくる。つまり、朝鮮を「C」、日本を「N」、大同江を「D江」、東京を「T」という形で書き、地名のほとんどと、彼自身が朝鮮で新聞記者として攻撃した、藤田伝三郎の鉱山を「F鉱山」などと書いているところからみて、当時の軍部の検閲を前もつて計算した作者の姿勢がうかがわれる。

私の読んだ平凡社版（昭和三年）には、それをうらうちするように、あのいまわしい伏字……×××……が、いくつかみられた。

ともあれ、この小説は、作者の分身と思われる若い新聞記者の槙島久吉と、土地を奪われまいとしながらならず、罪を犯して死刑になる農民の金基鎬の二人を軸に暗い物語をすすめていく——。

金基鎬の村にも、いつのまにか土地収奪の猛威が押し寄せてくる。面長は『公用徴収』の言葉をくりかえし、基鎬を説き伏せようとするが、彼は断固として所有地買上げに反対する。しかし、彼の親友たちは遂に説き伏せられ『えゝやうにしてくんろ』とばかり祖先伝来の土地を雀の涙ほどの値段で売つてしまう。基鎬は孤立する。村の若い者もたよりにならず、日本人のかぶる帽子を「得意で遡つて歩いた」り、日本人の近代的な新式の生活を「語りあつては羨ましがる」だけだつた。「腸が腐つて来た」彼等は、『N人には到底もはや敵はねえだ』と云つては「哄笑」した。

（だれもかれも、みんな行つてしまへ！　俺一人がこの可愛い郷土に石で頭をひしがれても動かねえで守つてゐるぞ！」

基鎬は心の中でそう絶叫する。しかし「終日寝そべつてばかりいる愚鈍な妻と、「色酒家《かるぼちび》」に入りびたつている息子の成俊は、少しも基鎬の励ましにはならなかつた。やがて彼はH政庁に出頭を命ぜられる。ここでは「土人の無智を憫みながら、土地買収の目的やら、公用徴収の性質やら」が語られ、それに関連して、「国家と云ふものの本質、植民政治の要諦、臣民の義務、殊に新附の臣民の義務、更らに進んではNの国体の善美、列聖の仁慈にましますことなど」が説かれる。きわめて礼儀正しく。しかし、土地売買の承諾書に捺印をこばむと、『馬鹿つ！　お前達に役所ですることが解るもんか、ぐづぐづ云はず、ここへ判を捺して行けつ！』と怒鳴られ脅迫される。たいていの者は「その剣幕に怕《おそ》れて渋々判を取り出して捺して」行つた。だが、その日、基鎬は屈伏しなかつた。

同じ年の夏、基鎬の妻は疫病で死んだ。息子の成俊は強盗殺人のかどで憲兵隊に捕えられ投獄されてしまつた。土地も遂に強奪され、基鎬はわづかの金を握つて孤独と絶望に身をさいなんでいた。なつかしい彼の村は、もうもとの姿をとどめていなかつた。人も家も土地も。「大地からぬつとひよろ長い煙突が立つて、煤煙が空に漲つてゐる。巨人のやうな形、いろんな形をした煙が、こゝの部落の人々を脅かすやうに立ち騰《あが》つた。広大な建物がその下に展がつて洋服を着た人達が、敏捷に馳け廻つた」。——基鎬は焼酎を浴びるように飲みつづけた。「幼い時から親しんで来た自分の土地が、無残に切り苛《さいな》まれて、苦悶してゐるのではないかと彼は思つた。（苦しい！　苦しい！　どうかして助けてくれ！……）とその土地が叫んでゐるやうな気がしてならなかつた」。しかし、殺人犯の父であり、うすぎたないやもめの基鎬を慰さめてくれる者は誰もいなかつた。

金基鎬は自分の家へ帰つて来た。けれど家の中は墓場のやうであつた。ふとそこへ初《うひ》々しく結髪をしたばかりの若い崔召史の姿が眼に浮んで来た。自分の十四の時、十八になつたばかりの彼女は、七宝花を挿んだ髪に花冠を戴いて、綺麗に飾つた轎《かご》に乗つて華やかに行列を作つて自分の家へ来た。道中で謡う祝歌が、勇む小馬の鈴に和して、桃の花の紅い帳の中へ溶け込んで行つた。それからもう三十年になる。彼女は妻の愛と、母性の温かみをもつて、心から自分に仕へて呉れた。長男の成俊を産んだ産褥熱から余病が出て、それからは見違へる程病身になつた。

死ぬ二三年前からは、もう骨と皮になつて、毎日温突《をんどる》で寝そべつてゐた。それでも彼は過去の夢を辿ると、決して憎くはなかつた。干青魚《ほしにしん》のやうになつた妻の死骸を見た時、彼は涙を流して泣いた。――するとふと死んだ宋宇根のことが憶ひ出された。

宇根は土地を奪われた末、大同江で死骸となつて発見された彼の友人である。基鎬はいつとはなしにのこされた宋の若い妻を思いうかべる。「彼はその時、その若い妻の姿と今の自分の寂寞な、しかし強い生命が底をどよもす心とが結びつ」くのを感じ、その家に訪づれる。しかし宋の妻は「富貴亭」という「N人経営の曖昧屋」に通う女となつていた。「源氏名を芳子」といつて。

基鎬は札束をもつて「芳子」を追う。その果てに情欲に狂つた彼は「芳子」を殺してしまう。あとは彼の息子が行つた牢獄だけが彼を待つていた――。

私はかなり長く金基鎬の物語の筋を追つた。それは、中西伊之助のこの作品が朝鮮民族の内側に立つて、日本帝国主義の植民地統治の実体を暴露した最初の長篇小説であるからである。もう一人の主人公、槇島久吉の物語はこの長篇の大半まで金基鎬とはかかり合わない。かかり合うのは後半の最後、牢獄の部分だけである。このことは、ある意味ではこの長篇の大きな欠陥の一つであるといえよう。別々の物語としてうけとつてもいいような錯覚さえおぼえるのだが、それはここでは論じない。もう一つの物語、槇島久吉の生き方をみる前に、日本帝国主義の朝鮮における土地収奪の具体的な事実をとらえてみよう。

一九〇五年の露日戦争以後、朝鮮に対する決定的な支配権を確立した日本は、まづ、土地収奪のための準備として〈量地課〉を設置し、一九一〇年三月には〈土地調査局〉を朝鮮の売国政府内に置いた。この時より本格的な土地掠奪がはじまり、一九一二年の〈土地調査令〉は、これを継続保障するためのものであつた。この土地掠奪の蛮行は、一九一〇年三月より、二千四十万六千円の予算によつて強行され、一九一八年十月に完了した。これは、たとえば、一九一九年に五十町歩以上の土地所有者が、朝鮮人――一、六七八人、日本人――一、〇〇九人であるという統計によつてもうらづけることができるであろう。また、一九一二年に三四三、一六四人であつた朝鮮の日雇い農民が、一九一七年には、四五〇、五六一人に激増している事実、さらに一九一七年から一九二七年の間に日本へは六七〇、〇〇〇人が食うべき土地をもとめて渡航している事実によっても、日本帝国主義の朝鮮支配がいかに苛烈をきわめたかがわかるであろう。『赭土に芽ぐむもの』は、黒島伝治の「カベ小説」『狐』と同じように、日本帝国主義のそうした土地収奪を直接にとりあげたものである。しかもそれはかなり劇的に意図され、日本の作家である中西伊之助の主体をとおして実感的に描写されている。また、朝鮮古来の風俗的習慣、行事なども驚くほど詳細にとりあげられていることも興味のあることである。

しかし、私はここで一つの疑問をいだく。それはもう一人の主人公槇島の生き方にもつながることなのだが、野蛮な土地収奪にあえぐ朝鮮——すなわち「赭土」、この「赭土」から「芽ぐむもの」は一体なんであろうか、ということである。

歴史の記録は、日本帝国主義の苛酷な植民地政策に断固として抗争する朝鮮人民の姿をとらえている。

年	件数	参加人員	其中の朝鮮人
一九一五	九	一、九五一	八二八
一九一六	八	四五八	三六二
一九一七	八	一、一四八	一、一二八
一九一八	五〇	六、一〇五	四、四四三
一九一九	五八	九、〇一一	八、二八三

(総督府　工場　会社労働者調査)

この一つの統計(官製ではあるが)によつても、あの歴史的な〃三・一独立運動〃(一九一九年三月一日)の爆発への過程を知ることができるが、『赭土に芽ぐむもの』の中には、こうした闘争の渦中に自己を投じ、その苦悩のおくそこから前進して行く朝鮮農民の人間像は描きだされずに終つているのである。ただ一人だけ登場する農民の基鎬は、そうした〃三・一〃抗争の流れに無関係であるばかりでなく、孤立し、孤独のカラに閉じこもることによつて「情欲」の世界に没入し、「強姦殺人」という罪名によつて自己をほうむり去るのである。

これは、極言すれば当時の朝鮮農民の真の姿であるといいえないものである。

2

さて、ここでこの長篇のもう一人の主人公の生き方をみてみよう。

槇島久吉は多感な青年記者である。彼は十四の時から火薬製造の工員をしたり、人力車夫、新聞配達夫、おでん屋などと職を変え一時はキリスト教の洗礼もうけるが、「富める者の天国を呪ふ」として教会を去つてしまう。「彼はその時、もうすつかり赤表紙《レッド・カバー》の使徒になつていた」。その後、彼は軍隊に入るが営倉とは縁が切れなかつた。やがて退営した彼は、母の再婚している朝鮮に渡る。「H市」の新聞記者となる。

彼はある日、彼の友人と芸者をつれだつて大同江で酒宴をひらく。そこへ金基鎬の友人である宋宇根の水死体が流れてくる。

「よぼの土左衛門が網にかゝつたんです」と谷田は唾をぺつと吐いた。――

「おや、まあ、芸者衆もその船に乗つてたんですか……魂消たでせうね。気味の悪い！」と三助もぶ気味な顔をする。

「それでね、吉田組の人達が、河のまん中でかゝつたんだから、それなりで流してしまへつて云つたんですつて、そしたら、船頭のよぼがね、どうしても肯かないんですつて、どうしても陸へつれて行つて医者に診せてやるんだつて、……だつてもう死んでるから駄目ぢやありませんか。」

――槇島は涙ぐましい眼で、ぢつとその岸に死骸を取り巻いてゐる白衣の群衆を見てゐた。……

槇島は日本の植民地支配に対して、いつも青年らしい情熱をぶちまける。しかし、彼の情熱はともすれば異状なまでに「呪はしい性の目ざめの焦燥」へとかりたてられる。彼は「いつもハイカラに頭髪を分けて――香水をプン〳〵させ――N語の恋愛小説など」を読みふけつている朴という青年の紹介で「妓生の家」に出入りするようになる。「彼はそんな人々の中へ行くことに二重の興味をもつてゐた。一つは彼の異性の群へ、一つはその異種族の群へ、共に未だ知らない二重の世界があつた」。やがて彼は姜錦紅という十七才の妓生と関係を結ぶが、その前まで錦紅という妓生は彼の目に「聖母マリヤ」として映る。しかし、その後には「東洋のモンゴリヤ雑種族の売春婦」としてしか映らなくなる。そして彼は「聖尊な童貞」を失つたことを痛く悲しむ。

槇島には関釜連絡船中で知り合つた「とき子」という純愛の偶像がいたが、逢う機会は閉ざされたままになつていた。やがて彼は「萩路」という日本の芸者に近寄つて行く。萩路は自分の職業から本名をいうことを「恥晒し」だと考えている。売春婦だからである。しかし、槇島は「恥晒し？……何が恥晒しなもんか、僕は君達の職業をちつとも恥晒しだと思つてゐない」と強調する。そして彼はこの日本人の売春婦から「異様な幻惑や彼の童貞を征服した絶大の魅力をもつてゐた錦紅に対してさへ感受しなかつた云ひ難い懐しみや、しつくりした心同志の抱擁や、彼のうぶな心にも、確かにそれと気づくことのできる女の心の把握やを味つた」（傍点――朴）のである。

その後、彼は「F組」の経営する「S炭坑」の労働者虐待事件にまきこまれ、「筆劔」をふるつてこれを暴露する。これは、朝鮮で働く日本人労働者の非人間的な扱いに対する一通の投書からその発端をひらくが、その結果、彼は「H監獄」に投獄される身となる。

（工場から軍隊、軍隊から監獄へ、それが俺の人生の総てだ）

槇島はここで死刑囚金基鎬とめぐり会う。彼は基鎬の苦悩を自分の苦悩としてうけとり、彼に対する同情の念を強くする。ときには基鎬と「並んで、絞首台にあげられている夢」も見た。しかし、それ以上の結びつきもなく、基鎬は死刑となる。槇島の新聞社も「S炭坑事件」のため閉鎖されてしまう。やがて「狗の児の如く」牢獄からほうりだされた彼は疲れきつた体をひきずつて、萩路をたづね一夜をともにする。

涙がほろ〳〵と眥に溢れた。そしてそれが枕を伝つて滾れた。

と彼はもうそこにゐるに堪えないやうな気がして、自分の着てゐた脂粉の香に泌み滲んだ、天鵞絨襟の蒲団を跳ねのけて起きあがつた。

（一切の準備はでき上つた！　工場と、軍隊とそして牢獄との新しい魂のパプテスマ。——それは汝の青春の廃墟の下から燦爛と芽ばえた焙爐であつた。行け、若き子よ！　聴け、暁闇の雲に響く人類新生の行進曲を！　この聖戦に参加すべき一切の準備はでき上つた！　新兵よ、汝の新しき魂に武装せよ！　正義の銃を担へ！　そして直ちに与へられたる汝の部署に就け！　檣頭高く戦闘旗は掲げられた！）

——彼はまた遠い放浪の旅にのぼつた。

こうしてこの長い物語はその幕を閉じる。金基鎬は死刑台へ、槇島久吉は放浪の旅へ。暗い物語である。

『赭土に芽ぐむもの』の前には、長篇として高浜虚子の『朝鮮』（一九一一年）があつた。しかしこれは、支配民族としての日本人の誇りと、被支配民族としての朝鮮人に対する同情という「全く矛盾した二個の考」（本質的には矛盾しないのだが）之を対立させ激化させることなく終つた。いわば旅行者の感傷をふくめた通りすがりの視点、それからの発想であつた。

しかし、中西伊之助のこの長篇は、はつきりとした階級的な視点に立ち、日本帝国主義の惨忍な本体をふまえた立場から展開されている。むろん、これは中西伊之助の思想的立場と高浜虚子のそれとの違いによるものである。

そういう意味でこの長篇『赭土に芽ぐむもの』のもつ位置は大きい。

惨酷な土地収奪をうける朝鮮農民と、朝鮮で搾取される日本人労働者の〃共通の敵〃は、ほかならぬ日本帝国主義であつたことを明確に指摘した作者の労苦は、私たちに大きな感動を呼びおこす。

しかしながら、私はここで一、二の問題点を指摘しなければならない。

第一にこの小説の方法につながる問題である。さきにものべたように、この小説では明らかに構成的な混乱があることである。金基鎬と槇島久吉の関係は、いかにも不自然であり最後の一部分でキリスト教的な匂いの精神的交流を行うだけにとどまつている。これはさきにのべたとうり別々の物語としてうけとつてもおかしくないような感じをいだかせ、そのためかえつて作品の質をよわめているといえそうである。

第二に、金基鎬と槇島の生き方である。金基鎬については、さきにものべたようにこの時代の流れに抗する真の朝鮮農民の姿を代表するものではないということであつた。逆にいえば金基鎬はあまりにも槇島と共通しており、槇島的であるということだ。

さらに槇島自身についていうと、あまりにもヒロイックな、しかも多感な青年としてしか描かれていないということである。「S炭坑」事件に対する槇島の姿勢はアナーキなものを感じさせ、また妓生姜錦紅に対する姿勢と芸者萩路に対するそれには「赤表紙《レッド・カバー》の使徒」である槇島の破ることのできなかつた〃壁〃を感じさせる。

それは私のうけとり方の誤りであるかもしれない。そうであればいいのだが、しかし、私が一番はじめにこだわつた「土人」という用語の問題と同じような疑問をはらいのけることができないのだ。

それは私がさきにも引用したが、はじめは「聖母マリヤ」として映つた妓生の錦紅があとには「東洋のモンゴリヤ雑種族の売春婦」としてしか映らなくなるその底流である。それは槇島が日本人で錦紅が朝鮮人だからではないだろうか。うがちすぎるかもしれない。しかし、「錦紅に対してさえ感受しなかつた云ひ難い懐しみ」を芸者の萩路に感じる（錦紅も萩路も売春婦なのだが）ということはそれをうらうちするものであるといえないだろうか。そこには「赤表紙《レッド・カバー》の使徒」槇島でも突き破ることができなかつた民族の〃壁〃がある。支配民族と被支配民族の〃壁〃がある。そしてこれは槇島の暗い部分であり、作者中西伊之助のかくれた（当時の）〃壁〃ではなかつたろうか。私には、そう思えてならないのだが——

3

作家中西伊之助については正直のところ私はよく知らない。しかし、ここに彼の面目躍如とした「愛読者への履歴書」がある。少々長くなるがそれをそのまま引用しよう。

『自伝をかくやうぢや、人間もおしまいだ。若い大杉栄君が自伝をかかされて、すぐ殺されてしまつた。と、かつぐわけではないが吾々は未だ、前途春秋に富んでゐる。自伝どころではない。しかし、出版元からぜひ書けといふから、一つそれでは愛読者への履歴書を提出すると、ひねくれてみた。現代組織の実質からいふと、愛読者が雇主で、私等は職工だ。芸術家だと自惚れてみても、事実、愛読者がなければ吾々は飯が食へないのだから。で、その履歴を、ざつと申上げる。——

（原籍其他）私は山城宇治在（註・京都——朴）の片田舎小作七分、自作三分、の農夫の伜に生れた（註・一八九三年二月七日——朴）。私は十四、五まで、野良で追ひつかはれたが、附近が漸次都会化して来たので、土地を奪はれて私の家は没落した。そこで私は、十六の頃から、鉄道の機関車掃除夫になつたり、陸軍火薬製造職工などになつた。——数へ年十九の時に、海軍兵学校へはいる準備のため貯金をもつて、東京へ苦学するつもりで出た。大成中学校五年級に編入、兵学校は、私が私生児だといふので入れてくれなかつた。二十一まで、車夫、新聞売、おでん屋、何でもやつたが、却々勉強ができなかつた。それに憤慨して、社会主義を信ずるやうになつた。ポーツマス屈辱条約の際には、鉄道大臣、小川平吉閣下の旗下に参じて、大いに暴れて。

海軍士官にはしてくれなかつたが兵卒にはいゝと見えて、私は徴兵で伏見工兵第十六大隊に入れてもらつた。鉄砲を撃つ稽古、爆破、突貫、みんな面白かつた。それで上等兵になつた。上等兵になつてから、営倉二度、禁足無数。退営後、朝鮮へ渡つた。自然主義にかぶれて、遊蕩児になつた。しかし、新聞記者になつてから、寺内総督を攻撃し、大資本家、藤田伝三郎の鉱山に於ける労働者虐待を暴露して、大いに気を吐いたために、その新聞は潰れ、私は監獄にブチこまれた。鉱山はそのため労働者が行かなくなつて滅茶になつた。

朝鮮を亡命して、支那へ渡つた。満鉄へはいつて、すばらしい高給をもらつたが、係長とすぐ喧嘩してやめた。それから芸者屋の二階で食客をやつたり何かして、全く閉口した。再び東京へ舞戻つて今度は神妙に、弁護士になるつもりで、中央大学や早稲田大学などを渡り歩いたが、その講義がばかばかしいので、みんな半歳ばかりでやめて、国民英学会だけ通学、他はすべて独学、やまと、時事、鉄道時報なんぞの記者になつたが、各半歳、または一年ばかりで、きつと首になつた。その頃から、労働運動をやり出した。

（現在）農民自治会全国連合、日本非政党同盟、在郷軍人団、日本無産派文芸連盟に関係。（賞罰）日露戦役の労に依り、一金三十円下賜、前科体刑三犯、罰金刑四犯――其他、拘留、検束無数。（将来）椽の下の力持ちとしてまだ大いにやるつもり。右之通、相違無之候也。中西伊之助』（昭和三年平凡社版）となつている。こういつた書きつぷりにも彼の人柄がにじみ出ているようだ。

作品の関係では、一九二二年（大正一一年）二月に『赭土に芽ぐむもの』を改造社から出版し、同年九月に『不逞鮮人』（これは戦後「北鮮の一夜」と改題され人民戦線社から出版された）を『改造』に、また同じように朝鮮問題を追求したものとして、一九二三年二月、『汝等の背後より』を改造社から刊行した。そのほか『死刑囚と裁判長』『お絹の心』『農夫嘉兵衛の死』など多くの作品がある。

一九四五年、日本共産党から立候補して衆議院議員となつたが、一九五二年に党を去つた。このことについて江口渙は次のようにのべている。

『中西伊之助には元来が権威を怖れず、はつきり物をいうところがあつた。そのことが共産党内の徳田家父長制のとりまきたちには気に入らなかつた。彼が党から去つていつたのもそのためらしい』と。

その後、彼が党に復帰したことは周知の通りである。そして昨年心臓硬塞でこの世を去つた。七十一才である。――

中西伊之助の生涯は、その生きた年代をみてもわかるように（明治、大正、昭和の三代にまたがつている）それにふさわしく彼独得の激しい情熱と気慨で彩どられている。その一面は『赭土に芽ぐむもの』の槇島によつて具現されているといつていいだろう。正義感の強い、多感な気質の青年として、私には共感を呼ぶ面も多い。

江口渙はこう回想している。

『中西伊之助はもちろん作家である。だが、本質的には作家としてよりも、労働運動家としてより多く適していたのではないかと私は思つている。そのことは「赭土に芽ぐむもの」の中での彼の分身である槇島の戦闘的な姿を見てもわかる。もちろんあの槇島は実際よりそうとう英雄化されているのではないかと思われないこともないが、ともかく中西伊之助は情熱家だつた。そして一たん立ち上るとひたむきに敵に向つてぶつかつていくところがあつた』――と。

たしかに、それをうら書きするように彼の労働運動による活躍もめざましいものがあつた。一九一九年の東京市電従業員組合のゼネ・ストでは闘争委員長となり、東京中の電車を二日間にわたつてとめたという驚くべき記録もある。まさに『作家の中で政治犯としての前科を彼ぐらいもつている者はほかにない』（前記引用と同じ。江口渙『死んだ中西伊之助』・新日本文学一九五八年十一月号）という指摘が、端的に中西伊之助の本領をついているといつていいだろう。

しかし、その面が過剰？　となるとこういう話もでてくる。『一九三五年の多分九月ごろだつたとおぼえている。新宿の何とかいうレストランの二階におよそ六十人ぐらい集つた。中野重治や私、壺井繁治、窪川鶴次郎、亀井勝一郎など作家同盟の人たちがおもだつた。その中へめずらしく中西伊之助が顔を見せた。――みんながテーブル・スピーチをやつた。順番がきて中西伊之助が立ち上るといきなり「満州国は日本の生命線だというが、ほんとうは日本の致命線である」と大きく叫んだ。そして無産党ばりの演説口調でさかんに日本の侵略主義を攻撃した。

だが、だれも相手にする者がない。彼が手をふり声をはり上げれば上げるほど反応がない。彼の演説過剰が会全体の空気とそぐわなくつて、彼一人浮き上つたためである。』

しかし、結果的には『彼の言葉どおり満州国は日本の致命線となつた』のである。

——ともあれ、中西伊之助の『赭土に芽ぐむもの』は多くのものを私に教えてくれた。彼が朝鮮民族の解放のため、若い血潮を燃えあがらせ、ほとばしるような情熱をささげたという事実は、私たちに大きな感慨をこめる。

彼のもう一つの作品『不逞鮮人』もそれをよく教える。『赭土に芽ぐむもの』で描きえなかつた〃三・一独立運動〃に材をとり、緻密にそれをまとめあげている。そして主人公碓井栄作と彼に一夜の宿を提供する「主人」は、槇島や甚鎬をさらに発展させたような形で描かれている点、私にはことさらのように興味深かつた。この作品に対して　生田長江が当時の朝日新聞に『この作品は銃剣をつきつけて敵か味方かと呼びかけている』と評したそうである。意味深いことばである。作家中西伊之助の生き方には、つねにそうした張りつめた気慨がみちみちていただろう。あいまいな妥協や中立や感傷をうちやぶらずにはおかない闘志が、そういう不屈の姿勢が『赭土に芽ぐむもの』を生んだのだろう。

編集後記

▲大分おくれたが、本誌も第四号である。三号雑誌ということばがある。このことばはこの種の雑誌を刊行していくものにとつてのジンクスであるが、ともかく、それを乗越えてここに四号を送りだすことができた。関係者らの努力はともかくとして、広い読者・後援者のおかげである。

▲在日朝鮮人のあいだにもボツボツ、この種の雑誌・新聞の刊行が目立つてきている。各団体の機関紙・誌とともにそれはかなりの数にのぼり、計画中のものもあるときいている。われわれとしては、こういう言論機関はいくらあつてもかまわないと思う。そして、それぞれの立場に立つて、大いに言論のハナを咲かせてみたい。

▲愚論アリ賢論アリ、いろいろであろうと思うが、われわれはそれらをつうじて、お互が何をどう考えているかをたしかめ合い、議論し合い、そこに共通の広場がみつかれば、そこで直接に話し合つてみることもしたい。そうして何よりも大切なことは、われわれはそれをつうじて、お互を高め合つてゆくことだと思う。

▲もちろん本誌としては、この在日朝鮮人どうしの横のつながりをもとめるだけのものではなく、一つは日本人にたいして話しかけるという立場をもつている。このため、あるばあいはこの横のつながりの方がウスくなつてみえることもあるか知れないが、しかしだからといつて、決してそれをカルくみているというわけではない。（K）

鶏林　第二年　第三号
定価六〇円（隔月一日発行）
一九五九年　五月二十五日印刷
一九五九年　六月　一日発行
編集兼発行人　張　斗　植
東京都中央区日本橋茅場町二の一〇
印刷所　大成印刷株式会社
東京都墨田区寺島町一の二
発行所　鶏　林　社
電話（六一一）一四二七
振替口座東京四一六二三

祝発展

株式会社 松本商事
取締役社長 松本光洲
本社 横浜市鶴見区鶴見町一一二三
電話 鶴見⑤ 八七二八
八二四六
支店 東京都台東区仲御徒町一ノ一五（合田ビル二階）
電話(83) 八二二八
〇九三四

電気機具輸入卸販売
丸富商会
全致五
東京都台東区松永町二六
電話(25) 六五〇九
八八六一

テレビ・洗濯機・冷蔵庫
その他家庭電気機具
市価の二・三割安
第一電気商会
代表取締役 北条実
東京都千代田区神田栄町一三
電話(83) 〇九三九
五三一一

福田プレス工業所
各種座金 一般プレス
福田基鎬
東京都荒川区南千住町七—一〇三
電話(89) 八四五八（工場用）
一五五九

鋼材・鉄 足立商会
徐進
東京都足立区千住桜木町二六
電話(888) 一二七六

姜一祚
京都市中京区四条大宮上ル
ハリウット
電話(84) 九九五六

医療法人 同仁会設立理事会
赤不動診療所
理事長 姜徹
東京都足立区梅田町一三〇七
電話(888) 〇七六〇

崔竜淵
東京都豊島区池袋二—一、一二八
メトロホール
電話(37) 六四一三

監視機
テレスコープ株式会社
取締役社長 福本正夫
桃太郎
本社 京都市南区東九条南烏丸町
電話(5)六六六五
支店 奈良県天理市川原城
電話天理・四四三

鶏林　一九五九年六月一日発行(C)・第二年第三号（隔月一回一日発行）

定価六〇円（送料八円）

鶏林

一九五九年十二月一日
発行 © 第二年第四号

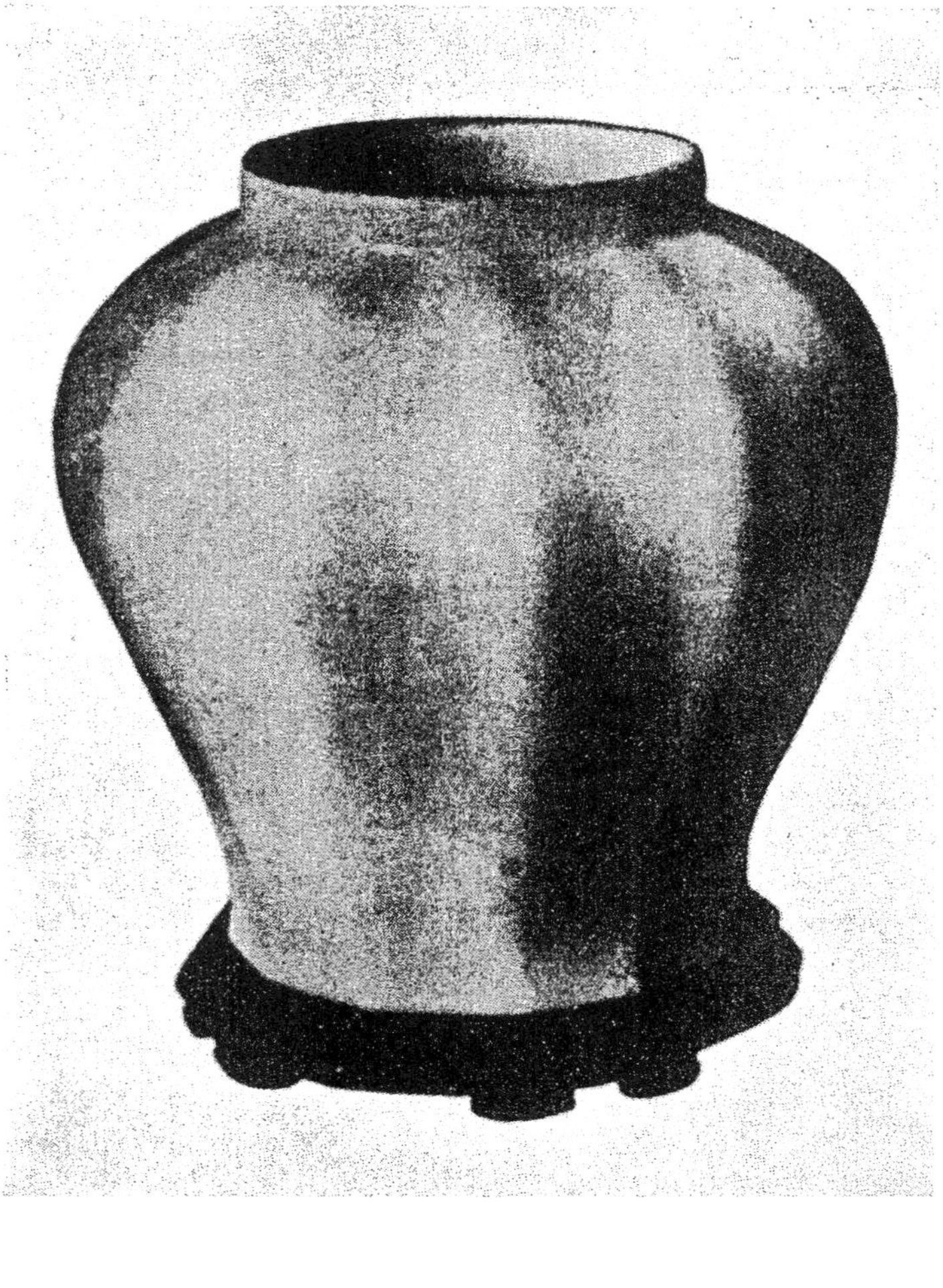

5

白磁面取壺（表紙）

白磁面取壺としてはもつと古い優品もあるが、上手の典雅な匂の高いものとしてこれを挙げる。これは中国でも日本でも絶対に真似することの出来ぬ官能的な美しさである。これ程美しき清楚な豊な官能的というものは、朝鮮人以外に持ち合せて居るものがないのである。模様なき白磁をこれ程積極的に働かせるということは容易ならぬことで、修練や学問で如何ともし難い。資質のみがそれを許すものといえる。

（「図説・朝鮮美術史」より）

鶏　林

5

1959・11

帰る人・残る人

——在日朝鮮人の帰国——

尹学準

はじめに

いわゆる「在日朝鮮人問題」が、日本のマス・コミを大きく賑わし、かつ問題とされたのは、去年の暮からのことである。

そして、それは主に「帰国問題」「帰国運動」を中心としてあらわれ、われわれの運動に大きな成果をもたらしてくれた。しかしまた、一部には在日朝鮮人に対する歴史的考察の欠如のために、いまだにぬぐいきれない偏見——一種の厄介者払いをするといったような態度がみえていることも事実である。

たとえば、今年の七月十四日の「朝日新聞」（夕刊・『今日の問題』）には、戦前の在日朝鮮人の急激な増加は、「内地に職を求めてきた個別渡航者や自由契約によつてきたものが大部分で、戦時中の国民徴用令による徴用労務者はごくわずかで、現在いるもののなかで、実際に調べた結果二百四十五人しかいなかつた」という外務省の調査したという統計数字をあげて、「責任の所在」は日本にあるのではなく、「それぞれの国籍の属する本国政府」にあると主張している。

強制徴用労働者として連れられてきた労務者の残存者が二四五人しかいないという数字はどこから出してきたものであるか、はなはだケッサクであるが、二四〇万もの朝鮮人がなぜ住みなれた土地（祖国）を捨て日本にまで来ざるを得なかつたか、ということは自明すぎるほど自明なことではなかつただろうか。

日本における在日朝鮮人は、一つの少数民族でもなければ、ハワイ、南米等地に多くいる「日系米人」のようないわゆる移住民のような、あるいはアメリカにおける黒人的な存在のようなものでもない。つきつめていえば、それはそのまま日本と朝鮮との暗い歴史の産物であり、日本の帝国主義的植民地政策の深い爪痕にほかならない。

在日朝鮮人の渡航の歴史は、いわゆる日韓合併（一九一〇年）からはじまる。それ以前、つまり一八八五年（明治十八年）の在日朝鮮人の数はわずか一人（在朝日本人の数四、五二一人）で、一九〇九年ですら七九〇人（在朝日本人一二六万六、一六八人）であつたのが、一九二五年には一八万七千、一九三八年、八八万一千、さらに一九四五年は二四〇万以上という膨大な数字になつている。

なお、強制徴用の実態についてみれば別表の通りである。

日本政府により朝鮮から強制的に徴用された労務者
（厚生省勤労局発表）

	一九三九年	一九四〇年	一九四一年	一九四二年	一九四三年	一九四四年	一九四五年	合計
石炭	二四、二七九	三五、四三一	三二、〇九九	七四、五七六	六五、二〇八	八五、九五三	不明	三一七、五四六
金属	五、〇四二	八、〇六九	八、九八九	九、四三八	一三、六六〇	三〇、五〇七	不明	七五、七四七
土建	九、三七九	九、八九八	九、五四〇	一四、八四八	二八、二八〇	三三、三八一	不明	一〇五、三二四
工場その他	—	一、五四六	二、八六五	一三、一〇〇	一五、〇八九	一三〇、四六二	不明	一六三、〇六二
合計	三八、七〇〇	五四、九四四	五三、四九二	一一二、〇〇七	一二二、二三七	二八〇、三〇四	不明	六六一、六八四
計画数対比	六六・五％	七六・六％	六九・四％	九二・四％	八一・五％	七〇・五％	不明	七二・九％

このようにして、祖先伝来の土地や家屋を奪われ、その上、朝鮮人が朝鮮人であるという民族感情や民族的矜持までを剝奪されて奴隷化された朝鮮人に残された唯一の権利は、賃金奴隷としてその余命をつなぐことであつた。そこで、どうせ奴隷として余命をつなぐ位であるなら、一そうのこと誰にもみられない誰も知らないところへ行つたほうがましだ、と日本の賃金市場を選ぶようになつたのである。そして、これらは日本の労働市場における労力の供給源となつた。それから日帝が、大陸侵略への準備を急ぎ、その体制を整えて侵略戦を開始することになるや、労力の供給をさらに朝鮮に求め国民総動員令とか徴用令だとか、勝手なものを作つて労働能力をもつているものはすべて強制的に炭鉱や土建、軍事施設等へ徴用してきたのである。

この統計には一九四五年度の強制徴用労務者が、空襲のために調査不能のため不明になつているが、それを除いても日帝の計画の七二・九パーセントで六六万一、六八四名になつている。

この外に陸軍軍人および軍属として強制徴発された者約一四万人と海軍軍人および軍属として強制徴発された者約一八万人を入れると侵略戦争のために強制徴発された総数は約百万名に達している。」（元容徳「吉田政府への公開状」一九五〇年『民主朝鮮』五月号）

このような事実に対して、なにも物質的な代償を求めようとしているのではない。ましてや、かつてわれわれがこうであつたからもつともつと大事にしてほしい、という考えもさらさらにない。ただ、温い友情でもつてお互いに別れよう！　それだけである。

「わたしたちだつて貧ぼうしているのに、あんなやつらが六〇万もゴロゴロしているから余計に貧乏する」「それに朝鮮人つてやつらはロクなことしない。犯罪はするし、なにかあればすぐにワッショイ、ワッショイとくる。うるさいチョセン人コジキ奴ら、この際どつとこ消えてなくなれ！」というような悪意に満ちた偏見だけはきれいに清算していただきたい。

私のたんなる思い過ごしであるだろうか。多くの日本人のなかにこのような厄介払いの気もちでいる人たちがいないとどうして断言できるだろうか。

藤島宇内が「世界」の十月号でいつている。彼は、帰国協定がこれ程までにもたつき、かつおくれたということ、その責任はもつぱら「日本人及び日本政府にある」ということを指摘し、

「――それは、朝鮮の植民地化、民衆生活の破壊の責任が日本にあることを、日本人自身が十分に自覚していないところからくるようだ。その無責任さが、朝鮮戦争の時には日本を基地とした米軍による朝鮮の徹底的な犠牲の上に立つて日本経済が米国の手により復興されたことに対し、何の責めも感じない態度を生み、また帰国問題に際しては、客観性のない悪意に満ちた偏見を生んだのであつた。つまり戦後になつてもアジアに対する侵略者としての心性を捨て切つていない日本の無自覚さが、政府権力の場合は公安調査庁その他の情報の無責任な不正確さ（注＝例えば去年の十月二十二日『読売』にのつた「全国的に北鮮への帰国運動」という記事のなかに、公安調査庁の公式見解として「帰国運動は再開された日韓会談のぶちこわし策で、帰国希望者は少ない。だが生活は苦しくなつているので帰国が阻止されていることを理由に、生活保護費の拡大を狙つたものである。」と発表しているなど）という形をとつて現われたものと見られる。」（「朝鮮人帰国と日本人の盲点」）といつている。

藤島宇内が指摘している日本人の盲点は、いまなおあの不当な「帰還案内」という形によつて現われており、日赤及び日本政府はこの「盲点」をたくみに逆用し、意識的にわれわれの帰国を阻止しようとさえしている。

現在、朝鮮総連に帰国申請を提出した数は、十一万七千余に達しており（八月現在）、いまなおその数はしりあがりに上つている。たくさんの人々が帰るのである。この現象をどうみるか。それはやはり、生活苦からであるということにはまちがいない。しかし、それはかりではない。むしろ決定的なことは、あたたかくむかえてくれる祖国があるからである。真に人間らしい生活がそこにあるからであり、青少年たちには希望にあふれる未来があるからである。激しい侮蔑と抑圧、奴隷的な生活にはもはや我まんならない。サヨウナラを告げたいというのである。

帰る人の場合

昨年の八月、神奈川県川崎市中留耕地の「朝鮮人部落」で端を発した帰国運動は、満一年を過ぎた今年の八月十三日になつてやつとその協定の調印がなされたのである。

思えば、長い間よくも斗いぬいてきた（生きながらえてきた）ものである。朝鮮が日本帝国主義から解放されて今年で十四周年の記念日をむかえたのであるが、われわれ在日朝鮮人としては、今年こそが真に解放された、まさに画期的な記念日となつた。

この日より二個月ほどさかのぼつた六月十一日、ジュネーブにおいて朝・日間の帰国協定が基本的な妥結をみたという第一報が、おりもおり在日朝鮮人総連合会第五次全体大会第二日めの会場に伝わつた時のあの劇的な場面、会場全体が歓呼と喚声のるつぼと化したあの日から、私は、帰国準備にいそがしいたくさんの同胞たちに会つた。当然ながら彼等のなかにはさまざまなタイプがあり、そして職業といえばこれまた千差万別である。失業者、生活困窮者――これはもう自慢じやないが絶対的に多い。高等ルンペンもおれば在学中の学生もいる。東京・荒川に住むパルプ製造業をしている尹令則

氏のごときは、自分が経営している工場をたたみ、工員ぐるみの帰国であり、三の輪病院の院長梁承浩博士の場合もそうである。パチンコ屋のウラ廻りをしていた人も、居留民団の幹部をしていたという人も帰る。

京都にいるL氏は、いまあるパチンコ屋に勤めている。彼は、祖国解放戦争（朝鮮戦争）当時、京都の青年、学生運動の中心的な人物であつた。当時の在日朝鮮人運動がそうであつたように、彼も若い革命的全情熱をいわゆる極左冒険的な三反斗争（反米・反吉田・反李承晩）にささげた。そして政令第なん号とかの違反により地下へもぐり、逮捕、投獄――とすべてが筋書どうりに事はは こばれた。しかし彼は、革命のため、人民のためにはすべての犠牲をもおしまないという確乎たる信念をもつて苦痛をたえ忍んできたのである。むしろ彼はそのことを誇りとさえ感じていた。

刑期を終えて新しい決意と情熱をいだいて出てきた時は、在日朝鮮人運動の路線が転換された（一九五五年）後であり、彼を迎えてくれたのは温い同志愛ではなく、激しい非難と罵倒、反動、極左冒険主義者というレッテルであつた。彼はただ呆然とし、途方にくれた。すべてからみはなされ、激しい寂寥の念をどうすることも出来なく、結果的に組織から疎外され、また自巳疎外し、今日に至つたのである。

戦後、在日朝鮮人運動が、日本共産党の誤つた方針に導かれ、それに盲従し、大衆からみはなされた結果となつたということは、路線転換にあたつての韓徳銖論文が指摘した通りであるが、同時に、路線転換にあたつての真摯な自己洞察を欠き、それがあまりにも安易になされたということは、組織内部、特に下部組織において多くの脱落者をだすという結果を招いたのではなかつただろうか。

「新しい組織についてゆけなかつたことは、確かに僕の弱さからである。しかし、ある一つの組織理論体系から他へ移行（転換）する時、それ程短時間に出来うるものだろうか。昨日までにそれがすべてであり真理であつたのが、手のひらをかえしたように豹変するかつての同志たちに、妙なコンプレックスさえ感じ、あげくのはては激しい自己嫌悪に落ち入り、どうしてもオイソレとついて行けなかつた」と彼は当時のことを回想して語つていた。そういう彼にこの度の帰国の実現は、いままでのジレンマとデカダンスからぬけでるきつかけとなつたという。自分と同じ境遇にいたかつての同志たちともいろいろ話しあつた末「自分たちの行く道は、やはり祖国を求める組織に帰ることしかない。国へ帰つて一からやりなおす」という結論に達したと話す彼の表情は明るく、生々としていた。

わけても私が特に驚いたのはM君の場合である。

私が学生時代、留学生同盟の常任をしていた時、彼はちようど高校生であつた。当時は幾人かの高校生も執行委員として学同の事務室に出入りしていて、そのうちで私がもつとも信頼していた一人でもあつた。高校では自治会活動の中心的なメンバーであつたし、会合などにおいても高校生とは思えぬ程しつかりした発言をしていたのではなかつたかと思う。私が学生運動の現役から去つてからは、自然彼ともプッツリと連絡がきれた。ところがつい最近、実に五年ぶりに会つたのである。

雨のふる晩であつた。池袋の駅を出たらだれかに肩をたたかれた。ふりむくとM君である。見違える程大人になつていたのではじめは全然気がつかなかつたが「お！　君だつたか」とあらためて手を握りかえした。

さそわれるままにある飲み屋に入つた。彼の話すところによれば都内のある盛り場の愚連隊——それもしよつちゆう新聞の三面記事をにぎわしている有名な〃K組〃の中堅幹部だという。

私は、彼のはなしに知らず知らず耳を傾けていた。そして、彼のあまりにもの豹変ぶりに驚き、ただ呆然としている他はなかつた。ウイスキーのグラスをかさねているうちに、僕たちはしだいにめいていしてきた。

「僕がどういう事情からこのような世界に入つたかつていうことは話したくもないし、いつてみたつてしようがない。いまさら後悔したつてはじまらない」

「ただ、いまのこの生活がもういやでいやでたまらないです。なるほど、金に不自由しない。女に不自由しない。そしてなによりも男としていばつて歩ける。しかし、これで僕の一生が終る！　これでいいのか、と思うとたまらないです」

私はただウン、ウンとうなづくだけだつた。彼はグラスのウイスキーを一気に飲みほすと静かな口調で話し続けた。

「尹さん、僕いまの生活から足を洗おうと思つています。そのためにいろいろと準備もし、対策もたてています。来年の三月には僕も国へ帰りたいと考えていますが大丈夫でしようね！　帰れるでしようね！」

「ウン、そうだ。立派な考えだ。僕たちの行く道はそれしかないよ。皆もきつとよろこぶだろうよ」

「尹さん、僕帰つたらなんでもやるよ。力もあるしな、がむしゃらに働くよ。そして過去の自分をきれいに清算し、忘れてしまいたい。ただそれだけです」

彼の目はいきいきと輝いていた。私はかつての彼の目を発見したのだつた。

外に出るといつのまにか雨は止んでいた。

残る人の場合

六〇万の在日朝鮮人のうち、いま二〇万が帰るとしてもなお四〇万が残ることになる。残る人たちのなかでも勿論いろいろとあるだろう。そのなかには日本に帰化して永住する人もいるだろうが、しかし大部分の人たちはいずれかは帰るのである。二、三年後に帰るという人もおり、五、六年後、あるいは統一した後に帰るという人もいる。そのなかにはたとえばこういう人もおる。

群馬県前橋市に住んでいる六十五才の魚大善さんは、米のかつぎ屋をしての一人暮しである。魚じいさんの家族は終戦後の引揚げで南朝鮮に帰つたが、彼はいろいろと整理をしなければならないこともあつて一足おくれた。それでついに帰ることが出来なく、とうとう今日までに至つたという。それに、先に帰つた一人息子は朝鮮戦争で行方不明になり、いまはおばあさんと嫁さんの二人がいるのみ、耕す土地もなく身よりもないという状態で、おじいさんが小金をためてはたまに送るという具合であり、ほそぼそとその日暮しをしているという。いかにも疲れきつた表情であつた。

「もう年でね、いくら働いてもあせるばかりでちつとも思うように行かんのですよ。いまさら南に帰つたつてどうにもなるものでねえし、いつそう北へでも帰つたらと思うときもあります。皆さんもそうすすめてくれますが、なにせばあさんがかわいそうで……」

聞いているうちに、なんともはやりきれない憂うつさにおそわれ、いたたまれなくなつてその場を逃げるようにして立去つた。私自身ここ二、三年来病床に寝たつきりの父と、幼い二人の弟を抱えた母の姿が目にうかんだからである。

私は、三人兄弟の長男として南朝鮮のある農村で生れた。数年前に私は単身玄海灘を渡り、H大学で日本文学を専攻した。その間私の家では、わずかばかりの土地も売り払い、小さな町に出て駄菓子屋をひらいてその日ぐらしの生活をやつていたらしい。そうしているうちに父が病いで倒れ、文字通りドン底の生活である。

私が日本文学、特に日本のプロレタリア文学を勉強したのはほかでもなく、日本文学を学ぶことによつて微力ながらわが「カップ」(朝鮮プロレタリア芸術同盟の略称)の革命的伝統を究明したかつたからである。そして出来ればもうあと二、三年勉強してはれの祖国朝鮮民主主義人民共和国へ帰りたかつたからにほかならない。

本誌四号で金達寿は、自分が帰国する時は「一人の作家として帰る」という考えは毛頭なく、「一人の労働者として帰る」覚悟であるといつているが、これはこれとしてやはり立派な態度であり、彼の謙虚な態度はわれわれを感激させる。しかしわれわれの世代、特に日本で学んでいるわれわれ若い学徒は立場を異にする。つまりこ日本においての金達寿、許南麒らの世代の任務とわれわれの世代の任務とは対象がおのずから異なると私は思う。金達寿は、つまり、自分たちの仕事というものは、「いわばこの日本でおこつたものであり、そしてこの日本にその発想の根源がある」といつて、つづけてこうも書いている。『私は朝鮮人の生活をかきたいと思つた。そしてこれを人々に知らせ、訴えたい。とくに、われわれ朝鮮人についてはいろいろな感じや考え(それはほとんどがまちがつたもの)をもつていることを知つている。日本人に向つてこれを知らせたい。知らせなくてはないないと思つた』つまり、日本人の朝鮮人にたいする認識に働きかけること、これが私の仕事である」と、まさにその通りである。そしてその仕事は、場合によつては彼の一生の「仕事」であるかも知れないが、それで一応の任務は果したことになるであろう。しかしわれわれは日本にいる間少しでも多くのものを吸収して一日でも早く祖国へ帰らなければならない。特に日本史、日本文学等「日本」を研究する者にとつてはなおさらである。

しかし、私はまだ帰国申請をしないでいる。つまり私がのぞんでいる朝鮮民主主義人民共和国へオイソレとは帰れないのである。というのは、先にも述べたように私は南朝鮮で〃一家〃をささえなければならないいわば大黒柱でもある。場合によつては、明日にでも深い泥沼の世界、南朝鮮に自ら身を沈めなければならないかも知れない。

「場合によつては」ということは、父にもしものことがあつたらということであるが、それすらいまの李承晩の暴政下ではどうなるかわからない状態である。だからといつて日本に——という具合にはなおさらである。

理想と現実との厳しい対決——そこにいま私は立たされ、おののき、かつ苦しみ闘つている。

さようなら尹丙甲

窪田精

在日朝鮮人の帰国、という言葉を耳にするたびに、私のこころのなかを、尹丙甲のことが、ふつと、かすめることがある。

――尹丙甲は、いまも健在で、この日本のどこかにおるのだろうか……と。

尹丙甲は、私の少年時代の親しかつた朝鮮人の友人である。

私が、かれをはじめて知つたのは、たしか小学校三年のときの夏で、七月のはじめごろのことのようにおぼえている。

その日、午後になつて、私たちが授業を終つて（山梨県八カ岳山麓の村の小学校で）帰ろうとすると、職員室のある旧校舎と、私たちの教室のある新校舎とのあいだの渡り廊下のところに、一人の少年が、ぽつんと立つていて、五年生の受持のSという教師と話していた。

少年は、よそから私たちの学校へこしてきたものらしく、五年生にしてはずばぬけて背の高い大人びた身体つきで、小倉の霜降りの半ズボンのスネの長い足に、大人のようにガーターで吊つた靴下をはいていた。その大きな身体と、ガーターで吊つた大人のような（というより、大人のものをはいてきたらしい）靴下とが、そのとき、私の印象に強くのこつた。

私たちが、その少年の前を通りすぎようとしたとき、私たちの級の、横森という部落からきていた子が、

「チョウセンだ。横森に移つてきたチョウセンだ！」

といつた。

それで私たちは、また後ろをふりかえつて――なんどもふりかえりながら、その少年の前を通りすぎた。（そのとき、その少年が、どんな表情をしていたかは、おぼえていない）

これが、はじめて私が、尹丙甲に会つたときの記憶である。

もつとも、私が尹丙甲というかれの朝鮮名を知つたのは、ずつと後に、かれと親しくなつてからのことで、（二人きりでなにかの話をしていたときに、かれが「きみにだけ」というように、そつと教えてくれたのだつた）そのころの在日朝鮮人の多くがそうであつたように、かれも日本名を名乗つていた。かれは今野勇雄といつていた。

今野勇雄の家は豆腐屋で、かれの父と母と、幼い弟妹がいたようにおぼえている。私たちの村の横森という部落のはずれに、トタン

屋根のバラックのちいさい家を建てて住んでいた。家のすぐそばを急流の小川がながれ、その裏のほうには森がつづいていた。

　そのころの私たちの村には、今野一家のほかには、朝鮮人は住んでいなかつたような気がする。高等小学までふくめて六百名ほどいた村の小学校で、今野勇雄は唯一人の朝鮮人児童であつたわけである。

　村の私たちの学校から、八ヵ岳山麓を一里ほど登つて行つたところの長沢という部落の分教場には、親たちが小海線工事（そのころ八ヵ岳山麓を小渕沢から小諸へぬける小海線の工事がすすめられていた）の飯場へ行つているという朝鮮人の子供たちが何人かいた。

　そのなかの一人に、私たちより一年うえの四年生で、苗字はわすれたが、金太郎という名まえの朝鮮人の少年がいた。（綽名ではなく、じつさいにそういう名まえだつた）かれは名まえの金太郎のごとく、まるまると太つて、おなじ四年生の他の児童より一まわり大きい身体で、競技会のランニングでは六年生もかなわないぐらいの早足だつた。それで春と秋の運動会や、隣村をふくむ何ヵ村競技会の練習のようなときには、その金太郎を先頭にした分教場のほうの選手たちが、いつも意気揚々とやつてきた。私たちは、その大きな身体で学校のグラウンドを風を切つて走る金太郎を、一種、畏怖の念をもつてながめていた。

　だから金太郎とおなじような大きな身体の今野勇雄が、私たちの学校に転校してきたときにも、さいしよは、やはり畏怖の念をもつて、とおくからながめていた。が今野勇雄は運動競技のほうはそれほど得意ではないようだつた。しかし勉強のほうはよくできるというひようばんだつた。

　今野一家は、その部落のはずれの森と小川のそばの小いさなバラック建の家で、表面、平和そうにくらしていたようであつた。今野勇雄の父親はそのころ五十ぐらいの痩せた小男で、日本人のような紺の木綿の股引に腹掛という格好で、てんびん棒で豆腐桶をかついで夕方など、村を部落から部落えとまわつていた。豆腐はわりあいに売れているようだつた。「今野の豆腐」は、ほかの豆腐屋のよりもいくぶん大きかつたことも一つの理由だつたろうが、その父親の善良な性格が村人たちに好感をもたれていたのでもあつたろう。

　「今野の豆腐」「チョウセンの豆腐」（村人たちは、そのように呼んでいた）という声のなかには、よそから移住してきたものにたいする、無知な農民たちのいわば民族的な蔑視の感情と、善良な今野一家にたいする素朴な同情のようなものが半ばずつ混じつていたのではないかとおもう。

　今野勇雄は学校では孤独のようであつた。その今野勇雄のどこかにひかれたのか、私は自分より二年もうえのかれと、いつしか親しくなり、れいの森と小川のそばのかれの家に遊びに出かけて行くようになつていた。

　私の家から学校までは徒歩で十五分ほどある。かれの家は、それからさらに十五分ほど行つたところにあつた。夏の暑い陽盛りなど、汗をかきながら、少年雑誌などを持つて私が出かけて行くと、豆腐屋の父親がにこにこしながら大皿にヤッコの豆腐を盛つて「食え」といつて、出してくれたりした。母親の背なかでは裸でむすびつけられた赤ん坊が泣き、裏の森のほうの小屋ではニワトリや豚が鳴いていた。私は今野勇雄と一しよに、そばの急流の小川にはいつて水浴びをしたり、釣をしたり、夕方まで遊びほうけて帰つてきて母に叱られたりした。

私の家は、私の幼いころは村で一軒の呉服屋であつたが、昭和初年の不況のなかで店は破産し、そのころは小作農になつていた。父も母も一日じゆう田んぼに出ていた。それをいいことにして、私は毎日あそびほうけていたといつてもいいだろう。私が今野勇雄と親しくしているということについては、私の父や母はなにもいわなかつた。今野勇雄が学校では「勉強のほうはよくできるらしい」ということも、私の父や母を安心させていたのだろう。私が今野勇雄と親しくしているということを知つていて、母はとくに「今野の豆腐」をひいきにしていたようである。こうして村の小学校時代、私と今野勇雄との交友は三年ぐらい、私が尋常六年を卒業し、高等科にすすむようになつた年の四月までつづいている。

今野勇雄はその年の四月、高等二年を卒業して、村からいなくなつていた。かれの父親の話では、東京の伯父のところへ行つたのだということだつた。

その後、東京に行つたかれからは二、三ど手紙がきたが、その所書はいつもかわつていた。あるときは××粉末石鹼製造所となつていたり、あるときは××新聞店というようになつていたりした。東京で転々として働きながら、神田の夜間商業学校に通つているようであつた。しかし、いつしか、かれからのその手紙もこなくなつていつた。

今野勇雄が東東に出て行つてから、一年四カ月ほどして、私も高等小学二年の一学期かぎりで、村をとびだして上京した。やはり昼間どこかにつとめて、夜学に通うつもりだつたのである。私はそのとき、かぞえ年の十五才であつた。私の無暴な上京に、今野勇雄は直接にはなにも関係していなかつた。しかし私を東京にかりたてたものは、やはり今野勇雄であつたとおもつている。今野勇雄が東京で働きながら夜間商業学校に行つている、ということが、十五才の私のこころを刺激し、東京にかりたてたのだとおもう。

それから東京で、私がかれとめぐりあつたのは、二年ほど経つたやはり夏の暑い日であつた。

上京いらい私も、印刷屋や酒屋の小僧をしたり、新聞配達をしたりしながら、神田の夜学を転々としていた。転々というのは、住みこみ小僧のわずかな給金では授業料がはらえなくなり、退学処分にされる。何カ月かして金ができると、またべつの学校の偏入試験を受けて通学する、というふうであつたからである。正則英語学校、日大附属工業学校、東京高等工科学校等を、転々としていた。そのころの神田には、そういう「苦学生」が無数といつていいくらいにいた。そういう苦学生相手の、いわば「偏入専門」のいいかげんな営利本位の夜間学校なども、相当数存在していたようである。それらの夜間学校を転々としている苦学生たち（もちろん本人自身は、「学歴」の必要なこの階級社会でなんとかなろうとして、必死になつている…）の大部分が農村出の少青年であり、また、そのうちの何パーセントかが在日朝鮮人の少青年たちではなかつたろうか。

そのとき、私はその苦学生活にも疲れはて、夜学に行くのも半ば放棄し、本郷のほうのあるちいさな出版社の配達ボーイにはいつていた。小学生用の国語や算術などのテスト・ブックの小出版社で、外交員が都内の小学校をまわり注文をとつてくる。それを自転車の後ろに山ほどつんで配達してまわるのがしごとであつた。汗だくになつて自転車をはしらせながら、浅草橋の交差点のところまできかかつた私は、街の舗道の角に店を張つている靴みがき（どこにもよくいるれいの街頭靴直し屋）の顔をみて、はつとした。

今野勇雄のほうも、頬に靴墨のついた汚れた顔で、なつかしそうに寄つてきた。かれは東京に出てきてから四年目であつた。靴直し屋だというのにかれは穴のあいたボロ靴をはいて、すりきれたコールテンのズボンをひきずつていた。

その後、私はかれと一しよに部屋借りをしてくらすようになつていた。本所縁町の裏街のドブ川にそつたしもた家の二階だつた。

朝になると、かれは浅草橋に出かけて行き、私は本郷のつとめ先に通つた。夜になると、二人は学校に行くといつて、その二階を出た。かれは深川のほうの夜間商業に行つていると私にいつていたが、私はすでにかれが学校を放棄していることを知つていた。その私も、じつさいは、すでに学校を放棄していた。街頭靴屋や小出版社の配達ボーイぐらいの収入では、食べるだけがやつとで、とても学校には通えないのが実情だつたのである。それなのに「学校に行つている」といい張つていたのは、苦学を目的で山梨の田舎から出てきた二人のかなしい挙栄だつたのだろう。だから、どちらも、そのおたがいのウソにはさわらないでいる、というようなところがあつた。かれが「今夜は休んで、公園に行くか」といくぶん投げやりな調子で呟やくと、私も「うん……」といつて、かれの後から一しよに従いて行く、というふうであつた。

ちかくに縁町公園というちいさな公園があつた。そのだれもいない暗い公園で、かれは夜おそくまでブランコに乗つたりしながら、歌をうたつていた。私はだまつて、公園の芝生のうえに座りこんでその歌をきいていた。たいてい、そのころはやりの流行歌であつた。デイック・ミネという歌手が売り出しのころで、その歌手は日本人のようにおもわれているが、「じつさいは朝鮮人だ」と、かれは私にそつと話したこともあつた。かれは暗い星空をみつめながらいつまでも熱心にうたつていた。かれは、もしかしたらそのとき、「学歴」がなくても「実力」さえあればなれる（?）流行歌手になろうかと、内心かんがえていたのかもしれない。昭和十二年の夏ごろ、かれがかぞえ十九才で、私が十七才のときのことであつた。

——それからまもなく、私と今野勇雄とはわかれわかれになつていつた。おたがいの苦しい生活がそうさせたのである。その後、私も「学歴」がなくてもなれる職業をもとめて、いくぶん大げさにいえば「日本じゆう」転々とした。ある政治的な背景をもつた事件に関係して、終戦まで刑務所にはいつていた、ようなこともあつた。

戦後になつて、私はなんどか、八カ岳山麓の故郷に帰つている。そのたびに私は、今野勇雄の消息について知ろうとつとめたが、不明であつた。戦時中、一ど村にひとりで帰つてきたことがあるが、また村を出て行つた——と語るものもあつた。

いま、何千、何万というかれの同胞たちが、かれらの真の故郷、朝鮮人民共和国に帰つて行こうとしている。その声をきくたびに、私には、かれとすごしたあの少年時代のことがおもいだされてくるのである。そして、ちかく出港するようになるにちがいないそれらの帰国船のなかに、もしもあの今野勇雄がまじつていたならば、私はとおくから呼びかけたいのである。さようなら、尹丙甲！　いまこそ堂々と尹丙甲と名乗つてくらせるきみの国へ帰りたまえ！　きみの子供たちは、授業料滞納の学生証をポケットにかくして暗い夜の公園で歌などうたつていなくてもすむようになるにちがいない国へ、きみの真の故郷へ、帰りたまえ！　と。

文学の党派性と作家の創造的自由

――ソ連作家大会の報告を読んで――

卞宰洙

（一）

第三回ソ連作家大会の内容がぼつぼつ知らされるようになつた頃、ぼくは思うところあつて、手もとにあるのを幸い、次の六つのものをつづけさまに読み返してみた。

最初に、レーニンの『党の組織と党の文学』を読み、次にスターリン『作家への手紙』とジュダーノフ『文化問題演説集』、フルシチョフ『文学、芸術と人民の生活との緊密な結びつきのために』次いで毛沢東の『延安文芸座談会に於ける講話』最後に金日成『作家、芸術家にあたえられる激励の言葉』を読んだ。これらを熟読して、ぼくは共産主義の芸術、文学の基本的なあり方を、改めて、深く知らされた。レーニンの『党の組織と党の文学』は、一九〇五年の第一次革命直後に発表されたものであるが、文学の党派性を、簡潔、明確に規定した重要な論文である。ロシアでは、すでに十九世紀四〇年代後半から、革命的デモクラット――ベリンスキー、チエルヌイシエフスキー、ドブロリューボフ――に、文学をもつて、ツアーリズムを打倒するという自的意識があつた。レーニンの党派性の主張はこうした伝統を、ボルシェヴイキの観点から発展的に継承し、より明確化したものであるとも云えよう。スターリン、ジュダーノフ、フルシチョフ、毛沢東、それに金日成の論旨は、このレーニンの規定を、それぞれの歴史的シチューエーションに照応させ、具体化したものである。一言で云えば、文学、芸術は、プロレタリアートの全体的な事業の中の、一つの構成部分であり、それは人民に奉仕するものなのである。（人民に奉仕するということは、党と人民が一体であるが故に、党派性に直結する）このことは、今更ぼくがここで云うまでもない自明の原則である。それであるのにどうして今またぼくがこの原則を持ち出したかと云えば、今度の第三回ソ連作家大会でこの原則がまたもくり返し強調されていたからである。デテールにたち入ればさまざまな問題はあるが、文学の今日的存在の意味が、この原則に志向するところにあると考えているぼくの理論的帰結に照らせば、今度の大会で再びこの原則が強くうち出されているのは当然に思えた。特に、スターリン比判以後、無原則的な党への批判と中傷が流行し、それと並行して、例えばユーゴのヴイドユールやトショヴィッチのような文学上の修正主義者が現われたり(註)パステルナークにノーベル賞を授与しようとする策動が行われたりしていることを考えるとき、この、文学の党派性をくり返し強調することは必要であると考える。

一九三四年に開かれた第一回作家大会は、ゴーリキーとジュダーノフによつて提起された、社会主義リアリズムの問題と、文学の民族的形式の問題が主要テーマであつた。以来、ソヴェト文学は、その方法を社会主義リアリズムであると規定し、その民族的形式は「内容に於ては社会主義、形式に於いては民族的」なものであると決定された。後に、社会主義リアリズムは、アラゴンの言葉をかりて云えば「芸術家、作家が発展しつつある労働者階級のイデオロギーを受け入れ、社会主義の見とおしの上に立つて、自国民、自民族の歴史的、科学的な認識にもとずいたリアリスティックな芸術を創造していくことが出来さえすれば、社会主義リアリズムは資本主義の国でも可能である」とされ、各国の進歩的文学の方法としても問題にされて来た。

第二回大会は一九五四年に開かれた。この大会では、前大会以後二〇年間に亘るソヴェト文学の成果を汲みとることと、文学創造に悪影響を及ぼした個人崇拝と「無葛藤理論」を一掃し、ソヴェト文学の飛躍的発展を保障することが論議され、作家同盟の民主的な運営方法が確立されて、従来のマンネリズム的な同盟のあり方が克服された。が、社会主義リアリズムの理論的深化は、さしてみるべきものがなかつた。多くの問題が提起され、活潑な討議がなされたが、具体的な方法論としての理論的な成果は見られなかつた。

今度の第三回大会は、壮大な七ケ年計画によつて、その具体的プログラムが提示された、共産主義建設という未曽有の課題に、作家たちが応えるべく開かれた。

(註) ヴイドユールは、ソブェト文学が党の政策によつて束縛され、そこには作家の〃自由〃がないと主張し、社会主義リアリズムを〃法令化〃されたようなものであるとして否定している。また過去の文学が〃批判的精神〃につらぬかれていたと強調するのあまり、文学の党派性までをも否定している。「コムニスト」誌一九五九年二月号で、Bイワノフは「修正主義者たちは文学でどう斗つているか」を書き、ヴィドユール、トショヴィッチに反論を加えている。

この大会の主要点は㈠作家同盟第一書記スルコフの「共産主義建設に於けるソ連文学の任務」と題する主報告㈡主報告をめぐる討論㈢フルシチョフ演説㈣規約改正、の四つである。スルコフの報告は、その性質上やむを得ないのであろうが、一般的、概括的であり多くの作家・批評家から反論された。だが、スルコフ報告は大会で、討議のための多くの問題を提起した。それは㈠現代の焦眉な問題をテーマとする㈡芸術的技量を世界第一に高める㈢修正主義との斗い㈣翻訳の芸術性の問題㈤新人育成の問題、などが主なものである。広汎に亘つた報告の結論は「――われわれは、真に創造的な労働に於ける新らしい偉業に向つて国民を鼓舞しつつある偉大な事業に対して変ることなく忠実であることを、わが国民に誓う」というものであつた。

さて、このスルコフ報告をめぐる討議の中で、ぼくに興味深いのは、パウストフスキイのものと、トワルドフスキイのものであつた。パウストフスキイの、大会では直接語られなかつた論文（文学新聞五月二十日号掲載）を読むと「――いつ、いかなる国に於ても、真の作家は常に人民から学び、人民と有機的なつながりを有していた」と書いている。これはパウストフスキイだけが云つていることではないが、ぼくは二年程前に彼の一幕物を訳したことを思い出したのだ。「モスクヴァからの旅人」と題されたこの作品は、作家を主人公にした戯曲であるが、書かれたのは一九四七年である。四七といえば、作家が、モスクヴァ、別荘、保養地の三角地点だけに住んで人民の生活から遊離している、という批判が起つたときよりも以前である。多くの作家が特権意識をもつて、人民と密着した生活を避けていた悪しき傾向のあつた時代に、パウストフスキイは「モスクヴァからの旅人」を発表したのである。このドラマは、保養地に向う途中で、人民の生活の美しさに触れて、保養地行きを中止し、僻村に止まつて人民の生活にまなぶ決意を固める青年作家を主人公にしたものである。しかも教訓じみた失敗し易いテーマを、彼は面白いドラマに仕立てている。今回の大会でパウストフスキイが、先に送べた主張を、自己の実績に即してくり返したところに、ぼくは注目したい。更に彼は、作家が苦悩や悲嘆や哀愁といつた。生きた人間には当然あるべきこれらを描こうとしない態度を批難し「作家の偽心くらいひどく人間を侮辱するものはない」と論を進めている。文学が芸術であるのは、それが読んで楽しいものであり、創造する者の緊迫した精神状態を読者が同じ次元で味うからである。ともすれば〃越人的英雄〃として、図式主義的に描かれる主人公は、生きた感動も感銘も与え得ない。パウストフスキーは芸術家のみずみずしい眼をもつて、図式主義や、人物の類型化に対して警告しているのである。彼の現代性についての意見には、多くの反論があつた。ぼく自身も若干の異論があるが、ここでは触れない。今まで述べた点に於いては、ぼくはパウストフスキーの論旨を正しいと思う。読者が作品を読んだとき、その主人公が自分と同じような悩みを悩み、悲しみ喜びを感ずる人物であり、その上で彼が凡ゆる人間の模範となるような勝れた人物であるとすれば、読者は自分も主人公のようになれる、と思うだろうし、感動も深いものになるだろう。パウストフスキーは、生きた人間、ロボットでない人間を描かなければならないと云つているのであつて、英雄的な主人公を描いてはならないと云つているのではない。ここでぼくは金日成首相の言葉を引用してみよう。

「わが英雄たちは、昨日の労働者、農民、事務員、学生たちであり、またその子弟である。かれらの豊富な感情と人間性、そしてかれらの持つている思想と信念をありのままに描けば、今日の共和国の英雄たちとなるであろう」この言葉は、多くの示唆をぼくらに与えてくれる。

トワルドフスキーは現代ソヴェトの代表的な詩人の一人であり、一九三九年にはその文学的功績に対してレーニン勲章が与えられている。詩の実作者の立場から、トワルドフスキーは「文学的事業にあたつては先ず第一に、また主として重要なのは質である」と指摘した後に、ゲーテの言葉を引用しながら、作家は外部からの衝動ではなく、内面的な愛着から仕事をしなければならない、と論じている。「そもそも一刻もなおざりに出来ない神精的要求や、情熱をこめた欲求ではなく、表現を柔らげて云えば、職業的な考えでとつたペンから生まれたものに、どんな価値があると云うのだ」（これと同じような主張は、エレンブルグにも見られる。「作家と生活」及び「作家の仕事について」参照）更につずけてトワルドフスキーは主張する「作家の魂の上に立ち、こう書け、ああ書くな、と命令するものは誰もいない。良心の命ずるままに、選らばれた生活部門の知識が、君に与えているところのものを書く。そして前もつて編集者や批評家などを恐れない」と。以上のトワルドフスキーの論旨は一見、文学の党派性の否定であるかのようにきこえる。だがそれは早合点である。彼は、文学の党派性を守るためには、逆説めくが、第一に芸術的に質が高くなければならず、そのためには作家の創造的自由を、党派性の機械的解釈でもつて拘束してはならない、つまり作家の独自性と個性的で自由になる創造がなければ、真に芸術的な文学はあり得ない、と云つているのである。少なくともぼくはそう解釈するし、そうでなければならないと思う。

フルシチョフ第一書記は、二時間にも亘り、熱意をこめて、内容の豊富な演説を行つた。作家は、共産主義建設の戦線に於ける砲兵である、と独特な比喩を用いて作家の役割について語り、人民への奉仕、現実から学ぶこと、人間を信頼すること、等々について語つた。フルシチョフ演説の根底に流れているのはレーニンが云つた「――文学は党のものとならなければならない。――それは一般に共通のプロレタリアの仕事から独立した個人的仕事であつてはならないのである。――文学の仕事は全プロレタリア的仕事の一部・すべての労働者階級のすべての意識的な前衛によつて運転される一つの単一な、偉大な社会民主主義（共産主義）的機械の『車輪とネジ』にならなければならない。文学の仕事は組織的、計画的、統一的な社会民主主義的党活動の構成部分とならなければならない」この原則である。フルシチョフ第一書記は、文学のレーニン的原則を、今日のソヴェト社会へ具体的に敷衍し、文学の教育的役割を強調している。

フルシチョフ演設の中で、文学創造上直接関係がある問題として、ぼくが特に注目したのは「――しかし否定のやせ馬にのつては泥沼の中から抜け出すことが出来ないばかりか、正しい道を更に進んでいくことも決してできないだろう」ということと、文学にはオシヤカは許されない、と云つている点である。ブルジョア文学者たちは、この言葉をもつて作家への精神的圧迫であり、創造の自由を拘束するものだ、と批難するだろう。しかし、共産主義建設という雄大な事業を指導する党と人民とが一体になつているソヴェトにあつては、これは人民の要望であるのだ。問題は党で提起する文学、芸術への要望を、作家たちが、かれらの主体的な立場で、つまり文学の問題として、どう受けとめるかにある。個人崇拝がばつこして、作家が事大主義に陥入り、党の要求に媚びて駄作を並べたのは遠い昔のことではなかつた。文学創造という、複雑で苦しい仕事に対して、原則論のみをかつぎまわり、作家がみずみずしい個性的な創造性を涸渇させてしまうとしたなら、それは文学の死である。フルシチョフ第一書記の演説は、作家自身、それを文学の基本的なありかた、あらわばならぬ原則として受け入れねばならないものであり、かれらもそれを躊躇しないであろう。この原則的な立場に依拠しつつ創作活動を実際に行う場合、ぼくは次のことを十分考えねばならないと思う。つまり、失敗作を書いてはならないという原則が、文学創造に於ける創作方法の探究と実験を許さなくなつてはいけないのである。特に社会主義リアリズムが、文学を実際に創造する具体的な方法論として、理論として、理論的に十分極められていないという現状にあつて、このことは特に注意すべきである。（こう云つたからといつて、ぼくが社会主義リアリズムを否定していると早合点してはいけない、ぼくはただ、社会主義リアリズムに関する文献を手に入る限り読んだ結論として、これが具体的な創作方法論として十分に有効でないと、残念ながら、認めざるを得ないのである）また〃否定のやせ馬——〃ということが、文字通りに解釈されて、何んでも肯定的なものを書けばいい、という図式に陥入ることを恐れる。ソヴェト文学が面白くないと巷説される原因の一つはここらにある。作家は鋭い眼と豊かな想像力によって、誤謬を犯すこともあれば、悲愁にとざされることもある（勿論英雄性を発揮する人物が、である）生きた人間として主人公を描かなくてはならない。更に云えば、現実を忠実に描くことにこだわりすぎて、文学に於けるフィクションの役割や、芸術的な〃楽しみ〃を捨象してはならない。文学の教育的な役割を否定するものではないが、文学が芸術であるためにマルクスが「芸術は、人間が自分自身にあたえる最高のよろこびである」と云った意味の〃よろこび〃がなくてはならない。

　作家の内面的世界には、作家自身が未だ知らざる芸術的鉱脈が埋蔵されている。作家は自身の内面的世界と社会的現実を意識（註）と想像力によって統一的に捉えたとき、自己の芸術的鉱脈をさぐり当て、ペンというつるはしをふるう。これが作家の自由なる創造である。作家は党派性を守り抜くために高い思想性を必要とする。だがその意味は、何も思想性や世界観の鋳型で作品を劃一的に作るところにあるのではない。それは、作家の内面的探究が、外側の社会主義的現実と統一的に把握されるために必要とされるのである。科学が現実的真実を忠実に、ありのままに反映するのに対して、芸術は、現家的真実を、フイクションを媒介として、芸術的に反映する。哲学上の認識論は、そのまま芸術の分野へ持ち込めない。

（註）　文学、芸術の創造に於いては、無意識性が、認められて来た。ベリンスキーも、ドブロリューボフも、この点に触れている。ルカーチは、バルザックを論じつつ、その無意識性を部分的に認めている。だが、現代の文学、芸術の創造は、この無意識性を止揚し意識性を持つところから出発しなければならないと考える。ルフェーブルが一つの試論を展開している。ベリンスキー「レールモントフ論」ドブロリューボフ「闇の王国に於ける一すじの光」ルカーチ「バルザックとフランスリアリズム」A・ルフェーブル「美学入門」参照。

与えられた紙数も尽きかけた。まとまりのないものになってしまったが、結びを急ごう。

かつて、ハインリンヒ・ハイネは、未来の共産主業社会に於ける芸術の運命を悲観的に予見し『ルテーツヤ』の序文の中で『―ああ、未来の社会では、乾物屋のおやじは、おかみたちに私の「歌の本」を包紙にして、コーヒーや嗅煙草を包むであろう」と嘆じた。またブルジョア・ジャーナリズムや修正主義者たちは口を揃えて、ソヴェト文学を中傷している。ハイネの憂いは杞憂であった。ソヴェト文学への中傷者たちは、ソヴェト文学の本質を見ず、あげ足とり式につついているにすぎない。勿論ソヴェト文学にはまだ解決されない問題がある。それは、作品を創ることによってしか解決されない。第三回ソ連作家大会は、ソヴェト文学の輝やかしい発展の展望を与えた。ソヴェト文学に課せられた問題は、単にソヴェトのみにとどまらず世界の凡ゆる進歩的文学に通ずる問題である。ぼくらも、ソヴェト作家大会を詳細に検討することによって、多くを学ばなければならないだろう。文学の党派性と作家の創造的自由、内面的世界と外側の現実との統一、これらの問題は、ぼくが当面する最も大きな課題である。これを、理論的帰結としてだけ受け入れるのでなく、肌のうちがわに、自分のものとして備えるためにぼくはもっと素朴な「書くということは何か」というところから考えて行こうと思っている。

他人の飯

具源健

約五年前、私はM君と二人で私たちの所属していた組織の組織的な事情で、H市に二カ月位仕事をしながらいた事がある。

H市には、その頃「朝、日自由労働組合」と云う組合があつて、その組合は市役所から指定される川の浜辺で、バラスを採取しそれを市役所に売る、そういう仕事をしていた。この組合は、H市に存在する朝鮮人と日本人なら誰でも入る事の出来る協議体の組織だつた。だがやはりその主体は朝鮮人だつた。

私たちは、その間、この組合の仕事をしたのである。

私たちがH市にいた二カ月の中、一カ月はK氏の家に厄介になつた。K氏は、朝鮮民戦（朝鮮総連が出来る前の組織）のH支部の幹部の一人であり、組合の幹部でもあつたから割合に話のわかる人であつた。K氏の家にはマツダの三輪車が一台あつて、その車も組合のバラス運搬の仕事をしていた。K氏の家族は、K氏、奥さん、上の息子、その嫁、年頃の娘、女学生、小学生の息子、まだ学校にいつていない女の子、孫娘、赤ちやんの一〇人で、皆んな好い人だつた。

私たちはこのK氏の家に、飯代はいくらでも心持でよいと云う事で、厄介になつたのである。

私達の仕事と云うのは、砂浜でグリを取り除いた砂とバラスの混つた物を、ハグチでテミに掻き入れ、それを斜につつ立てている金網に振り掛け、砂を落してバラスだけを採取するものだつた。こんな仕事は、女のするような事なのだが、それでも、慣れる迄私たちはクタクタに疲れて案外参つたものである。

私たちが寝泊る部屋は二階で、Kと小学生の息子と一緒だつた。食事は、K氏の家族皆んなと一緒に、大きな長方形のテーブルを囲んで取つた。飯は丼飯だつたが、山モリにはしないで、丼の上が少し曲線になる位にしか盛つてくれなかつた。最も食い盛りの私たちには、その盛つてくれる一杯ではもの足りなかつた。勿論「遠慮しないでもつと食べなさいよ」と云つてくれたが、相手が半分無理矢理にでもついでくれない限り、こつちから丼を差出す事は、どうも気が引けて私たちには出来なかつた。

ある夕食の時の事だつた。私は、小さいと云えば小さい取るに足らない事なのだが、しかしひどく風の悪い失敗をやらかしたのである。当時はこの家も何となく不景気らしく、食卓に魚が載る事はあまりなかつた。そして何時もは、現場の川でK氏の奥さんが昼休みの時間に取つたノリを加工した物や、キムチ（朝鮮の漬物）位のものだつた。私たちは飯を飯べていた。と、めずらしく、私の目の前の皿は塩魚の焼いたのが載つていた。

「やあ、今晩はいいのがあるじやないか」と思いながら、それを箸でつついていた。と、私の隣に坐つていたM君が私を突いたようだつた。だが大体私は鈍感な方なので、それでも尚気がつかずに魚をつついていた。「おい！　やめんか。それは子供のじやないか」とたまりかねたらしいM君が私に声を出して云つたのである。一瞬間、皆んなの目が私に注がれ、私は赤面した。そして皆んなに気まずい沈黙が襲つた。云われて気がついてみると、私は何んと私の横に坐つていたその家の孫娘の魚をつついていたのである。その孫娘は何時もはおばあさんの膝の上か側に坐つているのに、その日はなぜか私の左隣に坐つているお父さんの側に坐つていたのである。

「どうぞ、遠慮しないで食べてもいいのですよ。その子は魚がなかつたら御飯を飯べないんで、仕方なくその子だけには魚を切らさずやつているんですよ」と、気まずい沈黙を破つて、その子の母が云つた。

「はあ」と私はさらに赤面して返事をしたがだから云つて食う訳にはいかないから「この魚はなかなか身が取れんなあ」と独りごとを云いながら手を引いた。その時の私は、文字通り「穴があつたら入りたい」思いだつた。私は残つた飯を大急ぎで掻込み、逃げるように食卓を離れた。


　一カ月近くなつた頃、仕事の勘定があつた。私たちが組合の仕事をして貰う初めての勘定だつた。しかし私たちは、いろいろな事情で大分仕事を休んでいたので、勘定はあまりなかつた。それに、日用品やその他必要な物を買う金を引くと、飯代はたしか三千円だつたと思うが、それしか出せなくなつた。で私たちは「この度は、まずこれだけやつて、次の勘定の時に又やろう」と云う事にした。ところが、K氏はまとめてくれと云つて、受取ろうとしなかつた。云う迄もなく、私たちはそれしか払わないつもりではなかつたが、正直なとこを云うと、内心では「俺たちは個人的な事で来ているんじやないんだから、これで済ましてくれてもいいんだがなあ」と云うような甘い考えがなかつたとは云えない。

　K氏はあちこちで、私たちの事を「最も食い盛りの青年二人が二カ月間も飯を食つて、たつたの三千円とは全くどうかしているよ」と云うような事をこぼしているらしかつた。そして、私たちを自分の家だけに世話させておくのは不公平だと、不平をならし出していた。

　私たちがK氏の家を出たのは、それから間もなくだつた。私たちは、この経験から、人々は金の事は大して問題にしていないように装おうとしていても、実はそれが最も切実なそして基本的な関心事である事、そして、人々が反目し、欺まんし、争い、闘い、苦労するのも元をただせばこのためである事、そしてこの問題に限つてはどんなお人好しでも非妥協的である事、なぜなら、そうしないならば、忽にして自分自身が困るからであると云う。この社会の常識を、あらためて教えられたのである。

読書案内

金達寿著「朴達の裁判」

朴達とサムライ

霜多正次

金達寿の「朴達の裁判」の書評をかけということであるが、ぼくは書評でなく、この雑誌の読者の多くはすでに「朴達の裁判」は読んでいるものと仮定して、つまり紹介的な批評でなく、かつてな感想を書きたいと思う。

この小説からは、いろいろな問題がひきだせるとおもうが、ぼくはとくに、朴達という人物形象の人民性について考えてみたい。

朴達は南部朝鮮の大地主の作男で、出生もさだかでない文盲であつた。二十才のとき八・一五の解放がくるが、かれはもちろんその意味もなにも分らない。

そのうち世間が騒々しくなつて、朴達のまわりでも、いわゆるパルチザンが活躍するようになる。かれはその騒ぎにまきこまれて、まつたく偶然に留置所にほおりこまれるが、それが皮肉にも、朴達を社会、朝鮮の現実に眼をひらかせる契機となる。留置所にはパルチザンがいつぱいいて、朴達はかれらからいろいろなこと（文字まで）を学ぶのである。

こうして、朴達はやがてパルチザンの一人になつていくのだが、こういう状況設定によつて、作者はたんに朴達という一人の人物を描くだけでなく、かれを描くことによつて朝鮮の現実を構造的にうかびあがらせようとする方法上の意図をもつていることがはつきりわかる。

ここに、この小説のリアリズム文学としての方法上の重要な問題があるとおもうが、しかし、ぼくがここで問題にしようとするのはそのことではない。ぼくは、ここでもつぱら朴達の行動、とくに権力にたいするかれの対し方の独自性について考えてみたい。

朴達は、官憲に捕えられると、かれらに怒りや憎悪をぶちまけるのではなく、平身低頭し、もう二度といたしません、とひら謝りに謝る。拷問をされるとウオーンウオーン泣き叫んで、ひたすら許しを乞う。しかしかれは心のなかで舌をだしているのである。かれはただ、一刻もはやくこの仇敵の手からのがれて、仲間たちの戦列に加わりたいばかりにそうしているにすぎない。しようのない奴だ！と検察官が投げだすのを待つているのである。そして解放されると、ただちに活動をはじめる。

朴達のこのような行動に、人民の革命的な行動のある典型がしめされているのではないか、というのがぼくの考えである。こういう行動を、たとえば転向の問題をやかましく論じている日本のインテリゲンチヤは、どううけとるだろうか。おそらく、儒教的、武士的な精神が支配的である日本の知識人にとつて、それはひじように縁遠いものと映るのではないか。

日本はサムライの国である。というのは、ぼくのひごろの感想である。まるでサムライ精神が、日本民族の伝統精神でもあるかのように考えられているほど、日本はサムライの国である。たとえば近代と伝統の相剋などというばあいでも、伝統＝儒教的、士大夫的精神とするのが常識である。

昭和十年ごろからいわゆる日本精神がかつ

ぎだされてきたとき、それはサムライ精神にほかならなかつたが、そしてそれは特攻精神に昇華されていつたが、さいきんまた、日本文化フォーラムあたりで、伝統即和魂の喪失を憂る声がでてきているようである。

しかし、伝統をサムライ精神と単純に考えるのは、なにも右翼的な日本主義者にかぎらない。革命文学を志向しているとみられる吉本隆明なども、たとえば中野重治の「村の家」での、転向した息子にたいする老父の次のようなコトバを、日本封建制の、庶民の底辺の声だとしている。

「転向と聞いた時にや、おつ母さんでも尻餅ついて仰天したんじや、すべて遊びじやがいうて。遊戯じや。屁をひつたも同然じやないかそして。（中略）お前がつかまつたと聞いた時にや、お父つあんらは、死んでくるものとしていつさい処理してきた。小塚原で骨になつて帰るものと思て万事やつてきたんじや……」

これは、日本の庶民の声だろうか。あきらかに、それはサムライの声である。もしこれを日本庶民の底辺の声だとするならば、伝統にたいする否定的評価が生れ、歴史発展の主体としての人民にたいする不信が生れざるをえないだろう。だが「村の家」の作者は、もと小役人でいまは自作兼小地主である老父孫蔵を、単純にそのようなコトバの体現者（つまりサムライ）としては描いていない。孫蔵はむしろ、そのようなサムライ倫理を利用して息子勉次に文筆活動を断念させ、農業で家をつがせようとたくらんでいるのである。ここに孫蔵の、歴史の重みを背負つた生活者としてのリアリテイがある。

そして、この孫蔵諌言にたいして、勉次は「よくわかりますが、やはり書いて行きたいと思います」とこたえている。これは勉次が、転向の恥辱のあとでは筆を折るべきだとするサムライの倫理にたいして、恥は恥とし頬にうかべながらも、あくまで自己の思想に忠実たろうとする実践者の合理的、現実的倫理である。

こういう生活者（実践者）の合理主義、現実主義が、日本の社会では、威勢のいいサムライ倫理よりも尊重されない。そこから、革命運動における決戦主義、英雄主義がでてくるし、運動がなかなか大衆化されない、というのがぼくの考えである。したがつて、このサムライ主義との対決こそ、日本の革命にとつても緊急な課題だとぼくは考えている。

その意味で「朴達の裁判」は、日本の革命文学に（運動にも）重要な問題を提起している、とぼくはおもう。朴達の形象は、これまでの日本の革命文学に、少くなくともこれほど鮮明に、意識的には、ほとんど描かれなかつたものである。

あるいは、朴達の検察官にたいするたいどを、それはかれが革命の指導者でないからだと軽視する人がいるかもしれない。しかしわれわれは、かれが指導者になつたとき、どういうたいどをとるかを、容易に想像することができる。朴達はおそらく、仲間や組織の不利になることは、殺されてもいわないだろう。そういう人間として、かれは描かれている。なぜなら、かれは何よりも、外部の規範（原則や倫理）によつて行動しているのではなく、自己の内部の、最下層の人民としての止むにやまれぬ欲求から、革命運動に全身をなげだしているからである。ここにぼくは、朴達のすぐれた人民的な性格があるとおもう。

サムライの倫理は、いうまでもなく外部の規範である。それは生活者の倫理ではありえない。生活者の倫理が美しく、人間であるための条件、それは何か。その探究、創造こそ日本文学にもつとも欠けているのであり「朴達の裁判」が提出している問題の重要性はそこにあるとぼくはおもう。そしてそのような問題を提起した作家が朝鮮人であつたということに、大きな問題がふくまれているとおもうが、もう紙数がつきた。

（筑摩書房刊・二五〇円）

病気・入院の記

金達寿

去る六月一日、私は妻と張斗植、それからこの日、家にき合わせた兄とにつき添われて、世田谷の関東中央病院なるところに入院した。外科であつた。この病院は、小田切秀雄さんをつうじて、加藤周一さんに紹介されたのである。

　私は病院に入院するのは、生れて、これがはじめてであつた。私は病院というものを好きではない。もつとも、誰も、病気や病院というものを好きだというものはないであろうが、私のそれは、ちよつと極端なほどであつた。しかしながら、私はすでに何人かの医者にみてもらい、近所の医者にもかかつていたが、もはや、どこかの病院に入院するよりほかなくなつていたのである。

「病気？　そんなものは医者というものを知つていて、しよつちゆうそれを気にしているもののはなしだ」――私はさいきん自分の作品（「朴達の裁判」）のなかにこんな文句をかいているが、何も、私はこの文句にギリ立てをしていたわけではない。だが、そんな文句をまるつきり忘れていたわけではなく、そんなこともあつたりして私はどうにも入院するのは気がすすまなかつた。

　第一、私はあの手術というものがきらいである。きらいどころか考えただけでキヨウフにおそわれる。だいたい私は注射さえ、あの針のさきがプスッと肉体につきささるのを、みることもよくできない。まして手術ということになると、それを想像しただけで、全身がぞくぞくして何ともたまらないような気持になる。それにまた、入院するとして、健康保険があるわけではなし、その経費をどうするか。これもなかなかの難点であつた。

　何とか入院などしないで、この病気はよくなつてくれないものであろうか。が、どだい、これは考え方からしてまちがつている。「よくなつてくれないものであろうか」というのはカンネン論であり、神ダノミである。少なくともこれは、「よくなる方法はないものであろうか」とならなくてはならない。とすれば、結局、入院するよりほかない。が、入院は……。

　私はこんなふうに、もう一カ月近くも痛みつづけている腹を抱えて、ひとりとつおいつしていた。妻はもうとうから入院説であつたが、私は拒否権を発動しつづけていた。何ともあの手術というやつが、想像しただけでもたまらない。病気は、胃かいようということであつてみれば、入院をすれば手術をまぬがれることはできない。

胃袋を何分の一か切りとられる。

痛みは依然としておさまらない。食欲は大いにあるが、食えば痛くなるので、食うわけにはいかない。そんなある日、張斗植が何度目かの見舞いにやつてきた。そして彼はねている私の横で、沢之鶴を一本立てておいて飲みながら、お説教をはじめた。

要するに「入院しろ」ということであつたが、それを彼はいいゴキゲンになりながら、しやべり立てるのである。私は「コノヤロウ」と思いながら彼の飲みつぷりをみているよりほかなかつたが、つまり、彼と私はあまり親しすぎるので、彼はそうして飲みながらでもないと、そういうまじめなはなしは、テレてよくできなかつたのである。それで私の方は私でまたどうかというと「うむ、うむ」とうなずいて、「うむ、そうするよ」といつてしまつたのだからフシギなものである。

つづいて、埼玉に住んでいる小原元からは長い手紙がきた。要するにこれも「早く入院しろ」ということであつたが、「たずねたうえいろいろ話すけれど」「貴君の近代医学恐怖病をまずとり除かなくてはなるまい」とこんなことがかいてある。そこで私は気がついたのであつたが、この二人には、妻の方から手をまわしたのである。彼女は私の拒否権に合いつづけて、カラメ手から攻めはじめたのであつた。

いずれにしても、現実として私の腹の痛みは依然としておさまらず、こうして張・小原の連合軍を擁する女房のカラメ手戦法にあつて、しぶしぶ入院を承知した。そこでさつそく妻は、小田切さんの方は去年のことがあるので、井上正蔵さんに電話をして、病院の紹介を依頼したものらしい。ところがその井上はこれを小田切秀雄に相談したので、そうして小田切さんから医学博士でもある加藤周一さんへ、ということになつたのである。

これが六月一日の午前中のことで、間もなく小田切さんの奥さんから連絡があり、午後二時までにこの病院、すなわち前記の関東中央病院へといつて外科の高羽先生の名をいえ、とのことであつた。もはやゼッタイゼツメイ、さいしよにかいたようにして、私はすごすごとこの病院にやつてきたのである。

外科部長の高羽さんという人は一目でそれとわかる気さくな人で「待つていました」といい、加藤周一氏のうわさなどしながら、さつそく、とりあえずかたちばかりの診察をすると、では――、ということになつた。私は二階の病室へつれていかれて、そのベッドの人間となつた。ああ、ついに！

が、同時に、私は別な、ほつとするような気持をも味わつた。つまり、これで私は、外の社会のいつさいの責任からは解除されたという気持である。おれはもう、こうなつては、何をしようとしたところで何もできはしないんだという無力感であつたが、それが一つの休息感となつて私をやすらかにした。

間もなく妻や張斗植たちはかえつてゆき、入れかわりに井上正蔵夫妻がやつてきた。井上さんも胃をこわしていることを話し、「レントゲンでみてもらわなくてはならないが、あのバリュームを飲むのがいやでガマンしている」というようなことをいつた。

「いや、ぼくは、そのバリュームならいくら飲まされてもかまわないが、あの手術がね……」私はそういつただけでもう、自分がいよいよその手術台の上に横たわるのかと思うと、身内がぞくぞくっとした。が、この説にたいして、井上正蔵の方はまるきり反対であつた。

「いや、手術なんか」と井上はいつた。「あんなものは何でもないよ。そんなものは痛くもカユくもない、ぼくは手術だつたらよろこんでするよ」

「そうかなあ」しかし、私は井上正蔵のこのことばで、少しはほつとなるのを感じた。「そうかなあ、そういうものかなあ」と。

　ところで、この夜、私はもうれつな激痛におそわれた。この一カ月ばかりのあいだ、ナジミとなつていたそれである。私は家にいるときはこの痛みを恐れてほとんど何も食べなかつたものであるが、病院へ入つたからには、病院のだしてくれるものならいいだろうというので、夕飯をみんな食つてしまつた。食欲はあつたから、待つてましたとばかり、たちまちキレイに平げてしまつたのである。もつともそれといつても、おカユなるものに野菜少量にすぎないものであつたが——。

　もちろん、すぐ痛みがきたわけではない。そのまえに、小田切の奥さんが寝衣を買つてきてくれた。私は、奥さんのもつてきてくれたその寝衣を心から感謝していただいたが、同時に内心では「ははア」と思つた。というのは、これはあとでかくけれども、去年のさわぎのときに、奥さんは私が寝衣なしでねているのをみたのである。

　事実、私は寝衣というものをもつていなかつた。寝衣一枚買えない、というわけではなく、それをつけてねると足下にからんでねづらいところから、なしでとおしていたのである。ところが入院をするとなると、そうはいかない。まさか、サルマタ一枚で病院の廊下をいつたりきたりするわけにもゆかない。それで私は家の近所の永井潔さんから着物を一枚借りてきていたが、つまり、小田切さんの奥さんもこの私と同様の心配をしていてくれたわけである。

　それだけに私は、奥さんのその好意が身にしみてくるようにうれしかつたが、同時に内心では一つの苦笑を禁じることができなかつた。「寝衣をもつていない朝鮮人」「おそらく、寝衣を見舞いとしてもらうのはおれぐらいなものではなかろうか」と。

　だが、私はこの寝衣をつけてみることもできぬうちに、もうれつな激痛におそわれなければならなかつた。つぎつぎと痛み止めの注射を打つてもらつたが、この痛みはほとんど一晩中つづき、ちようど三日間、これがくりかえされた。急に食欲が打つて変つたようになくなつてしまつた。食事ときいただけで、胸がむかむかした。そして気がついてみると、体じゆうが真つ黄色になつていた。眼球も黄色くなつている。

　病院ではじめ、私が入院した翌日あたりレントゲン検査をしたうえ、ただちに手術、——というふうに考えていたらしかつた。ところが私はこんな始末で消耗がはげしく、その検査を受けることができなかつたので、まえにS診療所でとつてもらつたレントゲン写真をとりよせて、とりあえずそれをみてもらうことにした。

　すると、すぐに外科部長の高羽先生が病室へとんできた。それはまつたくとんできたという感じで、「加藤周一さんの電話番号を知らないか」というのである。「何ですか」ときくと、この病院への直接の紹介者である加藤さんに私の病状を知らせるのだという。つまり、高羽先生はいうのであつた。

「いまあなたのレントゲン写真をみましたがね。医者はこういうことはなかなか本当のことはいわないもので、私は、あなたの胃袋におデキでもできているのではないかと思ったのですよ。ところがこの写真をみると、それは何でもない」——私はこれをきいて、ちよつとぞつとした。先生は、私を胃ガンではないかと疑つていたのである。

「ジョ、ジョウダンじやありませんよ。それなら加藤周一さんよりまずぼくに知らすべきだ」と思わず私は声にでるところであつたがしかし、これはうれしい知らせであつた。私の病気はもちろん胃ガンでもなければ、胃かいようでもない。何とそれは、肝ゾウ炎・黄ダンだつたのである。

そこであらためて私は内科部長の杉下先生の診察を受けて、五階の内科へうつされることになつた。ああ、何というアクウンの強い奴、これで私は、あの想像しただけで身内のぞくぞくする手術からはまぬがれたのである。ただ心残りといえば、せつかくなじみはじめたさいしよに紹介された外科の先生や二階の看護婦さんたちとわかれることであつたが、しかし内科の先生や五階の看護婦さんたちも、この病院にふさわしく明るい親切な人たちであつた。

——以上を、私は七月にかいた。そしていまは十月の末である。どうしてこういうことになつたかというと、私はこれを本誌「鶴林」へのつもりでまた入院中の病院でかいていたのであるが、途中、八月に出る予定であつた本誌の続刊がアヤシクなつた。

そこで私は七月二十五日に退院するとともにほかの仕事にとりかかつて、これはそのままになつていたのである。はじめの考えではこれは以上の枚数のちょうど倍ぐらいを予定し、私はここでもつといろいろなことをかくつもりであつた。何といつても死というものとは近い場所にある病院で考えたことや、そして読んだものの感想など——、それからまた、私はこの入院にさいして多くの先輩や友人たちの世話になつたが、それもかきたかつた。

すでに少しはふれているように、私は本当にこられの先輩や友人たちにずいぶん世話になつた。私がいまは無事にこうして自分の家の机に向つてこんなことをかいていることができるというのも、これらの人々のおかげであるといつてそれは決して過言ではない。たとえば小田切秀雄さんであるが、小田切さんには、昨年もこれでひどい厄介をかけている。

私がこんどの入院にいたるさいしよの腹痛をおこしたのは、昨年の四月のことであつた。それも夜なかの午前二時ごろになつて、突然、七転八倒の発作をおこしたのである。やつと近所の医者がきてくれたのは五時近くになつてであるが、ところがどうしたのか、その注射もきかない（あとでわかつたけれどもこれはタイヘンな医院で、その注射液がなかつたものだからデタラメに何かを気休めに注射したのだつた。ついでにいうとこの医院はつぶれていまはない）。そのためにこれは？　となすところなくビックリした妻が、小田切さんに電話をしたのであつた。そこで、まだ五時をやつとまわつたばかりの早朝だというのに、小田切さんは医者である奥さんをつれて、遠い目黒から車で駈けつけてくるというさわぎを引きおこした。

そうして今年もまたこの小田切さん夫妻に厄介をかけることになつたのであつたが、こんどはいつそうわるいことに、これは小田切さんばかりにとどまらなかつた。私は入院をすると同時に健康保険の方を何とかしなければならなかつたので、日本文芸家協会事務局長の堺誠一郎さんに厄介になつた。ここへ妻といつしよにいつてくれたのは西野辰吉であつたが、困つたときの神ダノミとやらでまことに虫のいいたのみであつたけれども、しかし堺さんは終始親切にことをとりはからつてくれたばかりか、過分の見舞いまで妻にもたせてよこした。このさいまた、文芸家協会理事長である丹羽文雄さんにも世話になつた。

それぱかりではない。ちようど五十五日、二カ月近い入院でこの費用は私にとつては相当莫大な額であつたが、これもまたそれのほとんどを、これらの先輩や友人たちのカンパによつてまかなうことができたのである。つまり、これをまかなつてくれたのは私の加わつている親睦会である二日会（井上正蔵、小田切秀雄、杉森久英、田中険隆、塙作楽）、ろくろく会（浅見浩、小原元、神田正夫、窪田精、久保田正文、佐藤静夫、高田新、当間嗣光、西野辰吉、藤川徹至、水野明善）、それから本誌「鶏林」をつうじての人々（朴三文、全致五、徐鐘実、裴秉斗、尹紫遠、李聖雄、尹鐘善、姜徹、姜魏堂、李相駿、趙鏞甲、張斗植）などであつたが、このほかにも多くの人々、未知の読者を含む百人近くの人々が見舞いにきてくれた。

なかでも特に、病院に近くに住んでいる北林谷栄さんは、私がそこに入院していると知つてからはほとんど連日のようにきてくれたものである。物心両面で、ずいぶん厄介をかけた。栄田清一郎、張東元、島田広などといつた人々にも心配をかけたが、私はこれらの先輩や友人たちの好意を忘れることはできないであろう。

さいごに、中野重治さんと佐多稲子さんから手紙をもらつたが、中野さんの手紙にこんな文句があつた。「病気がまた具合わるくなつて入院したことを知らずにいました。年令的にも大事をとるべき時へきていると思う」——私はこの「年令的にも」というところでどきつとした。ああ、おれもそういうふうにいわれるようになつたか、と「何か用事があつたらいつてくれ給え」ということばで結ばれているこの手紙を、私は何度もよみ返したのである。

まさにそのとおり、私は気をつけなくてはならない。私の体のことはともかくとしても、もしまたおなじ病気でこういうことになつたとしたら、これらの先輩や友人たちにたいして申訳ないと思うのである。合わす顔がないというものである。

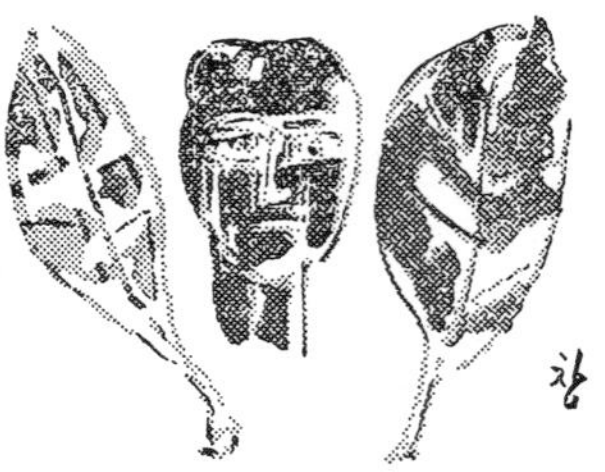

うぶごえ

尹紫遠

十月のすえにしてはたいへん底びえのする朝だつた。

北向きのうす暗い部屋の窓ぎわに、肌着が二、三枚でれんと干されてある。ときどき、ふとい雨あしが北風にあおられてガラス窓をたたきつけた。その窓の下の茶ブ台兼用の座机に、李俊吉とその妻の螢子がならんで、朝の食事をしていた。

螢子は大きな腹に茶碗をのつけている恰好で、ひじようにゆつくり、何かを考えて食べている。その螢子とはおよそ逆の動作で、俊吉はドンブリの飯をかき込んでは、わきのボストンバッグをちらつ、ちらつと見やつては、飯をかむ速度をゆるめて、ちよつと考え込んだりする。俊吉のその動作に螢子は探るような視線を投げていた。

雨はいくぶん小止みになつた。俊吉はスカラック（朝鮮の匙）をおくといつしよに立ちあがつた。そしてズボンのベルトをしめ直すと無言のままボストンバッグをひつさげて玄関の方へ踏み出した。

「なさけない。あなたが、そんな、そんな卑劣な人とは思わなかつた」

それまでの沈黙をやぶつて、螢子は低い、絞り出した声で言つて両掌に顔をうずめて泣きだした。

「卑劣な人」悲痛な妻の語気に、俊吉はドシンと胸をつかれたように踏み出した足をそろえて突つ立つている。

「いくら困つたからつて、そんな、預つてる他人の物を売りに行くなんて、そんな、ひとの信頼を裏切つて、なさけない」

螢子はさいごの「なさけない」に特別の力をこめて言つて、顔をうずめた両掌の甲をたたみにすりつけた。

「何を言つてるんだ」

俊吉はふり返りながらぶつきら棒に言つた。そして、いきおいよく持ち上げたボストンバッグをおろすと、いかにもひつこみのつかぬ表情でそのそばにすわつた。

「おい」

「――」

「おい、螢子！　潔癖だけでは生きていかれない場合があるんだ。きみが泣くほどぼくは卑劣な人間でもないし、ひとの信頼を裏切るような背徳漢でもないつもりだ」

俊吉はせいいっぱい感情をおさえて説ききかせるふうに言った。けれども螢子はうなづかない。彼女にはどうしても俊吉の行為が納得できないのだった。螢子は不意に上体をおこすと、両手を下っ腹に押しあてた。背のびするらしい胎児の重苦しいうごきに彼女はびっくりしたのだった。

俊吉はにがり切った顔で立ちあがった。そして、さきほどしまった立机の抽出から四つに折りたたんだ原稿用紙を一枚とり出した。

それは、俊吉が起きぬけから今しがたまで一冊ごとに、書名、発行所、著者の名を丹念に書きとめてはボストンバッグにつめ込んだ本の目録だった。

その本はぜんぶ金英哲の物で、英哲にたのまれて俊吉が預っていたのだった。俊吉が金英哲と知合ったのは、日本の敗戦直後、朝鮮人経営の新興夕刊紙〃日報世界〃の記者をしていた時分であった。ぜぜひひ主義だったこの〃日報世界〃は、容共的とみなされ、用紙割当などにもたえず巧妙な手かげんが加えられ、とうとう五年目につぶれた。そのまえの年の九月に「在日本朝鮮人連盟」が解散させられた。

日刊十万部の〃日報世界〃がつぶれたのは、経営面のかずかずの不手ぎわの結果でもあったが「在日朝鮮人連盟」の解散による深刻な打撃をうけたことも事実だった。どうじに、それは、在日朝鮮人の実生活を根もとからひっくり返したものだった。ことにインテリ層の生活状況は、かつて無い袋小路をたどる一方だった。就職どころか、電車賃やタバコ銭に困らぬ者は大ブルジョアーとさえ言われた。

金英哲は南朝鮮へかえることになった。日本に生活のよりどころの無いことも理由のひとつだったが、彼は特別の使命をになっていた。彼は南朝鮮を経て、やがて北朝鮮に向うとハッキリ俊吉に語った。そのとき、大型の竹行李のふたができぬほどの書籍を俊吉に託しながら、

「大防へ行ったら送り先と送料をおくりますから面倒でもきっと送って下さい。僕にとっては貴重な資料ですから」

と二度も念をおした。密航で来て密航でかえる彼には何そう倍もの旅費が要るのだった。大阪には自分の親戚がいるから、そこまで旅費を工面する。書籍も大阪のその親戚に預けておけばまちがいなく本国の自分の手許にとどけられる、と笑いながら、しかし、自信ありげに言った。

半月ほどのちに五百円に本の送り先をしたためた英哲の手紙が来た。やっと闇船賃ができたこと、大阪には自分のような同胞がうようよしていること、この手紙を最後に日本を去ってゆく、というような走りがきのあっけない内容だった。

俊吉はさっそく国電エビス駅に竹行李を背負い込んだが、目方が十キロ以上もこえていて、はねっけられた。俊吉は駅員の前で汗をふきふき荷造をしなおした。それでも送料は四百六十円だった。余った本は送料ができしだい送ろうと思い、間借りの部屋にかえると俊吉はぶつぶつ言いながら荒なわにくくられた部厚な本をハトロン紙につつみなおして押入にしまっておいたのだった。

だが、俊吉の現実は送料どころではなかった。片道五円の電車賃がなくて、祐天寺から線路づたいに自由カ丘、大岡山、渋谷あたりまで往復歩く方がおおかった。おまけに螢子は臨月に近づいてい

た。どんなにもがいてみても朝鮮人をやとう日本人はいなかつた。朝鮮人商社はおなじ朝鮮人をきらつてなおやとわない。まれに同胞の通信機関などに籍をおいても、まともに月給をくれるところはなかつた。

俊吉は本気でクツみがきになろうと考えた。彼は銀座や渋谷あたりで顔のキク朝鮮人の知人らに何度もしつこくたのんでみた。けれども、誰かが廃業でもせぬかぎり、こんりんざい場所にありつけない仕組になつていた。

その朝、俊吉は七時半ごろ目をさました。螢子をゆり起しておいて、彼はなお寝床の中でぼんやり雨の音をきいていた。螢子はいかにも大きな腹をもてあましている風に、押入の前に七輪をおき、タキツケや消し炭だけで飯をたきはじめた。配給の木炭がとれないのだ。

つぎだらけの黒のうわつぱりひとつで押しとおしている妻のあけくれを、俊吉はいつになくしんみり考えていた。自分のような朝鮮人ではなく、おなじ日本人と結婚したならば、もう少しましな生活がいとなまれるであろうに、なぜ螢子は一切の反対を押切つて自分と結婚する気になつたのであろうか? 三度三度のおかず代にさえことかきながら、それでも彼女は幸福なのであろうか? おれはまた、なぜ日本人である螢子と結婚したのであろうか。骨がくさつても日本の女とは結婚しない、とつねづね公言したこのおれが——。しかし、いまでは彼女との結婚生活を誇にさえかんじている。それは、民族をこえ、偏見や因襲を絶つて、純正な愛にむすばれているという自覚だが——。いつたい、民族と個人の幸福とは、いかなる関係にあるのだろう。

俊吉の考えは妙なぐあいに飛躍していくのだつた。彼はうつぶせになると、みじかい吸いがらに火をつけた。と、不意に、送り残してある金英哲の本のことが彼の頭にうかんだ。それはまつたく彼の念頭から忘れ去つていたことだつた。

(そうだ、あいつを売りとばそう。金さえできれば、いつでも買いもどせるんだ)

俊吉は重大な用件を思い出したように、ふつと起き上つた。そして、しきぶとんごと二つに折つて部屋のすみへずらすと、押入から英哲の本を二度かかえ出した。螢子はけげんな顔をした。その螢子をうしろに俊吉はちゆうごしにすわると、三つあるハトロン紙のつつみをバリバリ破つた。そして、なるべく金目になりそうな本をえらび出しては、

一、露和辞典　岩波　八木貞利編
二、経済学批判　叢文閣　宮川実訳
三、資本論遺稿　研進社　淡徳三郎訳

という風に十九冊ぬき出してボストンバッグにつめ込んだ。

螢子は俊吉の底意が手にとるように判つていた。けれども自分からそれにふれるのは、どうはらだつた。俊吉からひと言あることを彼女はじりじり待つていた。しかし、俊吉は黙つて大急ぎで飯をかき込むと、そのまま出かけようとするのだ。彼女は俊吉をほんとうになさけない男に思つた。すくなくとも自分のえらんだ夫の俊吉は、どんなびんぼうをしても、もつと高潔な人間であるべきはずであつた。彼女はたえられなくなつて、「卑劣な人」「なさけない」という言葉といつしよに泣き出したのだつた。

「おい、みて見ろ。いまにちやんと買いもどすためにメモした奴

だ。ぼくはちょっと質に入れるつもりでね。つまり一時、利用するわけだ」

「――」

螢子は眼の前にぱらっとおかれたそのメモを申訳のようにながめている。俊吉は妻の放心したありさまを怒ったような、いたわるような顔で見つめている。俊吉は「卑劣な人」と泣き出した妻の清潔を高くかいたい反面、自分の行為のうわつ面だけを責める彼女に言いようもないわびしさと、腹だたしさをおぼえていた。

「おい、わかるだろう?」

俊吉はふつうの調子で言つた。螢子はかすかにうなづいた。

「いまにきつと買いもどすぜ」

ボストンバッグを重たそうに持ちあげながら、俊吉は快活にこう言つて雨の外へ出かけて行つた。


大岡山の〃洋和堂〃で英哲の本を売つた。俊吉の見つもりとは二千円ちかくの差額で、千六百余円だつた。

「これでも高く買つた方ですよ。おなじみですからね」

やせた坊主頭の〃洋和堂〃の主人は老眼鏡をかけなおして言つて、海綿に指さきをぬらしては百円札をゆつくりかぞえた。俊吉はがつかりした顔をした。しかし、けつきよくはその百円札十六余枚をむぞうさにズボンのうしろのポケットにつつ込んだ。

かるくなつたボストンバッグをさげて、中目黒の部屋に戻ると、螢子は床をのべてやすんでいた。

「風邪でもひいたのかい」

「いいえ」

螢子はいくぶん上気していた。しかしようすはふつうだつた。

「ねええ」

メガネのくもりをふいている俊吉に、内緒ばなしの時のように螢子がよびかけた。俊吉がきよとんとした顔で腰をかがめてゆくと、螢子も肩をうかして、

「へんなおり物がありましたの。あなたが出ていらしてから間もなく、それから今しがた。二度!」

螢子は言いおわると恥しそうにふとんに顔をかくした。

螢子は産気づいているのだつた。初産の彼女にはそのおり物の性質が判らないのだつた。俊吉にはなおさら見当がつかなかつた。予定日まではまだ半月以上のあいだがあつた。彼らはぜんぜん産気には思いおよばなかつた。

「今までもそんなことがあつたのか?」

「いいえ。でもご心配にならなくていいわ。すこし休んでいたらきつと止ると思うの」

「うごきすぎたんだ。ゆつくり寝ていろ。それから起きたら配給の炭をとれよな」

俊吉は螢子の枕もとに千二百円をかぞえておいた。それから窓をあけて雨のぐあいをしばらく眺めていたが、

「ぼくはすこしまわつてくるよ」

「この雨の中を?」

「うむ。雨の中をゆくとね、気の毒がつて買つてくれる場合があるんだ」

俊吉はそういう自分をこつけいそうにフフフーと笑つた。螢子は上体を起し、枕もとの札束に左の手をのせ、

「買いもどすとなると、たいへんな額になるでしようね」

と英哲の本のことを言つた。

「たいしたことはないさ」

俊吉は螢子のその言葉をたたき散らす調子で言つた。それから彼はクツ下をはきかえ、手拭をたたんで左の腰にはさんだ。

俊吉はさいきん上梓された朝鮮人の友人の詩集をうりに歩いているのだつた。版元には百五十円の定価半分納めればよい約束で、十日ほど前に十部もつて来たのだが、彼の脇にはまだ六部がきゆうくつそうに、はさまつている。二日に一部、三日に一部ぐらい売つたのでは、うごきがとれなかつた。だから俊吉は足代のある今のうちに大いに馬力をかけて、その金はそつくり版元へ納め、また十部から二十部借りだす目算だつた。

自由カ丘から大井線にのりかえ、大岡山をすぎてゆくと、桜並木の向うの〃洋和堂〃の横看板がはげしい雨にたたかれていた。窓のしずくでゆらゆら見え去るその看板を、俊吉は顔を斡めにながめやつた。「なさけない」「人の信頼を裏切つて」螢子の言葉がまたしても彼の脳神経をぬいはじめた。（あれほど念をおされた英哲の大事な本を、おれは売りとばしたのだ。買つて返せばそれで済む問題だろうか）後頭部をつめたいガラス窓にゆられながら、俊吉はその朝からの自分の行為をふり返つていた。（計画的にやつたわけじやない。悪意からでもないんだ）俊吉はこう自分をおちつかせてみた。しかしいかほど巧みな自己弁明も、それは破れん恥な行為をまぬがれなかつた。

俊吉の心はうつとうしいその日の天候のようにじめじめした。大井町行の電車に乗つていながらまるでその逆をつつ走つている気がしたり、直線を走るべき電車が急にひじような速力で円を描くかと思うと、梯子でも起すように車輪の前方からレールをはなれ空をつき上つてゆくへんな幻覚に俊吉はおそわれたりした。

俊吉は大井町駅前の朝鮮人商店街へ入つて行つた。ほそい路地はどぶドロをぶちまけたようだつた。軒並飲食店で、慶州軒、木浦屋密陽館、というふうに経営者の出身地名を無感覚に染めぬいたノレンが、かえつて郷愁をそそつた。

俊吉は逃げ込むように〃慶州軒〃のノレンをくぐつた。坪半ほどの店には誰もいなかつた。二階への階段のはみ出ているところに、はでなクツが五、六足、らんざつにぬぎすてられてある。

（ははア、例の連中だな）

俊吉には直感でそのクツのぬしらが判るのだつた。〃日報世界〃にいたころ、俊吉はよく友だちや、まれには日本人の友人をこの〃慶州軒〃にさそい込んだものだつた。ここは、おかみの手並がよくて、牛の臓物などをなかなかおいしくたべさせた。それは辛味噌を濃いめにとかし、ニンニク、しようが、棒ねぎのミジン切りにゴマ油などで味をつけ、手ごろに切つた臓物をその中に入れ、手でもみ込んだ奴を焼くのである。

俊吉たちは七輪をなかに車座になると、焼ける間がまどろつこくて、けむりのもうもう立ちあがるアミから半焼の奴をつまみ出してはフウフウ吹きふきながら頬ばり、舌の先でくるくるまるめてのみ込むといつしよにカストリやドブロクをあおつたものだつた。

そのころからこの〃慶州軒〃の中二階には若いへんな連中がごろごろしていた。へんにひとの視線をさけたり、何かこそこそ言い合つたり、おどろくような札束をとランクからつかみ出したりするところなど、極悪のヤミ仲間にちがいないのだつた。

「誰もいませんか」

二階を見あげて二度朝鮮語でくり返したが返事がない。俊吉は新聞紙につつんだうるべき詩集を渡し台におき、ひざまでまくり上げたズボンのすそを両手でおろした。

「誰もいませんか」

大きな声に力を入れて三度目を言つた。

「アイコ、李さんじやありませんか」

階段の上から顔をつきおろすようにしておかみが言つた。

「このへんの人は耳がないと見えますな」

俊吉は口を大きくあけて笑いながら言つて丸い板のイスにかけた。おかみはおりてくるなり、散らばつているクツを下駄で蹴つてすみへよせながら、

「雨んなかをよく来ました。李さんなんかどうして暮していますか。朝連が解散になつたせいか、商売はまるつきりできないし、貸しはとれないし、アイコほんとに死にそうです」

きいきい声でながながとこぼした。そして粗末な食器棚がまる見えの調理場？へ入つていつた。日本のモンペイの上にチョコリ（上衣）を着、髪の毛はばさばさに乱れ、顔も洗つたかどうか、いつさいがむき出しである。そのおかみにどうして詩集をうりつけようかと、俊吉はいろいろに考えていた。

「アイコ、朝鮮人のためにやつていかれませんよ。どうしてみんなそうなんでしようね？」

おかみはメンタイのつまみ物を俊吉の前において、ぶすつとした表情で言つた。それから、東萊の洪さんには七百円、仁川の崔さんには三百五十円、馬山の金さんには百五十円、浦項の張さんには二百三十円に現金八十五円の貸しがある、とか、俊吉には訳のわからない人の名前や、その人物の特徴、年令などをぷりぷり言いちらした。俊吉はしきりにうなづいていた。というよりうなづいてみせていた。つまりおかみの言いたいことは、同胞だと思つて貸すと、それきり顔を見せない人が多くなつて来た。それもはじめから金がないと断つて飲むのなら手かげんのしようもあるのだが、へべれけになつてから「悪いが持ち合せがない」とくるのだ。だから金の無さそうな顔なじみが店にあらわれると、彼女は内心ひやひやするのだつた。と言つてかまわないわけにはいかないのだつた。

「カストリ？　どぶにしますか」

おかみはおなじぶすつとした口調で言つた。彼女にとつてはこんな俊吉など束にしたよりも、二階にごろごろしている連中の方がはるかに実入りがあつて、ありがたい客なのだつた。

「そう――、じや、どぶを一杯」

俊吉のわるいクセだつた。わるいクセというより、彼の性格の軽はくな一面をあらわしたのだつた。後悔するクセに安々と相手にうごかされる。彼はなにもどぶろくを飲むためにわざわざ雨の中を大井まで出向いて来たわけではなかつた。〃著者がいま病気でたいへん困つているので、友人らが手分けをしてその詩集を、こうして売りに来たから〃というウソを言つて詩集をうりつける目的で来たのだつた。俊吉も「どぶを一杯」と言つたしゆんかん、しまつた、という顔つきにはなつた。それはうかうかどぶを注文した後悔と、詩集を買つて下さいという言葉がノドにひつかかつて、どうしても声になつて出て来ない自分へのじれつたさの表象だつた。

（ようし、ひとくち飲んだら言おう）

あふれるばかりにつがれたどんぶりに俊吉が口をあてにゆくと、おかみはとんとんとんと二階へ上つてしまつた。俊吉は拍子ぬけがした。


東横線の中目黒の駅の時計が午後六時をさしていた。まつすぐ帰るには気分的にはんぱな時間だつた。俊吉は出かける時のままの詩集をわきにはさみ、しばらく改札口のすみに突つ立つていた。朝からの雨なのに、雨具を用意してつとめがえりの父か、夫か、兄を待つている女たちがそこここにかたまつていた。俊吉は妻のおり物のことを思い出したが、大方よくなつたのであろうと別に気にとめなかつた。それよりも四、五部は売るはずの詩集を一冊もうつてない。

（そうだ。島田を訪ねてみよう）

不意に思い出したのである。俊吉は祐天寺の方へあるき出した。

島田は日本人で、かつての詩の同人雑誌時代の仲間のひとりだつた。細君の咲子も島田と恋愛時代から知つていて、彼らの結婚披露同人会は俊吉が中心になつて盛大をきわめたものだつた。

島田が戦争にかり出されて間もなく、俊吉は朝鮮へかえつてしまつた。それきり彼らの互の消息はたえた。日本敗戦の翌年の暮、横浜駅のフォームで彼はばつたりめぐり会つた。そのころ俊吉は〃日報世界〃にいて、毎日夕方から横浜の印刷所へ校正に通つていた。

エビスの島田の家は戦災で無くなつたが、咲子は元気で、長男が五つで病死した。いまは祐天寺の裏に家を買い、以前とおなじ謄写機や印刷を可成り手びろくやつていると、その時島田は俊吉に語つた。その後用紙難にあえいでいた島田に、俊吉は一切ならず社の連中に内緒で紙をはこび出してやつたり、仕事や得意のお話など、できるだけの便ぎをはかつた。けれども俊吉は島田のいまの家を訪ねたことはなかつた。ただ祐天寺うらの警察寮の近所とだけききおぼえていた。

祐天寺の墓地のわきの道はことさらに暗かつた。降りしきる雨の音と、ばさつばさつとひびく俊吉のクツの音のほか、人つ子ひとり通らない。俊吉は数年ぶりで訪ねる友人に手みやげのひとつはおろか、詩集をうりつける目的でゆく自分に、口をゆがめて苦笑した。

墓地のわきをくだつて右へ三丁ほどに警察寮はあつたが、島田の家は見つからない。道が猛烈にぬかつていて、まつ暗で、まわりにほとんど家が建つて無い。俊吉は遠い明りをたよりにあつちへ行き、こつちへもどつては島田の家をさがしたが、わからなかつた。

俊吉は根がつきた。番地も何も知らずにただ見当をつけて来た自分に、俊吉はたいそう腹をたてた。

俊吉は祐天寺から渋谷へ出ると、ヤキトリ屋で焼酒を三杯、わざと長い時間をかけて飲んだ。しかし、彼の頭はかえつて冴えかえるばかりだつた。

十一時ちかく俊吉は自分の部屋にもどつて来た。螢子は七輪のそばにうずくまつていた。

「まだ起きていたのか。ひでえ降りだ」

「おそうございましたね。ごはん召し上るでしょう」

「いや、いらん。あれ、なおつたか？」

「いいえ。だんだんあいだが近くなつて、量も多くなりましたの」

「うーン。あした、赤十字へ行つてみるんだな」

螢子は月に一回日赤産院へ通つていた。だから螢子のおり物はお産とは別な生理現象と俊吉はかるく考えた。彼はタバコ盆と夜中目がさめた時によむ本を枕もとにおいて床にもぐり込んだ。

「おかしいわね！」

螢子はひとりごとを言つて便所へ行つた。

俊吉は体があたたまると夕刊を顔にかぶせたまま眠つてしまつた。

「ねえ、あなた」

「うるさいな」

螢子は俊吉をゆすぶつた。

「へんですよ。生れそうな気がします」

「生れる？」

俊吉はバネ仕かけみたいに上体を起して、

「予定日はいつだ」

「来月の九日ですが、おり物がひどくて、痛んできましたの」

俊吉はとび起きた。言いしれぬ緊迫感を顔いつぱいに、

「よほど痛むのか？」

「まだそれほどではありませんが、十分おきぐらいにさしこむように痛くなつてきますの」

ざあーと叩きつける雨の音と往来の電線の鳴るひびきがビュービューきこえる。

「よわつたな」

俊吉はあわててズボンをはきながらおなじことをくり返した。

「とにかく用意だけしましよう」

螢子はかえつて俊吉をおちつかせる調子で言つて、押入からふろしきづつみを三つとり出してひろげた。それは彼女がひとの服を裁断した時の端切で、まんぞくにつかえる物はなかつた。

「ほんとうによわりましたわね。産着になりそうな物はひとつも無いわ」

螢子は下つぱらに両掌をつよく押しあてて言つた。俊吉はまつたく途方にくれた表情である。お産の準備といえば脱脂綿にガーゼの配給、赤いモスの裾まわしを利用して螢子が縫つた綿入が一枚あるだけで、産着ひとつない。口ぐせのようにお産の支度、お産の支度と言い合つてはいたものの、とてもそこまで手がとどかなかつた。

新しい生命は突如として訪れようとするのだ。せめて宵の口だつたならば何んとか手のほどこしようもあつたであろうに、真夜中で、ひどい雨と風である。

「わたしの肌着を断ち合せて産着だけつくりましよ。あとは病院で借りるわ」

痛みがいつとき去ると、螢子はせき込んで言つて、

「そうそう、丁字帯とわたしの腰巻が必要だけど」

と考え込んだ。入院して廊下をあるく時の羽織いちまいほしいのだつた。しかし彼女には寝巻のメリンスの袷せが一枚あるきりだつた。俊吉はただうろうろしている。螢子が柳行李の底から大きな白い切れをとり出した。ショウのぬけたカーテンだつた。それを俊吉の前にひろげて、

「これなら丁字帯と腰巻ができますわね。でも、こんなによごれていては」

「よし、ぼくが洗う」

「でもかわかないでしよう」

「七輪にうんと火をおこしてかわかせば大丈夫だ」

「じや断つてから洗つていただけますか」

「うん。ミシンはぼくがかける。きみはもう動いちやいけない」

ミシンは家主の物を借りていた。螢子がそれをふんで、彼らの生活を支えていた。螢子は手ぎわよく丁字帯と腰巻を断つた。俊吉はそれをバケツに丸めこんで流し場へ行つた。螢子は烈しくなつてくる痛みをおさえつけながら、洗いざらしの俊吉のシャツや自分の肌着で産着を断ち合せている。雨はしぶきのように音をたてて戸を叩きつけた。

午前二時ごろだ。俊吉は螢子の指図どおりにミシンをふんでいる。俊吉は気が気でないのだつた。――まんいち螢子がこの部屋でお産をしたらどうしよう？　タライモ無ければおむつも無い。どこの産婆がいいのか見当さえつかない。タノミの知り合いひとり無い。是が非でも螢子を入院させなければならない。ああ、ここが朝鮮であつたならばな――俊吉は切実にそう思つた。けんめいにミシンをふんでいる俊吉の顔に、ときどき意味のない空虚な感じが立ち消えた。ザザザアーと産着をぬいこんでゆくミシンの音が、砂漠を駈けてゆく足音のようにも彼にはひびいた。それでいて彼の神経はとがつていた。

「これでいいか」

押入の前で何かこそこそしている螢子に、俊吉はぬい終つた産着をつまんで見せた。螢子は腰をうかしてみて、

「すみませんが、この紐のつけ根のところだけ返し針にして下さい」

俊吉がミシンをふみ出すとパッと電気が消えた。

「あッ、停電だ」

「よわりましたわね」

俊吉と螢子のこえが同時におこつた。

「この嵐だ。きつと朝までつかないかも知れないぞ」

「どうしましよう」

「ろうそくあるか」

「ありません」

俊吉は手さぐりで外へ出た。大通りの角のタバコ屋の日除がいまにもふつとばされそうにふくらんでいる。

「ろうそく下さい。すみませんがろうそく下さい」

「――」

「タバコやさん。ろうそく下さい。ろうそく」

俊吉は思い切りの声を何度もたたみ返してはタバコやの戸を叩いた。しかし、俊吉が二本のろうそくを手にするまでには十数分の時をついやさなければならなかつた。

雨戸を閉めきつてあるのに、ろうそくの明りがゆらゆらゆれる。俊吉は息をころしころしその明りの真つすぐになる間を待つてはミシンをふんでいる。

三時をすぎて、やつと丁字帯ができあがつた時だつた。

「わたし、もうだめです。すみません」

螢子はとうとう押入の前にエビのような姿態でたおれた。俊吉はうしろから妻の両わきに腕をさし込んで、ひきずつて床に寝せた。

「あなた、わたしにモシものことがあつたら、そのつつみの物は返して下さいね」

螢子は床の上にうつ伏せになつて、うめきうめき言つた。俊吉はそのつつみのそばにろうそくの明りをよせた。小包大のつつみが五

つ窓ぎわにおかれてあつて、その一つ一つに「伊沢さま」「ゆみ子さま」「島根さま」と荷札のようにつけた紙片に螢子の走りがきがなまなましく映つた。手すきの時にぬつてくれとたのまれた物だつた。

螢子はすこしもじつとしていない。たえず体をねじまげてはウン、ウウンとうなる。ときどき歯ぎしりといつしよに上体をおこすと、両のこぶしを虚空にふるわせながら大きな眼を一点にすえる。それがろうそくのほのおにゆれて異様なおそろしさを部屋にひろげた。

陣痛との血みどろな格闘の妻の前に、俊吉はただあわてふためいている。タクシーをひろいに出たくも停電で、はげしい雨と風である。俊吉は何度も玄関の格子をあけては、もしかしたら自分の家だけヒューズがとんだのではないかと、他の家の明りをたしかめた。けれども、どこも真暗やみだつた。

螢子は一、二分ぐんなりなつたかと思うと、また歯をならしたり、指先を立ててたたみに力んだ。

「おい、大丈夫か」

「え、ま、だ、大丈夫、です」

四時をすぎて電気が来た。俊吉は生き返つた声で〃おい〃と螢子によびかけた。

「赤十字は夜なかでも入院できますから、救急車をたのんで来て下さい」

螢子は一気に言つて、またぐんなりなつた。俊吉は自家から五分ぐらいのSゴム工場の脇の交番へ馳けて行つた。雨具の若い巡査がひとりきりだつた。俊吉は口早に事情をはなして、たのんだ。

「ここからは救急車はよべないんです。本署へ行つてくれませんか」

巡査はきびきびした口調で言つた。そこから三丁ほどのM署へ俊吉は走つて行つた。がらんとした奥に、四十がらみの制服の巡査が二人いた。

「救急車をお願いに上つたんですが」

俊吉は息を切らし切らし、これまでの状況のあらましをのべ、産婦はいま苦しみの絶頂と訴えた。

「お産には救急車は出さんがね。いまよつた交番へ行つて、タクシーを止めてもらうなり、どつかの自動車やを起してもらつたら」

メガネをかけた巡査が深呼吸でもするように両手を大きくひろげ背をどつかりとイスにもたせながら言つた。救急車に無我夢中になつている俊吉は、巡査の言いなりにさつきの交番に駈け戻つた。

「そんなはずないんですが」

若い巡査は当惑から厄介な奴が、という表情に変つた。俊吉はたえず往来に眼をさらしていた。もしタクシーが通りはせぬかと。しかし、まだ暗い。すさまじい吹きぶりである。タクシーの通るはずがなかつた。(こうぐずぐずしているまに、もし螢子がお産をしたら)と思うと、俊吉は気がせいて、いても立つてもいられないのだつた。

「このへんにや自動車やもありませんし、本署へ行つてたのんでくれませんか」

巡査はパッと懐中電燈で石だたみの道を照らした。雨脚はその明りと闇をはじきとばすように躍り上つていた。俊吉はいらいらした顔でいつたん家に戻つて、外から雨戸のつぎ目に唇をあてて、

「おい螢子、まだ大丈夫か」

「ええ、まだ、だい、じょうぶ」

螢子はかすかにこたえた。

「おい、がんばつていろよな。すぐむかえにくるぞ」

俊吉はM署へ急いだ。交番の近所には自動車やの無いこと、吹きぶりのためにタクシーは一台も通らぬこと、本署へ行つてたのめと言われたことを告げ、

「なんとか一つ、お願いできないでしょうか。どうか、ぜひ一つ」

俊吉はけんめいにペコペコ頭をさげつづけた。巡査はしばらく天井を見上げていたが、

「それじや夜があけるまで、そこで待つていなさい。今電話をかけても運転手がいやがつて来ないだろう」

俊吉はまるでふぬけの態度と声で、

「なんとか電話をかけていただけませんか。お願いします。お願いします」

「電話ね。まあ、きみお産で死ぬようなことはないから、おちつきたまえ」

「はア、しかし、うちには誰もいませんし、ぼくがいないと、その、どうかお願いします」

俊吉の態度が真剣のあまり、コッケイに映つたのか、二人の巡査は声を立てて笑い合つた。そこへつい立ての向うから私服がひとりあらわれた。俊吉は仕切台に上体を乗り出して、これまでのことを最大級の言葉に身ぶりをそえてすがりついた。私服は〃ちよつと待つて〃と言つて小便に行つて、くると、急な場合M署たのみつけのヤマトというタクシーやに電話をかけた。


外はうすら明るくなつていた。俊吉は身をちじめてM署の斜す向いの酒場の軒下にへばりついた。そこで待つた方が、来る車の向きを変えずに自分の家へ行かれるからだつた。雨は容赦なく彼の足もとへ吹きつけた。街はまだ寝静りかえつていた。彼にはその一切が無縁の存在に映つた。彼はただ太い両脚を割つて一台の自動車のあらわれるしゆんかんに全神経をあつめていた。


日赤産院のドアを押すと、正面の大時計が午前七時十分を刻んでいた。螢子は担送車にのせられて、長い廊下の向うの分娩室へはこばれて行つた。俊吉は作夜来はじめてホッとした面持ちになつた。彼は思い出したふうにタバコに火をつけた。十分、二十分。時間がたつにつれて彼はイスになんか掛けていられないのだつた。長い廊下をスリッパの音をしのばせて歩きまわる。七、八十人の孤児を収容した乳児院をめずらしいそうにのぞき込んだり、窓のくもりに指先で数字や棒をひいたり、風に吹きまくられている庭の蘇鉄や棕櫚の葉をながめたり、かじかんでくる指にホオと息をかけたりする。じつさいスチームの通つてない廊下は冷かつた。むかしの日本だつたらこの寒さにスチームの通らぬはずはない。植民地の病院をまざまざ思わせた。

俊吉は売店のあくのをたいへん待つていた。温い牛乳でものみたいのだつた。しかし売店のあくようすはなかつた。外来患者のかげさえない。その日が日曜日なのを俊吉はどわすれしていた。一時間一時間半。経つ時間といつしよに俊吉は長椅子に浅く、一、二分かけては立ち上る。そして(ああ、男でも女でもなんでもいいから早く生まれてくれ)という顔で廊下を歩きまわる。妻の螢子が無事か

どうか、それだけが早く彼は知りたいのだつた。螢子が分娩室にはこばれて二時間そこそこだが、彼には二カ月も三カ月もの長い時に感じられてならなかつた。

「李さんでいらつしやいますか」

乳児院の壁のニュース写真を見て立つている俊吉に、うしろから若い看護婦が声をかけた。

「はい、ぼく李ですが」

「坊ちやんがお生れになりました」

「は?」

「あのう、坊ちやんがお生れになりました。九時十五分でございました」

看護婦は澄んだ声で告げて、微笑した。

「そうですか。それはどうも。そうですか。どうもそれは。ご苦労さまでした」

俊吉はひどくしどろもどろで、まだ信じかねるという顔をまともに看護婦に向けた。

「お二方共お元気ですから。おめでとうございました」

看護婦は俊吉に背をむけると、分娩室の方へ品のよい歩調をはこんだ。俊吉はポカンと立つている。気を張りつめ通しだつた割にはあつけなく産は済んだ。(螢子! ご苦労だつたな)全身がじいと浮き上る思いで、俊吉は心のうちに言つた。乳児院の前を通り、庭に面した窓に俊吉は額をつけて立つた。芝生の上は赤黒いドロ水がいくつものすじをつくつて流れ合つている。坊ちやんがお生れになりました、さつきの看護婦の言葉を思い返しながら庭をながめていた俊吉の眼から涙がぽたりぽたりおちはじめた。

「螢子! ご苦労だつたな!」

俊吉は声に出して言つた。どうじに何のわけもなく、自分たち夫婦がそこまで辿つて来た道がアルバムをめくるように彼の眼の底に展かれるのだつた。朝鮮人である自分と結婚したために親戚一切から絶縁されている螢子。茶ブ台がなくて、たたみに新聞紙をしいて飯を食つた新婚生活。ミカン箱を茶ダンスにすえてよろこんだ螢子。貸ミシン、アイロン、物指、端切の乱雑のなかに妊娠六カ月の螢子が連日のつかれに裁断最中によくいねむりをした三畳の間。その妻に玉子一個の栄養さえあたえられなかつた自分。螢子の洋服をうつた金でぐでんぐでんに酔つた自分。きのうまでミシンをふんでいた螢子——。

「あのう、病室は何等にいたしましょうか。赤ちやんはただ今おぶつをつかつております」

さつきの看護婦である。俊吉はあわてて顔を拭いて、

「そうですね。二等にして下さい」

「承知いたしました」

ゆきかける看護婦に俊吉は百円札五枚を折つて、螢子へと託した。

俊吉は急に、はればれしい顔になつた。どうじに彼はわが子のうぶごえを鼓膜にきいた。

雨はウソのように上つて、空もしだいに明るさをまして来た。産院の門を出ると、俊吉は立ちどまつてゆつくりふり返つた。そしておのが血潮がぴちぴち音を立てて躍つている歩調を、大通りに向けてはこびはじめた。

近代日本文学における朝鮮像（五）

——研　究　ノ　ー　ト——

朴　春　日

内　容　（前号まで）

Ⅲ　関東大震災の朝鮮人大虐殺と利一・渙・修・繁治・直哉・秋声

——この一章を関東大震災で
虐殺されたわが同胞に捧げる——

（1）『種蒔雑記』——亀戸の殉難者を哀悼するために——をめぐつて

一九二三年九月一日。……呪われた大殺戮のプロローグの日。この日は朝早くから烈しい暴風雨だつた。しかし、二百十日の前日でもあつて誰も気にとめる者はいなかつた。東京の街も、家も、人も、狂つたような風雨にたださらされているだけだつた。ところが、十時頃には急に雨がやみ、風もないで、それからはジリジリしたきびしい暑さとなつた。たしかに狂つた気象だつた。

しかし、この不気味な前ぶれは日本の科学陣にもとらえられず、午前十一時五十八分四十五秒、遂にごーつという恐しい地鳴りとともに上下、左右に激震がはじまつたのである。

この激動によつて、家屋の倒壊、地面の亀裂と陥没はむろん、神田、本郷、小石川、浅草、さらに本所、麹町に火災が起り、火が火をよんで銀座、京橋、日本橋をまたたくまに火焔の渦中に投じた。新聞社の調査によると東京で出火実に七十六カ所、焼死者十万余人被害世帯数は四十万戸に及び、さらに横浜、横須賀、熱海、沼津でも数万人が焼け死に、火の海に見舞われたという。

翌二日の朝日新聞は、四段ヌキの見出しで『関東の天変地異――大混乱言語に絶す――東京全市大火災』と震災の模様を報じ、大阪毎日新聞号外は『焦熱地獄の大東京――爆発頻々、死屍累々』とその未曽有の惨状を伝えた。

一方、時の内田臨時内閣は二日午前九時に臨時閣議を招集し、〈非常徴発令〉、〈臨時震災救護事務局官制〉および〈戒厳令〉を公布し、事務局官制には総裁として**内田康哉**首相、副総裁に**水野錬太郎**内務大臣がその任についた。その後、新内閣を組閣中だつた**山本権兵衛**は急遽人選を終え同日午後七時四十分、余震と猛火の煙につつまれながら赤坂離宮で親任式を挙行するという劇中劇を演じた。そして翌三日、戒厳令の司令官として**福田雅太郎**大将、参謀長に**阿部信行**少将が任命された。

しかし、朝鮮人に対する虐殺は、すでに二日夜からはじめられていたのである。

……………

朝鮮人が集団で火をつけて歩く！

朝鮮人が爆弾を投げる！

朝鮮人が掠奪をほしいままにしている！

朝鮮人が井戸や水道に毒を入れた！

社会主義者がそれを煽動している！

革命がくる！

……………

呪うべき流言が、京浜方面から東京へ、東京から関東一円にひろがりつつあつたからである。

そして、憲兵、軍隊、警察、自警団、消防団、青年団、在郷軍人会、右翼のゴロツキどもの連合によつて野獣そこぬけの蛮行がいたる所で行なわれていたのである。竹槍と日本刀と機関銃で。――

『**種蒔き雑記**』は、一九二四年一月に種蒔き社から第一集だけが発行されたが、ここには、その時の殉難者、目撃者のなまなましい証言が収められている。むろん、これは亀戸警察署を中心としたものだが、私の知るかぎりでは、関東大震災のテロ行為にたいする唯一の証言集である。

（平沢君の靴）

四日の朝。

自分は三四人の巡査が荷車に石油と薪を積んでひいて行くのと出遭つた。その内友人の丸山君を通じて顔馴染の清一巡査がいたので二人は言葉を交わした。

「石油と薪を積んで何処へ行くのです。」

「殺した人間を焼きに行くのだよ。」

「殺した人間……。」

「昨夜は人殺しで徹夜までさせられちやつた。三百二十人も殺した外国人が亀戸管内に視察に来るので、今日急いで焼いてしまうのだよ。」

「皆鮮人ですか。」

「いや、中には七八人社会主義者もはいつているよ。」

「主義者も……。」

「つくづく巡査の商売が厭になつた。」

「そんなに大勢の人間を何処で殺したんです。」

「小松川へ行く方だ。」

（正岡高一氏の供述から。聴取人、弁護士、松谷与二郎、山崎今朝弥）

×　×

（骨）

「骨を何うしてくれる」。と私（注、殺された吉村光治君の実兄。答えているのは古森繁高亀戸署長——朴）は云つた。

「骨は荒川放水路の四ツ木橋の少し下流で焼いたから自由にひろつて下さい。あすこには、機関銃が据付けてあつて朝鮮人が数百人殺されたことは周知のことだから、誰の骨だかわかるものですか」

（南吉一氏の供述より。聴取人、東海林民蔵）

×　×

（地獄の亀戸署）

身の危険を感じたので、私は九月三日亀戸署に保護を願い出た。自分のいた部屋は奥二階の広い室で、行つた当日は二十人位全部朝鮮人であつたが、四日ぞくぞく増して忽ち百十名以上の大人数になり足を伸ばすことさえ出来なくなつた。

四日朝便所に行つたら、入口の所に兵士が立番をしていて其処に七八人の死骸や〇〇〇〇〇に莚をかけてあつた。また横手の演武場には血をあびた鮮人が三百人位縛されていたし、その外の軒下には五六十人の支那人が悲しそうな顔をして座つていた。

四日夜は凄惨と不安にみちていた。銃声がぽんぽん聞えて翌朝までつづいた。しんとして物音一つ聞えない。ただ一人の鮮人が哀しい声をあげて泣いていた。

「自分が殺されるのは国に妻子をおいて来た罪だろうか、私の貯金は何うなるのだろう。」

この怨言は寂しく、悲しく、聞くに忍びがたいものであつた。

翌日立番の巡査が言つた。

「昨夕は鮮人十六名日本人七八名殺された。鮮人ばかり殺すのでない。悪いことをすれば日本人も殺す……」

その夜また数十人が殺された。銃と剣で。

「いやな音だね、ズブウと言うよ。」

窓からのぞいていた老巡査が妙なアクセントで他の二人の巡査に話していた。

（立花春吉氏の供述より。松谷法律事務所に於て）

こうして虫ケラのように多くの朝鮮人が殺されていつた。誰も彼等のために弁じ、彼等のために抗議してくれるもののいない日本の地で、彼等は文字通り「屠所の羊」のように従順に、その〃宿命〃にしたがつたのである。

しかも、この『種蒔き雑記』は東京市内の一つの警察署管内にある虐殺の証言である。亀戸警察署。それである。しかし、それ以外の約三十余におよぶ市内の警察署で、亀戸と同じような残虐行為が行われなかつたと誰が断言できるだろうか。東京近県にしても同じことである。

私はここで亀戸以外に明きらかになつた他の集団虐殺の事実をあげてみようと思う。これは決して忘れてはならないものである。

たとえば、利根川での集団虐殺がそうだ。

『……北へ北へと熊谷太田街道を移動してゆく彼らは、つぎつぎと、この竹槍と日本刀でやられた。妻沼近くの利根川の河原まで、ようやくにしてたどりついた頃には、はじめ六百人以上もいたものが三百人にへつていた。二日も三日もくうやくわずで歩かされてきた彼らは、もう力も何もつきはてて、全員へたへたと河原の上にへたばつてしまつた。

このとき、ついに最後の襲撃がかけられたのだ。生きた心地もないほどに、つかれきつている三百人の朝鮮人をなかにして、はじめ襲撃者は遠まきにしてさわいでいた。だが、包囲の環はだんだんにちぢめられる。竹槍や日本刀が、ものものしくしごかれたり、ふりまわされる。まるく輪になつてかたまつている朝鮮人の上に河原の石が雨のようにふりかかる。憲兵がとうとう軍刀をぬいて「かかれ」と命令した。と思うとものすごい叫びと一しょに、一せいに突撃が開始された。「アイゴー」「アイゴー」、と泣きながら、河原の石に顔をすりつけている朝鮮人が、つぎからつぎへと倒れていつた。「せめて自分の子供だけは、日本人になぶり殺しにされたくない。」と、いたましくも思いつめた朝鮮の母親たちは、恐怖におびえるわが子の首をわが手でむざんにしめ上げた。そうしておいてからふりおろしてくる日本刀を、むしろ安心して自分の肩にあびたのである。

このようにして、女子供をまじえた三百人の朝鮮人は、たいした時間もかからないうちに利根川の河原を赤々と血に染めながら全滅した。……』（江口渙「奇怪な七つの物語」）

次に、習志野の残虐行為がある。

『……騎兵部隊があつちこつちでつかまえた朝鮮人五・六百人ほどが、やがて千葉の習志野の兵営にもつてゆかれた。そこで連隊はこれらの捕虜に命じて、営庭に長いざんごうを掘らせた。掘り上ると、こんどは捕虜たちを、ざんごうの前に一列にならばせておいて機関銃で打ちまくつた。捕虜のだれもが、恐怖とあきらめのためにほとんど声もたてずにざんごうの中へおちて死んでいつた。（前掲と同じ。これは江口渙がその騎兵連隊一年志願少尉の越中谷利一から直接聞いた話である。――朴）

そのほかに二子玉川近くの中洲で、三・四百人の朝鮮人が夜襲をうけて虐殺されているが、これは『一兵卒の震災手記』（越中谷利一）という記録小説になつているので後述する。

――白色テロルは、日本共産党をはじめ、社会主義者、進歩的労働者にもその血にぬれた手をのばした。当時、市ケ谷刑務所にいた徳田球一、堺利彦、渡辺政之輔なども一度はその危機にさらされたし、平沢計七や河合義虎は殺された。

河合の母は、「義虎を殺したのは誰ですか。」と亀戸署長に詰問した。「名は判らないが騎兵十三連隊の人だ。そこへ行けば殺した人が判る筈だ。」と署長は答え、紙切に「第十三連隊」と書いて渡した。しかし、その同じ署長が吉村光治の実兄には、「殺したのは私の責任です。巡査にそう言わせたのも私の命令です」と答えている。（『種蒔雑記』「騎兵第十三連隊の紙片」より）

また朝鮮人と間違えられて殺された日本人も多い。たとえば佐藤欣治がそうである。

『佐藤君が鮮人と見違われて（佐藤君は色白く丈高く一見鮮人に見違われ易い）拘引されたことをきいたのは九月三日の午後であつた。私達は配給米の交渉で役場へ行く途中、香取神社境内の軍隊本部に寄つて見た。すると佐藤君が多数の朝鮮人と一緒に縛られていた。私達はすぐ軍隊に対して佐藤君のことを話した。すると役場から証明を持つて来ると釈放するという。そこで役場へ行くと、証明がなくつたつて君達が証明すりや充分じやないか、との答だ。その意味を伝えて軍隊と再交渉すると、今調べ中だ、わかつたらすぐ帰すと言うので私達は安心して帰つた。が、佐藤君は遂に帰つて来なかつた。……』（前掲と同じ。南喜一、南巌両氏の供述から。聴取人牧野充安）

また、現在『日本の代表的な演劇作家として活動している千田是也（本名伊藤圀夫）も千駄ケ谷で朝鮮人とまちがえられて危く殺されそうになり、その芸名の千田是也（千駄ケ谷のKOREA）はこれを記念してつけられたものだ……』（金達寿「日本文学のなかの朝鮮人」）という話は有名である。

『朝鮮人の暴動のデマは、一体だれがいい出したのか。……この流言の出所について、もつと確かな証人を求めたい気もちである』と日本の著名な評論家中島健蔵はいつている。（「昭和時代」岩波新書）

松川事件がそうであるように、草の根をわけても、という衝動が私を突き上げる。果して、あの未曽有の大震災のなかで、在日朝鮮人は、そんな不逞をはたらいたのだろうか。自然の猛威のなかで、暴動を起し、火を放ち、毒物を投げ入れる、そんな反人道的な行為をする心のゆとり(?)があつたのだろうか。しかし、彼等はこう報じている。

『九月三日午前九時頃、自称、琢王源は日本衣を着し、毒薬亜比酸七十八匁を懐中し、徳右衛門町菊川町方面の焼跡残留者が、唯一の飲料水供給所として貴重せる菊川町水道消化栓附近を彷徨中押えられたが、其所持の亜比酸を食塩だと強弁したため、群衆から嚥下を迫られ、遂にこれをのんで悶死した。』と。しかし、この記事は震災から一カ月以上もたつた十月二十一日の東京朝日の紙上である。しかもデマのうらづけをするように、暴行、放火、掠奪、強姦などの「事実」をあげているが、この記事を引用した東京市編纂の《東京震災録》（昭和二年三月三十一日発行）は、いみじくもこうのべている。

『……と報道したるもの、果して悉く事実なるや否やを知らざれど……』、と。

官製のニュースは、このようにしてそのみにくい仮面をはぎとられる。たとえば、次の数字である。警視庁が統計をとつたものでは朝鮮人は一人も殺されていないことになつている。なぜなら《東京震災録》の部厚い統計資料の「変化」の項には、それが一つも記載されていないからである。しかし、新聞の調査したものが同録にでているが、それによると、関東大震災で死んだ（殺された、ではない）朝鮮人の数は、

東京府	三七名
埼玉県	六六名
群馬県	一七名
千葉県	六二名
神奈川県	一五〇名
計	四三二名

となつている。真ッ赤な嘘とはこのことだ。〃公正中立〃を守るべき新聞がこの有様である。

また彼等のいう亀戸警察署の「活動」はどうであつたか。亀戸署

の「活動」はすでに『種蒔き雑記』によって明らかであるが、一応彼等ののべるところをみると、次のようになつている。

『二日午後七時朝鮮人数百名管内に侵入し暴行至らざるなしとの流言あり。小松川方面に在りては警鐘を乱打し非常を報ず。古森署長（繁高）軍隊の援助を求むると同時に、署員を二分して、一隊を平井橋方面に出動せしめ、自ら一隊を率いて吾嬬町多宮原に向う。

多宮原の避難者約二万、流言に驚き鮮人を捜索し、闘争、殺傷所々に行われ騒擾の巷と化したれども、鮮人暴行の形跡を認めず、附近を物色して鮮人二百五十名を収容して調査するに亦得る所あらず……鮮人暴行説の流言に過ぎざるを認め、三日以来其旨を一般民衆に宣伝するも肯定するものなく、遂に鮮人の保護収容に従事せる……。』（傍点——朴）

署は自警団の幹部を招きて戒凶器の携帯を禁じ、其反省を促したれども人心動揺の虚に乗じ不穏の挙動に出るものあり……而して物情漸く鎮まるを待ちて自警団の反罪捜査に従事し、十月一日以来之を検挙す。』（《東京震災録》別輯、第二章郡部警察署の活動、第十七節亀戸警察署、(6)流言及自警団取締）

ここでは二つのことが問題となろう。第一には「鮮人暴行説」がデマであることを彼等が認めたことであり、第二には、亀戸署としては一人の朝鮮人も殺していない、すべて自警団がやつたことだ、としていることである。前者はその通りであり、後者は虚偽であることは云うまでもない。それは彼等自身の「確認」と『種蒔き雑記』の証言によつて明らかにされているからだ。

(2) 越中谷利一の『一兵卒の震災手記』と江口渙の『奇怪な七つの物語』

九月五日、山本内閣は〈内閣告諭第二号〉を発令した。それ以前には三日に〈摂政宮御沙汰〉、〈東京府告諭第一号〉（東京府知事宇佐美勝夫）、四日に〈内閣告諭第一号〉が発令されていたが、朝鮮人虐殺には一言もふれない「告諭」だつた。虐殺は前にものべたように二日からはじめられていたのであるから、この事実を彼等が黙殺したことは、そのまま虐殺行為を容認したことになる訳だ。

ともかく、朝鮮人虐殺の最高責任を負わねばならない山本内閣が五日に至つてはじめてその事実を取りあげたのである。

今次の震災に乗し一部不逞鮮人の妄動ありとして鮮人に対し頗る不快の感を抱く者ありと聞く鮮人の所為若し不穏に亘るに於ては速かに取締の軍隊又は警察官に通告して其処置に俟つへきものなるに民衆自ら濫に鮮人に迫害を加ふるか如きことは固より日鮮同化の根本主義に背戻するのみならず又諸外国に報ぜられて決して好ましきことに非す事は今次の唐突にして困難なる事態に際会したるに基因すと認めらるゝも刻下の非常時に当り克く平素の冷静を失わず慎重前後の措置を誤らす以て我国民の節制と平和を発揮せむことは本大臣の此際特に望む所にして民衆各自の切に自重を求むる次第なり

大正十二年九月五日

内閣総理大臣　伯爵　山本権兵衛

笑止！　である。

この「告諭」が、いかにギマンにみちたものであるか、責任のがれのものであるか、恥知らずのものであるかは論をまたない。

第一に、この「告諭」は朝鮮人大虐殺の原因となつた「鮮人暴動説」やその流言をデマであるとは云つていない。《東京震災録》のように二年も三年も経過してからデマであると認めても、それは何んの役にも立たないではないか。「鮮人暴動説」がデマであると断定することは、山本内閣がこの「告諭」で第一番に明確にすべき重大事ではなかつたのか。――そうすれば、おそらく五日以後の殺人行為は半減した筈である。

第二に、この「告諭」は朝鮮人虐殺の責任を日本の民衆に転嫁している、ということだ。「民衆自ら濫に鮮人に迫害を加ふる」というくだりがそれを示している。彼等の御用軍隊が、御用警察が、御用右翼のゴロツキどもが直接の下手人ではなかつたか。――彼等はそれをインペイした。

第三に、この「告諭」がいかに真実味のない、お座なりのものであつたかということだ。かりそめにも一国の最高機関である内閣の全国民にたいする告諭である。とすれば、五日以降は朝鮮人にたいする殺人行為が起つていい筈がない。ところが、現実には竹槍と日本刀による虐殺が相も変らず行われつづけたのである。越中谷利一の記録小説**『一兵卒の震災手記』**がそれをはつきりと証明する。

これは何を意味するのか。それはこの山本内閣の「告諭」が一片の紙キレに過ぎないということを物語る。常識で考えて全国民にたいする内閣告諭が発令されるならば、当然その具体的措置として軍隊や警察、また関係官庁に通達が出されてしかるべきである。しかし、私の調査では「告諭」にもられた「精神」を執行する通達は一つも出されていないのである。――彼等は朝鮮人虐殺を阻止する意志はもつていなかつた。

越中谷利一は、震災当時、騎兵第十三連隊付きの一年志願少尉であり、実際に日本軍隊の残虐行為を目撃した人である。

災後十日。帝都警戒に任じていた南軍警備隊に属する、騎兵第××連隊は、青山の××××に本部を置いていた。……

「今夜は俺たちか」……石井がウンザリしたように云つた。

「ううん。――何んと云う愚だ」彼も吐き出すように呟いたが、眼は自ずと劇しい憎悪に燃え上つて行つた。

「××事件をきいたか？」

「うん――」

「殺られたな」彼は額に太いシワを刻んだ。

「全くヒドイからな。君は知るまいが、こつちへ来る時なども××で××が大分殺られたよ。中には日本人もいたんだ。まるで××の練習だよ。××病院裏の火葬場では日毎煙りが上つていたんだからな。――君なんども注意しないと危いぜ」

「馬、馬鹿な……」彼はあわてて石井の意外な言葉を打ち消した……。

兵隊は一斉に乗馬した。

「――只今、××××方面に数不明の××の集団が襲来しつつあるとの情報に接したので、本小隊はこれより其の警戒の為出動する。××！」小隊長が厳そかに叫んだ。

……バラックの夢を驚かす馬蹄の響が戞々と深夜の大地に鳴つた……。

「――×は何者だと云うのか？――」

「しつ、きこえるぞ！」

「俺は絶対に××しないぞ！」

彼は石井と投げつけるように馬上で言葉を交わした。

尖兵は其夜の暁方の午前二時頃、目的地に到着した。行動は直ちに開始された。先ず川を渡つて騎哨線が布かれた。敵状捜索の斥候が出た。

「前へ！」動令が下つた。分隊は屏風のように起き上るや、直ちに投網のように散開して一斉にどつと喊声を挙げて、弾丸のように突入した。

見よ！　彼等の驚きを見よ！　不意を突かれて逃がれる間もなく忽ち約二十名許りのうちの四・五名は（注、以下十三字伏字―朴）かれて、吁つ！　吁つ！　と云う絶叫に似た悲鳴が物凄く起つた。……

「向つて来ないのか。こらつ！」と分隊長が威丈高に怒鳴つた。しかし彼等は予期に反して全るで抵抗がなかつた。只、点々と転がつているところから手負い獣のような呻き声のみが、まつ黒くきこえた。

……………………

「×したか？」其の時石井が後尾から馬を乗りつけて小声で彼に云つた。

「×さない」

鐙に力を入れて腹立しげに頭を振つた彼は、極度の憂欝な表情で答えた。

彼は突撃の時は大声で、只喊声のみを挙げていた。空間を選んでは、闇にまぎれて只無闇矢鱈に×を振り廻して許りいた。

ああ、どうしたならば×すことが出来たのか？　自分の前によろよろと両手を合わして跪いた彼等、国を××れ、国を××れ、（注、以下九字伏字――朴）鉄鞭に絶えず生存を拒否されつつ流浪して、今喰うに食なく、宿るに家なき――彼等を、どうして此の（以下十字伏字）ことが出来たか。……云うを止めよ。此の命令を下した（以下十三字伏字）？　分隊長か、小隊長か、将又、××某か？　否々と彼は呟いた。そして夫れは最つと最つと巨大な、夫等をして手足の如くに（以下三十四字伏字）……

全くひどい検閲ぶりである。しかし、それはそのまま、日本の支配階級がいかに真実の証言を恐れたかを物語る。

この作品は、前述したように二子玉川近くの中洲での殺戮劇を取りあげたものであるが、作者が直接その騎兵隊に加わつていただけに、その人間的な苦しみと怒りが、なまなましい実感をともなつて描かれている。『関東大震災をかいた小説はずいぶん多い。その中でもこの小説は群をぬいてすぐれている』と江口渙氏はのべている。たしかに、この記録小説は日本帝国主義の残虐性を見事にあばいている。おびただしい伏字の中から、利一がたたきつけた文字の一つ一つが起きあがるような錯覚さえおぼえる。伏字は利一の良心を伏せとおすことは出来なかつたのである。

市川正一が『日本共産党小史』の中でのべているように、〃ブルジョアジーはこれを内乱鎮圧のための演習にもちいた〃のである。逃げ場を失い、同族どうしでひとかたまりになつて恐れおののく朝鮮人にたいして、「向つて来ないのか。こらつ！」と怒鳴つた分隊長の憎く憎くしげな表情を想像してみるがいい。それはおそらく人間の名に価する顔ではなかったろう。その〃顔〃こそが、まぎれもない日本帝国主義者たちの共通した〃顔〃であり正体なのである。

山本内閣の「告諭」も結局はそうした本質から出たものであってそれ以外のなにものでもない。

第四に「告諭」についてもう一つの事実をのべよう。つまり、山本内閣の〈内閣告諭第二号〉に、ただ一つだけ彼等の本音があったということについてである。それは、在日朝鮮人虐殺の真相が「諸外国に報せられて決して好ましきことに非ず」という部分である。これはその通りである。先にも引用したように亀戸署の警官は「外国人が亀戸管内に視察に来るので、今日急いで（死体を――朴）焼いてしまうのだよ。」（「種蒔き雑記」）と虐殺の証拠をインメツしに行くことをはっきりと語っている。彼等がそれを恐れたことは事実である。

なぜなら、次のような出来事があったからである。

当時、東京には外国の大使館、公使館が数多くあったが、当然、この残虐行為を目撃し、はげしい批難を日本政府に浴せた。中でも一番強硬だったのはアメリカ大使で、「このようなおそるべき大虐殺が公然とおこなわれる日本という国は、断じて文明国とは認められない。ことに、それを平気で見ていてとめようともしない日本政府は世界中でも一番野蛮な政府である」と批難したという。（「奇怪な七つの物語」江口渙）

そして、各国大使公使の連名で抗議文が日本政府に手渡されているという出来事だ。古くから「国体の威信」を気にする日本なら、これを恐れたのはむろんだろう。

さて、最後に、朝鮮人を大量虐殺したその背景と内幕について言及しよう。

江口渙の『**奇怪な七つの物語**』の中の「関東大震災と社会主義者・朝鮮人の大量虐殺」という一章が、この問題をはっきりと暴露している。

私はこの小稿の前の部分で、「朝鮮人暴動説」その他のデマが、「京浜方面から東京へ」流れたと書いた。前に引用した《東京震災録》（むろん官製であるが）ではこうのべられている。

『これを発生せしめたる原因に関しては、警視庁は、日韓合邦を喜ばざる鮮人少なからざるに鑑み、震災に依り衣食住に窮せる京浜在住の鮮人、殊に横浜方面の鮮人が東京に出て活路を求めんとし、途上餓渇に迫りて言語不通のため竊盗掠奪を為したる者あるを見、疑心暗鬼を生じて、此の流言を出したり、……』《東京震災録》別輯第六章、第三款、「流言蜚語と宣伝」）

いちいち論駁する必要はないが、朝鮮人が食糧の掠奪をしたのではないこと以外はおおむねそのとおりである。

江口渙はこうのべている。

『横浜全市が火になると、何万もの避難民が波止場近くのあき地をめがけてなだれこんだ。夕方になったが喰う物がない。腹はへってくる。子供は泣く。みんながひどく困っていると、税関の倉庫の中には輸入食糧が一ぱいあるということが、誰がいい出したともなしにひろがっていた。だが、誰ひとりとして倉庫を破って食糧をもち出すだけの勇気はない』しかし『避難民の中に立憲労働党総裁山口正憲という』右翼がいた。彼はすぐに『彼の女房と子分数十人』

とで倉庫を破りはじめた。『それに勢をえた避難民は、わあっとときの声を上げて倉庫をおそつた。』しかし『そのあとが悪かつた。何しろ政府が保管しているものを勝手に掠奪したのだから、あとでどんな事になりかねないかもしれない。あとのたたりを怖れた彼はその掠奪を朝鮮人になすりつけた。（傍点——朴）

「朝鮮人がバクダンで税関の倉庫をぶちこわした。」

「倉庫をやぶつて食糧を掠奪した」

と宣伝して歩いた。夜になつても赤ハチマキで赤旗をおし立て同じようなことをわめきながら焼跡を歩きまわつた。そして、『この流言は二手に分れて東京に向つた』のである。

このデマが内務省に伝わつたのは『二日の午前中』だつた。山本権兵衛新内閣がまだ親任式を終えていなかつたため、内田臨時内閣の内務大臣水野錬太郎は事務官掌をしていたが、『憲兵から横浜の情況報告をうけると』狼狽して、ただ一つ機能を保つていた『千葉船橋の海軍無電局』から次のような電文を全国に発信したのである

> この度の地震の混乱に乗じ、朝鮮人にしてバクダンをたずさえて横行するものもあり。社会主義者その他不逞無頼の徒これに和し放火掠奪いたらざるなし。各地方においても、しかるべく手配をこう。
>
> 内務省

すべてはこれだつた。この電文は、『そのとき太平洋を航海中だつた日本郵船や東洋汽船、その他の汽船の無電局で受信され、記録されて、それがあとあとまでのこつた。』

やがて震災がおさまつたのち、自警団の朝鮮人殺しがあらためて問題になつて起訴され、裁判となつた。そのとき弁護士側は公判廷にこの電文をもち出した。そして内務省がこういう公電を打つたからこそあいうさわぎがおこつたのだ。だから朝鮮人殺しの責任は内務省にあつても自警団にはない。自警団は内務省の命令を守つただけである。といつて自警団の無罪を主張してゆずらなかつた。

これがすべてだつた。もう一つの官製資料《東京府大震災誌》（東京府編纂、大正十四年五月十日刊）にも、二日徒歩連絡によつて船橋電信所から一つの訓電が飛んでいることを認めている。内容はむろんすりかえられているが、東京内の電信機関が不通のために船橋電信所が唯一の発信所であつたことは確である。

——なぜこの訓電は取り消されなかつたのか。

それは『日本の帝国主義者がつねに、自分の足もとにおさえつけてはいるがいつかは跳ねかえつて自分をたおすだろうとおそれていた朝鮮人にたいして』『内乱鎮圧のための演習』（市川正一「日本共産党小史」）を行うためだつたのである。

右翼のゴロツキ山口正憲のデマゴギーと
内務官僚水野錬太郎の虐殺訓電と
山本権兵衛政府の内乱鎮圧演習と
　そしてファシズムの忠実なる使徒たち
憲兵と
警察と
自警団と
　そして、その凶器たち
竹槍と
日本刀と

機関銃と
　そして、その材料になつた
朝鮮人と
　日本人と
　そしてそのチャンス
関東大震災
　…………………

　これがすべてである。

　ともあれ、『種蒔き雑記』と『一兵卒の震災手記』と『奇怪な七つの物語』は、ともに、永遠に、その真実を語つてゆくであろうしまた語つてもらわねばならぬ。

　江口渙の『横浜の山口正憲の税関倉庫襲撃事件や内務大臣水野錬太郎の無電の電文などは、その頃大川周明が主宰していた右翼団体猶存社のメンバーだつた綾川武治からもらつた資料による』（前掲「あとがき」）という一言は、それをさらに確認づけ、氏が文字どおり『一心になつて集めた資料』というその労苦は、何よりも殺された朝鮮人や日本人にたいするはなむけであるからだ。

　――さて、この稿をとじるにあたつて一つだけつけ加えることがある。

　それは、水野錬太郎のことであるが、彼は内務大臣になる前、朝鮮で斎藤実総督の政務総監をしていた、ということである。

編集後記

　ずいぶんのんびりした雑誌である。第四号が出たのが六月で、この第五号が出るのは十二月である。ちようど半年ぶりということになるが、もちろん、われわれはこのあいだにただのんびりしていたわけではない。さまざまな、それなりの努力をつづけた結果がこれである。ナサケないといわざるをえない。

　そのあいだには、もう停刊ということにしてしまおうと考えられたこともあつた。予約読者は予約金をそのままみんな返して――。しかし、われわれがそれに踏みきることができなかつたのは、わずかではあるが、これら予約読者たちの熱意のためであつた。たとえばある読者からは、こんどあらたに固定読者を三人つくつたからという手紙がくる。また千葉刑務所で無期の懲役にある朴判東という人から、「裁判報告」と「判決謄本並びに弁護士の上告趣音書」とが送られてきた。それによると彼の強盗殺人罪は全くの冤罪だというのである。これについては、われわれはこれからよく調べてみたいと思つているが、弁護士の「趣意書」にも一貫して彼の無罪が主張され、そのなかにこんなことばがある。「通常、一般日本人の心中に朝鮮人に対する誤れる優越感、軽蔑感が存し、それと対応して一般朝鮮人の中にも、理由なき劣等感、卑屈感を持つた者の多いことも、現在の我が社会における著明なことがらである」

　要するに、われわれは雑誌をやめるわけにはゆかないのである。来年に入つたら、われわれは、このことについて、もつとしつかりとした態度を確立したいと思う。

　読者のみなさんも、どうかよい新年を迎えて下さい。

×　×

鶏林　第二年　第四号
定価　五〇円
一九五九年十一月二十五日印刷
一九五九年十二月　一日発行
編集兼発行人　張　斗　植
東京都中央区日本橋茅場町二の一〇
印刷所　大成印刷株式会社
東京都墨田区寺島町一の二
発行所　鶏　林　社
電話（六一一）一四二七
振替口座東京四一一六二三

編纂者紹介

宇野田尚哉（うのだ　しょうや）

1967年　鳥取県生まれ
大阪大学文学研究科教授
在日朝鮮人運動史研究会会員
〈編・著書〉
『「サークルの時代」を読む』（共著、影書房、2016年）
復刻版『ヂンダレ・カリオン』（解説、不二出版、2008年）
『「在日」と50年代文化運動―幻の詩誌『ヂンダレ』『カリオン』を読む』（共編著、人文書院、2010年）他

解説者紹介

宋 恵 媛（ソン・ヘウォン）

在日朝鮮人文学研究者
博士（学術）
在日朝鮮人運動史研究会会員
〈編・著書〉
『「在日朝鮮人文学史」のために―声なき声のポリフォニー』（岩波書店、2014年）
『在日朝鮮女性作品集―1945 ～ 84』（緑蔭書房、2014年）
『在日朝鮮人文学資料集―1954 ～ 70』（緑蔭書房、2016年）他

在日朝鮮人資料叢書17 〈在日朝鮮人運動史研究会監修〉

在日朝鮮文学会関係資料　3

2018年4月30日　第1刷発行

編纂者……………宇野田尚哉
解説者……………宋恵媛
発行者……………南里知樹

発行所……………株式会社 緑蔭書房
〒173-0004 東京都板橋区板橋 1-13-1
電話 03(3579)5444／FAX 03(6915)5418
振替 00140-8-56567

印刷所……………長野印刷商工株式会社
製本所……………ダンクセキ株式会社

Printed in Japan
落丁・乱丁はお取替えいたします。
ISBN978-4-89774-187-1